KU-161-762

La Provence contemporaine de 1800 à nos jours

L'histoire des provinces aux Editions Ouest-France

Histoire de la Bretagne
(collection dirigée par André Chédeville)

Préhistoire de la Bretagne (P.-R. Giot, J. L'Helgouach, J.-L. Monnier)
Protohistoire de la Bretagne (P.-R. Giot, J. Briard, L. Pape)
La Bretagne des saints et des rois Ve-Xe siècle (A. Chédeville, H. Guillotel)
La Bretagne féodale XIe-XIIe siècle (A. Chédeville, N.-Y. Tonnerre)
Fastes et malheurs de la Bretagne ducale 1213-1532 (J.-P. Leguay, H. Martin)
L'âge d'or de la Bretagne 1532-1675 (A. Croix)
La Bretagne de 1939 à nos jours (J. Sainclivier)

Histoire de la Provence
(collection dirigée par Jean-Pierre Leguay)

La Provence des origines à l'an mil
(M. Bats, G. Camps, P.-A. Février,M. Fixot, J. Guyon, J. Riser)
La Provence moderne 1481-1800
(F.-X. Emmanuelli, M.-H. Frœschlé-Chopard,
M. Lapied, M. Terrisse, M. Vasselin)

Histoire de la Savoie
(collection dirigée par Jean-Pierre Leguay)

La Savoie des origines à l'an mil
(J. Prieur, A. Bocquet, M. Colardelle, J.-P. Leguay, J. Loup, J. Fontanel)
La Savoie de l'an mil à la Réforme (R. Brondy, B. Demotz, J.-P. Leguay)
La Savoie de la Réforme à la Révolution (R. Devos, B. Grosperrin)
La Savoie de la Révolution à nos jours XIXe-XXe siècle
(A. Palluel-Guillard, C. Sorrel, G. Ratti, A. Fleury, J. Loup)

Histoire du Poitou

La préhistoire du Poitou (R. Joussaume, J.-P. Pautreau)

François-Xavier Emmanuelli
Bernard Barbier, Roland Caty
Gérard Monnier, Eliane Richard
Ralph Schor

La Provence contemporaine de 1800 à nos jours

ÉDITIONS OUEST-FRANCE
13, rue du Breil, Rennes

Photo de couverture :
Symbole de modernité et d'ouverture, la fondation Vasarely a été implantée à Aix-en-Provence, dans le quartier nouvellement urbanisé de Jas-de-Bouffan.
Photo Gilles Bouchard © Fondation Vasarely.

INTRODUCTION

Aussi paradoxal que cela puisse paraître, nous connaissons la Provence contemporaine souvent moins bien que celle des périodes antérieures et l'on peut même dire, sans crainte d'exagération, que des pans entiers du passé récent restent à découvrir, en presque tous les domaines, et pour toutes les périodes.

Les deux derniers siècles seront probablement définis comme ceux où la Provence a cessé d'être une réalité humaine spécifique, originale, pour n'être plus qu'un vague cadre géographique offert à un genre de vie, certes ensoleillé, mais standardisé, sans saveur particulière, pour citadins des pays industrialisés.

Politiquement, la Provence a disparu à la fin du XVIIIe siècle. Avec des particularités de moins en moins sensibles, sa population s'est coulée dans le moule français. Pour mesurer le caractère définitif de cette aliénation, il suffit de considérer la pensée politique de Mistral ou des félibres fédéralistes, d'où toute référence à la Provence-nation historique a été évacuée, ou les échecs répétés et piteux des différents courants régionalistes depuis le début du XXe siècle. La « conscience régionale » de notre époque, dont il n'est pas sûr qu'elle imprègne la masse de la population, ne saurait être sérieusement tenue pour la forme actuelle du provençalisme. Il s'agit de tout autre chose, et les références au passé, dans toutes ses dimensions, n'y ont guère leur place.

Humainement, la Provence a commencé sa longue agonie il y a un peu plus d'un siècle, lorsque les effets conjugués de la pression étatique sur le clergé, de la scolarisation primaire et de l'accélération des communications ont pu jouer à plein. Alors, les campagnes, jusqu'alors à l'écart du monde dans leur majorité et désormais exposées de plein fouet aux aléas de l'économie de marché, ont commencé à se vider de leurs populations au profit des lieux d'acculturation par excellence qu'étaient depuis longtemps les villes, tandis que la formation scolaire, imaginée par des représentants des élites citadines bien intégrées au système français, écrasait la langue provençale et préparait l'homogénéisation des genres de vie. Le phénomène a été masqué jusqu'aux années soixante de ce siècle par l'espèce de pacte tacite conclu entre gouvernants et paysannerie et en vertu duquel les premiers ménageraient et protégeraient les seconds en échange de leur acceptation du système politique.

Depuis les années soixante, pour des raisons multiples, le discours et les actes ont commencé à changer, et la paysannerie (provençale ou autre), désormais très minoritaire, est condamnée. Simultanément, l'urbanisation, brutalement accélérée, et le tourisme, en imposant une pression spéculative insupportable, ont entamé le processus de dépossession des terres qui doit conduire à terme à la mainmise des citadins sur le foncier agricole et, dans les secteurs les plus attractifs, à une emprise des éléments les plus aisés de la société industrielle, au détriment des propres habitants de la région.

Pour la Provence, perçue comme unité « culturelle », cette évolution (inéluctable ? Le XXIe siècle sera probablement dans les pays industrialisés un monde de conurbations) a été et est particulièrement destructrice parce qu'à ces facteurs politiques et économiques s'est ajoutée l'immigration massive et rapide d'éléments étrangers. Non méditerranéens, ils se sont surtout adaptés au climat, qui les intéressait en priorité avec les possibilités d'emploi suscitées par la mutation économique. Méditerranéens, ils se sont intégrés par le biais de la langue française quand ils n'étaient pas francophones de naissance, et, dès la seconde génération, se sont généralement révélés des adeptes de la « culture » standardisée qui prévaut dans le monde urbain.

À sa manière, l'histoire « culturelle » des deux derniers siècles traduit cette évolution. D'une littérature francophone (sans parler de la littérature en langue provençale) et d'un art enracinés dans le pays, on est passé progressivement à une littérature et un art prenant la Provence pour cadre ou pour prétexte. En cette fin de siècle, la vie culturelle est intense, particulièrement depuis la Seconde Guerre mondiale (festivals, théâtres permanents, édition, Beaux-Arts...), mais elle n'est plus guère que le maillon « en Provence » d'une chaîne qui passe dans tous les pays industrialisés. On va vers une « culture provençale » de musée, plus ou moins vivante. On peut en voir les signes avant-coureurs dans le caractère de plus en plus touristique des fêtes traditionnelles, dans la manière dont est traitée la culture provençale à la télévision régionale, dans l'impact modéré des vivaces sociétés savantes de Marseille, Aix, Arles, Avignon, Nice, Toulon, Draguignan, Digne, Istres, etc.

Le temps du « Feu » et des « Cahiers du Sud », le temps où Marseille et Aix étaient le siège de mouvements avant-gardistes influents, n'est plus. L'effervescence créatrice qui a marqué les deux premiers tiers du siècle aussi bien dans le domaine francophone que dans le domaine provençal, dans le prolongement du régionalisme littéraire du siècle précédent (symbolisé par Roumanille, Mistral, Autran, Fanny Arnaud...) a été caractérisée par l'épanouissement de l'inspiration provençale des auteurs. Chacun à sa manière, E. Sicard, Edmond Jaloux, Francis de Miomandre, Suarès, Maurras, d'Arbaud, Rieu, Brauquier, Peyre, Galtier, Delavouet et bien d'autres ont chanté la Provence. Mais ont-ils semé sur un terrain favorable ? L'enseignement de la langue, difficilement arraché, reste marginal dans ses effectifs. Or il est le seul véhicule non seulement de la langue mais aussi de toute la « culture » provençale face au matraquage d'une sous-culture « américaine » et à l'attrait du genre de vie citadin standard. Le sud-est de la France se distingue davantage par l'étoffement de son réseau scolaire et l'importance de son réseau universitaire (quatre universités maintenant), l'activité de centre de recherches ou d'entreprises à la pointe du progrès technique, que par la valorisation d'une « culture » qu'il est en train de perdre. Il s'est fortement tourné vers un futur indéfinissable mais plein de dangers pour la Provence naturelle et humaine. Il convient de méditer sur ce point les contributions de C. Vautravers dans *La Provence de 1900 à nos jours* (1978) et de C. Mauron dans l'*Histoire de la Provence* des éditions Hachette (1980).

La Provence dont ce livre prend congé correspond à une grande partie de la Provence historique évoquée dans les volumes précédents. Elle s'inscrit dans les frontières de 1860, rectifiées en 1945, et dans le cadre des départements de Vaucluse, Bouches-du-Rhône, Var, Alpes-Maritimes, Alpes-de-Haute-Provence/Basses-Alpes. Si les Hautes-Alpes font leur apparition dans le dernier livre, c'est qu'elles ont été rattachées à la région P.A.C.A. dont le nom résume à lui tout seul le bouleversement survenu.

François-Xavier EMMANUELLI

BIBLIOGRAPHIE GÉNÉRALE

Atlas

Atlas de Provence-Côte d'Azur, Le Paradou, 1976.

BARATIER (E.), DUBY (G.), HILDESHEIMER (E.), *Atlas historique. Provence, Comtat Venaissin, Orange, Nice, Monaco*, Paris, 1969.

Histoires générales

AGULHON (M.), COULET (N.), *Histoire de la Provence*, coll. « Que sais-je ? », Paris, 1987.

BARATIER (E.) (sous la direction de), *Histoire de la Provence*, Toulouse, 1971, 2 vol.

BORDES (M.) (sous la direction de), *Histoire de Nice et du pays niçois*, Toulouse, 1976.

EMMANUELLI (F.-X.), *Histoire de la Provence*, Paris, 1980.

GUIRAL (P.) (sous la direction de), *La Provence de 1900 à nos jours*, Toulouse, 1978.

LATOUCHE (R.), *Histoire de Nice*, Nice, 1951, 3 vol.

MASSON (P.), *Les Bouches-du-Rhône. Encyclopédie départementale*, tomes 5 à 16, Paris, 1914-1939.

Monographies urbaines

AGULHON (M.) (sous la dir. de), *Histoire de Toulon*, Toulouse, 1980.

BARATIER (E.) (sous la dir. de), *Histoire de Marseille*, Toulouse, 1973.

BERNOS (M.) et alii, *Histoire d'Aix-en-Provence*, Aix, 1977.

BUSQUET (R.), *Histoire de Marseille*, Paris, 1977.

CHIFFOLEAU (J.) et alii, *Histoire d'Avignon*, Aix, 1979.

GONNET (P.) (sous la dir. de), *Histoire de Grasse et de sa région*, Roanne, 1984.

GUIRAL (P.), AMARGIER (P.), *Histoire de Marseille*, Paris, 1983.

Divers

AGULHON (M.), *Une ville ouvrière au temps du socialisme utopique. Toulon de 1815 à 1851*, Paris, 1970.

AGULHON (M.), *La République au village. Les populations du Var de la Révolution à la IIe République*, Paris, 1979.

AGULHON (M.), *La vie sociale en Provence intérieure au lendemain de la Révolution*, Paris, 1971.

AMOURETTI (M.-C.) et alii, *Campagnes méditerranéennes : permanences et mutations*, Aix-Marseille, 1977.

BENOÎT (F.), *La Provence et le Comtat Venaissin*, Avignon, 1975.

BRUN (A.), *La langue française en Provence de Louis XIV au Félibrige*, Paris, 1927.

CONSTANT (E.), *Le département du Var sous le Second Empire et au début de la IIIe République*, Aix, 1977, 5 vol., dactyl.

DERLANGE (M.) et alii, *Les Niçois et l'histoire*, Toulouse, 1988.

COLLIER (R.), *La vie en haute Provence de 1600 à 1850*, Digne, 1973.

DURBIANO (C.), REPARAZ (A. de), « Le foncier agricole en PACA », *Méditerranée*, tome 37, 4e trimestre 1979.

GAILLARD (L.), *La vie quotidienne des ouvriers provençaux au XIXe siècle*, Paris, 1981.

GAILLARD (L.), *La vie ouvrière et les mouvements ouvriers à Marseille de 1848 à 1872*, Aix, 1972, 3 vol., dactyl.

GAUDIN (G.), *Le royalisme dans les Bouches-du-Rhône de 1876 à 1927. De la fidélité à l'idéologie*, Aix, s.d., dactyl.

GUIRAL (P.), REYNAUD (F.), *Les Marseillais dans l'histoire*, Toulouse, 1988.

LIENS (G.), « Le stéréotype du Méridional vu par les Français du Nord, 1815-1914 », *Provence historique*, 1977.

MAUREAU (A.), *Avignon à la Belle Époque*, Bruxelles, 1973.

MESLIAND (C.), *Paysans du Vaucluse, 1860-1939*, Aix, 1989, 2 vol.

RINAUDO (Y.), *Les vendanges de la République*, Lyon, 1982.

ROLLET (P.), *La vie quotidienne en Provence au temps de Mistral*, Paris, 1972.

ROCHE (A.-V.), *Provençal regionalism*, Evanston, 1954.

LIVRE PREMIER

L'INTRUSION DE L'ÉCONOMIE DE MARCHÉ DANS LES CAMPAGNES ET LES VILLES

F.-X. Emmanuelli
Roland Caty
Éliane Richard

CHAPITRE PREMIER

LES CAMPAGNES PROVENÇALES À L'HEURE DU MARCHÉ

À l'issue de la Révolution, les campagnes provençales n'avaient guère changé. C'était toujours un monde de villages concentrés et souvent peu peuplés, peut-être secoués par une crise démographique passagère. Ici et là pouvait s'apercevoir un habitat dispersé, surtout en montagne. La tendance au morcellement des terroirs restait perceptible : la grande propriété, comme la grande exploitation, était rare et, vers 1830, la fourchette de la propriété s'étendait de 6-7 ha dans le Vaucluse à 15-20 ha dans les Bouches-du-Rhône, sans tenir compte de l'incult.

Peu élaborées mais bien adaptées aux conditions naturelles, les techniques n'avaient pas évolué : c'était partout, ou presque, araire, outils manuels, jachère morte de un à quatre ans (parfois labourée), engrais végétaux plus qu'animaux, irrigation peu développée (sauf dans le bas pays occidental et la vallée de la Durance), culture sur brûlis en montagne, peu de prairies irriguées ou artificielles, élevage de médiocre qualité (ovins, caprins, équidés). La recherche de la sécurité alimentaire conduisait à recourir fréquemment au complant des grains et des arbustes et à privilégier les céréales, particulièrement le froment. La vigne se voyait partout mais on n'en tirait pas un vin de grande qualité, à quelques exceptions près (qui alimentaient l'exportation). En revanche, l'arboriculture n'était pas courante, comme le montre l'étude du *Dictionnaire* d'Achard et des matrices cadastrales de l'époque : olivier, amandier, figuier, noyer, pommier, prunier et châtaignier composaient l'essentiel des vergers provençaux. Pas de plantes industrielles sauf dans les secteurs les plus humides, et toujours en petites quantités (chanvre). Quant aux troupeaux (600 à 700 000 têtes ?), c'étaient surtout des ovins, des caprins, des porcins, des ânes et des mulets, et quelques vaches dans la montagne.

Bois et forêts fournissaient leurs habituelles ressources, mais on s'inquiétait toujours du déboisement. Enfin, une médiocre industrie textile diffuse de la laine procurait quelques revenus supplémentaires à des paysans qui en avaient bien besoin.

En effet, la nette prédominance de la petite propriété paysanne, en voie d'extension, condamnait bien des gens de la terre à exercer une activité secondaire ou à l'émigration, temporaire ou définitive.

Moins d'un siècle et demi plus tard, de profonds bouleversements commencés au XIXe siècle ont rendu la campagne provençale presque méconnaissable.

I. UN TEST SIGNIFICATIF : LA MUTATION DÉMOGRAPHIQUE DES CAMPAGNES

1. Dans les Préalpes le peuplement total était en 1836 à son maximum, ayant crû de 16 % depuis 1800. La progression continua jusqu'en 1846 dans la moyenne Durance alpestre (Sisteronnais) et l'Ubaye, dans les montagnes orientales et méridionales (avec parfois une croissance de 30 %). Elle n'a jamais cessé dans les Bouches-du-Rhône et ne s'est interrompue dans le Var que dans le dernier tiers du XIXe siècle. Ailleurs, un déclin plus ou moins sensible a affecté les populations départementales.

L'évolution n'a donc pas été partout identique. Pour les Préalpes (44 % en tout) le recul fut modéré (voire même arrêté vers 1910-1920 autour de Nice et vers Saint-Auban-Sainte-Tulle) en moyenne Bléone, en Durance et sur le Var inférieur. Il fut prononcé (de 45 à 70 %) dans les monts de Vaucluse, le Ventoux, les montagnes de Forcalquier et de Grasse, la haute Bléone et l'Asse supérieure et le secteur de Majastres. Seules les hautes terres de Valensole connurent un renversement de tendance après 1921.

En moyenne Durance alpestre, la perte fut de 28 % entre 1846 et 1936, très ralentie dans les deux dernières décennies. D'abord lente (-14 % entre 1846 et 1871, -12 % entre 1871 et 1911), elle s'aggrava pendant la première guerre (-12,5 % entre 1911 et 1921). Les massifs orientaux ont perdu 42 % de leurs habitants entre 1848 et 1936, la première guerre ayant eu les mêmes effets d'accélération.

Ces chiffres concernent l'ensemble des populations. Si dans les secteurs montagneux, où les villes sont rares et de petite taille, on peut considérer qu'ils reflètent l'évolution de la population rurale, il n'en est pas de même pour les basses terres : ainsi la moyenne Durance alpestre a connu entre 1846 et 1936 une régression de 46 % si l'on ne tient pas compte des agglomérations les plus importantes. Il faudrait donc disposer d'une étude exhaustive des campagnes méridionales pour pouvoir apprécier précisément le mouvement démographique, chose pour le moment encore impossible. Tout ce que l'on peut dire, c'est que la population rurale a régressé dans les basses terres, davantage en pourcentages qu'en chiffres bruts probablement pendant une bonne partie de la période.

On sait qu'entre 1800 et 1940 la population rurale est passée en France par plusieurs stades : croissance et même apogée jusque vers 1850, plafonnement entre 1850 et 1880, recul à partir de la fin du XIXe siècle. De 73 % de la population totale en 1836, elle est tombée à 56 % en 1911, 54 % en 1921 et 49 % en 1931. Les départements provençaux n'ont pas connu d'autre évolution.

En 1836, à l'exception des Bouches-du-Rhône et du Var, déjà au-dessous de la moyenne française (51,5 et 60 %), les autres départements se situent à cette hauteur (Vaucluse) ou au-dessus (Basses-Alpes : 70 à 90 %).

Dans le Var, la population agricole est passée de 52 % du total en 1866 à 40 % en 1891 et 36 % en 1911 (Rinaudo). Pour les Alpes-Maritimes, les pourcentages sont : 52 en 1846, 31 en 1896 et 26,3 en 1911. La série des Bouches-du-Rhône reflète l'évolution dans la longue durée : 44,5 en 1821, 37 en 1846, 20 en 1896, 15,3 en 1906 et 16 en 1911.

2. À l'origine de ces évolutions, des causes d'ordre économique et naturel. Même mal connu, le peuplement paraît être devenu excessif pour les possibilités agricoles de la région, au moins dans les secteurs les plus défavorisés par la nature, et l'émigration, autrefois surtout saisonnière, s'est orientée vers les départs définitifs.

C'est dans les secteurs les plus élevés que l'on saisit le mieux le phénomène.

Traditionnellement, la montagne alimentait une importante émigration hivernale de colporteurs qui se rendaient dans les régions environnantes. S'y ajoutaient de nombreux maîtres d'école itinérants, des peigneurs de chanvre, des bergers, des charretiers, des travailleurs agricoles. Certains s'absentaient pour plus longtemps pour des séjours en France, en Italie, en Espagne, en Allemagne, parfois outre-mer.

Au XIXe siècle se constatent des changements significatifs. L'émigration saisonnière recule sensiblement et l'émigration de longue durée s'amplifie jusqu'au lendemain de la première guerre : les départs pour l'outre-mer (singulièrement le Mexique et l'Amérique) caractérisent la période 1821-1914. Une immigration italienne, surtout saisonnière jusqu'à la fin du XIXe siècle, ne compensait pas les pertes. Elle s'arrêta quasiment avec l'avènement du fascisme italien.

L'émigration paraît avoir touché prioritairement les tout petits propriétaires sans ressources complémentaires qui furent incapables de s'adapter aux difficultés du second XIXe siècle, et les salariés purs, eux aussi victimes de la crise mais également attirés par l'industrialisation de la côte et des vallées : entre 1862 et 1892 le nombre des salariés purs a pu passer de 34 000 à 18 000 ; dans le Var il a diminué de 45 % entre 1862 et 1908.

Des conditions nouvelles, locales ou périphériques, attisèrent le mouvement, notamment l'extension des réseaux ferroviaires et routiers, l'apparition de l'autobus après 1920.

3. Première conséquence, la diminution des densités rurales.

v. 1850	v. 1890	v. 1911	v. 1940	
30/Km²		20/Km²	15/Km²	préalpes et vallées
21		16	12	montagnes orientales
29		24		massifs anciens
27	28	25		Alpes-Mmes
22	20.5	21.4		Bouches-du-Rhône
28.8	19.8	20.5		Var
19	19	12.3		Basses-Alpes

(Sources : R. Blanchard et *Les Bouches-du-Rhône*, tome 13)

Seconde conséquence, la sensible dégradation des structures démographiques naturelles départementales, qui accentuera les effets de l'émigration. C'étaient des éléments jeunes qui s'en allaient le plus souvent, et la population se mit à vieillir à partir du dernier tiers du XIXe siècle. Nuptialité, natalité, mortalité s'en ressentiront jusque vers 1930.

		Taux/natalité	Taux/mortalité
Préalpes	v. 1820	34 ‰	28 ‰
	1820-50	28	28
	1851-1906	25-20	29-17
	1939	13	
moy. Durance alpestre	1822	35	
	1842	30	
	1877	28	toujours sup. au TN jusqu'en 1927
	1919	16	
	1927	19	
massifs anciens	XIXe s.	33 à 23	32 à 26 (nbx enf. du bas pays en nourrice)
	1914-18	19,5	24,8
	1921-30	20,5	20
	1931-40	17,8	17,5
Var	v. 1870	20,9 (total : 24)	17,6 (total : 19,9)
	v. 1914	19,8 (total : 17,3)	23,7 (total : 26,2)
BdR	v. 1900	21,2 (total : 20,5)	18,9 (total : 22,4)
Vaucluse	1861	27,9 (total : 27,7)	26 (total : 25,7)

Ces pourcentages sont évidemment trop globaux. Seul département à avoir jusqu'ici bénéficié d'une analyse démographique assez précise, le Vaucluse révèle des nuances qui doivent se retrouver ailleurs. Les signes de dépeuplement y sont perceptibles dès 1861 (taux de nuptialité inférieur à la moyenne française, réduction de la population masculine des 15-40 ans). Il est intense, beaucoup plus fort qu'en France, entre 1872 et 1886, et s'affaiblit entre 1886 et 1911, ce qui est cette fois mieux que l'ensemble français. Les villages de la montagne connaissent un véritable effondrement (-39 %

entre 1861 et 1911), ceux du contact montagne/plaine un affaissement presque aussi fort (-34 %) ; dans la plaine on enregistre une perte de 23 %. Les variations des paramètres économiques et démographiques locaux ont provoqué une évolution complexe. Ici et là la présence de personnes des secteurs tertiaire (administration, chemins de fer, transport, commerce) et parfois secondaire a contrarié la tendance générale.

Celle-ci s'explique par l'émigration évidemment (elle est à son apogée vers 1880) et par une baisse marquée de la natalité rurale due au vieillissement et à un début de contrôle des naissances, alors que la mortalité a augmenté dans le dernier quart du XIXe siècle.

Le déclin des populations rurales s'est arrêté dans les années 1920, non par étoffement de la population agricole, qui a diminué encore de 14 % entre 1911 et 1936, mais par implantation dans les gros villages actifs des plaines d'un nombre croissant d'activités de service (courtiers, transporteurs, cavistes, négociants, marchands d'engrais, mécaniciens...), d'immigrés italiens et espagnols, de retraités après 1936. C'est donc surtout le secteur oriental (monts de Vaucluse) qui a souffert, sauf la vallée de Sault et le bassin d'Apt, depuis toujours engagés dans une agriculture de subsistance. Il en fut de même pour les pays de L'Isle et de Pernes, qui consacraient une partie de leurs terres à la garance, dont la demande s'effondra à la fin du siècle.

L'impact de l'histoire économique générale est flagrant. C'est le poids de la demande extérieure des produits agricoles et la capacité d'adaptation des paysans vauclusiens qui a conditionné le niveau d'activité des campagnes et l'intensité du déclin démographique.

II. UN AUTRE SIGNE DU CHANGEMENT : L'AGONIE DE LA « CULTURE » RURALE

À l'orée du XIXe siècle, la civilisation populaire traditionnelle se caractérisait par un aménagement de l'espace typique (un millier de terroirs appartenant à des villages souvent fortement serrés) ; un régime politique et administratif qui avait perdu son originalité depuis dix années mais qu'une pratique pluriséculaire avait enraciné dans la population ; des coutumes anciennes qui, bien que mises à mal par la crise révolutionnaire, continuaient à structurer l'espace social ; des éléments de paysage agraire comme les terrasses ou la combinaison des oullières et des outins (alternance de bandes cultivées en céréales et de bandes plantées en vigne).

Entre 1800 et 1940, peu de villages nouveaux sont apparus mais les agglomérations et hameaux des hautes terres ont commencé à être désertés, et le desserrement de l'habitat a été largement entamé autour des villages des basses terres. Cependant, l'ancienne dominante des rassemblements humains de petite taille a perduré : dans les Bouches-du-Rhône, entre 1821 et 1911, la ventilation des agglomérations fait sentir leur pesante prédominance, même si elles ne réunissaient pas la majorité de la population départementale :

	1821	1911
moins de 100 habitants	12,4 %	11 %
de 100 à 800	40	48
de 800 à 1 000	7	6,3
de 1 000 à 2 000	28	21,6

C'est ailleurs qu'il faut chercher les mutations lentes mais décisives. La vieille sociabilité des rencontres dans les lieux collectifs (places, lavoirs, fours), dans les veillées familiales à l'écurie, l'étable ou la salle commune ; celle des organisations de jeunesse, des chambrettes où les hommes se rendaient pour jouer et boire en privé ; celle des confréries, des fêtes patronales et des romérages ; celle des bravades, des danses et des jeux publics, paraissent avoir été intenses dans la première moitié du XIXe siècle au moins. Point absent du paysage rural avant la Révolution et déjà fort mal vu des autorités religieuses et laïques, le cabaret avec son vin et ses cartes continua également à avoir les faveurs de la population mâle.

Dans la seconde moitié du XIXe siècle ont commencé le déclin de la veillée (ce que l'on pourrait rapprocher du recul de certaines activités artisanales familiales), la transformation de la chambrette en une espèce de cercle privé où la discussion politique tend à supplanter la conversation, l'âge d'or du cabaret dont la bicyclette et, plus tard, l'autobus rendront l'accès beaucoup plus aisé qu'autrefois. Il faut y ajouter l'apparition des sociétés musicales, les amicales des conscrits, les amicales laïques, les sociétés sportives, les associations d'anciens combattants après 1918, la chasse, les spectacles. L'exemple vauclusien pourrait faire penser que la vieille veillée a très longtemps constitué le loisir dominant, avec la chasse, jusqu'en 1914.

Ainsi les campagnes provençales s'alignèrent-elles progressivement sur le modèle culturel général, français, que l'évolution technique, sociale, politique, militaire ne pouvait que diffuser.

Bien d'autres signes annonçaient l'oubli de l'ancien mode de vie. Passage du pain familial au pain de boulangerie au début du siècle puis recul du pain dans les années 1930 ; progression de la consommation de viande de boucherie dès le milieu du XIXe siècle (pour devenir générale après 1918) ; présence croissante sur la table familiale du sucre, du café, du chocolat, des pâtes, des sardines en conserve ; amélioration de l'habitat, surtout après 1918 avec la généralisation de l'électricité et de la salle à manger spécialisée. Le début de motorisation des campagnes vers 1930 symbolise le saut qualitatif entrepris par les paysans.

Le changement se devine encore dans les comportements religieux. Avant la Révolution le geste religieux était souvent ostentatoire (à l'est comme à l'ouest), déjà très féminisé, en même temps qu'en voie de laïcisation dans certains de ses aspects (les pèlerinages). En l'absence d'études systématiques l'attitude religieuse des campagnes nous échappe dans ses détails et sa diversité. Le Vaucluse de la seconde moitié du XIXe siècle offre l'image d'un département où la religion paraît être surtout un élément du rituel social et où, sur la fin, la question scolaire et l'appui du clergé aux conservateurs provoquent le raidissement des tenants de la République. À la même époque, dans le Var, la pratique est devenue essentiellement féminine, avec d'énormes différences d'un site à un autre. Le XXe siècle est l'époque du triomphe de l'enseignement laïque, de l'indifférentisme. À l'absence ancienne des hommes s'ajoute maintenant la désaffection des femmes et des jeunes. On voit reculer les gestes significatifs en Vaucluse : de 20 % (Cadenet, Pertuis) à 28 % (Mazan, Camaret, Monteux) des hommes vont à la messe, mais la fréquentation globale peut tomber à 1 ou 2 % (Cadenet, Pertuis). La communion pascale s'en tire à peine mieux, faite par 1 à 38 % des fidèles suivant les sondages ; baptême et extrême-onction sont conférés avec un retard croissant. Ménerbes, dans l'entre-deux-guerres, présente peut-être la dégradation la plus avancée de la pratique religieuse : un tiers des enfants n'ont pas fait leur première communion, les hommes désertent presque tous l'église et la communion pascale, les enfants le catéchisme, les mourants l'extrême-onction.

Le Vaucluse n'est pas une exception. Les campagnes du diocèse de Marseille ne paraissent pas présenter un visage sensiblement différent. Pour celles du diocèse d'Aix, la foi semble avoir été encore assez vive jusqu'à la fin du XIXe siècle, au moins dans ses manifestations (processions, missions, retraites, prédications, communion) et pas dans toutes les paroisses. Il en serait encore de même à la veille de la Seconde Guerre mondiale dans ce que l'on a appelé la Vendée provençale où de 30 à 70 % des habitants vont encore à la messe. Ailleurs le modèle vauclusien pourrait être la dominante et ce serait dans la partie orientale du diocèse de Nice qu'il faudrait chercher une pratique traditionnelle.

Ainsi, en l'espace de cent cinquante ans, le monde rural a-t-il commencé à perdre sa spécificité et son identité culturelle. La mutation des communications, l'appel des marchés, l'intégration à un espace économique beaucoup plus vaste qu'au XVIIIe siècle, l'appartenance à un espace culturel devenu consciemment niveleur à la fin du XIXe siècle avec la généralisation de l'enseignement élémentaire rendaient inévitable le changement.

III. LES FACTEURS DE TRANSFORMATION DE L'AGRICULTURE

1. Le contexte général. Pour un siècle à partir de 1815 les campagnes ont vécu à l'heure d'un État libéral classique, économe de ses deniers, engagé rarement dans des aventures militaires, lentement acquis à la concurrence et à l'ouverture commerciale, tandis que se développait de plus en plus vite un monde industriel et urbain.

Jusqu'à Napoléon III, les exploitants profitèrent pleinement de la situation : protectionnisme céréalier et lainier, développement des sociétés d'agriculture après 1830, multiplication des expériences agronomiques, lente expansion des cultures fourragères et de la pomme de terre, recours croissant au marnage et au chaulage des terres, demande en hausse de la viande bovine, premiers signes de désenclavement des villages grâce aux lois sur les chemins vicinaux (1824, 1836, 1861...). Le nombre des propriétaires augmenta, comme aussi la population des campagnes. Quelques ombres au tableau : la politique de protection de la forêt, qui lésait de nombreux droits acquis et qui suscita beaucoup de conflits après 1830 ; la fiscalité (octrois, droits réunis) qui pesait sur le marché des vins ; la baisse des prix au début et à la fin du règne de Louis-Philippe ; la hausse des fermages mais aussi celle des salaires agricoles après 1830 ; enfin l'homogénéisation progressive des marchés céréaliers et vinicoles vers 1820, avantageuse pour les viticulteurs, catastrophique pour les céréales locales.

À partir de 1850 commence l'ouverture des campagnes : la construction d'un réseau ferroviaire de plus en plus dense complète le patient effort routier, en apportant ce que celui-ci ne pouvait guère procurer avant l'arrivée du moteur à explosion, la rapidité des communications. Toutes les régions ne profitèrent pas également de la politique de modernisation des transports.

Si le réseau routier peut être considéré comme achevé vers 1850 (très rares sont alors les communes dépourvues de tout chemin carrossable), le réseau ferré s'étendit lentement. En haute Provence furent établies des liaisons entre Nice et Digne, entre Veynes et Grenoble, entre Sisteron et Briançon, dans l'arrière-pays niçois. En dépit de l'échec de projets pour Gap-Grenoble et Barcelonnette-Grenoble, la desserte pouvait être considérée comme convenable au début de ce siècle : les régions les plus « utiles » étaient en état de s'approvisionner, de vendre, et donc de subir le choc de l'extérieur. Il en fut de même pour la basse Provence. Reliée à Paris dès 1849 (Marseille. Nice ne le fut qu'en 1892) et à l'Italie en 1914, elle a vu se multiplier les liaisons entre les centres secondaires en 1880 et 1914. La concurrence de l'automobile ne deviendra menaçante que dans les années 1920, provoquant déjà les premières fermetures de lignes, dans les Préalpes de Nice.

Cette transformation capitale du réseau des communications fut contemporaine de la politique libérale en matière commerciale sous Napoléon III puis de la dépression des années 1870-1880, qui vit l'effondrement des prix et/ou des cultures dans des domaines vitaux pour les Provençaux. Ceux-ci ne purent soutenir la concurrence russe et américaine (céréales), méditerranéenne (liège, huile), coloniale (huile), algérienne (vins après la crise phylloxérique).

Le salut vint de l'État, qui commença à se mêler activement de la vie agricole. Citons les lois Méline de 1884 et 1887, les lois relatives au remembrement (1908, 1919), la loi Plissonnier sur les cours agricoles postscolaires (1918), la mise en place de l'INRA et des offices départementaux agricoles (1921), la réglementation des assurances mutuelles agricoles (1928-1930). Rappelons aussi le flot des mesures en faveur des céréales et surtout des vins entre 1930 et 1938.

Il vint surtout de la décision des paysans de transformer leurs activités. Les changements portèrent sur les cultures, les techniques, la maîtrise de l'eau.

2. Les cultures. Il n'y a pas de nouveautés à proprement parler : les plantes qui se répandirent étaient déjà présentes au XVIIIe siècle.

a) La pomme de terre. Elle n'était bien établie que dans le Comtat vers 1800. Sa culture se répandit lentement, gagnant les Préalpes orientales vers 1840, le comté de Nice vers 1850, en dépit de ses avantages (elle permettait la suppression de la jachère).

b) Les prairies artificielles (sainfoin, trèfle, luzerne). Connues avant la Révolution, elles ne connurent en Provence qu'un faible succès, malgré l'arrivée des engrais minéraux vers 1840 et la suppression de la jachère qu'elles entraînaient : le développement de l'irrigation fut l'une des causes de ce manque de réussite.

c) La lavande. Systématiquement exploitée au début du XIXe siècle sur les flancs du Ventoux, elle gagna le plateau de Valensole vers 1840, l'Embrunais et les vallées niçoises au XXe siècle.

d) Le mûrier. Cette culture typiquement spéculative de la basse Provence s'étendit au XIXe siècle dans les basses vallées préalpines.

e) Les arbres fruitiers. Ils se sont tardivement développés dans la vallée moyenne du Var (pommier, poirier, châtaignier), dans la vallée de la Durance alpestre (pêcher, pommier, poirier). Ailleurs, anciennement cultivés, ils n'ont apparemment pas fait l'objet d'une mise en valeur systématique.

3. Les nouveautés techniques

a) Les engrais naturels. Les recherches ont commencé vers 1830 et ont été orientées en direction des composts et des tourteaux des graines oléagineuses travaillées à Marseille puis des produits d'origine animale après 1870 (cornes, poils, chairs, cocons de bombyx).

b) Les engrais chimiques (azote, potasse, acide phosphorique). Ils ne deviennent vraiment usuels qu'après 1918.

c) La jachère. Elle commence à reculer au profit d'assolements combinant les céréales avec les prairies artificielles, les légumes secs, le chanvre, la garance, dans le courant du XIXe siècle. Vers 1870 elle est encore omniprésente dans les petites exploitations et on la rencontre encore dans le pays d'Aix vers 1920.

d) La mécanisation. Tant que la main-d'œuvre fut suffisante et que les salaires furent supportables, elle fut lente à s'implanter. Les charrues Dombasle (adaptées) et Bonnet et les herses apparaissent après 1830 ; les machines à battre après 1850 ; le semoir mécanique et la moissonneuse-batteuse après 1880 ; le labourage motorisé après 1870 ; le tracteur après

1914. Ici, les Bouches-du-Rhône ont longtemps devancé les autres départements, sauf pour les charrues où Var, Vaucluse et Basses-Alpes ont fait jeu égal avec elles au moins jusqu'à la fin du XIXe siècle.

4. La maîtrise de l'eau

a) L'assèchement. Tenté et abandonné en Camargue et à Fos, il a été poursuivi avec succès au XIXe siècle dans les régions d'Arles, Saint-Rémy, Les Baux, Berre, Cuges.

b) L'irrigation. La plus spectaculaire fut celle de la vallée du Var, à partir d'un endiguement systématique de la rive gauche (1845-1880) puis de la rive droite (1908-1945) qui procura à l'agriculture 2 000 ha de terres nouvelles, desservies par la route et la voie ferrée, et permit l'installation d'usines entre 1900 et 1930. Il provoqua ainsi le dépeuplement des coteaux environnants, tant qu'ils ne bénéficièrent pas de l'irrigation (après 1935).

On acheva sous Napoléon III l'endiguement de la basse Durance et on y travailla en Camargue. La moyenne Durance profita des travaux routiers et ferroviaires, qui nécessitaient d'importants ouvrages de protection contre les eaux. Il en fut de même pour ses principaux affluents. La politique des canaux d'irrigation en bénéficia sous Napoléon puis la IIIe République.

Quant à la basse Provence occidentale et centrale, elle vit en 1870 l'achèvement du canal de Boisgelin (ou des Alpines), la construction du canal de Marseille (1834-1849), celle du canal du Verdon vers Aix (1863-1875), celle du canal de Carpentras (1875-1920), sans parler de nombreux canaux secondaires après 1870 et d'aussi nombreux projets qui n'aboutirent pas... La superficie des terres irriguées passa ainsi dans les Bouches-du-Rhône de 25 000 à 43 000 ha (au début de notre siècle), de 5 000 à 7 000 ha dans le Var.

IV. L'ÉVOLUTION DES STRUCTURES AGRAIRES OU LE CHANGEMENT DANS LA CONTINUITÉ

À la veille de la Révolution les terroirs provençaux étaient généralement fortement parcellisés, du point de vue de la propriété comme du point de vue de l'exploitation. Cela n'excluait pas la présence occasionnelle de la grande propriété (pas toujours gérée dans l'optique d'un profit maximal) et d'un grand nombre de salariés agricoles (les « travailleurs » des cadastres anciens), authentiques prolétaires ou micropropriétaires. C'était une adaptation à des conditions naturelles très diverses, à un niveau technique où l'investissement en travail humain était essentiel et peut-être à une finalité sociale qui n'était pas le revenu individuel mais la sécurité familiale. Tant que l'agriculture provençale put vivre en quasi-autarcie, ces structures subsistèrent. Lorsque la concurrence extérieure put jouer à plein et que l'émigration posa la question de la main-d'œuvre (effectifs, salaires), la survie dut être recherchée dans les mutations culturales et techniques qui ne pouvaient manquer d'avoir un écho sur l'emprise foncière et les modalités de l'exploitation.

1. Avant le déblocage : l'apogée des anciennes structures dans le monde alpin provençal et les vallées du Rhône et de la Durance (vers 1840-vers 1870).

a) L'émiettement du parcellaire et de la propriété. Au début du XIXe siècle la terre était en général aux mains d'un grand nombre de détenteurs. Les conditions naturelles locales, la situation des terres par rapport à une agglomération, l'investissement en travail apportaient des nuances parfois importantes dans ce tableau :

Vaucluse : prédominance des propriétés inférieures à 5 ha et supérieure 30 autour des principales villes ;

Vallée de la Durance et zone des contacts avec la montagne : pré nance des propriétés entre 10 et 30 ha.

Basses-Alpes : prédominance du groupe 5-30 ha et du groupe us 100 ha dans les vallées ; des moins de 10 ha en altitude.

En nombre, c'étaient les propriétés inférieures à 5 ha qui l'e tient (mais elles ne maîtrisaient qu'un quart de la superficie cultivabl ne de la grande diffusion de la propriété.

En superficie, c'était le groupe des 10-30 ha (la moyenne té, eu égard aux possibilités agricoles) qui l'emportait (50 % de la ie). Le groupe des 50 ha et plus (grande propriété), qui contrôlait iers des terres, n'était pas négligeable : il était important près de urbains, dans les vallées, regroupait souvent les meilleures terr ait fréquemment à la pointe de la mise en valeur. Mais, prè , la petite propriété était aussi l'objet d'une mise en valeur intense (d jardinage), et dans la plaine vauclusienne elle faisait une large place à la garance, d'un rapport alors intéressant.

Le morcellement s'accentua tout au long du XIXe siècle. Entre 1826 et 1871 le nombre des cotes foncières a crû de moitié, bâti et non-bâti confondus, celui des propriétaires d'environ un quart. C'est le Vaucluse qui a été le plus touché, et les Basses-Alpes le moins. Partout le nombre des petites cotes (moins de 5 ha) a fortement augmenté, au détriment de la grande et de la moyenne propriété. C'est le grand propriétaire noble qui semble avoir d'abord fait les frais de l'évolution, entrepreneurs et membres des professions libérales ayant mieux préservé leurs terres. Petits et moyens propriétaires (des paysans avant tout) ont profité pour leur part de facilités de crédit jusqu'en 1846. Sous le Second Empire, victimes des troubles politiques de 1849-1852 et propriétaires incapables de supporter les crises agricoles durent vendre à leur tour. En profitèrent des entrepreneurs de l'industrie, et surtout les propriétaires exploitant et les salariés, les uns et les autres préférant acheter de petites parcelles, ce qui aida à la fragmentation.

Rien ne fut profondément changé. Outre un communal encore important dans les secteurs les plus élevés (il accueillait les bêtes des petits propriétaires), ailleurs peu abondant, la Provence continua à présenter une grande variété de propriétés.

La grande propriété (moins de 2 % des possédants) resta rare et souvent mal mise en valeur. Il pouvait s'agir d'un ensemble morcelé de 10 à 35 ha combinant bonnes terres, intensément mises en valeur, prairies irriguées et immeubles villageois ; elle appartenait le plus souvent à un autochtone. La grande propriété des forains comprenait surtout des bois, de la lande et des pâturages.

À l'opposé, la petite propriété était abondante (environ un tiers des possédants), importante (30 à 40 % de la superficie appropriée). Quand elle était économiquement viable (10-20 ha), elle se rencontrait dans la montagne pauvre. La propriété comprise entre 5 et 10 ha était menacée : très morcelée, elle se consacrait aux céréales, et la présence d'importants communaux lui permettait de disposer de quelques têtes de bétail. Autour des villes se développait une importante micropropriété (moins de 1 ha), fréquemment aux mains de forains (artisans et commerçants).

La moyenne propriété (20-50 ha) l'emportait toujours. Sa taille et ses modalités d'exploitation variaient généralement avec la qualité des terres. Le morcellement en parcelles complémentaires ne pouvait que gêner la mécanisation.

b) Les modes de faire-valoir. Pendant tout le siècle le faire-valoir direct l'a emporté. Il avait la préférence des « ménagers », « travailleurs » et autres « cultivateurs ». Métayage et fermage paraissent avoir été relativement rares et lourds. Être fermier signifiait très souvent un bail bref, sous seing privé ou verbal, des versements le plus souvent en nature (froment, aussi en orge, en épeautre, en légumes secs, en fruits, en chanvre...) qui bloquaient ou gênaient l'innovation. Être métayer ne valait guère mieux : il fallait partager gains et pertes et les propriétaires eurent tendance à se détourner d'un mode de location astreignant qui les obligeait à être présents au moment des récoltes. Seul le bail à cheptel, qui donnait aux petits propriétaires la possibilité d'exploiter des troupeaux pris en location présentait des avantages certains quoique aléatoires.

2. La basse Provence (XIXe-XXe siècles)

a) La propriété et l'exploitation. Vers 1850-1870 les terroirs les plus favorisés de l'ouest provençal ne présentaient pas de ce point de vue un visage fondamentalement différent de la région montagneuse :

% du nombre des exploitations (1866)						
		Vaucluse	BdR	Var	Alpes M.	B. Alpes
Pte	< 1 ha 1-5 ha	61,4	68	60,7	89,8	56,3
	5-10 ha	19,6	15,5	24,5	7,9	18,9
Moy.	10-20 ha	9,1	7,3	6,2	1,5	11,4
Gde	> de 20 ha	9,9	9	8,6	8	13,4

(Source : *Les Bouches-du-Rhône*, tome 7)

Évolution de la propriété en Vaucluse							
		1860		1884		1914	
Pte	< 1 ha	47	5	61	8	56	7
	1-5	38	22	29	24	31	24
	5-10	8	15	5	14	7	16
Moy.	10-30	5	23	3	19	5	25
Gde	> 30	2	35	2	35	1	28
		% du nb. des propr.	% de la surf. totale	id	id	id	id

(Source : C. Mesliand)

Le Vaucluse vers 1860 (sondage sur 24 communes)				
< 1 ha	47	5	9	0,4
Pte 1-5	38	22	30	3,3
5-10	8	15	16	7
Moy. 10-30	5	23	21	17
Gde > 30	2	35	25	68
	% du nb des propr.	% de la surf. totale	% du revenu total	surf. moy. (ha)

(source : C. Mesliand)

La grande propriété (plus de 20, 30 ou 40 ha suivant les lieux) semble avoir régressé en Vaucluse, la grande exploitation dans les Bouches-du-Rhône (1,5 % du nombre total en 1882 mais 64 % des superficies). Dans les deux cas, la tranche moyenne paraît avoir été aussi sensiblement (mais momentanément) affectée, sans doute sous l'effet de la crise (4 % du nombre des exploitations en 1882 pour 12,3 % du sol). Mieux adaptée aux nouveaux choix économiques de la paysannerie et à une main-d'œuvre essentiellement familiale la petite propriété ou la petite exploitation (94,5 % du nombre total en 1882, 23,5 % du sol) ne pouvait que prospérer. Dans le cas de la région marseillaise son extension autour de la ville pourrait être liée à la forte poussée de la population urbaine.

L'augmentation des chiffres de la petite propriété se retrouve dans le parcellaire, dont la fragmentation s'est un moment accentuée : en Vaucluse, le nombre des cotes cadastrales a crû entre 1820 et 1890 et n'a commencé à baisser qu'après 1890. Dans les Bouches-du-Rhône, les calculs s'arrêtent en 1882, laissant aussi apparaître un net ralentissement sur la fin. Et la taille moyenne de la propriété s'en est ressentie : dans les Bouches-du-Rhône, elle est passée de 8,3 ha (début XIXe) à 4,7 en 1851, 3,9 en 1871 et 3,8 en 1881. À cette dernière date on a dans le Var : 5,6 ; dans les Alpes-Maritimes : 5 ; dans les Basses-Alpes : 9,2 ; dans les Hautes-Alpes : 7,8 ; (source : *Les Bouches-du-Rhône*, tome 7).

Le nombre des propriétaires a dû augmenter jusque dans les années 1880 puis commencer à diminuer, à l'exemple des Bouches-du-Rhône et du Vaucluse :

	BdR	Vaucluse
1821	13 600	
1851	31 200	
1862	35 200	42 000
1882	37 200	
1892	31 700	34 000
1930		10 000

Toutes les catégories n'ont pas été également affectées : petits et micro-propriétaires ont en effet vu s'accroître leurs effectifs, alors que la décrue démographique avait déjà commencé, d'où on peut conclure que les partants conservaient un certain temps au moins une partie de leurs terres, ce qui, joint aux conséquences de la pratique successorale, explique le mouvement.

Moins de propriétaires vers 1890, cela signifie un début de concentration des exploitations, au profit des petits et moyens propriétaires (les plus aptes alors à tirer leur épingle du jeu) mais aussi, ici et là, des gros.

Au-delà de la première guerre, seul le Vaucluse nous livre des renseignements précis. Le nombre des cotes foncières poursuit sa réduction (-27 % pour 1914-1930). C'est la conséquence des pertes de la guerre, de la poursuite de l'émigration, d'une certaine désaffection du paysan pour une terre que l'inflation incite à céder, du dynamisme des agriculteurs des plaines et particulièrement de ceux qui ont entre 5 et 30 ha.

1 ha	49	5	7
1-5	32	19	25
5-10	10	17	22
10-30	7	27	28
30	2	32	18
	% du nb.	% de la surf.	% du revenu

(Source : C. Mesliand)

b) Les modes de faire-valoir. Le faire-valoir direct était aussi important en basse Provence qu'en montagne. En Vaucluse, trois exploitants sur quatre étaient propriétaires en 1862 (un peu mieux que la moyenne française), les autres étaient fermiers (deux tiers, soit 2 468 personnes) et métayers (un tiers, 1 583 personnes). Mais un exploitant-propriétaire sur deux était également locataire (4 336 fermiers, 3 055 métayers) ou salarié pur (16 000). Une dizaine d'années plus tard (1873), le faire-valoir direct occupait de 45 à 65 % des terres agricoles dans le Var et les Alpes-Maritimes, plus de 65 % dans les Hautes et Basses-Alpes ; le métayage, au moins 35 % des terres en Vaucluse, de 25 à 35 % dans les Bouches-du-Rhône.

En 1882 la situation se présentait ainsi. Plus de 85 % des exploitants étaient propriétaires dans les Alpes-Maritimes, les Basses et les Hautes-Alpes ; ils contrôlaient plus de 80 % des terres dans ces deux départements-ci. Dans le Var, c'était 80 % des exploitants ; dans le Vaucluse et les Bouches-du-Rhône entre 70 et 79 %. Ils tenaient 40 % des terres dans les Bouches-du-Rhône, de 60 à 79 % dans le Var, le Vaucluse et les Alpes-Maritimes. Le pourcentage des fermiers était assez important en Vaucluse, dans le Var, les Bouches-du-Rhône, les Basses-Alpes (de 7 à 30 % des exploitants) où leur emprise foncière portait sur 13 à 40 % du sol.

Le premier mode n'a cessé de reculer depuis 1892, au moins en plaine, au profit d'un fermage conquérant. Mal vu par les paysans mais aussi par les propriétaires pendant la phase de mévente de 1925-1936, le métayage a poursuivi son lent recul. C'est le schéma vauclusien. Dans les Bouches-du-Rhône, il est en gros valable, sauf que jusqu'à la fin du siècle fermiers et métayers furent en nombre sensiblement équivalents. En revanche, dans le Var il présente quelques différences, au moins jusqu'en 1914 : ici pour un fermage en léger progrès (de 22 à 24 % des terres) et un métayage en léger déclin (de 10,5 à 6,5 %) entre 1873 et 1892 on constate une extension du faire-valoir direct des terres (de 63 à 68 % des terres, de 78 à 83 % des paysans). En 1908 le nombre des propriétaires-exploitants a augmenté des deux tiers, celui des métayers a reculé d'autant, tandis que celui des fermiers est resté stable.

V. L'ÉVOLUTION DE L'AGRICULTURE PROVENÇALE DANS LE SECTEUR MONTAGNEUX

L'originalité des parties élevées, qui traditionnellement ravitaillaient en homme le bas pays, a perduré à l'époque qui nous intéresse. Elles ont en effet été frappées de plein fouet par les transformations des communications et par l'accélération de l'émigration.

1. Le secteur préalpin. Même si la polyculture était de règle au XVIIIe siècle, on distinguait déjà une certaine spécialisation. Au-dessus de 1 000 mètres (essentiellement les pays de Digne et de Majastres) c'étaient les céréales et les ovins ; aux altitudes inférieures (plus de la moitié de la région) s'ajoutaient les fruits, un peu de vigne, quelques mûriers ; quant aux basses vallées (La Durance entre Mirabeau et Sisteron, ses affluents, les torrents niçois, le Var) elles s'adonnaient avant tout à la polyculture méditerranéenne classique.

La mévente des céréales et de la laine, l'arrivée des huiles tropicales (nuisibles aux huiles d'olive et de noix), la maladie du ver à soie après 1850, le reboisement après 1861, le phylloxéra après 1870, la sensible amélioration des communications dans la seconde moitié du XIXe siècle, l'utilisation croissante des engrais chimiques après 1900, la forte mécanisation après 1920, le dépeuplement ont provoqué dans cette région une sensible réduction des étendues exploitées (-50 % pour 1836-1936), au point qu'à la veille de la guerre moins de 10 % des sols étaient cultivés, à l'exception des monts de Vaucluse.

Déclinèrent les céréales (-75 % en surface), la vigne (-50 %), l'élevage (-37 % pour les ovins), l'olivier, et l'exploitation du mûrier cessa après 1900. Progressèrent, mais sans couvrir des surfaces exceptionnelles, les fourrages artificiels (basses vallées), les fruits (pomme, poire, abricot, pêche, cerise : monts de Vaucluse, Durance, moyenne Bléone, Var, Paillon), les légumes (région niçoise), le miel, la lavande (entre 1920 et 1930 : monts de Vaucluse, plateau de Valensole, haute Asse).

Les reculs cachent aussi une certaine redistribution des activités. Ainsi se sont développés le raisin de table (Sainte-Agnès, Gorbio, Tourrette, Figanières, Callas), les bovins laitiers, l'agneau de boucherie (après 1920). Et le froment s'est maintenu : ce sont les céréales secondaires qui ont le plus souffert parce que ce sont les hauteurs qui ont été désertées.

Les spécialisations régionales ont pu s'accentuer :
Préalpes de Nice : olivier, légumes...
de Grasse : ovins, bovins, olivier...
de Digne : ovins, fruits, foin, lavande...
de Vaucluse : lavande, ovins, vigne...
Val de Durance : polyculture traditionnelle avec place importante de l'amandier, du noyer, du cerisier, des pruniers, de l'olivier...
Plateau de Valensole : lavande, truffe, amandier, pomme de terre...
Montagnes de Forcalquier : froment, ovins, amandier, lavande...
Var septentrional : vigne, olivier, ovins, caprins.

2. Les pays de la Durance alpestre (Sisteronnais). Situés au fond de la région, débloqués un peu plus tard que les autres secteurs, ces pays sont venus lentement aux prairies artificielles (la jachère touche 86 % des terres céréalières en 1836, 69 % en 1892, 47 % en 1929), aux engrais chimiques, ce fut le premier avantage de la voie ferrée, qui réduisit fortement le coût des transports) et aux machines (qui furent cantonnées au secteur céréalier occidental). Les activités non concurrentielles furent abandonnées ou délaissées après 1900 : disparurent ainsi quasiment le chanvre, le noyer, l'amandier.

Le mûrier (dont l'âge d'or s'est situé entre 1830 et 1910) a été victime des problèmes de main-d'œuvre après 1920. La vigne n'a subsisté que sur les terrains les plus favorables. La pomme de terre a pâti du manque de sols convenables. Au contraire du méteil et du seigle, le froment a pu se maintenir.

En fait, grâce aux progrès de l'irrigation, l'agriculture a opéré une véritable reconversion. Le pays est devenu la zone d'élection du foin et de l'élevage. Plus que les caprins, les vaches laitières ou les porcelets, ce sont les ovins qui fournissent une bonne part des revenus après la première guerre. À la vente d'agneaux de boucherie et de bêtes engraissées s'est partiellement substituée celle des carcasses lorsque furent ouvertes des installations frigorifiques après 1930.

L'autre grande activité, tardivement développée (après 1925) fut celle de la culture des arbres fruitiers (poire, pêche, pomme). On peut y ajouter les légumes, les graines de plantes sarclées, la lavande. Mais il ne s'agit là que de ressources complémentaires.

3. La haute montagne (haut Verdon, haut Var, Mercantour, Ubaye). Jusqu'au déblocage routier (après 1850) et ferroviaire, l'agriculture traditionnelle a partout subsisté :

Hautes vallées — primauté des céréales, avec culture du chanvre, des légumes, de la pomme de terre près des villages ; place essentielle des arbres fruitiers (figuier, châtaignier, olivier, noyer, mûrier) ; récolte du miel et des plantes médicinales ; élevage de petit bétail (local et transhumant) et de bovins.

Ubaye — écrasante prédominance des céréales (froment surtout) ; élevage du mulet, des vaches laitières, des ovins (locaux et transhumants : 150 000 en 1815) ; exploitation du chanvre, du noyer. Au début du XIXe siècle les prairies artificielles s'étaient glissées entre le Lauzet et Jausiers.

Les transformations furent partout tardives (fin XIXe siècle) et sont imputables au déblocage des communications ; aux travaux d'endiguement et d'irrigation (hautes vallées) ; à la mécanisation (Ubaye) ; à l'influence du tourisme naissant (secteur niçois, Ubaye) ; à la crise démographique qui supprima trop de bras et libéra les terres.

La première conséquence fut la réduction massive des surfaces cultivées, particulièrement dans les hautes vallées : le recul a été de 75 % dans l'Ubaye entre 1836 et 1939).

Se sont effondrés les céréales (les emblavures ont régressé de 83 % dans l'Ubaye), le noyer, l'amandier, le figuier. La vigne et l'olivier ont décliné. Ont stagné la pomme de terre et les prairies artificielles.

D'autres activités sont devenues essentielles. L'exploitation des arbres fruitiers n'a pu s'installer partout, faute de conditions naturelles toujours favorables. Châtaignier, pommier, poirier se rencontrent dans la vallée moyenne du Var et dans les hautes vallées orientales (débouché niçois). Noyer, pommier, poirier dans l'Ubaye (il s'agit d'une exploitation marginale).

Seul l'élevage est omniprésent après 1900 : bovins (Ubaye), et ovins. Dans l'Ubaye, la production de lait de vache est réservée à la famille : l'essentiel ici est l'ovin, transhumant l'été, engraissé pour la revente pendant l'hiver (agneaux) ou pendant l'été (moutons).

VI. LES MUTATIONS DE L'AGRICULTURE EN BASSE PROVENCE

1. Jusqu'aux années 1860. Le premier demi-siècle a été l'époque où l'ancienne agriculture a achevé de s'épanouir au moins à partir du retour définitif de la paix. À compter de 1816 la natalité se redresse dans les Bouches-du-Rhône et les biens nationaux commencent à profiter à d'autres qu'aux notables des campagnes (Arles, Eyragues). Celles-ci bénéficient du retour à l'ordre largement avancé sous Napoléon.

Une statistique de 1804 donne du département une image tout à fait classique : 60 % du territoire sont inutilisables pour les cultures même s'ils offrent aux paysans les ressources habituelles de la cueillette (forêts, bruyères, terres vagues, étangs et marais, garrigues, montagnes dénudées). Le reste est le domaine des céréales (18 %, avec très forte prédominance du froment), de l'olivier (8 %), de la vigne (5 %) auxquels s'ajoutent notamment des prairies naturelles ou artificielles (1,5 %), le chanvre, la garance, le mûrier (C. Bonnet).

Plus tardive, l'enquête de 1852 ne donne pas des résultats fondamentalement différents en Vaucluse : 41 % du territoire pour les forêts, bois, pâturages et landes, 59 % pour les terres cultivées. Ici les céréales où depuis les années 1840 domine le froment couvrent 48 % des surfaces cultivées, la vigne 8 %, les vergers et les prairies naturelles 2,5 %.

Quant au Var des années 1870, 70 % de son territoire sont en bois, forêts et pâturages, 10 % en céréales, 8 % en oliviers et 11 % en vigne. Des ressources supplémentaires sont tirées des fleurs (Grasse), des légumes, des fruits (Hyères-Gapeau), des châtaignes (Maures), des amandes (Rians), de la soie (plaines intérieures), du liège (Maures et Estérel), de la bruyère et de la rusque.

En fait l'ancienne basse Provence occidentale est encore à l'heure du XVIIIe siècle. La production est toujours insuffisante pour les céréales (pays d'Arles), les légumes, les fruits, l'huile (encore l'écho de l'hiver 1789), le mûrier (victime de la crise manufacturière et du manque de pépinières suffisantes). Omniprésente, la vigne donne rarement un vin de qualité (Bandol, Pierrefeu, Aubagne, Marignane, Crau). Dans l'élevage on combine toujours transhumance estivale et pâturages locaux hivernaux pour 200 000 ovins, caprins, ânes, mulets et chevaux (le Var en comptera 350 000 en 1846). C'est la situation d'avant la Révolution.

Comme est ancienne la répartition de la propriété (grande, noble et bourgeoise autour d'Aix et d'Arles ; petite ailleurs sauf dans la « Vendée provençale » où les ménagers ont largement profité des biens nationaux) et la place importante des « travailleurs » dans la société paysanne où ils peuvent parfois représenter 70 à 90 % des effectifs. Pays conservateur où les cultures nouvelles tentées pendant le Blocus continental n'ont guère réussi (betterave et tabac près d'Aix, indigo, pastel, garance près de Noves, chardon à Saint-Rémy) et où l'archaïsme technique paraît général en dépit de quelques recherches d'amendements nouveaux à Salon et à Marseille.

L'ancien Comtat présentait une tout autre allure, au moins dans les plaines. Par certains côtés c'était encore le passé. Une centaine de villages de 1 500 habitants au maximum (mais la grande majorité en comptait chacun moins de 1 000) sous l'Empire ; un territoire largement inexploité (de 17 % dans l'arrondissement d'Apt à 46 % dans celui d'Avignon en 1789, on est passé en 1814 à une fourchette 12-42, signe d'un recul de la mise en valeur) ; une extrême parcellisation du sol (plus de 800 000 parcelles, avec une moyenne de 0,1 ha chacune) ; une production céréalière insuffisante pour les besoins locaux ; la vigne partout présente mais peu de grands vins ; l'olivier en pleine crise depuis les hivers de 1789-1790 et 1799 ; enfin, le mûrier en aussi mauvaise posture que l'olivier (A.-M. Lioux).

Pourtant le pays présentait des signes perceptibles de dynamisme. La pomme de terre se répandait dans l'arrondissement d'Orange, les cultures maraîchères dans le secteur de Cavaillon (pour la consommation locale). La garance sur les meilleurs terres et le safran (dans l'arrondissement de Carpentras) fournissaient déjà un surcroît de ressources aux paysans qui en avaient pris le risque.

Au tournant du demi-siècle, la jachère morte de l'assolement biennal commençait à reculer devant la jachère cultivée ou du restoublage. Elle disparaissait parfois au profit de la garance, de la pomme de terre, du sorgho, des prairies artificielles, et des assolements complexes voyaient le jour. Et, surtout, les initiatives de l'Empire prospéraient.

Entre 1820 et 1862 en effet, la garance connut une forte expansion, après une longue stagnation de soixante ans. La plante nécessitait de gros travaux préparatoires, d'entretien, d'arrachage, beaucoup de fumures (on prit les tourteaux des oléagineux de Marseille) et ne donnait que pendant trois années. Mais elle rendait possibles d'autres cultures. Exigeante en main-d'œuvre, elle convenait à la petite exploitation familiale.

D'autres activités spéculatives avaient été maintenues. Ainsi la sériciculture, qui meublait avantageusement les temps morts du calendrier agricole et était pratiquée par de petits exploitants et des artisans-paysans auxquels elle apportait les premiers revenus agricoles de l'année (cocons, dévidage, filature), dans des conditions techniques le plus souvent déplorables. Elle a duré jusqu'aux grandes épizooties des décennies 1854-1874 puis la concurrence des soies asiatiques l'a mise à mal à partir des années 1875. Dans le Var, qui connut la même exploitation et les mêmes problèmes, les paysans se reconvertirent après 1890 dans la production des graines de vers à soie.

Ainsi l'élevage des ovins. Il s'orienta vers la vente des agneaux. On le pratiquait partout parce qu'il valorisait la paille, les menus grains, les jachères, les garrigues et procurait en outre fumier, viande et laine.

Les cultures arbustives connurent des sorts divers. Partout présente (sauf dans la vallée de Sault) la vigne se répandit avec des crus réputés (Gigondas, Châteauneuf, Sainte-Cécile), en dépit de la médiocrité des techniques de vinification. Il en fut de même pour l'olivier, qui fournissait l'huile familiale. En revanche, cerisiers et amandiers restèrent limités aux régions d'Apt et de Pertuis.

2. Le temps des crises et des mutations (vers 1860-1939).

a) Apparues entre 1852 et 1859, les maladies (héréditaires et (ou) contagieuses) du ver à soie ravagèrent les exploitations jusque vers 1875, soit jusqu'à la généralisation des mesures préconisées par Pasteur. La production resta jusqu'à la fin du siècle inférieure de 60 % aux niveaux antérieurs, sans impact majeur sur les prix (alors que les coûts augmentaient) : la soie arrivait d'Asie. Elle ne se redressa pas car d'autres activités beaucoup plus rémunératrices et aussi absorbantes pouvaient occuper les temps vides : le maraîchage, la vigne. De nombreux petits producteurs renoncèrent et émigrèrent. La sériciculture vauclusienne ne subsista que dans les secteurs peu diversifiés (Nord, Bonnieux).

Ce sont les produits de l'industrie chimique et les importations d'Italie et du Moyen-Orient qui abattirent la garance en Vaucluse, entre 1860 et 1876 (il y eut un bref renouveau entre 1867 et 1871 en liaison avec la reprise de l'industrie cotonnière et l'apparition du phylloxéra).

Après la crise de l'oïdium des années 50 (vaincue par le soufrage des plants) le phylloxéra surgit dans les dernières années du Second Empire, et les vignobles plongèrent dans la crise à partir de 1870. On ne sut, au début, imaginer que des remèdes provisoires et peu efficaces : ensablement des pieds, submersion (mais l'eau manquait souvent et était chère), destruction des galles sur les feuilles, incendie des souches malades, traitement au sulfure de carbone (dangereux et cher). Finalement, à partir des années 1880-1890 le greffage de plants américains permit de sauver ce qui restait du vignoble : en Vaucluse 7 000 ha subsistaient des 30 000 recensés en 1860 ; dans le Var le vignoble reconstitué couvrit 50 à 53 000 ha, soit 20 000 de moins qu'en 1870 ; dans les Alpes-Maritimes (et aussi les départements de la montagne) les pertes en surface allèrent de 10 à 75 %, de 25 à 50 % dans les Bouches-du-Rhône. Le revenu viticole avait chuté de moitié dans le Vaucluse (contre un quart pour la soie) par rapport à 1862. Le prix de la terre s'abaissa : de 40 % dans le Var, de 10 à 20 % dans les Alpes-Maritimes et le Vaucluse (de 30 à 40 % dans la montagne) et bien des rentiers vendirent leurs biens, amorçant par là la concentration de la propriété.

La Première Guerre mondiale arrêta en général l'effort de redressement. En privant les campagnes de leurs forces vives elle provoqua le délaissement des cultures qui exigeaient abondance de main-d'œuvre robuste. Mais les paysans surent s'adapter : en Vaucluse, ceux qui restaient s'orientèrent vers les légumes, dont la demande était forte en ville.

Quant à la crise de 1929, elle ne semble pas avoir beaucoup touché les campagnes provençales.

b) Les réactions. La simultanéité et la succession des catastrophes agricoles amenèrent la disparition d'un certain nombre de petits paysans, qui choisirent l'émigration. Les autres firent face.

En Vaucluse, on revint partiellement et momentanément aux céréales, dans un contexte technique quasiment inchangé. En dépit d'un certain progrès des rendements vers 1900 le mouvement s'arrêta à la fin du XIXe siècle et on revint à des productions plus lucratives.

Grâce à l'aide de l'État le vignoble fut peu à peu reconstitué : en 1914 les superficies étaient identiques en Vaucluse à celles de 1860. Mais ici sa géographie avait changé : les versants montagneux orientaux, les secteurs de Valréas, Bollène, Avignon étaient passés à d'autres activités, et c'étaient maintenant les plaines méridionales qui formaient la grande région viticole. D'autre part, le raisin de table avait étendu son emprise. Enfin, on faisait davantage attention à la qualité et au rendement, d'où des crises de surproduction et la mainmise des négociants sur la production des petits viticulteurs dépourvus de matériel de stockage et de vinification. Jusqu'en 1939 la vigne fut l'activité la plus rémunératrice.

La grande nouveauté en Vaucluse fut l'extension des cultures irriguées après 1877 (sud, région de Carpentras). En 1914 prairies et luzernières couvraient 2 900 ha, Carpentras s'était fait une spécialité de la fraise, Cavaillon du melon, Lauris de l'asperge. On trouvait aussi des pommes de terre-primeur et des graines variées. Les paysans ramassèrent vite les bénéfices de leur mise : dans la difficile conjoncture des années 1890, l'ensemble des recettes ne baissa pratiquement pas. Il en fut d'ailleurs de même dans les secteurs montagneux, restés traditionnels.

En 1939, le blé n'était plus qu'une culture-relique dans le département, et les autres céréales poursuivaient leur déclin. Seuls les morts de Vaucluse et les régions de Pertuis et de Valréas s'y consacraient encore. La région était le domaine du maraîchage (15 % des terres labourables en 1929, particulièrement autour des quatre principales villes), du raisin de table avec des spécialités d'arrière-saison (Apt, Pertuis, Cadenet, Cavaillon, L'Isle...). Depuis 1930 le vignoble à vin était stabilisé, avec des AOC comme le châteauneuf-du-pape, les côtes-du-rhône et du Ventoux. Enfin, la lavande était apparue dans des secteurs encore à la traîne comme ceux d'Apt et de Sault.

c) La transformation de l'agriculture fut le résultat de l'ouverture d'esprit des paysans, de leur combativité. Non seulement ils osèrent de nouvelles cultures mais ils surent dépasser l'horizon familial en se dotant d'organisations dont le rôle ne fut pas négligeable.

Les premières furent les sociétés d'agriculture et d'horticulture (Marseille 1846, 1847 ; Avignon 1847). Elles regroupaient surtout des propriétaires importants, agirent aux plans technique et social, et furent des chambres de réflexion au rôle autrement important que les chambres consultatives d'agriculture créées par l'État en 1851 (leurs membres furent nommés jusqu'en 1927 puis élus). L'apparition du syndicalisme agricole, à l'origine duquel elles se trouvèrent en 1884, en fit progressivement des associations purement techniques, dont les avis continuèrent néanmoins à être écoutés. Contemporains des sociétés d'agriculture, les comices s'intéressaient avant tout aux aspects pratiques de l'agriculture.

Créés après la loi de 1884 les syndicats agricoles furent d'abord des associations de défense et d'achat d'engrais, de semences et d'insecticides. Ils étaient ouverts aux paysans et aux professions travaillant pour l'agriculture (ce qui fragilisait le mouvement) et se proposaient de rapprocher propriétaires et salariés. En pratique, les syndicats élargirent leur champ d'action à la politique et se montrèrent plutôt conservateurs. Ils applaudirent évidemment aux mesures du ministre Méline.

Plus importante fut leur action sur le terrain, en faveur de l'irrigation, de la commercialisation des fruits et des produits maraîchers (tarifs ferroviaires, études de marché, aide aux coopératives), de défense de la viticulture. En Vaucluse fut ouverte une Maison de l'agriculture à Avignon (1893), une coopérative agricole en 1894, des entrepôts.

En 1895 les syndicats des Bouches-du-Rhône, du Var, du Vaucluse, des Basses-Alpes, des Hautes-Alpes, de la Drôme et du Gard formèrent une Union des syndicats agricoles des Alpes et de Provence, rattachée à l'Union centrale des syndicats agricoles créée en 1886. Son succès fut grand jusqu'à l'apparition des syndicats communaux. Ceux-ci étaient au nombre de 251 en 1909 et regroupaient alors 50 000 adhérents. Politisés, ils étaient au surplus aux mains de notables, de fonctionnaires et d'enseignants agricoles.

L'Union disposait d'un journal de services de propagande, de contentieux, d'enseignement. Elle assurait ses adhérents. Grâce à la Coopérative des Alpes et de Provence elle leur procurait les produits dont ils avaient besoin. Après 1910 elle entreprit de vendre leurs récoltes.

Les républicains de la Société nationale d'encouragement à l'agriculture (établie en 1880) furent à l'origine d'une autre organisation, bien implantée dans le Sud-Est, la Fédération nationale des syndicats agricoles, elle-même liée à la Fédération des caisses régionales de crédit agricole mutuel, à la Fédération nationale des coopératives agricoles et à la Fédération nationale de la mutualité et de la coopérative agricole.

Face à ces organisations, les syndicats de salariés agricoles apparus tardivement et dont la clientèle potentielle n'était pas très nombreuse pesèrent peu. Le mieux implanté fut le syndicat appartenant à la CGT.

d) À la fin du XIXe siècle apparut le crédit agricole, dans le sillage des lois sur les caisses de crédit agricole (1894-1899). En 1898 le syndicat agricole de Vaucluse ouvrit une Caisse de prévoyance et de crédit pour remplacer le crédit jusqu'alors offert par les notaires. Son capital était faible mais les dépôts opérés par ses membres sur des livrets d'épargne puis en compte courant (1905) garantissaient la caisse et lui permettaient d'accorder des prêts à court terme. Elle pouvait aussi escompter les effets de commerce de l'Union et de sa coopérative. Quoique limité à une minorité de paysans, son succès fut rapide.

En 1903 s'ajouta une caisse régionale de crédit agricole mutuel (Draguignan avait la sienne depuis 1900), alimentée par des avances sans intérêt de l'État. Elle éclipsa la précédente après 1918.

Il fallut attendre vingt années pour voir son équivalent dans les Bouches-du-Rhône. Elle remplaça deux caisses établies à Arles et à Aix en 1899. Dans ce département travaillaient depuis 1894 des caisses de crédit agricole mutuel aidées par la Caisse d'épargne, laquelle avait au surplus son propre réseau de succursales rurales (24 en 1912).

Dans l'entre-deux-guerres, l'équipement financier des campagnes se poursuivit. La Caisse régionale d'Avignon ouvrit 36 caisses locales entre 1921 et 1926. Elles s'occupèrent particulièrement de gérer la trésorerie des caves coopératives, de recevoir les dépôts des particuliers et de prêter. La Caisse de prévoyance devint l'une de ces caisses en 1920. Lorsque l'État voulut imposer le versement des fonds disponibles à la caisse centrale, la Caisse de prévoyance organisa une Caisse d'économie et de crédit (1930). En outre, les banques s'intéressèrent à la campagne : à la veille de la deuxième guerre, elles étaient au nombre de 17 à être implantées dans le département et disposaient alors de 85 guichets et bureaux locaux.

e) L'État a participé à la transformation de l'agriculture, par exemple en créant un système d'assurances professionnelles entre 1884 et 1906 ou en établissant le Service des améliorations rurales en 1903 (on l'appellera plus tard le Génie rural).

À partir des années 1880 s'ouvrit progressivement un enseignement spécifiquement agricole : conférences, chaires d'agriculture dans le primaire, chaires de botanique et de zoologie à la faculté des sciences de Marseille, direction départementale des services agricoles (pour vulgariser et enseigner l'agriculture) [1912], écoles saisonnières et cours postscolaires après la première guerre. Il y eut aussi des écoles spéciales à Valabre, près d'Aix (1884), et à Hyères (1897, l'État l'a récupérée en 1905).

Ces mesures avaient été largement précédées par l'ouverture, avec l'aide publique, de fermes expérimentales à Varages (Var, 1829), Saint-Cannat (Bouches-du-Rhône, 1840), Les Mées (Basses-Alpes, 1847), Carpentras (Vaucluse, 1849), Grasse (Alpes-Maritimes, 1849), Entrecasteaux (Var, 1849) et enfin Saint-Cyr (Var, 1852).

On signalera, pour finir, l'encouragement (1867) puis la reconnaissance de la coopération (1893). Cette politique a conduit à l'ouverture de coopératives de production, de crédit et surtout de consommation, mais en petit nombre : le midi provençal fut longtemps réfractaire à une structure qui connut bien davantage de faveur dans le reste de la France. En 1911 on comptait 28 coopératives de consommation dans les Bouches-du-Rhône (pour 4 243 membres), 30 dans le Vaucluse (2 634 membres), 28 dans le Var (2 105 membres), 7 dans les Alpes-Maritimes (236 membres) et 3 dans les Basses-Alpes (607 membres). Le mouvement s'amplifia après 1918.

La campagne provençale paraissait donc bien équipée pour faire face aux mutations. Elle faisait nettement mieux que le reste du pays en termes de progression du revenu (+39 % pour 1912-1929) ou de produit brut à l'hectare (+122 % pour 1862-1929)... La recherche de l'innovation intelligente couplée avec l'exode rural avait sauvegardé l'agriculture régionale. Les échos de la crise de 1929 furent en Vaucluse tardifs et brefs (1934-1936), probablement superficiels. Elle poussa le vignoble vers les vins de qualité et le raisin de table et renforça la diffusion du maraîchage. Ces deux activités fournissent à la veille de la Seconde Guerre mondiale la plus grande part du revenu, contre 15 % pour le blé, la pomme de terre et le mouton, au moins dans le bas pays.

VII. UN NOUVEAU PAYSAN ?

En 1939 on a le sentiment que deux paysanneries coexistaient en Provence. Peut-être leur arrivait-il de s'affronter comme ce fut le cas lors de la crise de 1905-1907 dans le Var où les viticulteurs furent rapidement lâchés par les notables, les syndicats agricoles et les républicains des campagnes. L'une, dure à la tâche, se consacrait aux activités traditionnelles. Conservatrice de l'âme provençale, elle était condamnée à l'exode et à l'abandon de sa terre. C'est celle de Mistral et surtout celle de Giono. L'autre, engagée dans le combat spéculatif, répandue du Var inférieur au Rhône comtadin, était formée d'hommes attentifs à la conjoncture, prêts à forcer la nature, à la recherche des gains élevés et d'un genre de vie citadin et atypique.

En 1900 comme en 1938 la fortune des paysans vauclusiens paraît moyenne dans la plupart des cas : les successions sont passées de la fourchette 5 000-20 000 F à la fourchette 30 000-120 000, mais il faut se rappeler l'inflation. Comme toujours le patrimoine foncier est essentiel, mais moins qu'avant (69 % contre 82 % du montant des successions). En revanche, les valeurs mobilières pèsent davantage (22 contre 15 %) : il s'agit surtout de bons de la Caisse d'épargne. En termes de « culture » c'est sans doute la place occupée par les meubles (matériel agricole et mobilier de la maison) qu'il faut retenir : elle est passée de 3 à 9 %. Les paysans avaient commencé à se détourner d'un genre de vie où le matériel humain et la lutte pour la survie représentaient presque tout mais qui pendant des siècles avait généré un espace social cohérent et original.

BIBLIOGRAPHIE

AGULHON (M.), *la République au village*. Paris, 1970.

BLANCHARD (R.), *Les Alpes occidentales*, tome 4 : *les Préalpes françaises du sud*, Paris, 1945, 2 vol. ; tome 5 : *les grandes Alpes françaises du sud*, Paris, 1949-1950, 2 vol.

BENOÎT (F.), *La Provence et le Comtat Venaissin. Arts et traditions*, Avignon, 1975.

COLLIER (R.), *La vie en haute Provence de 1600 à 1850*, Digne, 1973.

GUIRAL (P., sous la dir. de), *La Provence de 1900 à nos jours*, Toulouse, 1978.

GEORGE (P.), *La région du bas Rhône*, Paris, 1935.

LIVET (R.), *Habitat rural et structures agraires en basse Provence*, Gap, 1962.

MASSON (P., sous la direction de), *Les Bouches-du-Rhône. Encyclopédie départementale*. Tome 7 : *L'agriculture*, Marseille, 1928 ; tome 10 : *Le mouvement social*, Marseille, 1923 ; tome 13 : *La population*, Marseille 1921.

MESLIAND (C.), *Paysans du Vaucluse 1860-1939*, Aix, 1989, 2 vol.

RÉPARAZ (A. de), *La vie rurale dans les Préalpes de haute Provence*, Lille, 1978, 2 vol.

RINAUDO (Y.), *Les vendanges de la République*, Lyon, 1982 (version condensée d'une thèse de doctorat intitulée : *Les paysans du Var (fin XIXe siècle-début XXe siècle)*, soutenue en 1978, en 4 vol.).

ROLLET (P.), *La vie quotidienne en Provence au temps de Mistral*, Paris, 1972.

VIGIER (Ph.), *Essai sur la répartition de la propriété foncière dans la région alpine. Son évolution depuis les origines du cadastre à la fin du Second Empire*, Paris, 1963.

VILLENEUVE (comte de), *Statistique du département des Bouches-du-Rhône*, Marseille, 1821-1829, 4 vol.

CHAPITRE II

LA VIE URBAINE

I. VILLES EN PROVENCE DANS LES PREMIÈRES DÉCENNIES DU XIXe SIÈCLE

Au seuil du XIXe siècle, la Provence est déjà très urbanisée. Les localités de plus de 2 000 habitants regroupent près de la moitié de la population, pour moins d'un cinquième dans l'ensemble de la France. Cette spécificité qui tient autant à l'histoire qu'à la géographie n'exclut pas de nombreux contrastes. La carte dressée à partir de l'enquête de 1809 met en évidence une opposition entre, d'une part, les régions montagneuses des Basses-Alpes et de l'arrière-pays niçois aux villes petites et rares et, d'autre part, les rives maritimes et rhodaniennes du sud et de l'ouest, les piémonts alpins, les dépressions et bassins de basse Provence qui sont les lieux privilégiés de l'implantation urbaine.

Le contraste n'est pas moins grand si l'on considère la taille des agglomérations. Quatre seulement dépassent 20 000 habitants ; elles sont toutes sur le Rhône ou sur la Méditerranée. Douze sont d'importance moyenne et, à l'exception des Basses-Alpes, se répartissent également entre le Vaucluse, les Bouches-du-Rhône et le Var. Mais les autres, soit 77 % de l'ensemble, sont de petites localités inférieures à 5 000 habitants et souvent proches du seuil des 2 000. L'urbanisation provençale est donc surtout le fait de ces gros bourgs « par lesquels on passait par degrés insensibles de la ville au village sans changer véritablement de type d'agglomération » (Maurice Agulhon).

1. Diversité des fonctions

Ces villes assurent des rôles variés qui ne sont d'ailleurs pas exclusifs les uns des autres. Dans une région où le relief est souvent accidenté, les routes encore peu nombreuses et toujours lentes, elles remplissent en premier lieu une fonction commerciale. Au marché, qui se tient une à deux fois par

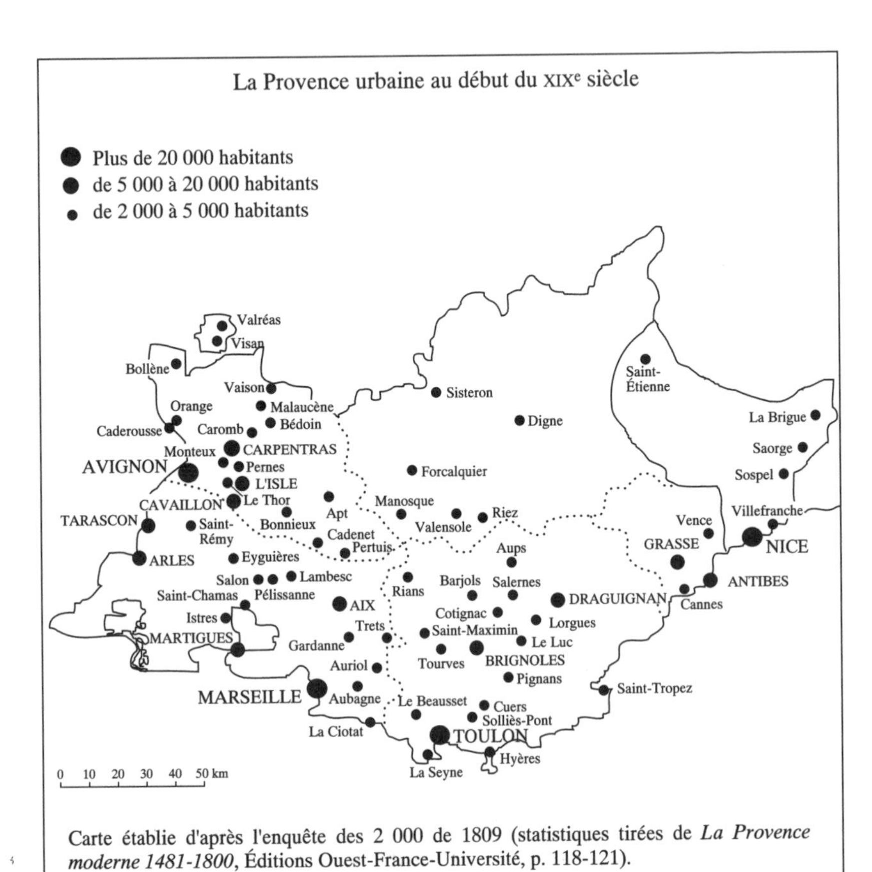

Carte établie d'après l'enquête des 2 000 de 1809 (statistiques tirées de *La Provence moderne 1481-1800*, Éditions Ouest-France-Université, p. 118-121).

semaine, s'échangent d'abord les produits comestibles du terroir. Ainsi, Salon-de-Provence en a un tous les mercedis, où il est possible de s'approvisionner en aliments frais. Parfois, certains marchés sont spécialisés, comme dans les vins au Luc, les laines à Bargemon, les cocons au Muy ou à Cotignac. D'autres servent de régulateurs des cours à tout un canton, tels ceux d'Aups ou de Saint-Maximin pour le blé. Les foires jouent un rôle plus général : à côté des produits agricoles, elles commercialisent les animaux, les productions artisanales, les vêtements et autres objets de ménage. Elles se tiennent de préférence au printemps et à l'automne, mais leur nombre peut s'accroître avec le rayonnement de la ville. Digne, qui étend son action jusqu'au Bès, la haute Bléone et l'Asse supérieure, en a quatre par an ; dans le Vaucluse en 1815, on en compte cinq à Apt, neuf à Valréas, onze à Bollène. Chacune répond à un besoin précis à un moment de l'année.

« Ainsi à Orange, aux foires de février et de mai, on achète des bestiaux et de la volaille pour les élever, des céréales pour la soudure ; la foire de juillet est consacrée à la soie, celle d'août à la vente du blé, des moutons gras, l'achat d'oignons et des aulx, celle de décembre à la vente du safran, des volailles pour les fêtes de Noël, à l'achat de beurre et de fromages, de poisson sec et salé et de grains pour les semailles » (Paulette Seignour).

Cette fonction d'échanges est particulièrement active entre régions complémentaires et explique le nombre important de petits centres dans la zone de contact entre haut et bas pays, zone qui court de Grasse à Rians, d'Apt à Vaison.

Parallèlement à ce commerce local, il existe entre Marseille et Antibes un cabotage qui assure une partie de la vie économique de la Provence et anime une succession de petits ports. Par eux, arrivent la houille et les matières premières, sortent diverses productions régionales. Hyères dessert ses marais salants et ses usines chimiques, Saint-Tropez une petite zone agricole, Cannes est l'entrepôt maritime de l'arrondissement de Grasse. Activité qui se prolonge jusqu'à l'arrivée de la voie ferrée, dans la seconde moitié du siècle.

À côté de ces fonctions d'échanges, certaines villes tiennent un rôle administratif et judiciaire. Ainsi en est-il des préfectures (au nombre de quatre entre 1815 et 1860 : Marseille, Avignon, Draguignan et Digne) comme des sous-préfectures avec Aix, Arles, Carpentras, Apt, Orange, Forcalquier, Sisteron, Toulon, Brignoles et Grasse. Elles sont le siège d'un tribunal de première instance, à l'exception d'Arles et de Sisteron ; la Cour d'appel est à Aix pour les Bouches-du-Rhône, le Var et les Basses-Alpes. Le choix de ces agglomérations comme centres administratifs est d'importance pour leur développement. Ainsi, ce critère finit par départager deux gros bourgs comme Saint-Maximin et Brignoles. De même, Digne doit une bonne part de son extension au rang de préfecture. Moins peuplée que Sisteron et Manosque en 1809, elle les rejoint à partir des années 1870 pour devenir la plus grande ville de toutes les Préalpes. Comme il a été justement noté, « la décision de la Constituante qui a fait de Digne le chef-lieu des Basses-Alpes a consacré la fortune de la petite cité » (Raoul Blanchard).

La présence de l'armée peut aussi être déterminante. Les villes de Provence où stationnent des garnisons ne manquent pas, mais aucune n'a plus étroitement lié son sort à l'activité militaire que Toulon. La marine royale explique l'énorme accroissement de la cité qui, passant de 20 500 habitants en 1800 à 45 400 en 1846, multiplie par deux sa population en un demi-siècle. Il est vrai qu'à partir de la Restauration la France joue un rôle actif en Méditerranée comme le montrent les expéditions d'Espagne en 1823, de Morée en 1828, d'Alger en 1830, puis la conquête de l'Algérie qui devient la grande entreprise du règne de Louis-Philippe. Toulon demeure un point d'appui essentiel de cette politique. La préfecture maritime est rétablie en 1827, le port est rénové et agrandi, la flotte militaire s'accroît et se modernise, le corps des officiers et des marins reçoit une meilleure formation, l'arsenal double son effectif entre 1814 et 1848 pour atteindre plus de 5 000 ouvriers. Bref, Toulon est militaire.

Aix est loin de connaître un tel dynamisme. L'ancienne capitale du comté de Provence émerge de la tourmente révolutionnaire décapitée. Bien qu'elle fût choisie comme chef-lieu des Bouches-du-Rhône par l'Assemblée constituante, le premier préfet Delacroix installe la préfecture à Marseille en 1800, et aucun de ses successeurs ne reviendra sur cette décision. Aix est donc ravalée au rang de sous-préfecture. Du moins obtient-elle certaines compensations : elle conserve la Cour d'appel, elle reste une métropole religieuse comme archevêché, elle est un siège d'Académie où sont créées des facultés de droit (1808) et de théologie (1809), les Écoles normales d'instituteurs (1836) puis d'institutrices (1843) des Bouches-du-Rhône, l'École des Arts et Métiers (1843) et une faculté des lettres (1846). Sa déchéance politique s'accompagne d'un déclin économique. Le tracé de la voie ferrée Paris-Lyon-Marseille évite Aix au bénéfice d'Arles. On a parlé de « coup de grâce » porté à la ville. Désormais à l'écart des grands courants d'échanges et incapable de créer une industrie, l'agglomération, dont le thermalisme végète, borne son activité au commerce des produits régionaux et à de petites entreprises artisanales. Cette décadence apparaît dans les chiffres de la population agglomérée qui, de 18 500 habitants en 1806, tombe à 17 700 en 1846. Avec son aristocratie désargentée et figée, sa bourgeoisie cultivée mais sans audace, ses éléments populaires où le poids du monde agricole est encore important, Aix est qualifiée par ceux qui la traversent de « belle endormie », « ville en léthargie », « cité décrépite », « petite ville moribonde », « mer morte », « mausolée du XVIIe et du XVIIIe siècle... ».

Avignon a mieux maintenu la diversité de ses fonctions. Centre administratif, judiciaire et religieux, la ville est aussi une place de transit et un pôle de petites industries. Sa situation sur le grand axe routier Paris-Marseille en fait un point de passage des compagnies de roulage, son port fluvial met le département du Vaucluse en relation avec les Alpes, Lyon, le Centre de la France, la Bourgogne, la région parisienne, le Rhin. L'activité y est particulièrement intense au moment de la foire de Beaucaire. La navigation à vapeur, apparue en 1829, se développe pour atteindre son apogée dans les années 1840 : vingt-deux navires appartenant à six compagnies lyonnaises sillonnent le Rhône d'Arles à Mâcon. C'est aussi l'époque où les industries traditionnelles connaissent encore quelques années fastes : celle du tissage de la soie dont le nombre des métiers passe de 1 500 à 7 000 entre 1815 et 1830, avant un déclin irrémédiable ; celle de la garance qui occupe neuf moulins sur les quarante du département avec des profits considérables pour les négociants qui s'y consacrent ; celle plus moderne des Fonderies du Vaucluse, spécialisées dans le doublage en cuivre des navires de la marine marchande, qui se déplacent à Vedène en 1834. En fait, avec une population qui oscille de 25 000 à 30 000 habitants entre 1809 et 1836, une main-d'œuvre du textile à la condition des plus précaires, un monde de portefaix du Rhône bruyant et plus ou moins mal famé, une étroite bourgeoisie industrielle et commerçante enrichie, l'économie d'Avignon repose sur des bases fragiles que le chemin de fer et l'évolution technologique vont ébranler dans la seconde moitié du siècle.

Marseille, en revanche, affirme sa prééminence sur l'ensemble provençal. La ville sort épuisée des guerres de la Révolution et de l'Empire avec une population qui est tombée au-dessous de 100 000 habitants et un négoce maritime démantelé. Celui-ci se relève après 1815 pour dépasser à partir de 1825 le niveau des plus brillantes années du XVIIIe siècle. Malgré de sérieux obstacles, qu'il s'agisse d'un outil portuaire ancien et de moins en moins adapté, d'une législation douanière ultra-protectionniste et d'un régime des quarantaines qui paraît de plus en plus archaïque, la place renoue la plupart de ses liens en Méditerranée, élargit son horizon commercial vers l'Algérie, le Maroc, les côtes occidentales d'Afrique, l'Inde et le continent américain. Le total des entrées et sorties de navires, qui atteint 1 375 000 tonneaux en 1840, a plus que doublé en vingt ans. À cette date, Marseille est le cinquième port mondial par le tonnage de sa navigation, derrière New York, Londres, Liverpool et Hambourg. Liée aux échanges portuaires, l'industrie participe à ce développement. Ses branches traditionnelles progressent : la savonnerie, qui compte 12 fabriques et 180 ouvriers en 1817, multiplie par deux sa production en vingt-cinq ans pour atteindre 45 fabriques et 700 ouvriers en 1842 ; la main-d'œuvre des raffineries de sucre, malgré les entraves à l'importation de cette denrée, croît de 600 ouvriers en 1830 à près d'un millier en 1838. Ce qu'il convient surtout de souligner, c'est la naissance de nouveaux secteurs d'activité. L'huilerie utilise désormais des graines oléagineuses (lin, sésame, arachide) et fait fonctionner 36 usines en 1842 avec 700 à 800 ouvriers ; née sous l'Empire, la chimie grandit autour de la soude artificielle, l'acide sulfurique et l'acide chlorhydrique. Marseille devient le premier centre chimique français sous la Restauration. L'industrie métallurgique et mécanique apparaît avec l'usage de la vapeur et la création de chantiers navals à La Ciotat et La Seyne : cette branche emploie 700 ouvriers en 1842. La population urbaine s'est accrue de 62 % entre 1811 et 1841 par une immigration qui est originaire de la Provence (38 %), des autres régions françaises (34 %) et de l'étranger (28 %). Avec 183 000 habitants, Marseille devient en 1846 la seconde ville de France. Comme le souligne le ministre des Travaux publics Jean-Baptiste Teste dans une intervention à la Chambre en 1842, elle « est non seulement le chef-lieu du Midi, mais encore le centre du commerce méditerranéen. Ses relations avec le Levant et l'Égypte, l'Amérique et les Indes sont immenses (...). Par conséquence naturelle de ces faits, Marseille est l'une des artères qui répandent au sein du royaume le plus de vie. Ses douanes, plus productives que celles du Havre, en font foi. Il est donc vrai de dire que sa prospérité est, dans toute la force du terme, une richesse nationale ».

2. Entre tradition et modernité

À peine sorties de la tourmente révolutionnaire, les villes provençales s'empressent de renouer avec leurs formes anciennes de sociabilité collective : fêtes profanes et spontanées comme le Carnaval, la Belle de mai, les feux de la Saint-Jean, ou religieuses et plus codifiées, tels les pèlerinages, processions ou célébration du Vœu de la peste de 1720. Cette « restauration » s'accomplit sous le regard étonné et parfois hostile des préfets, étrangers aux rites et aux traditions locales. Si certains les tolèrent comme Faucher dans le Var, d'autres s'en indignent : Thibaudeau dans les Bouches-du-Rhône traite de « mascarade stupide » les confréries de pénitents qui réapparaissent timidement.

Avec le retour des Bourbons, la fête provençale conservatrice et passéiste retrouve une place d'honneur. Dans les petites villes du Var, elle tisse des liens étroits avec les foires ; le Carnaval connaît alors son apogée à Draguignan. Partout on célèbre la paix en 1814, la naissance du duc de Bordeaux en 1820 ; missions et processions se multiplient. La décennie 1815-1825 est l'âge d'or des pénitents qui reprennent le costume, renouent avec leurs activités funéraires et caritatives, sont de toutes les grandes cérémonies publiques : on en compte 3 000 à Marseille lors de la grande mission de 1820.

Pourtant cette « restauration » est incomplète. La Provence urbaine — les villages résistent mieux — ne retrouve pas dans son intégralité le riche système festif, pièce essentielle de la sociabilité méridionale d'Ancien Régime. Michel Vovelle y voit l'effet du choc révolutionnaire qui « a échoué à imposer un nouveau modèle mais a contribué au décapage radical de l'ancien ».

En basse Provence, le calendrier des fêtes que les préfets de l'Empire jugeaient excessif tend à se concentrer quelques jours par an. Et partout le visage de la fête a changé. Devenue ostentatoire, elle perd en partie ses rituels traditionnels : les jeux de la Pentecôte à Tarascon, ceux de la Fête-Dieu à Aix et Salon sont devenus occasionnels. Lorsqu'ils subsistent comme la bravade à Saint-Tropez, ils tendent à devenir un spectacle folklorique recherché pour son exotisme. Quant aux manifestations de mauvais goût — la fête des fous à Antibes, la Jouvine à Grasse, les jeux nuptiaux à

Manosque — elles ont souvent disparu. Au nom de la moralité, le clergé paroissial condamne les débordements du Carnaval comme la danse qui fait fureur ; il contrôle étroitement les confréries de pénitents dont il s'efforce de contenir les velléités autonomistes. Dès lors, leur survie (à Avignon, Aix, Marseille...) ou leur déclin (à Arles) dépendent, selon Régis Bertrand, de leur faculté d'adaptation, voire de reconversion. Ainsi, épurée de ses éléments les plus subversifs, régulée selon un modèle national par des autorités civiles et religieuses toujours méfiantes face à la spontanéité des foules, la sociabilité urbaine n'est plus tout à fait la même.

D'autres formes s'affirment qui investissent moins la rue et davantage le domestique. Le préfet des Bouches-du-Rhône, Villeneuve-Bargemon, constate en 1824 que « les jouissances (sont) plus concentrées dans l'intérieur des familles ». Quinze ans avant Stendhal, il décrit Marseille « désertée le dimanche pour la bastide et les guinguettes » où l'on se rend en famille, avec femmes et enfants. Et ce n'est pas une spécificité locale : l'élite aixoise a aussi ses bastides ; quant aux guinguettes, elles sont nombreuses à Toulon, ville ouvrière, et tout le long de son littoral occidental.

Dans les salons bourgeois, on danse, on joue la comédie et on fait de la musique entre amis. Ce goût du théâtre et de la musique est répandu dans toutes les villes et dans toutes les classes. À l'opéra, la bonne société occupe orchestre, loges et balcons tandis que le public populaire ne craint pas de s'exprimer bruyamment dans les étages supérieurs. La bourgeoisie marseillaise fréquente les concerts Thubaneau, mais les chœurs Trotebas ont un recrutement plus modeste. On chante aussi au cabanon, tandis que les sociétés d'amateurs de théâtre fleurissent sous la Restauration. Celle que fréquente Victor Gelu regroupe commis, employés, artisans, ouvriers, portefaix. Le théâtre en langue française, à l'origine réservé à une minorité cultivée, pénètre largement les milieux populaires, faisant ainsi des villes « les lieux à partir desquels rayonne la francisation » (René Merle).

Néanmoins, la société y reste encore très cloisonnée ; on se côtoie sans se mélanger. L'élite masculine fréquente les cercles : on en recense quatre à Toulon, cinq à Draguignan, trois à Grasse, deux à Brignoles... Les hommes se retrouvent aussi dans les loges maçonniques et, pour quelques grandes villes comme Marseille, Aix, Avignon, à l'Académie ou à l'Athénée, tandis que leurs épouses vont à l'église, animent les œuvres de bienfaisance ou se regroupent en confréries : celle du Rosaire à Manosque compte 450 membres en 1836. Les couches plus modestes et populaires fréquentent des lieux spécifiques : les chambrées, toujours un peu suspectes, et de plus en plus les sociétés de secours mutuels qui fleurissent dans les moindres petites villes. Elles sont encouragées par les autorités et encadrées par les classes dirigeantes : Manosque en possède deux ; dès 1822, la seule Société de Bienfaisance en contrôle 34 à Marseille. Dans cette ville, un Athénée ouvrier voit le jour en 1845 sur le modèle de celui que la bourgeoisie avait fondé vingt ans plus tôt.

Cette dichotomie sociale se traduit dans la configuration des cités. Ainsi à Aix, décrite par Zola sous le nom de Plassans, on distingue trois quartiers, celui des nobles, la vieille ville populaire et la ville neuve bourgeoise. Les promenades dominicales sur le Cours reflètent ce clivage avec un côté sud plus aristocratique et un côté nord plus plébéien : « Six à huit mètres les séparent et ils restent à mille lieues les uns des autres. »

À Marseille, il y a plus que de la distance entre « classes secourantes » et « classes secourues ». La Société de Bienfaisance ne rencontre que méfiance lorsqu'elle propose aux indigents des vieux quartiers des soupes gratuites... qu'ils prétendent empoisonnées ! En 1812, devant les réticences des couches populaires, elle doit renoncer à ouvrir une salle d'asile tandis que son comité médical se heurte à une forte résistance des pratiques traditionnelles envers la médecine dite « savante ». À travers ces affrontements, on perçoit le choc de deux cultures.

Car il s'agit bien de deux cultures. Dans les villes, les élites sont plus francisées, moins provençales ; elles sont aussi plus laïques, plus détachées d'un certain folklore parareligieux ; elles sont enfin mieux instruites comme en témoigne la carte de l'enseignement secondaire et supérieur (p. 71). Du moins est-ce valable pour la partie masculine car, sur bien des points comme l'instruction ou la sociabilité, le clivage est grand entre les hommes et les femmes.

Le petit peuple des villes se réfère à d'autres valeurs. Certes, la culture française ne lui est pas étrangère grâce aux efforts des Frères des Écoles chrétiennes et des congrégations féminines enseignantes. En 1823, les sœurs de la Présentation de Marie, à Manosque, ont cinquante élèves gratuites ; les Ursulines de Clermont, à Digne, en ont quarante-sept en 1826. À la veille de la loi Guizot en 1833, Salon compte trois écoles de garçons, Aix quinze, Marseille quatre-vingt-dix-neuf. Mais il faut nuancer. Les Basses-Alpes qui se sont fait une spécialité du métier d'instituteur sont plus instruites que le Var. Et partout, les hommes le sont plus que les femmes : à Sisteron en 1838, 50 % des hommes savent lire pour seulement 25 % des femmes. Il convient aussi de relativiser : de façon générale, même s'il accède à une certaine francisation par l'école et le théâtre, le peuple reste plus provençal par la langue, ses pratiques et ses traditions. Bernard Cousin a bien montré comment l'ex-voto, d'élitiste au XVIIIe siècle, est devenu au XIXe une forme de dévotion majoritairement populaire.

Ainsi, la société apparaît-elle moins traditionnelle en ville qu'à la campagne, chez les élites que dans le peuple, chez les hommes que chez les femmes.

II. VERS DES ACTIVITÉS SPÉCIFIQUES

Perceptibles dès la première moitié du siècle, ces changements vont s'accélérer avec l'introduction d'éléments nouveaux, au premier rang desquels il convient de citer le développement des voies de communication.

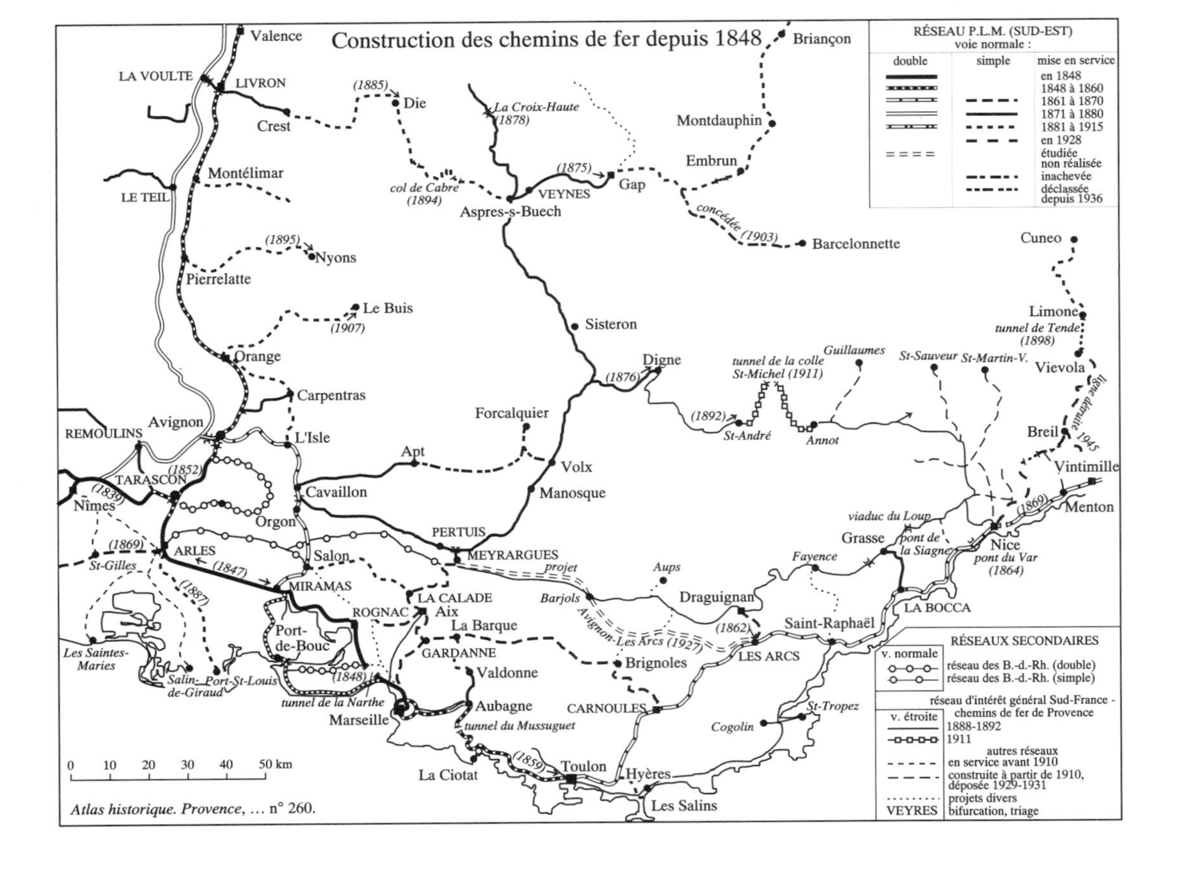
Construction des chemins de fer depuis 1848
RÉSEAU P.L.M. (SUD-EST)
voie normale :
double
simple
mise en service
en 1848
1848 à 1860
1861 à 1870
1871 à 1880
1881 à 1915
en 1928
étudiée
non réalisée
inachevée
déclassée
depuis 1936
RÉSEAUX SECONDAIRES
v. normale
réseau des B.-d.-Rh. (double)
réseau des B.-d.-Rh. (simple)
réseau d'intérêt général Sud-France - chemins de fer de Provence
v. étroite
1888-1892
1911
autres réseaux
en service avant 1910
construite à partir de 1910, déposée 1929-1931
projets divers
VEYRES
bifurcation, triage
Valence
LA VOULTE
LIVRON
Crest
(1885)
Die
La Croix-Haute
(1878)
Montdauphin
Briançon
Embrun
Montélimar
LE TEIL
col de Cabre
(1894)
(1875)
VEYNES
Gap
Aspres-s-Buech
concédée (1903)
Barcelonnette
Cuneo
(1895)
Nyons
Pierrelatte
Le Buis
(1907)
Sisteron
Limone
tunnel de Tende
(1898)
Orange
Digne
(1876)
tunnel de la colle
St-Michel (1911)
Guillaumes
St-Sauveur
St-Martin-V.
Vievola
ligne détruite 1945
Carpentras
Forcalquier
(1892)
St-André
Annot
Breil
REMOULINS
Avignon
L'Isle
Apt
Volx
Vintimille
(1852)
TARASCON
Cavaillon
Manosque
(1839)
Nîmes
Orgon
(1869)
Menton
viaduc du Loup
PERTUIS
Grasse
pont de
la Siagne
Nice
pont du Var
(1864)
(1869)
ARLES
Salon
MEYRARGUES
Fayence
St-Gilles
(1847)
projet
Aups
MIRAMAS
(1887)
LA CALADE
Barjols
Draguignan
ROGNAC
Aix
LA BOCCA
La Barque
Avignon-Les Arcs (1927)
(1862)
Saint-Raphaël
Port-
de-Bouc
GARDANNE
LES ARCS
Les Saintes-
Maries
Brignoles
Valdonne
Salin-
de-Giraud
Port-St-Louis
(1848)
tunnel de la Narthe
Aubagne
CARNOULES
St-Tropez
Marseille
tunnel du Mussuguet
Cogolin
0
10
20
30
40
50 km
(1859)
Toulon
La Ciotat
Hyères
Les Salins
Atlas historique. Provence, … n° 260.

1. Facteurs et prémisses d'une évolution

La Révolution et l'Empire laissent le réseau routier provençal dans une situation déplorable. Au cours des décennies suivantes, un sérieux effort est entrepris pour remettre en état les voies existantes et pour compléter l'infrastructure. Dans le Vaucluse par exemple, où la moitié du budget du conseil général est consacrée aux routes dès 1833, le pays de Sault est relié au Comtat par l'axe Carpentras-Sault. De même, les ports de la côte sont désenclavés par la route royale 98 de Toulon à Saint-Raphaël et, après 1860, par la basse corniche de Nice à Menton. Dans le Var intérieur, des voies de communication nord-sud sont aménagées, comme en 1867 celle qui joint Draguignan à Comps et la haute vallée du Verdon. Cette politique routière est particulièrement nécessaire dans les Basses-Alpes, département des plus mal reliés au reste du pays. Au début des années 1840, il ne compte au total que 53 chevaux attelés et 20 voitures ; une seule route traverse le chef-lieu Digne ; Barcelonnette et la vallée de l'Ubaye n'ont pour tout accès qu'un chemin muletier ; quant aux populations de l'arrondissement de Castellane, elles restent, selon l'économiste Adolphe Blanqui, « plus éloignées de l'influence française que les îles Marquises (...). Les communications ne sont ni grandes ni petites, elles n'existent pas ». En une cinquantaine d'années, un réseau est mis en place avec pour principaux axes les routes Digne-Barcelonnette par Seyne (1844), Digne-Grasse par Barrême et Castellane (1845), Barcelonnette-Saint-André par le col d'Allos (1892), Barrême-la vallée du Var par Puget-Théniers (1893). En fait, cette infrastructure routière prendra toute son importance au XXe siècle avec la généralisation de l'automobile et du car.

Pour l'heure, l'arrivée du chemin de fer paraît plus décisive. Le groupe Talabot construit une voie ferrée qui traverse la Provence d'Avignon à Marseille (1848), Toulon (1859), Nice (1864) et Vintimille, en Italie (1871). Ce réseau fusionne avec le Paris-Lyon pour former en 1857 la puissante compagnie du Paris-Lyon-Méditerranée, ou P.-L.-M. Ainsi, le tracé privilégie le littoral au détriment de l'intérieur, les villes côtières comme Toulon, Fréjus, Cannes au lieu d'Aix, Brignoles ou Draguignan. Sur cet axe principal se greffent des voies secondaires, dont la ligne de la Durance de Cavaillon à Gap (1875) et Digne (1876), à laquelle se raccorde la ligne Marseille-Aix (1877). D'autres réseaux voient le jour à la fin du XIXe siècle et au début du XXe, réseaux qui sont d'un intérêt local et d'une rentabilité parfois incertaine. Pour assurer les liaisons d'une région à l'autre, des ponts routiers et ferroviaires sont édifiés : une dizaine sur la Durance, quatre principaux sur le Rhône à Tarascon, Arles et Avignon. De la sorte, la Provence se trouve rattachée à l'ensemble national et européen ; désormais en rapport avec les marchés extérieurs, elle va devoir se mesurer à des régions plus dynamiques et techniquement plus avancées.

Autre facteur déterminant, l'alimentation en eau des grandes villes qui se réalise parfois au prix de travaux gigantesques comme pour le canal de

Marseille (1840-1848). Celui-ci amène les eaux de la Durance sur un parcours de 82 km, dont 17 souterrains, grâce à un ouvrage d'art monumental, l'aqueduc de Roquefavour. La commune répond ainsi à ses besoins domestiques, agricoles et industriels. Euphorique, Sébastien Berteaut prophétise : « Marseille, le Liverpool de la France, pourra devenir son Manchester. » Aix et son terroir sont alimentés par la retenue du barrage Zola (1854) et par le canal du Verdon qui capte ses eaux dans la région d'Esparron (1865-1875). Signalons aussi le canal de la Siagne à destination de Cannes (1866-1867).

Autant d'éléments qui modifient l'équilibre économique sur lequel reposait la Provence ancienne. Les nouveaux axes de circulation et le jeu de la concurrence vont frapper certains secteurs géographiques et quelques-unes des activités traditionnelles de la région. Ainsi, les échanges de Nice avec l'Italie s'effectuent désormais par Vintimille, au détriment de la route de Cuneo par le col de Tende : c'est le coup de grâce pour Sospel qui comptait 6 000 habitants au XVIIe siècle, encore 3 600 au début du XIXe mais qui n'en possède plus que 1 500 au XXe. De même, les nouvelles voies de communication empruntent la vallée de la Durance en isolant le plateau de Valensole qui cesse d'être une région de transit : ses agglomérations sont promises au déclin. Le chemin de fer réduit considérablement le rôle du cabotage, atteint le roulage, ruine la batellerie du Rhône et la navigation sur la Durance. De plus, la facilité des transports provoque l'irruption d'articles à bas prix produits dans des centres industriels beaucoup plus compétitifs : elle condamne nombre de petites activités locales dispersées dans les campagnes et les gros bourgs. Par exemple, la faïencerie de Riez et de Valensole, la papeterie de l'arrondissement de Grasse ou encore les filatures de laine du haut Var, du Vaucluse et de la vallée de l'Ubaye dont les habitants — les « Barcelonnettes » — sont contraints à l'émigration au Mexique. Certains centres résistent mieux en se spécialisant et en se modernisant, tels Salernes et ses tomettes, Barjols et sa tannerie, Aubagne et la poterie, la région de Saint-Rémy et l'industrie du chardon cardère liée aux débouchés internationaux que les négociants avaient su établir dès la Restauration. D'autres villes enfin ne s'adaptent pas aux conditions nouvelles, comme Tarascon dont la population tombe de 13 400 habitants en 1861 à 8 200 en 1911 : place agricole pourvue de fabriques artisanales qui s'effondrent, la cité ne sait pas développer une nouvelle industrie ni tirer avantage de la voie ferrée qui la traverse.

En revanche, le rail détermine la croissance économique de villes et de régions qui voient s'ouvrir de nouveaux marchés et qui n'hésitent pas à y répondre. Tel est le cas des petits bassins côtiers des Alpes-Maritimes et du Var, comme ceux de Hyères et d'Ollioules par exemple, qui se consacrent à l'horticulture et à l'arboriculture en vue de l'exportation ; de la plaine du Rhône et de la basse Durance, véritable *huerta* où se pratique la culture intensive des légumes et des fruits de primeur à destination de Lyon, Paris, Londres, Bruxelles... Des villes comme Châteaurenard, Carpentras, Cavaillon affirment leur rôle de capitales agricoles ; ces deux dernières développent leurs réseaux bancaires, leurs marchés d'exportation, la commercialisation d'engrais et de machines, l'industrie des conserves alimentaires, de la confiserie et du conditionnement. De même, Apt se spécialise dans la production de fruits confits, qui en 1891 occupe 596 ouvriers, dont 322 femmes. À Valréas, l'industrie du cartonnage emploie dans la ville même deux cents ouvriers et rayonne sur une cinquantaine de kilomètres. Grâce au chemin de fer, d'autres régions trouvent leur expression propre, l'Est méditerranéen avec le tourisme, la Provence occidentale autour de quelques pôles industriels et, bien sûr, Marseille.

Ainsi, une nouvelle Provence se met en place où s'accentuent déséquilibres et distorsions. À un intérieur plus pauvre, de moins en moins peuplé, à l'économie fragile et au tissu urbain constitué majoritairement de villes petites ou moyennes, s'oppose une frange littorale et rhodanienne à plus forte densité où se concentre l'essentiel des activités économiques et où se développent par l'immigration les plus grandes métropoles régionales.

2. Tourisme à l'est

La vocation touristique du littoral de la Provence orientale n'est pas nouvelle. Dès la première moitié du XVIIIe siècle, il est devenu l'antichambre de l'Italie. Hyères et Nice sont à cette époque les deux seules stations hivernales au monde : les étrangers apprécient leur climat que l'on croyait favorable aux santés délicates. Après 1815, de part et d'autre du Var alors fleuve frontière, les Anglais lancent de nouvelles stations, lord Brougham à Cannes en 1834, James Henry Bennet à Menton en 1849.

Alors que la vogue des bains de mer gagne les côtes de la Manche et de l'Atlantique, elle échoue à imposer une saison d'été en Méditerranée, sauf de façon ponctuelle et momentanée à Saint-Raphaël, Hyères et Marseille. Partout ailleurs, triomphe la saison d'hiver d'octobre à avril. Les riches aristocrates britanniques se font construire châteaux et villas dans des parcs immenses à la végétation exotique ; en 1866 Cannes en compte 700 à 800.

En 1860, Nice redevenue française accroît le potentiel touristique de la région. La voie ferrée atteint Menton en 1869 et met ainsi la Riviera à la portée des grandes capitales européennes. Des trains de luxe — et aussi « de plaisir » à tarifs modérés — amènent des flots d'hivernants de Paris, Londres, Vienne, Saint-Pétersbourg. On compte 522 familles étrangères à Cannes en 1867, le triple dix ans plus tard, sept fois plus à la veille de la Première Guerre mondiale.

Dès lors, un changement s'amorce. La clientèle se diversifie. Le littoral, baptisé « Côte d'Azur » par Stéphen Liégeard en 1887, devient autour de la reine Victoria le rendez-vous des têtes couronnées. S'y retrouvent aussi les grands de ce monde, lords anglais, princes russes, altesses allemandes, barons baltes, magnats austro-hongrois. La Côte est à la mode en France aussi : elle attire la haute finance — les Rothschild, Henri Germain — les hommes politiques, les journalistes, les artistes, les écrivains. Quelques grands bourgeois marseillais choisissent de se retirer à Cannes : le raffineur de sucre Joseph Grandval y décède au *château Saint-Georges* en 1873, l'armateur Cyprien Fabre à la *villa Romana* sur la Croisette en 1896. Pressentant cette évolution, Mérimée s'en inquiétait. « Quand cette diablerie (la voie ferrée) sera faite, Cannes sera rempli de Marseillais et de guinguettes. » En 1911, la moitié des hivernants de Nice sont des Français.

Le tourisme évolue aussi. La Riviera est toujours « l'hôpital du monde et le cimetière fleuri de l'Europe » (Guy de Maupassant), mais à partir des années 1860 le milieu médical s'interroge sur les bienfaits de l'air marin et du soleil pour traiter la tuberculose. À Menton, on compte encore vingt-six médecins en 1897 et, selon un témoin, « les malades s'y portent réellement mal ». Mais « à Cannes et à Nice, ils souffrent de l'imagination et du système nerveux », et cherchent donc à se distraire. Les villes s'équipent dans ce but : Nice, où le nombre des hivernants passe de 4 500 en 1861 à 150 000 en 1914, devient une « capitale d'hiver » (Robert de Souza). Elle compte 64 hôtels en 1877, 132 en 1910.

Les déplacements rendus plus faciles abrègent les séjours, un à deux mois d'hiver qui sont passés de préférence à l'hôtel. Ainsi, à l'époque de la villégiature succède l'ère des grands palaces : vingt-cinq salons au *Grand Hôtel* de Cannes (1863), 400 chambres au *Regina Excelsior* de Nice (1897). On y descend en famille, escorté de sa domesticité. À la veille de la guerre, la Croisette et la Promenade des Anglais voient surgir le *Carlton* (1911), le *Négresco* (1912), le *Ruhl* (1913). D'autres stations sont moins mondaines, telles Antibes, Saint-Raphaël, Saint-Tropez qu'affectionnent Paul Signac et ses amis peintres.

Ainsi, la Riviera devient la première région touristique d'Europe. De Menton à Hyères, le tourisme hivernal est l'élément moteur de l'urbanisation ; il submerge les anciennes activités côtières, provoque l'explosion démographique et accentue le déséquilibre entre le littoral en pleine expansion et l'intérieur qui se vide à son profit de ses hommes et de sa substance économique. Une exception toutefois, Grasse où la parfumerie traditionnelle, stimulée par le développement du marché et l'apparition de techniques nouvelles, entre dans l'ère industrielle.

3. Industries à l'ouest

Dans la Provence occidentale, la croissance urbaine repose en grande partie sur ce secteur d'activité. Sans égaler les puissantes concentrations industrielles de l'Europe du nord-ouest, il présente, sous forme ponctuelle, des implantations qui vont de la fabrique traditionnelle à la technologie la plus avancée.

À Salon à partir de 1873, la voie ferrée — un embranchement du P.-L.-M. — favorise l'essor de deux activités anciennes, le négoce des huiles et l'industrie du savon : 98 négociants en huile exposent à Paris en 1900 et seize savonneries fonctionnent à la veille de la Grande Guerre. Pour Gardanne, au contraire, c'est la modernisation de l'exploitation du lignite dans la deuxième moitié du XIXe siècle qui est déterminante. La production est passée en cent ans de 12 000 tonnes à 625 000 tonnes. Cette industrie utilisait en 1811 moins de cent ouvriers-paysans sur l'ensemble du bassin ; elle en emploie 2 826 à plein temps un siècle plus tard. S'y ajoute en 1894 une usine de traitement de la bauxite du Var, alors le premier département producteur de France.

Si Arles et Avignon voient leur fonction portuaire s'effondrer avec l'arrivée du chemin de fer, ce dernier apporte néanmoins des compensations. Les ateliers de réparation ferroviaire installés à Arles en 1856 occupent 1 200 à 1 400 ouvriers étrangers à la ville, l'équivalent des emplois supprimés dans la marine. Avignon, où les activités anciennes périclitent, accueille en 1880 un important dépôt de locomotives qui attire quelque 2 000 cheminots gavots et ardéchois. Dans les deux cas, ces apports extérieurs soutiennent la croissance — modérée — de la population.

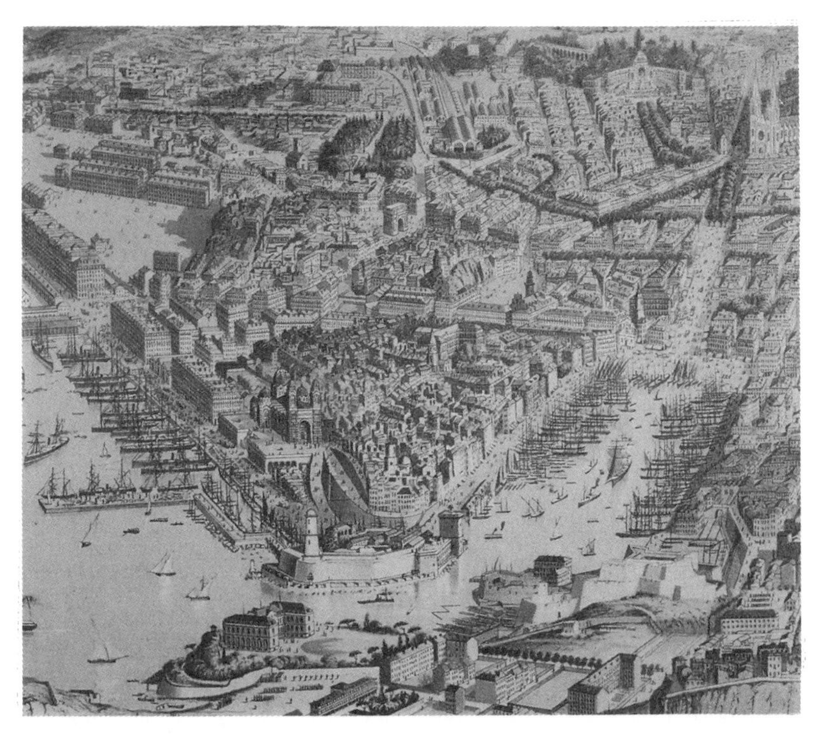

Ville et ports de Marseille en 1888. Marseille en 1888, plan de Hugo d'Alesi (musée d'Histoire de Marseille).

Sur la côte, les progrès de la construction navale reflètent le développement des échanges maritimes. Les chantiers se modernisent en adoptant la vapeur, l'hélice, les coques en fer. À La Ciotat et à La Seyne, ils passent sous le contrôle du puissant groupe capitaliste des Messageries maritimes et font travailler dès le Second Empire environ 2 500 ouvriers dans chaque ville. En 1901, la Société des Chantiers et Ateliers de Provence, créée deux ans plus tôt par l'armateur marseillais Alfred Fraissinet, lance son premier navire. Port-de-Bouc où elle s'est installée passe de 1 500 habitants à la fin du siècle à 3 400 en 1911. À la même époque, l'arsenal constitue à Toulon l'élément majeur de la vie économique, puisqu'il occupe à lui seul un dixième de la population active.

L'industrie joue donc pour toutes ces villes le même rôle fondamental que le tourisme pour les stations de la Côte d'Azur. On pourrait en dire autant de Marseille, si Marseille n'était un cas à part.

4. Marseille

Cette place particulière, elle la doit à son histoire et à la géographie : toujours frondeuse envers le pouvoir central, elle a longtemps regardé la mer et tourné le dos à l'arrière-pays provençal, français, européen. C'est une ville exceptionnelle, la seule en Provence à compter 100 000 habitants dès le XVIIIe siècle, à dépasser le demi-million à l'aube du XXe. Enfin c'est un port, le premier de France et de Méditerranée : à Marseille, tout gravite autour du port.

Or, à partir des années 1840, une mutation s'accomplit qui va conditionner l'avenir. En 1848, le chemin de fer arrime la ville au continent, même si l'on doit déplorer la situation de monopole du P.-L.-M. Depuis 1849, les eaux de la Durance permettent la modernisation et le développement des industries. La vapeur utilisée comme force motrice dans les usines et sur les navires révolutionne la production et les transports. Sous le Second Empire, la ville se dote d'un système capitaliste moderne grâce à l'installation de plusieurs succursales de banques et à la création en 1865 de la Société marseillaise de Crédit. Enfin, l'ouverture de six nouveaux bassins portuaires sur le littoral nord de 1844 à 1914 porte à vingt kilomètres la longueur des quais et à deux cents hectares la superficie des plans d'eau. Le port est équipé de sept formes de radoub, de trente-sept hectares de hangars et d'entrepôts, et d'un dock monumental. Ainsi, dotée d'un outil remarquable et favorisée par une législation douanière plus libérale, Marseille enregistre une croissance sans précédent dont témoignent les courbes de son trafic. En 1870, elle est le premier port de l'Europe continentale. Bien qu'elle se laisse dépasser par Hambourg, Anvers et Rotterdam à la fin du siècle, elle reste la grande place commerciale du sud de l'Europe, en relation avec les cinq continents. Elle est la « porte de l'Orient » et de l'Afrique, mais aussi celle du Nouveau Monde pour lequel ses navires embarquent un nombre croissant d'immigrants italiens. En 1913, Marseille possède dix-sept sociétés d'armement, son port est fréquenté par une soixantaine de compagnies de naviga-

L'activité du port de Marseille au XIXe siècle

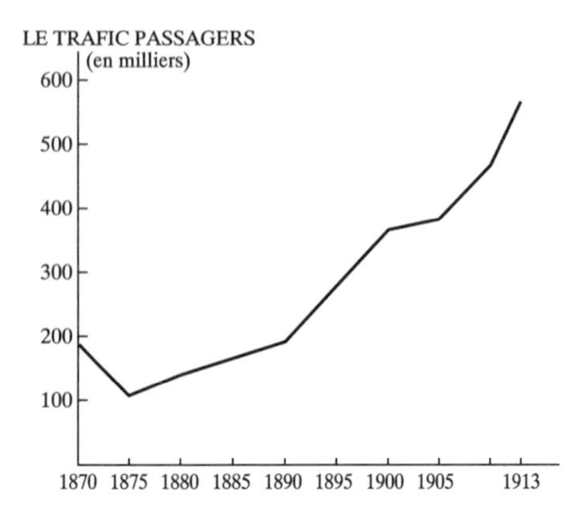

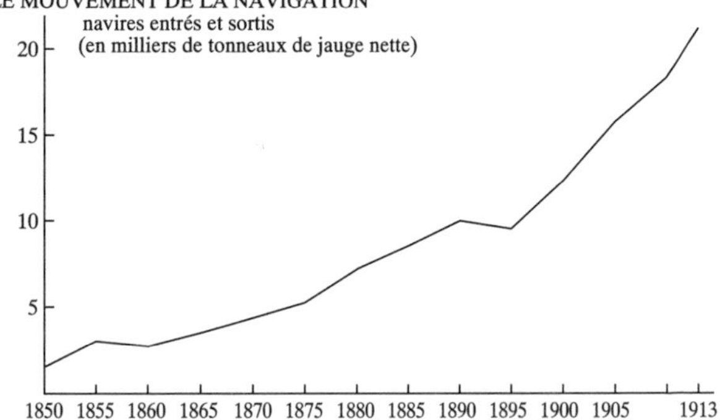

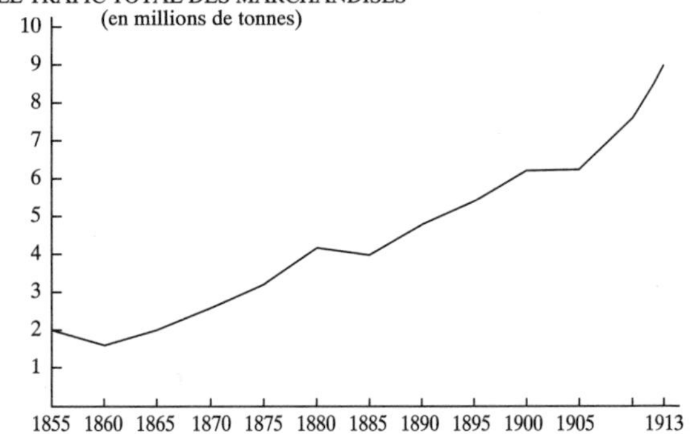

Types de croissance urbaine

d'après G. Dupeux, *Atlas historique de l'urbanisation en France* (CNRS, 1981)

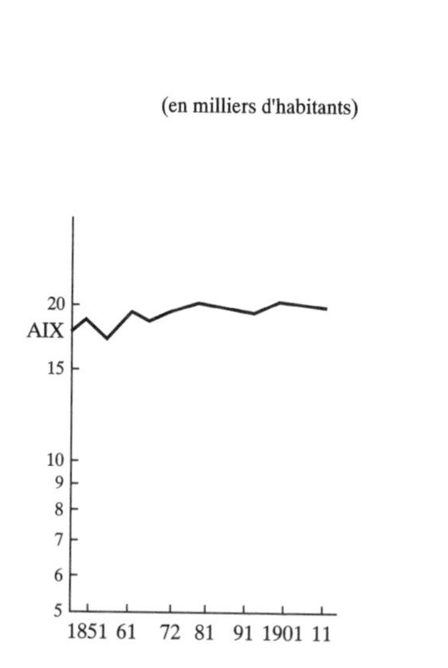

Une ville endormie à l'écart des grands courants économiques.

120
110
100
90
80
70
60
50
40
30
NICE
20
15
10
9
8
7
6
5
4
CANNES
3
'1841 51 61 72 81 91 1901 11

L'explosion démographique dans deux villes de la Riviera : sur un siècle, leur indice de croissance (844 pour Nice, 777 pour Cannes) se situe au niveau de celui du Havre (844) et dépasse celui d'une ville industrielle comme Saint-Étienne (733).

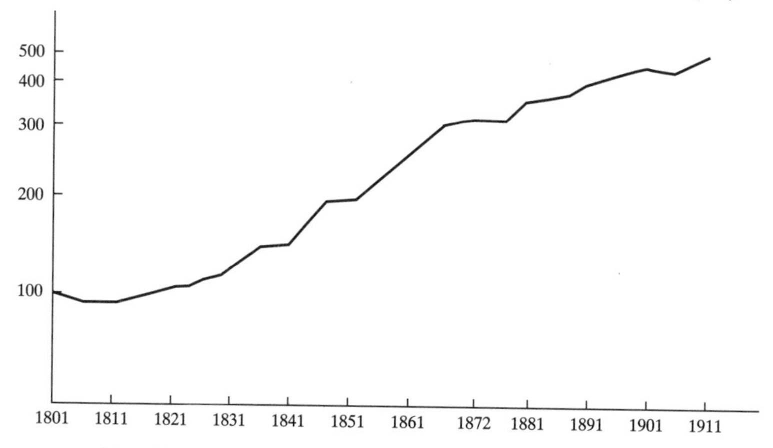

Marseille : la forte croissance d'une métropole commerciale et industrielle.

tion françaises et étrangères. Sa position centrale entre l'Europe du nord et l'Afrique, entre l'Atlantique et les au-delà de Suez, favorise les échanges les plus divers de marchandises exotiques et de produits manufacturés.

Toutefois les déceptions consécutives au percement de l'isthme de Suez en 1869, qui ne fait pas de Marseille comme on l'avait espéré l'entrepôt de la Méditerranée, poussent à étendre la fonction industrielle. Louis Pierrein a montré comment les secteurs traditionnels des sucres et des oléagineux se sont développés pour retenir la marchandise sur la place et la réexpédier transformée sous forme de savon ou de pain de sucre pour la plus grande renommée de la ville. Contribuent aussi à sa célébrité la fabrication de pâtes alimentaires Scaramelli, Rivoire et Carret, les bougies Fournier, la bière Phénix, l'amer Picon, le vermouth Noilly..., sans oublier les tuileries-briqueteries dont les produits, excellent fret de retour pour les navires, sont connus jusqu'aux antipodes.

Industries chimiques et métallurgiques déjà anciennes, hauts fourneaux créés plus récemment sous le Second Empire, usine de La Barasse où l'on produit de l'alumine depuis 1906 complètent un potentiel auquel il faut ajouter les manufactures de tabac et d'allumettes qui emploient une importante main-d'œuvre féminine. Ainsi Marseille est-elle devenue au début du XXe siècle une grande ville populaire, à près de 50 % ouvrière, où les immigrés principalement italiens représentent un cinquième de la population. Ici comme ailleurs, la croissance fait éclater le cadre ancien, impose un remodelage, dessine le visage de la ville moderne.

III. PERMANENCES ET MUTATIONS

Cette transformation est observable partout où l'essor des activités industrielles et touristiques, le développement des fonctions commerciales, agricoles ou administratives a provoqué une croissance démographique. Cette dernière est fort inégale d'une localité à l'autre. Si l'on considère les cinq villes les plus peuplées de Provence, les différences sont notables. En soixante ans, de 1851 à 1911, Aix a vu sa population croître de 11 %, Avignon de 36 %, Toulon de 82 %, Marseille de 182 %, Nice de 429 %. Les premières ont régressé dans l'ensemble national : Aix passe de la 38e à la 62e place, Avignon de la 24e à la 37e, Toulon de la 9e à la 13e. Marseille reste la deuxième ville de France loin derrière Paris et juste avant Lyon. Nice a connu une progression fantastique : encore piémontaise en 1851, elle se serait située en 37e position des villes de France ; elle se hisse à la 12e en 1911 ; quand Paris triple, elle quintuple. Avec 143 000 habitants à la veille de la Grande Guerre, elle rejoint Toulon (126 000) et Marseille (550 000) dans le groupe des seize villes françaises de plus de 100 000 habitants. Les mêmes irrégularités dans la croissance s'observent pour des localités plus modestes : La Ciotat progresse de 95 %, Grasse de 67 %, Digne de 53 %, Orange de 13 %, Draguignan de 11 %, Saint-Rémy de 2 % seulement.

1. Villes en chantiers

Dès lors, il est difficile de généraliser : les transformations n'ont pas la même ampleur, les travaux ne sont pas aussi spectaculaires selon la taille et le dynamisme de la cité. Des décalages dans le temps s'observent aussi : Marseille finit d'abattre ses remparts sous la monarchie de Juillet, alors que Toulon reste plus longtemps « une ville étranglée dans l'étroite ceinture des fortifications » (Michelet). Aix s'en libère en 1880, Arles les conserve et les aménage, Avignon les restaure. À des degrés divers pourtant, les agglomérations se transforment : elles passent en quelques décennies de l'archaïsme à la modernité.

Alors que leurs centres surpeuplés se détériorent, les cités se dilatent. Des faubourgs apparaissent, au sud d'Avignon au-delà de la voie ferrée, à l'est d'Arles face aux ateliers du chemin de fer, en tous lieux autour des gares. Parfois, la ville croît dans toutes les directions. Marseille lance des tentacules au nord, à l'est, au sud et absorbe plusieurs villages de son vaste terroir : entre eux subsistent des espaces agricoles auxquels elle doit son aspect de « ville à la campagne ». Sur la Côte d'Azur, les vieux noyaux urbains se doublent de nouveaux quartiers, résidences des hivernants : ainsi à Hyères de part et d'autre des boulevards des Palmiers et des Îles-d'Or, ou à Cannes à la Croix-des-Gardes et à La Californie. C'est aussi le cas de Nice où le Paillon est la frontière entre la vieille ville groupée à l'est au pied de son château, et la cité nouvelle qui s'étale à l'ouest entre la mer et la voie ferrée.

Dans tous les cas, ces extensions génèrent des disparités, les quartiers se structurent socialement et ethniquement. Au nord de la Canebière, le vieux Marseille populaire s'oppose à la ville bourgeoise du sud ; les remparts d'Avignon séparent les nouveaux ouvriers installés dans les faubourgs extra-muros des vieux Avignonnais du centre ; à Cannes, les petites maisons de marins et de pêcheurs du Suquet contrastent avec les vastes lotissements de la colonie étrangère.

Entre ces divers lieux, l'urbanisme haussmannien s'efforce de faciliter la circulation. Il doit aussi joindre le cœur des villes à ces nouveaux pôles économiques que constituent les gares et les ports. De là, ces boulevards et ces « avenues de la gare » qui, dans les moindres agglomérations desservies par le chemin de fer, jouent un rôle de cordon ombilical, au prix parfois de regrettables destructions. La rue de la République à Avignon est ainsi devenue l'axe majeur d'une cité dont la force d'attraction ne s'exerce plus vers le Rhône, au nord, mais vers le chemin de fer, au sud. De même, le percement de la rue Impériale à Marseille est destiné à rééquilibrer la ville en reliant au centre les nouveaux ports de la Joliette et d'Arenc. C'est une entreprise spectaculaire : « elle égale les opérations les plus vastes que Paris a vu réaliser (...), les transformations les plus grandioses que notre siècle a accomplies » (*La France nouvelle illustrée*). De 1862 à 1864, sa construction occupe 2 500 ouvriers, cause la destruction de 38 rues et 935 maisons, impose le relogement de 1 600 personnes.

De tels chantiers nécessitent des capitaux considérables. Les aides de l'État, les emprunts municipaux ne sauraient suffire. Les villes deviennent le champ privilégié de la spéculation, petite ou grande. Sur la Côte d'Azur, les propriétaires locaux ont vite appris « le métier d'écorcher l'Anglais » (Mérimée). Les étrangers leur emboîtent le pas : ils lotissent leurs propres terrains qu'ils revendent avec profit. Des Suisses, des Allemands, des Belges investissent dans l'hôtellerie. Puis le grand capitalisme se déchaîne : Société immobilière méditerranéenne, Société foncière de Cannes et du Littoral, Société immobilière de l'Estérel... La Société foncière lyonnaise, filiale du Crédit lyonnais, est le promoteur de Cimiez, elle s'intéresse au littoral de Golfe-Juan et réalise une vaste opération d'urbanisme sur 2 600 mètres entre Cannes et Le Cannet. « La bande funèbre des compagnies s'abattit sur le marché comme un vol de gypaètes », note Stéphen Liégeard. On pourrait en dire autant de Marseille où, autour des ports, des docks, de la rue Impériale, s'affrontent les Mirès, Talabot, Pereire, ces « avides agioteurs du nord » que stigmatise Victor Gelu.

Une avenue haussmannienne, le boulevard Carnot à Cannes (Camille Milliet-Mondon, *Cannes 1835-1914*, Nice, Éditions Serre, 1986).

2. Habiter la ville

De cette fièvre de spéculation, les villes sortent transformées. Et d'abord embellies : promenades ombragées et fontaines comme à Aix, Salon et autres localités, jardins aménagés de rocailles comme le Rocher des Doms à Avignon sont bien représentatifs de l'urbanisme local. Comme partout en France, surgissent également nombre de bâtiments aussi symboliques qu'utilitaires : préfectures, hôtels de ville, palais de justice, chambres de commerce, églises, théâtres, musées et bibliothèques, halles, hôpitaux, casernes, écoles... Marseille construit un palais en l'honneur de l'eau, les villes de la Riviera des casinos à la plus grande gloire du jeu.

L'architecture civile bourgeoise ou aristocratique participe à ce décor, mais le contraste est grand avec le logement précaire des milieux populaires : habitat dégradé des centres-villes où l'ancien hôtel bourgeois devient le « palais dérisoire de la misère » (Louis Bertrand), sinistres « californies » marseillaises — l'équivalent méridional des courées — faubourgs insalubres constitués de « maisons basses » construites à la hâte, cabanons inconfortables promus au rang d'habitation principale. À La Seyne, tout près des chantiers navals, le quartier de La Lune rassemble des masures sordides.

Pour remédier à cette situation déplorable, la loi Siegfried de 1894 veut favoriser la construction d'H.B.M. (habitation à bon marché), mais ses effets ne seront vraiment perceptibles que dans l'entre-deux-guerres. Cependant, quelques petites villes dominées par la grande industrie paternaliste — les chantiers navals à La Ciotat et à Port-de-Bouc, Solvay à Salins-de-Giraud — bénéficient de cités ouvrières.

Grandes disparités aussi dans l'équipement urbain. Des adductions d'eau sont réalisées : Arles a huit fontaines en 1850, vingt-cinq en 1914 et, dès 1860, fournit 1 600 abonnés. Toulon, au contraire, reste longtemps mal desservie. Vers le milieu du siècle, le gaz est introduit un peu partout pour l'éclairage urbain, mais la formule « eau et gaz à tous les étages » reste l'apanage de quelques grandes réalisations immobilières comme la rue Impériale à Marseille ou le boulevard de la Foncière lyonnaise à Cannes (aujourd'hui boulevard Carnot). Au début du XXe siècle, l'électricité arrive dans les villes. Marseille aurait pu être équipée vingt ans plus tôt sans le monopole détenu par la Compagnie du gaz de Mirès. Dès 1901 pourtant, un réseau de tramways électriques s'y met en place qui relaie les omnibus et les tramways à chevaux ou à vapeur pour la desserte des quartiers éloignés. C'est aussi le cas, à la même époque, de Nice et de Cannes.

Les villes provençales gardent cependant la réputation — justifiée — d'être sales. La typhoïde, la variole, la tuberculose font des ravages. Le choléra surtout est le grand fléau du XIXe siècle. Il frappe partout, à Aix, Avignon, Arles, Cannes, Nice. Dans *Le Hussard sur le toit*, Giono a évoqué l'épidémie de 1835 à Manosque et en haute Provence. À Toulon, on recense 1 764 victimes en 1854, 1 339 en 1865, ce qui impose la fermeture des usines ; la contagion gagne La Seyne, Solliès-Pont, Hyères. À Marseille en

Avant la création du réseau d'égouts, passage du « tonneau » ou « torpilleur ».

Calme et pittoresque d'une ville de Provence intérieure (Y. Fattori, *1900 En ce temps-là le Var*, Association pour la sauvegarde des arts et traditions populaires de moyenne Provence, 1979).

1884-1885, l'épidémie est si meurtrière que la municipalité décide la construction d'un réseau d'égouts de 220 kilomètres. Mais à la veille de la Grande Guerre, Salon ne dispose que d'un collecteur à ciel ouvert. Arles n'est équipée qu'au début du XXe siècle, ainsi que Toulon où le « torpilleur » reste en usage jusqu'en 1914.

Ainsi, malgré l'hygiénisme qui inspire la plupart des responsables de l'urbanisme, les villes provençales sont loin d'avoir résolu tous leurs problèmes à la veille de la Première Guerre mondiale.

3. Structures sociales et fortunes

Dans l'état actuel des connaissances, il est difficile de saisir avec précision les composantes sociologiques des villes de Provence. Les études portant sur les catégories socio-professionnelles sont assez peu nombreuses et, de plus, leur rapprochement est souvent rendu impossible par l'hétérogénéité des bases statistiques, le manque d'unité des codifications et l'extrême diversité des regroupements opérés.

Une première indication, très générale, peut cependant être fournie par l'analyse des secteurs d'activité. Dans le Var sous le Second Empire, Émilien Constant a montré que le monde agricole se retrouve non seulement dans les petites villes mais encore à des degrés divers dans de plus grandes agglomérations qui ont diversifié leurs fonctions. Si la part de la population qui vit de l'agriculture est de 51,7 % sur l'ensemble du département, elle atteint 61 % au Luc, centre d'une zone agricole, mais 42,2 % à La Garde-Freinet où s'est développée l'industrie de la bouchonnerie, 27,9 % à Draguignan qui assure un rôle administratif et commercial, et 17,2 % à La Seyne, ville maritime et industrielle. Dans les Bouches-du-Rhône à la même époque, le monde agricole représente encore la moitié de la population d'Arles, un quart de celle d'Aix et seulement 8 % de celle de Marseille. Mais son importance diminue, puisqu'il ne regroupe plus qu'un quart des Arlésiens en 1910.

Les ouvriers, en revanche, occupent une place croissante avec l'industrialisation des villes. Leur poids est assez faible à Brignoles et à Draguignan (10 % des électeurs en 1859), plus lourd à La Seyne qui possède des chantiers navals (19,2 %), écrasant à Toulon (de 35 % à 40 %) avec la présence de l'arsenal et de diverses industries : on a pu dire que « l'élément ouvrier donne son caractère à la ville » (Émilien Constant).

D'autres catégories socio-professionnelles tiennent par endroits un rang considérable. La domesticité, qui se retrouve partout, varie avec la puissance de la bourgeoisie. À Cannes en 1906, on compte 4 400 domestiques qui représentent 30 % de la population active : en vingt ans, de 1886 à 1906, leur nombre a été multiplié par 2,4. Plus spectaculaire encore, dans le quartier du palais de justice à Marseille, domicile de la bourgeoisie fortunée, les domestiques constituent 45,5 % de la population active en 1866, ce qui en fait numériquement la première des professions recensées. Et cette domesticité est féminine à 85 %. Si l'on ajoute à ces diverses catégories évoquées les manœuvres, les marins et les pêcheurs des ports, on obtient une masse populaire importante dans les grandes cités : elle forme par exemple un tiers de la population marseillaise en 1873 et plus de la moitié à la veille de la guerre.

Les classes moyennes qui regroupent commerçants et artisans, cadres moyens, fonctionnaires et employés, jouent un rôle de plus en plus grand avec le développement des fonctions commerciales, administratives et militaires. Le monde de l'échoppe et de la boutique représente 19,7 % des électeurs à Toulon en 1859, 22,7 % à Draguignan, 23 % à La Seyne. Les écarts sont plus sensibles quand il s'agit des fonctionnaires et des employés : de 4,9 % à La Seyne, on passe à 7 % à Draguignan, préfecture, et à 16,8 % à Toulon, port militaire. Ces classes moyennes se révèlent les plus dynamiques dans certaines villes comme Arles : ce sont elles qui bénéficient le plus des progrès du commerce et de la distribution entre 1860 et 1910.

Enfin, au sommet de la hiérarchie sociale se situe une catégorie assez composite qui détient la plupart des leviers de commande, la bourgeoisie. Elle inclue négociants, industriels et banquiers, professions libérales, haute administration, cadres et officiers supérieurs, auxquels il faudrait joindre propriétaires et rentiers. Sa place dans la population urbaine varie selon l'essor économique et l'importance prise par les fonctions administratives : 11 % à Arles dans la seconde moitié du XIXe siècle, 18 % à Draguignan, voire 25 % à Aix, proportion considérable qui s'explique par le développement des milieux judiciaire et universitaire.

Toutefois, si elle est numériquement minoritaire, cette classe sociale possède la part la plus importante de la fortune comme le montrent les études menées à partir des successions. Dans le cas d'Arles, ville à dominante agricole, Paul Allard a établi qu'entre 1860 et 1863 l'élite urbaine, composée des professions libérales, de la haute administration et des propriétaires, représente 8 % de l'effectif et détient 41,5 % des biens successoraux, alors que l'ensemble de la paysannerie constitue la moitié de la population et possède le quart de la fortune. De plus, une élite se dégage au sein de cette bourgeoisie. À Marseille en 1852, le seul négoce qui représente 4 % des déclarations détient 34 % de la masse successorale.

Le cas de Marseille est d'ailleurs exemplaire, il confirme et amplifie l'ensemble de ces données. Selon une étude menée sur quelques quartiers de la ville en 1911 et d'après un sondage effectué dans les déclarations à l'Enregistrement, la grande et moyenne bourgeoisie (qui réunit propriétaires, rentiers, industriels, négociants, cadres supérieurs et professions libérales) forme 18,5 % de l'effectif et se partage 71 % des fortunes. La classe moyenne des petits commerçants, artisans et employés, soit 28 % de l'échantillon étudié, rassemble 15,5 % des biens. Le reste des déclarants, c'est-à-dire les ouvriers, les agriculteurs, les sans-professions et quelques autres catégories socio-professionnelles, constitue 53,5 % de l'ensemble et ne possède que 13,5 % de la masse successorale. Ces chiffres montrent les disparités qui existent au sein de la population des grandes villes, et la précarité matérielle des catégories sociales inférieures. De plus, la part considérable de l'indigence est révélée par cette seule donnée : 56,5 % des personnes décédées ne laissent aucune succession. On assiste d'ailleurs à une paupérisation croissante des couches sociales inférieures, puisqu'un décès sur sept ne fait l'objet d'aucune déclaration en 1852, un sur cinq en 1868, un sur deux en 1911. Ce qui signifie en clair que la moitié des Marseillais vit et meurt dans une totale pauvreté à la veille de 1914.

IV. VISAGES DE LA VILLE

1. L'étranger

Dans ces milieux populaires, les nouveaux venus tiennent une large place. Les villes, dont l'accroissement naturel est faible quand il n'est pas négatif, leur doivent l'essentiel de leur gain démographique. Le terme « estrangié » désigne en Provence celui qui n'est pas né sur place : selon un témoin, pour un Salonnais un Tarasconnais est un immigré. Grosses pourvoyeuses d'emplois, les villes drainent, on l'a vu, toute une population issue des départements limitrophes, paysans de la montagne ou habitants de ces petits bourgs oubliés par le progrès. Un exemple typique est celui des femmes gavotes ou ardéchoises venues « se placer » à la ville ou dans les hôtels de la Riviera. Une immigration temporaire ou saisonnière qui devient souvent définitive. En 1911, les Basses-Alpes dirigent ainsi vers Marseille 10 % de leur population, le Vaucluse, le Var et la Corse 7 % à 8 %.

Nombre d'Italiens se joignent à eux : ils constituent un tiers des admissions à l'arsenal de Toulon en 1860, 43 % des ouvriers de la parfumerie Chiris à Grasse au début du XXe siècle. Ils représentent alors 20 % de la population à Marseille, 25 % à La Seyne et à Nice, 30 % à Cannes. Ce sont les pêcheurs napolitains de la presqu'île de Saint-Mandrier près de Toulon ou du quartier Saint-Jean à Marseille, les petits commerçants toscans du Cours Saleya à Nice, les nourrices lucquoises si recherchées par les familles bourgeoises, et surtout les Piémontais. Ces derniers sont partout, dans l'agriculture périurbaine, le bâtiment, l'hôtellerie, les usines, les ports ; la *porteiris* génoise est une figure typique du paysage marseillais.

Ces nouveaux venus constituent toujours un pourcentage non négligeable de la population, y compris dans les petites villes comme Salernes où un habitant sur dix n'est pas originaire du lieu. À plus forte raison dans les agglomérations importantes : à Salon, on se plaint de « l'envahissement des étrangers » ; à La Seyne, on s'élève contre ce « ramassis de bandits ». Que dire alors de Marseille ? En 1896, certaines rues du Panier sont italiennes à 40 %. C'est l'époque où Louis Bertrand décrit « la grande foule houleuse de l'invasion italienne (...) où sonnent tous les dialectes de la péninsule ».

Par leur nombre, les Italiens focalisent la xénophobie. Alors se répand « le stéréotype dévalorisé de l'immigré » (Émile Témime), sale, ivrogne, joueur, querelleur, chapardeur, prompt à jouer du couteau. À Cannes, les Piémontais font aussi scandale en se baignant nus. Comme travailleurs, on les rend responsables du chômage et des bas salaires. Sans parler des affrontements politiques qui dégénèrent parfois, donnant à de simples incidents des dimensions démesurées. Tel est le cas en 1881 de ce qu'il est convenu d'appeler les « vêpres marseillaises ». Mais il ne faudrait pas généraliser : il est des endroits comme à La Seyne où une activité économique dominante facilite l'intégration.

Les villes sont donc des lieux de tensions et parfois d'affrontements entre anciens habitants et nouveaux venus que l'on charge facilement de tous les maux, dès lors que les autochtones se sentent envahis ou colonisés. Sur la Côte, où beaucoup d'étrangers appartiennent aux catégories sociales favorisées qui apportent richesse et développement, une certaine animosité s'exprime pourtant à leur égard. Descendante d'une famille établie à Cannes depuis le XVIIIe siècle, Hélène Tournaire évoque les railleries dont les touristes tapageurs sont l'objet de la part des gens du pays. Elle cite le cas d'un grand-duc qui sortait « dans sa calèche attelée en flèche, un valet de pied juché à l'arrière et sonnant de la trompe. Sur l'air, la ville mit les paroles : *Fas un paou lou couïoun* ». Ces faits sont sans commune mesure avec les accusations lancées ailleurs contre les immigrants plus modestes. Bien qu'exagérées, celles-ci ne sont pas tout à fait dénuées de fondement. Des études récentes ont montré le rôle du déracinement dans les pathologies urbaines. À Marseille, le sociologue William H. Sewell a pu appréhender statistiquement les effets criminogènes de la mobilité sociale entre 1820 et 1870. Il conclut : « *Migrations did weaken some of the contraints that might otherwise have kept immigrants from committing crimes (...). Migration (...) carried a signifiant risk of disorientation and criminality.* »

2. Villes dangereuses

Dangereuses, les villes le sont à des degrés divers, les grandes plus que les petites, les ports ouverts sur le monde plus que les cités de l'intérieur repliées sur elles-mêmes. Délinquance et criminalité atteignent à Marseille des taux records. Dans les années 1860, près des trois quarts des affaires criminelles des Bouches-du-Rhône mettent en cause des Marseillais. La ville, note le garde des Sceaux en 1887, « sert de refuge aux mendiants et aux vagabonds ». Et le *nervi*, type du voyou marseillais, est devenu un personnage littéraire. Les villes de la Côte d'Azur, Nice, Cannes, Antibes où l'étalage de la richesse attise les convoitises, connaissent aussi une vague brutale d'agressions à la veille de la Grande Guerre.

Pourtant, une étude sur la criminalité féminine à Marseille entre 1810 et 1880 permet d'établir que seuls 25 % des dossiers concernent des femmes nées dans la ville. Les autres sont ceux de Marseillaises de fraîche date : 17 % de nationalité étrangère, 58 % de Françaises originaires des Bouches-du-Rhône ou des départements limitrophes. Une autre enquête montre que 85 % des infanticides sont le fait de Françaises étrangères à la ville, 7,50 %

seulement de Marseillaises et autant d'Italiennes. Ce qui confirme les conclusions de William H. Sewell sur l'effet criminogène de la mobilité et révèle le caractère excessif des accusations portées contre les seuls Italiens.

Il y a plus grave pourtant que les périls physiques, c'est la menace qui pèse sur la santé morale des populations. On doit mettre en rapport le relâchement des mœurs avec le recul de l'influence de l'Église qui n'a pas su intégrer les nouveaux venus. Dans l'étude menée à Marseille par Fernand Charpin, tous les indicateurs concordent : le taux d'encadrement (un prêtre pour 690 fidèles en 1861, un pour 1 460 quinze ans plus tard), le nombre des baptêmes, la pratique dominicale, le devoir pascal et surtout l'empressement au baptême. Le délai légal de trois jours est observé jusqu'au milieu du XIXe siècle pour 75 % des nouveau-nés. Ensuite, entre 1850 et 1880, on assiste au naufrage de la tradition. Bien que porté à huit jours, le délai légal n'est plus respecté en 1911 que par 18 % des familles. L'auteur note aussi les différences de comportement entre une banlieue rurale plus fidèle aux pratiques anciennes et les quartiers de forte immigration qui connaissent les délais les plus longs. Et il impute ces distorsions à la mobilité et au choc qu'elle provoque chez ces urbains de fraîche date.

Ainsi, au début des années 1870, dans le quartier ouvrier de la Belle-de-Mai, 25 % des couples ne sont pas mariés religieusement, 75 % des unions sont de simples régularisations. On doit ces dernières à l'action de la Société Saint-François Régis, créée à Marseille en 1838 sous la pression de l'évêque, Mgr de Mazenod. En soixante-dix ans, elle traite 47 026 dossiers, marie 37 774 couples, fait légitimer 10 354 enfants. Lucien Gaillard estime la situation un peu moins grave à Toulon, La Ciotat et La Seyne où, beaucoup plus que dans les grandes villes, on redoute le « qu'en-dira-t-on », et à Avignon en raison de la plus grande rigueur du catholicisme.

La grande ville est en effet pour les femmes un lieu de refuge. Nombre de jeunes filles de la campagne, enceintes, viennent y faire leurs couches. Les filles mères constituent près de la moitié du public de la maternité de Marseille en 1840. Il arrive qu'ensuite elles abandonnent le fruit de leur « faute », qui vient alors grossir les rangs de l'orphelinat. Si la jeune mère choisit de garder son enfant, elle doit avoir recours, comme la plupart des femmes du peuple qui travaillent, aux soins d'une nourrice en dépit de l'hécatombe de nouveau-nés liée à cette pratique. L'industrie nourricière, qui fait vivre bien des campagnes, dépend étroitement du marché urbain, qu'il s'agisse de nourrices « sur lieu » ou « à emporter ». Ainsi, une enquête portant sur le Vaucluse montre que dans la petite commune de Morières 77 % des nourrissons sont originaires de la ville d'Avignon, toute proche.

Parmi les déviances urbaines, la plus typique reste cependant la prostitution. Elle n'est pas l'apanage des grands centres, la moindre sous-préfecture a sa « maison ». Même des villes modestes comme Salon ont leur « Chat noir ». Pourtant, ce sont les ports qui concentrent le plus grand nombre de « filles ». En 1856, Toulon a 369 prostituées en maison ou en carte, sans compter toutes les clandestines qui opèrent dans les brasseries à femmes ou les bars à matelots. Mais « le grand lupanar » (André Suarès), c'est Marseille : 3 584 filles inscrites en 1882. Depuis 1863, il existe un quartier réservé à quelques mètres de l'hôtel de ville où quatre-vingt-huit maisons sont installées. On en compte jusqu'à quinze dans la rue Bouterie, longue seulement de trois cents mètres. C'est un monde clos qui vit en circuit fermé sous l'autorité de tenancières, le plus souvent italiennes. Un inventaire de police de 1917 permet d'y recenser jusqu'à 234 femmes par rue. Mais ce n'est que la partie émergée d'une pratique qui tend à se répandre dans la ville. En 1883, il y aurait déjà près de 5 000 insoumises et, au début du XXe siècle, de nouveaux espaces prostitutionnels se constituent sur le cours Belsunce ou le long des allées de Meilhan, adaptés à des clientèles spécifiques. Ainsi, la prostitution se répand comme une « gangrène urbaine » et, avec elle, « le péril vénérien, nouveau choléra destructeur à la fois des corps et des familles » (Yves Lequin).

3. Comportements laïques et religieux

Le spectacle du « vice » et de la misère suscite dans les villes l'éclosion d'une multitude d'œuvres philanthropiques ou charitables. Les messieurs et surtout les dames de la bonne société se mobilisent dans cette croisade, où le souci de moraliser les couches populaires va de pair avec celui d'améliorer leur sort. Marseille compte à la fin du XIXe siècle environ cent cinquante organismes engagés dans ce combat. La ville possède trois sociétés de bienfaisance (catholique, protestante, israélite), deux sociétés de servantes (une protestante, une catholique), plusieurs orphelinats (de filles et de garçons, catholiques et protestants). Toutes les familles religieuses rivalisent pour la création de crèches, d'ouvroirs, d'œuvres de jeunesse, d'asiles, d'hospices, afin de venir en aide aux malades, aux mères, aux vagabonds, aux prisonniers, aux prostituées... Les francs-maçons ne sont pas en reste. À Aix, la loge « Les Arts et l'Amitié » a ses propres activités philanthropiques ; elle participe en outre à toutes les associations de bienfaisance de la cité, au point de susciter la jalousie du clergé qui se sent menacé dans ses prérogatives.

Car les congrégations religieuses s'activent aussi. Au milieu du siècle, Manosque en compte onze, plus deux tiers ordres de femmes ; en 1865, Marseille en a treize d'hommes et quarante de femmes, Aix respectivement cinq et quinze. Le Second Empire surtout est l'âge d'or des congrégations féminines. Les religieuses — 438 à Aix, plus de 2 000 à Marseille — sont enseignantes, hospitalières, caritatives. Jusqu'à la fin du siècle qui voit la laïcisation des écoles, des hôpitaux, de l'aide sociale, elles sont partout dans les villes. Les grandes cornettes des sœurs de Saint-Vincent-de-Paul, par exemple, sont une image familière du paysage urbain. Au moment où l'Église perd le monde ouvrier, elles témoignent de la vitalité religieuse des femmes dans les autres couches de la société.

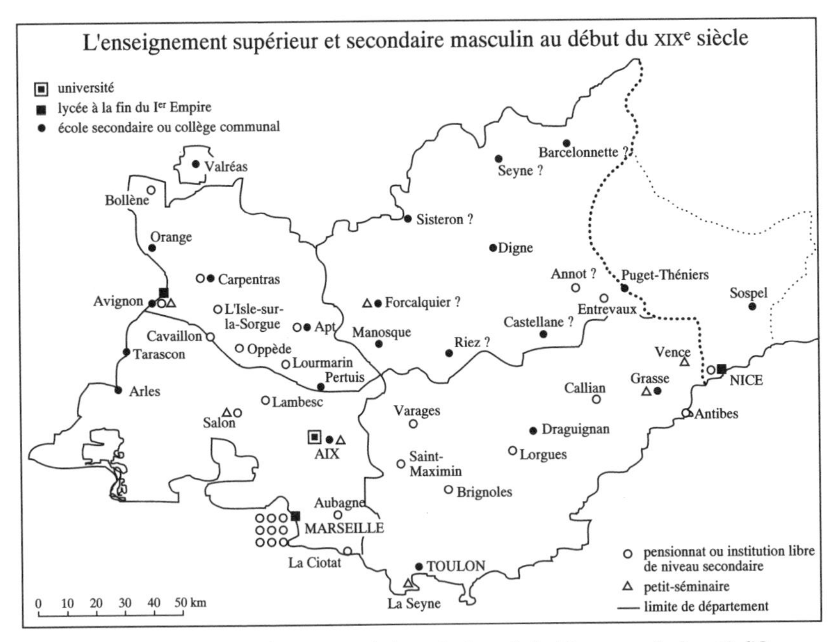

Atlas historique. Provence, Comtat venaissin, principauté de Monaco, principauté d'Orange, comté de Nice. Armand Colin, 1969, n° 206.

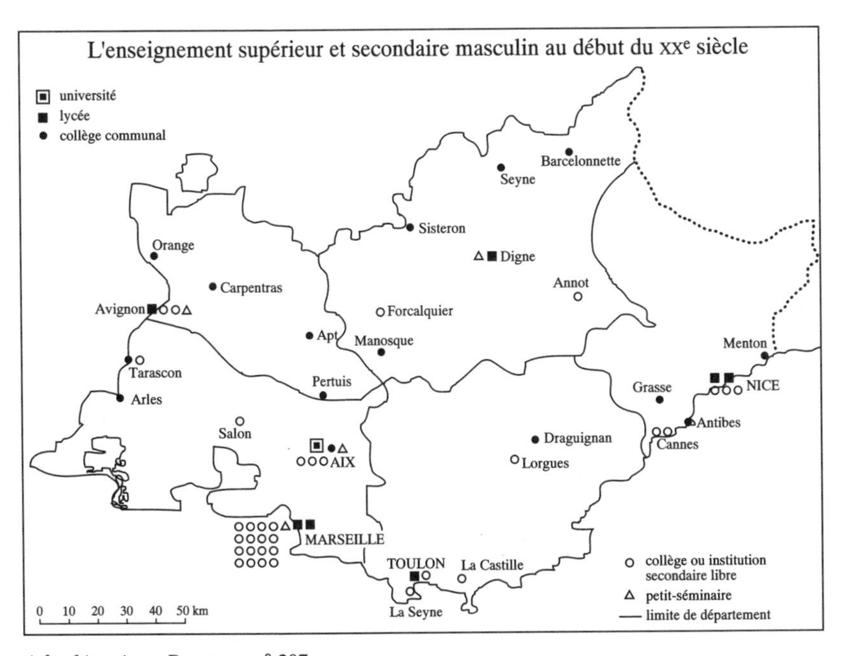

Atlas historique. Provence, n° 207.

Pour les villes provençales qui présentent souvent une grande hétérogénéité, la religion joue aussi le rôle d'élément structurant de plusieurs minorités. Dès leur arrivée à Marseille dans la première moitié du XIXe siècle, les négociants grecs se regroupent autour de leur église orthodoxe. D'autres orthodoxes, les Russes, en font autant à Cannes en 1894, à Nice en 1912. Sur la Riviera beaucoup d'étrangers sont protestants. Selon Mérimée, Cannes possède six églises anglicanes et plusieurs chapelles écossaise, méthodiste, calviniste, vaudoise, luthérienne..., ce qui n'est pas sans inquiéter les autochtones. À Marseille, le culte réformé groupe 12 690 personnes au recensement de 1872. Si beaucoup sont de condition modeste, près de 13 % appartiennent au monde du négoce. Le cas de la famille Fraissinet, un grand nom de l'armement, est significatif du rôle joué par la religion pour cimenter les membres de la communauté, ce qui n'empêche pas leur intégration progressive dans l'élite économique locale.

On pourrait en dire autant des Juifs qui sont nombreux en Provence occidentale et qui s'urbanisent au XIXe siècle. De 1841 à 1866, leur nombre s'accroît de 145 % à Aix, de 150 % à Marseille. David Cohen voit dans ce processus un motif religieux, « la possibilité de se regrouper en communautés plus importantes et donc de multiplier les institutions », mais aussi et surtout la preuve de leur intégration économique.

4. Cultures et loisirs

De toutes celles que les villes assument, la fonction culturelle est sans doute l'une des plus spécifiquement urbaines. Cette observation est d'abord valable pour l'enseignement car, si l'instruction primaire est répandue dans la totalité des communes provençales à la fin du XIXe siècle, l'enseignement primaire supérieur, secondaire et supérieur reste le privilège des villes, et surtout des plus importantes d'entre elles. En 1912, le département des Bouches-du-Rhône compte sept écoles primaires supérieures, une à Arles, deux à Aix, quatre à Marseille. Les lycées, réservés essentiellement aux enfants de la bourgeoisie, se sont multipliés au cours du siècle : on en dénombrait trois en Provence sous le Premier Empire, ils sont huit, cent ans plus tard, auxquels s'ajoutent des lycées de jeunes filles après 1880. Les écoles secondaires ou collèges communaux s'étendent à de nouveaux centres comme Cannes et Menton, en même temps qu'ils se replient sur les agglomérations les plus peuplées en délaissant une demi-douzaine de petites ou moyennes localités de la Provence intérieure. Le nombre des institutions libres de niveau secondaire s'est accru d'un quart, en obéissant au même phénomène de concentration. Quant à l'enseignement supérieur, il est dispensé à Aix dans des facultés aux étudiants encore peu nombreux (350 en Droit à la fin du XIXe siècle, 95 en Lettres) et à Marseille qui possède une faculté des sciences depuis 1854 et une école de médecine. Notons enfin la création d'établissements d'enseignement technique dans les grandes métropoles régionales comme, à Marseille, l'École supérieure de Commerce (1871), l'École d'ingénieurs (1891) ou l'École d'Électricité (1907).

La presse participe au mouvement intellectuel et à la diffusion de la culture. À côté de quelques journaux au tirage limité comme *La Dépêche Quotidienne* ou *Le Petit Vauclusien*, le département du Vaucluse se caractérise par un grand nombre de feuilles hebdomadaires ou professionnelles. Avec *Le Petit Var* qui tire à 30 000 exemplaires au début du XXe siècle, Toulon possède un journal d'opinion influent qui répand les idées socialistes dans les moindres communes du département. Nice édite *L'Éclaireur de Nice* et *Le Petit Niçois*, Marseille cinq quotidiens dont deux, *Le Petit Marseillais* et *Le Petit Provençal*, rayonnent sur toute la Provence. Le tableau serait incomplet sans la mention des Académies et diverses sociétés savantes (on en recense une vingtaine à Marseille au début du XXe siècle) qui animent aussi la vie intellectuelle des grandes villes.

Si les loisirs sont uniformément répandus, ils prennent cependant une coloration différente selon les cités. Ainsi, les divertissements sont mesurés et de bon ton à Aix, plus populaires à Marseille et à Toulon, gais et bon enfant à Avignon, aristocratiques sur la Riviera.

Le café est sans doute l'un des éléments les plus représentatifs de la sociabilité méridionale. La bourgeoisie fréquente les salles luxueuses aux distractions variées qui se succèdent sur la Canebière à Marseille, le cours Mirabeau à Aix, Les Lices à Arles, la rue de la République et la place de l'Horloge à Avignon. Les couches populaires ont aussi leurs cafés, leurs chambrées qui tiennent à la fois du débit de boisson, de la salle de jeu et du cercle politique. La vogue des cafés-concerts généralise ce type d'établissement et fait le succès des *Arcades* à Toulon par exemple, ou du *Palmier* et de *l'Apollo* à Avignon.

Toute ville d'une certaine importance possède son théâtre où alternent en général les représentations d'opéras, d'opéras-comiques, d'opérettes, de drames et de comédies. C'est la passion des Avignonnais qui se montrent un public difficile. À Toulon, *le Grand Théâtre* inauguré en 1862 devient le centre de la vie artistique locale. Marseille est plus riche en salles : outre son *Grand Théâtre* qui se spécialise assez vite dans l'opéra et la danse, la ville possède *le Gymnase* et *le Théâtre des Variétés* où l'on joue revues et opérettes, *le Théâtre Chave* avec ses mélodrames et ses pastorales de Noël, *l'Alcazar* où se produisent les grandes vedettes de la chanson, *le Palais de Cristal* aux allées de Meilhan. Aussi peut-on parler d'une authentique culture populaire.

Les représentations d'opéras réunissent tous les publics, de la bourgeoisie aux gens du peuple. Une statistique municipale de Toulon établit qu'au cours de la saison lyrique 1866, 108 424 places ont été occupées par « la classe laborieuse et peu aisée », 26 856 par « la classe aisée ou riche ». C'est dire que l'engouement est général. Le répertoire, d'ordinaire un peu étroit, accorde une préférence marquée aux œuvres italiennes (Rossini, Donizetti, Bellini, Verdi), à des compositeurs consacrés (Meyerbeer, Ambroise Thomas, Fromental Halévy), ou locaux (Félicien David, Ernest Reyer), tandis que Wagner et l'opéra allemand sont plus longs à s'imposer. Notons la création des Chorégies à Orange en 1869, premier festival de plein air en France.

On ne saurait enfin évoquer les loisirs sans mentionner les événements mondains que constituent les fêtes de charité, les réunions hippiques ou les grands bals officiels à l'image de celui que donne chaque année en janvier le préfet maritime de Toulon ; sans parler non plus des fêtes folkloriques et des jeux populaires toujours en honneur : carnaval d'Aix, courses de taureaux d'Arles, luttes d'hommes en *canneson* de la Barthelasse près d'Avignon, joutes nautiques, etc. Les ascensions d'aérostat et les premières démonstrations aéronautiques attirent les foules ; les compétitions sportives se répandent à la fin du XIXe siècle avec les courses de bicyclettes qui figurent bientôt aux programmes de toutes les fêtes de quartiers, avec le développement des sociétés de gymnastique, l'essor du football (l'Olympique de Marseille est fondé en 1899). Certaines manifestations exceptionnelles assemblent dans la liesse toutes les classes sociales, telles l'Exposition coloniale en 1906 ou les cérémonies grandioses données à Toulon en l'honneur de l'escadre russe en octobre 1893 : banquets, bals, batailles de fleurs, revue navale se succèdent dans un enthousiasme indescriptible aux accents de la Musique des Équipages de la Flotte.

Sur la Côte d'Azur, les loisirs sont plus distingués et la vie sociale porte l'empreinte de la présence étrangère. Les Anglais à Cannes, les Russes à Nice organisent les mondanités : réceptions, bals, concerts, représentations théâtrales privées où se presse le gotha international. Quelques salons littéraires et artistiques comme celui de Mme Henri Germain, ou des cercles choisis tels le Cercle Massena à Nice, le Cercle nautique à Cannes, ne sont fréquentés que par des hôtes de marque. La vogue du tennis, du golf, du polo, du cricket doit beaucoup à la présence de la colonie britannique, tandis qu'un aristocrate italien, le duc de Vallombrosa, lance les régates et que le prince russe Galitzine crée l'hippodrome de La Napoule. Mérimée introduit le tir à l'arc et le journaliste Alphonse Karr la première bataille de fleurs. L'Automobile-Club draine aussi une riche clientèle étrangère. L'activité ludique est donc largement sous l'influence des hivernants. Pour contenir cette « colonisation », la ville de Nice reprend en main l'organisation du Carnaval en 1874 et crée, trois ans plus tard, un comité des fêtes municipal. Soucieux de modernité, celui-ci s'efforce pourtant de se réapproprier les caractères originaux de la fête locale en favorisant le retour du burlesque. Avec ses loisirs mondains et sa vie brillante, la Riviera donne une parfaite illustration de ce qu'il est convenu d'appeler « la Belle Époque ».

V. LE TEMPS DES CRISES

L'attentat de Sarajevo fait brutalement basculer ce monde dans un conflit dont la France et l'Europe sortent épuisées. Les conséquences régionales sont profondes, même si la Provence n'a pas été le théâtre des opérations militaires. Au désastre démographique qui atteint les moindres localités et creuse l'écart entre villes et campagnes, littoral et intérieur, s'ajoute un

La saison d'hiver sur la Côte d'Azur, rendez-vous des élégances.

déséquilibre économique aggravé une douzaine d'années plus tard par la crise de 1929. Ses effets se font ressentir là comme ailleurs : inflation, récession, chômage, grèves, faillites. Activités et structures sont ébranlées, elles doivent s'adapter sous peine d'être dépassées ou de disparaître. Ces transformations s'opèrent avec plus ou moins d'aisance et modifient le visage de bien des secteurs.

1. Une difficile adaptation

Le tourisme de la Riviera en fournit un bon exemple. Avec la Première Guerre mondiale, les grands hôtels ferment leurs portes monumentales ou se transforment en hôpitaux. Quand ils rouvrent quatre années plus tard, toute une partie de l'ancienne société a été engloutie. Princes allemands et aristocrates russes, déchus, exilés, ruinés, ne reviendront plus... si ce n'est pour chercher du travail. On craint un temps que la Côte ne s'en relève pas.

Pourtant, les Années folles voient l'essor de plusieurs stations. Après Cannes et Nice, les Anglais découvrent la tranquillité de Saint-Raphaël dont le quartier de Valescure devient une « colonie anglaise » : on y comptait deux Britanniques à demeure en 1911, ils sont soixante-cinq dix ans plus tard. Classée station climatique en 1928, Saint-Tropez voit passer plus de deux mille touristes en 1933 ; ses hôtels, dont le fameux *Latitude 43*, accueillent les célébrités des lettres et des arts : Colette, Cocteau, Kessel, Mistinguett, Errol Flynn. En 1924 enfin, Juan-les-Pins sort de terre grâce à Florence et Frank Jay Gould. Car dans les années 1920, aux ducs et aux lords succèdent les milliardaires américains. Avec le jazz, ils lancent la mode des bains de mer et de la saison d'été. Paul Morand, Coco Chanel, Somerset Maugham y côtoient la « génération perdue », Scott et Zelda Fitzgerald ou Hemingway. Grâce à cette nouvelle clientèle, la Côte aux deux saisons annuelles connaît une période de reprise brillante, mais courte.

La crise de 1929 l'interrompt brutalement en mettant à mal des fortunes récentes et fragiles. Hyères, déjà assoupie avant la guerre, n'y résiste pas. Neuf grands hôtels ferment à Nice entre 1930 et 1935, onze encore en 1936-1937, en dépit de l'arrivée des premiers congés payés en provenance du nord de la France et de la région parisienne. En 1937, Cannes en héberge 900, Nice un peu moins, Antibes 600, Fréjus et Saint-Raphaël 400. Mais ces touristes modestes, qui logent en camping, dans des salles d'écoles ou chez les particuliers, ne sauraient compenser la raréfaction des riches clients. L'heure est donc au désenchantement. Celui-ci s'exprime par des critiques contre « la marée rouge » des nouveaux estivants, peu appréciés des autochtones qui sont habitués à des touristes plus raffinés ; par la dénonciation du « péril italien » quand la crise exacerbe la concurrence dans des secteurs — bâtiment, commerce, artisanat, hôtellerie, domesticité — où la colonie piémontaise s'est fortement implantée au temps des années fastes.

On constate les mêmes efforts d'adaptation et la même réussite avant la crise de 1929, également suivis de difficultés, dans le secteur de la parfumerie comme le montre l'exemple de la société Chiris, à Grasse. Celle-ci connaît son apogée au XXe siècle. La fabrique artisanale fondée en 1768 s'est industrialisée au XIXe ; des plantations ont été créées dans l'empire colonial, des marchés sont ouverts en Europe centrale et orientale, de même qu'en Amérique où une filiale est installée à New York en 1896. Au XXe siècle, le développement des produits de synthèse diversifie et démocratise la production. L'usine de trois mille mètres carrés construite en 1899 emploie 250 salariés au début de 1930. La firme, dont la direction et la gestion sont restées familiales, a multiplié ses établissements dans le monde. À la cinquième génération, les Chiris, alliés à la famille Carnot, « appartiennent à l'aristocratie républicaine, leur puissance est formidable », constate Blaise Cendrars. L'Exposition coloniale de 1931 voit la consécration de cette réussite, avant que la crise n'oblige à des licenciements massifs.

Dans le cas de Marseille, la Première Guerre mondiale brise net l'élan du début du siècle. Le conflit détruit un tiers du tonnage de l'armement marseillais, fait chuter le trafic total des marchandises de moitié, le mouvement de la navigation des deux tiers. La reprise est d'autant plus lente et difficile que la place est confrontée à de nouveaux obstacles. Le champ commercial s'est rétréci par la fermeture du marché russe, par une vive concurrence de l'Italie en Méditerranée, par un relâchement des liens avec le continent américain qui s'est adressé à d'autres fournisseurs durant les hostilités. De plus, une industrialisation progressive apparaît dans des pays jusqu'alors sous-équipés et clients de Marseille, ce qui réduit les débouchés de ses usines et l'activité de ses navires. Enfin, l'aggravation de la législation protectionniste entrave les échanges, ferme des marchés au-delà de Suez.

La crise de 1929 survient dans ce contexte difficile et rend les problèmes plus aigus. Devant le marasme qui s'ensuit, l'activité économique marseillaise se concentre de plus en plus sur les colonies. En 1934, la Société pour la défense du commerce constate que si « la clientèle coloniale s'est maintenue (...), la clientèle étrangère tend à disparaître ». Comme le note Jacques Marseille, les hommes d'affaires de la place « étaient plutôt enclins à abandonner leurs professions de foi libre-échangistes pour s'accrocher au débouché protégé que représentait, vaille que vaille, l'empire colonial. Car ce débouché a incontestablement amorti l'onde de choc qu'a représentée dans le monde la crise de 1929 ».

La fonction industrielle de la ville s'essouffle, la plupart des secteurs traditionnels entrent en crise : l'exportation des tuileries s'effondre ; l'industrie des blés est atteinte par la perte de la mer Noire et la montée du protectionnisme ; l'huilerie-savonnerie ne sait pas s'adapter à l'évolution du marché par manque de concentration de ses usines, par inertie devant les progrès techniques et faute de réaction face à la mainmise du trust étranger Lever. La raffinerie de sucres se montre plus dynamique, malgré les difficultés de la conjoncture : elle se restructure, se modernise, crée au Maroc une industrie-relais qui exporte vers les colonies. Mais d'autres secteurs plus modernes réussissent moins bien, comme l'automobile avec la tentative sans lendemain de Turcat-Méry.

Les statistiques de la période traduisent bien cette stagnation et ce repli sur les colonies. Marseille se voit distancée par Gênes en Méditerranée, par Rouen en France. Avec 365 000 tonneaux en 1937, la flotte marseillaise n'a pas retrouvé le niveau d'avant-guerre ; le trafic total des marchandises a peu évolué, de 9 millions de tonnes en 1913 à 9,7 millions en 1938. Quant à la part des colonies dans les échanges, elle a très nettement progressé, passant de 18 % du trafic des marchandises en 1913 à 30 % en 1934, de 24 % du mouvement de la navigation en 1913 à 50 % en 1936 : si elle sauvegarde l'essentiel dans le présent, cette dépendance accrue entraînera de nouvelles crises avec l'écroulement de l'empire colonial.

2. Émergences

Le bilan n'est cependant pas négatif, car durant ces années l'activité portuaire de Marseille s'étend vers le nord et met en place un nouveau cycle destiné à prendre la relève, celui du pétrole et de la pétrochimie. Dès 1919, la Chambre de commerce obtient sur l'étang de Berre la concession d'espaces qui sont aménagés pour la navigation maritime et reliés au port par le canal du Rove (1926). Après les accords de San Remo qui attribuent à la France une part du pétrole irakien (1923) et à la suite d'une législation protectionniste sur l'industrie pétrolière (1928), trois raffineries sont implantées à Berre, Lavéra et La Mède, autour desquelles se fixent bientôt des usines chimiques. L'importation de pétrole brut triple en dix ans, passant de 500 000 tonnes en 1928 à près de 1 500 000 tonnes en 1938. Débuts modestes d'un complexe industriel appelé à un grand avenir après la Seconde Guerre mondiale.

Autre réalisation capitale, l'ouverture d'un aéroport à Marignane en 1923. S'il ne voit passer que 57 voyageurs la première année, il en compte déjà 30 000 en 1937. L'implantation des usines de la S.N.I.A.S. à Marignane en 1935, la création de l'École de l'Air à Salon en 1936 confirment la vocation aéronautique de cette région qui, elle aussi, s'épanouira plus tard.

C'est également l'époque où se poursuit l'équipement hydroélectrique et où se préparent les grandes réalisations futures. Des centrales électriques sont construites sur la Durance, comme celle de Sainte-Tulle en 1922, qui complètent l'aménagement d'avant-guerre. Cet effort permet le développement industriel de Saint-Auban qui emploie 1 630 personnes dans le traitement de l'alumine, du chlore et de ses dérivés. Mais l'intérêt va surtout au Rhône avec la création de la Compagnie nationale du Rhône, première société d'économie mixte qui associe à égalité un financement public et des capitaux d'origine privée. L'objectif est triple : produire de l'énergie électrique, améliorer la navigation sur le fleuve et étendre l'irrigation. La réalisation de cet ambitieux projet débute en 1937 pour s'achever dans les années 1960.

De toutes les nouveautés de l'entre-deux-guerres, l'une des plus importantes est sans doute le développement de l'automobile. En fait, de ces années date la véritable révolution des transports de la Provence intérieure, si mal desservie par le réseau ferré. La voiture particulière se répand pour atteindre un taux de l'ordre d'une voiture pour vingt à trente habitants. Désormais, les cars desservent les agglomérations reculées et amènent les voyageurs au train : la scène de l'arrivée du car au village se retrouve dans la plupart des films de Marcel Pagnol. De plus, l'automobile vivifie les grands axes routiers, crée un tourisme d'étapes dans certaines villes historiques comme Avignon et Aix. Cette dernière, vitalisée par la proximité de Marseille, semble sortir de sa léthargie : sa population augmente de 30 % entre 1911 et 1936 pour atteindre 42 500 habitants. Affirmant sa vocation touristique et thermale, la cité se dote d'un casino, d'un parc public et d'un hôtel de classe internationale, *le Roi René*. Mais pour elle aussi, les grands changements interviendront après 1950.

Notons enfin les liens qui s'établissent alors entre la Provence et le cinéma. Les frères Lumière tournent à La Ciotat quelques-uns de leurs premiers films, *L'Arrivée en gare du train* ou *Les Scènes de la baignade*, que les Marseillais découvrent à la première projection publique du 6 mars 1896, deux mois après Paris, un mois après Lyon. S'il débute dans les cafés, ce nouveau mode d'expression conquiert vite son espace propre. Chaque petite ville a bientôt une ou plusieurs salles de cinéma, quand Marseille en compte 32 en 1914, 79 en 1939. Dès l'époque du muet, la Provence, sa lumière et ses paysages attirent des réalisateurs, que ce soit sur la Côte d'Azur, dans le pays rhodanien avec André Hugon et Jacques de Baroncelli, ou encore dans des villes telles que Marseille, révélée au cinéma par Louis Delluc et Jacques Epstein. Cet intérêt ne se dément pas les années suivantes avec la vogue des opérettes et des revues marseillaises.

Mieux encore, plusieurs sociétés de production naissent à Marseille au lendemain de la Grande Guerre. Celle de Roger Richebé finance des films réalisés au début des années 1930 par Sacha Guitry, Marcel L'Herbier, Jean Renoir, Marc Allégret. Avec Marcel Pagnol, Marseille devient en quelques années un des centres du cinéma français. En 1934, il fonde la Société des Films Marcel Pagnol, à la fois maison de production et société de distribution. Lui-même écrit les scénarios, rédige les dialogues, assure la mise en scène. Ainsi voit le jour une série de films tournés dans la région marseillaise, dont des acteurs comme Raimu et Fernandel, des musiciens tels que Vincent Scotto ou Arthur Honegger assurent le succès : *Angèle, César, Regain, La Femme du boulanger, La Fille du puisatier...* Marseille accueille même en 1938 les Studios Marcel Pagnol, mais cette tentative se brise avec la guerre et l'occupation de la zone libre en 1942.

Le cinéma s'enracine mieux à Nice. Le producteur Louis Nalpas, forte personnalité, s'y installe en 1919 et décide d'y fonder un Hollywood. Il achète dans la banlieue une vaste propriété, La Victorine, où il entreprend des travaux considérables. Mais les débuts sont difficiles et Louis Nalpas se sépare de La Victorine qui est finalement rachetée en 1925 par le réalisateur américain Rex Ingram. Celui-ci modernise les studios et ouvre le complexe cinématographique à de nombreux metteurs en scène français et étrangers. Le succès est tel que Rex Ingram partage en 1927 la propriété et la gestion de l'ensemble avec la société Franco-Films. Elle y apporte les derniers perfectionnements de la technique en sonorisant les studios qui accueillent désormais le cinéma parlant. Ainsi, quand Gaumont se rend acquéreur de La Victorine en 1932, cette dernière réunit sur ses plateaux toute l'activité cinématographique niçoise et peut envisager l'avenir avec confiance.

Consécration du rôle de la Provence dans le cinéma français, le festival international du film s'ouvre à Cannes en 1939, mais se trouve interrompu

par la déclaration de guerre. Il faut attendre 1946 pour que la Croisette voie revenir une manifestation qui devient vite « la plus grande foire aux films, aux stars et starlettes, aux vanités » (Pierre Guiral).

3. La Provence urbanisée des années 1930

Dans la Provence de 1936, le poids des villes déjà important au début du XIXe siècle s'est encore accru, puisque avec près de deux millions de citadins il représente 80 % de la population totale. C'est l'un des taux les plus élevés de France même si le recensement de 1936 surévalue l'agglomération marseillaise. Toutefois cette moyenne recouvre des disparités : si les Bouches-du-Rhône sont urbanisées à 91 %, les Alpes-Maritimes à 84 % et le Var à 70 %, le Vaucluse ne l'est qu'à 57 % et les Basses-Alpes à 20 %. De plus, la carte montre le déséquilibre de cette implantation géographique. Sur les douze villes supérieures à 20 000 habitants qui totalisent les deux tiers de la population provençale, les Alpes-Maritimes en comptent cinq, les Bouches-du-Rhône et le Var chacun trois, le Vaucluse une seule, les Basses-Alpes aucune. Dix d'entre elles se situent sur le littoral et le long de l'axe rhodanien, deux seulement à l'intérieur. Nous sommes bien en présence de ce qu'on a nommé « la Provence des rives et du rivage » (Constant Vautravers).

Le tissu des petites villes de 5 000 à 20 000 habitants regroupe trente-cinq agglomérations et représente en moyenne 14 % de la population urbaine : il est resté relativement dense dans les Bouches-du-Rhône et le Vaucluse où il concentre, dans ce dernier département, 57 % des citadins. Les neuf villes de 20 000 à 100 000 habitants constituent 15 % de la population urbaine. Quant à la part des métropoles, elle est considérable puisque les trois villes supérieures à 100 000 habitants, Marseille, Nice et Toulon, totalisent à elles seules plus de la moitié de la population provençale et les deux tiers du monde urbain.

La Provence a donc basculé. Désormais quatre de ses habitants sur cinq sont des citadins qui, pour l'essentiel, ne vivent plus dans les petites agglomérations de l'intérieur chantées par Mistral, Daudet ou Giono, mais dans les grandes villes du littoral grossies d'immigrants. En 1926, les deux départements français qui possèdent le plus grand pourcentage d'étrangers sont les Alpes-Maritimes et les Bouches-du-Rhône, suivis du Var en sixième position. La Provence ouverte aux hommes et aux influences de l'extérieur l'emporte donc. Dès lors, faut-il s'étonner du recul de l'identité provençale ? Les formes anciennes de la sociabilité urbaine, encore présentes au début du XIXe siècle, tendent à disparaître ; mœurs et coutumes s'uniformisent. Comme le note Pierre Guiral, « la Provence abandonne de plus en plus ses traditions, sa langue, ses costumes, son rythme de vie, elle se dépersonnalise ».

En dépit de cette intégration croissante, les villes provençales conservent quelques-uns de leurs traits spécifiques. Certaines habitudes se maintiennent que les nouveaux venus adoptent volontiers. Dans le domaine culinaire, règnent toujours l'huile d'olive, l'ail, l'oignon et la tomate. Des préparations régionales se sont imposées, la bouillabaisse et les pieds-paquets de Marseille, la ratatouille et la pissaladière de Nice, le cardon à l'anchoïade du Vaucluse, la daube dans toute la Provence. Des traditions identitaires restent liées à certains moments de l'année : les navettes à la Chandeleur, le gâteau des rois à l'Épiphanie (qu'il ne faut pas confondre avec la galette parisienne d'importation), à Noël les treize desserts, la crèche et les santons, suivis des pastorales. Si costumes, galoubets, tambourins et farandoles ne subsistent plus que sous l'aspect folklorique, quelques divertissements sont toujours de pratique courante, le loto, la course à la cocarde et surtout la pétanque. Bien que les villes provençales tendent à se rapprocher des autres, elles s'en distinguent encore par une certaine sensibilité propre, par un art de vivre ouvert sur l'extérieur, la rue et le marché, la terrasse de café et la place publique, la mer et ses horizons.

Adaptation difficile sans doute, mais source d'enrichissement aussi comme le prouve l'exemple de Darius Milhaud. Ce « Français de Provence d'origine israélite », selon ses propres termes, se montre sensible aux influences culturelles de l'étranger tout en demeurant attaché aux traditions régionales, ainsi qu'en témoignent ses compositions les plus populaires, *le Carnaval d'Aix* et *la Suite provençale.*

BIBLIOGRAPHIE

ALLARD (Paul), *Arles et ses terroirs 1820-1910*, Paris, 1992.

MILLIET-MONDON (Camille), *Cannes 1835-1914. Villégiature, urbanisation, architectures*, Nice, 1986.

VIGNAL (Robert), *Histoire de Tarascon-sur-Rhône*, Marseille, 1979.

JAUSSAUD (Raymond), *Salon à la Belle Époque. La vie salonnaise de 1900 à 1914*, Marseille, 1985.

Études particulières :

SEIGNOUR (Paulette), *La vie économique du Vaucluse de 1815 à 1848*, Aix-en-Provence, 1957.

CATY (Roland) et RICHARD (Éliane), *Armateurs marseillais au XIXe siècle*, Marseille, 1986.

RONCAYOLO (Marcel), *L'imaginaire de Marseille. Port, ville, pôle*, Marseille, 1990.

COURDURIÉ (Marcel) et MIÈGE (Jean-Louis) (sous la direction de), *Marseille colonial face à la crise de 1929*, Marseille, 1991.

GROSSO (René) (sous la direction de), *Histoire de Vaucluse*, tome 2 Avignon, 1993.

LIVRE DEUXIÈME

ROUGE ET BLANC : LA VIE POLITIQUE

Ralph Schor

CHAPITRE III

LE CONSULAT ET L'EMPIRE (1799-1815) UN RÉGIME D'ORDRE

Après les années de la tourmente révolutionnaire, le régime issu du coup d'État du 18 brumaire s'attacha à rétablir l'ordre politique qui répondait aux aspirations d'une population secouée par dix années de troubles. Mais Napoléon, absorbé par les guerres, exigea trop d'efforts des Provençaux et ne sut pas conserver leur attachement.

I. LA REPRISE EN MAIN

Le nouveau régime mit très vite en place une armature administrative permettant au pouvoir central de contrôler la vie locale. La pièce essentielle en était le préfet nommé à la tête de chaque département. Plusieurs de ces fonctionnaires jouèrent un rôle important. Dans les Bouches-du-Rhône, le premier préfet, Charles Delacroix, en poste à Marseille de 1800 à 1803, gagna, malgré son passé de conventionnel régicide et d'ancien ministre des Relations extérieures du Directoire, la sympathie de ses administrés, cela grâce à sa volonté d'apaisement. Son successeur, Antoine Thibaudeau, préfet de 1803 à 1814, lui aussi ancien Montagnard régicide, réussit moins bien, se montra hautain et autoritaire, ce qui lui valut le surnom de « barre de fer », mais se révéla grand administrateur, compétent, intelligent, précis, soucieux des détails, résolu à ne pas se montrer sectaire. Dans les Alpes-Maritimes, après le passage rapide et brouillon de deux préfets, Florens et Châteauneuf de Randon, le département eut à sa tête, de 1803 à 1814, Marc-Joseph du Bouchage, qui signait Dubouchage, bon gestionnaire, dévoué au régime, mais aussi gentilhomme éclairé, habile et conciliant, veillant à ne pas choquer les mentalités et les coutumes locales, apprécié des Niçois au point que ceux-ci décidèrent de faire exécuter son portrait et de lui attribuer une médaille de reconnaissance.

Le pouvoir central nommait aussi les assemblées délibérantes, conseils généraux et conseils d'arrondissement, ainsi que les maires, adjoints et conseillers municipaux des villes de plus de 5 000 habitants ; dans les communes de moins de 5 000 habitants, la nomination revenait au préfet. Les premières personnalités désignées étaient souvent des hommes qui s'étaient distingués durant les années de la Révolution. Sur les vingt premiers conseillers généraux des Bouches-du-Rhône, quinze avaient exercé des fonctions publiques entre 1789 et 1799 ; il en allait de même pour Sarmet, Granet et Mossy, les trois premiers maires de Marseille, la grande ville étant divisée en trois mairies. À Grasse, le premier magistrat de la cité était Aubin, ancien procureur de la commune sous la Révolution, fonction également remplie par le maire d'Aix-en-Provence, Sallier, nommé en l'an X.

Mais le régime, évoluant vers le conservatisme, rechercha très vite l'appui des anciens notables, en place avant 1789. Du reste, dès le 20 vendémiaire an IX (20 octobre 1800), un arrêté consulaire favorisa le retour de nombreux émigrés, astreints seulement à jurer fidélité à la constitution de l'an VIII et pouvant ensuite obtenir la levée des séquestres existant sur leurs biens. Le senatus-consulte du 6 floréal an X (26 avril 1802) compléta cette première décision en accordant une amnistie pour faits d'émigration ; seuls les hauts responsables militaires et politiques ayant pris les armes ou comploté contre la France depuis 1789 étaient exclus de cette mesure de clémence. De la sorte, dès 1802, la majorité des émigrés avaient regagné leurs foyers.

Le régime napoléonien, allant plus loin, remplaça progressivement les anciens serviteurs de la Révolution, nommés au début dans les conseils généraux, les conseils d'arrondissement et les mairies, par des membres des vieilles familles aristocratiques et des grands propriétaires, au point que la composition sociale et l'esprit politique des conseils fut modifié et que Louis XVIII, à son retour en France, trouvant des corps largement peuplés de royalistes, effectua peu de changements de personnes.

Le nouveau maire de Marseille, nommé en 1805, quand les trois mairies furent réunies en une seule, fut Antoine Ignace Anthoine, baron de Saint-Joseph, négociant prospère, époux d'une demoiselle Clary, ce qui faisait de lui le beau-frère de Joseph Bonaparte et de Bernadotte. En 1813, le successeur d'Anthoine fut le marquis de Montgrand. De même, à Aix-en-Provence, Sallier fut remplacé en 1806 par de Fortis. À Grasse, après la municipalité Aubin, les représentants des familles issues de l'Ancien Régime, Joseph de Fontmichel, F. de Théas-Gars, Paul de Lombard de Gourdon, retrouvèrent toute leur influence dans l'administration de la cité. Une situation identique prévalut à Nice où la mairie fut notamment occupée par Jean-François de Orestis, ancien émigré rétabli dans ses droits, François de Constantin de Châteauneuf dont la famille avait fourni à la ville huit premiers consuls du XVe au XVIIIe siècle, le comte Agapit Caissotti de Roubion, ancien page du roi de Piémont-Sardaigne.

Si les membres de la vieille France, rentrés en grâce, reçurent progressivement des postes et des honneurs, les acquéreurs de biens nationaux ne furent pas inquiétés. Les émigrés ne purent récupérer que leurs biens non encore aliénés et les autorités compétentes s'appliquèrent à consolider les droits de propriété, ce qui rassurait les nouveaux possédants.

Ce fut aussi pour rassurer que le pouvoir entreprit d'améliorer la sécurité publique, troublée depuis le Directoire par l'existence de nombreux hors-la-loi. Ceux-ci, de plus en plus audacieux et réunis en bandes, arrêtaient les voyageurs, attaquaient les bastides, violaient parfois les femmes, imposaient des réquisitions à des villages entiers, comme ce fut le cas à Saint-Paul-de-Durance et à Varages.

De nombreux délinquants furent fusillés ou guillotinés. Une commission militaire siégeant à Avignon pendant six mois à partir de germinal an VIII prononça une cinquantaine de condamnations à mort, exécutées pour l'exemple dans les communes d'où les bandits étaient originaires. Contre les déserteurs et les conscrits réfractaires des mesures sévères furent décidées.

Le régime napoléonien ne pouvait espérer rallier les Provençaux, restés très attachés au catholicisme, s'il ne leur offrait pas la pacification religieuse. La liberté des cultes, assurée par le concordat de 1802, fit beaucoup pour apaiser les esprits et consolider le pouvoir en place. Pourtant le nombre des diocèses était fortement réduit par comparaison avec la situation régnant avant 1789 : l'ancienne Provence ne comprenait plus que trois sièges, ceux d'Aix, Avignon et Digne, auxquels s'ajoutait le diocèse de Nice. L'archevêché d'Aix, qui s'étendait sur les Bouches-du-Rhône et le Var, fut confié à Mgr Jérôme Champion de Sicé, archevêque de Bordeaux en 1789, garde des Sceaux d'août 1789 à novembre 1790, ayant ensuite émigré pour ne pas prêter serment à la constitution civile du clergé. Ce prélat habile et intelligent, sut louvoyer entre la méfiante réserve des autorités civiles et l'impatience des catholiques les plus résolus, tout en se montrant ferme et réussissant peu à peu à imposer ses préférences qui l'inclinaient vers le clergé réfractaire. Le nouvel évêque de Digne, dont la juridiction englobait les Basses-Alpes et les Hautes-Alpes, fut Mgr Charles Bienvenu de Miollis ; doux, charitable, très pieux, en poste durant plus de trente ans, il inspira à Victor Hugo la figure de Mgr Myriel dans *Les Misérables*. Le siège d'Avignon, qui s'étendait sur le Vaucluse et le Gard, revint à Mgr Périer, ancien évêque constitutionnel. Nommé à Nice, Mgr Jean-Baptiste Colonna d'Istria, parent éloigné du cardinal Fesch, travailla, en bonne entente avec le préfet Dubouchage, à rétablir le calme social et à réorganiser son diocèse.

Les pouvoirs publics voulaient que la restauration du catholicisme demeurât prudente, progressive et limitée ; mais, débordés par l'élan des fidèles qui exigeaient de retrouver toutes les formes anciennes de la vie religieuse, ils se résolurent à donner des gages de bonne volonté. Des églises furent rouvertes et remises en état, telle la cathédrale de Grasse qui, incendiée en 1794, fut réparée et rendue au culte. Les préfets des Bouches-du-Rhône ne s'opposèrent pas à Mgr Champion de Sicé qui, avec une souple obstination, confiait les postes les plus importants au clergé non assermenté. Partout furent tolérées les processions, la renaissance des congrégations et des confréries de pénitents, l'ouverture de petits séminaires, l'organisation de missions. À

Nice, qui n'avait pas connu le clergé constitutionnel, le préfet accepta que la plupart des curés en place avant la Révolution retrouvassent leur charge et ne prit pas de mesures contre ceux qui prêchaient en italien ou en nissard et condamnaient les acheteurs de biens nationaux.

Il fallait aux administrateurs d'autant plus de souplesse et d'habileté que le régime, après avoir rassuré l'opinion, inspirait une indifférence grandissante, puis de l'hostilité.

II. LA MONTÉE DES OPPOSITIONS

La perte d'autorité du régime impérial résulta d'un ensemble varié de maladresses administratives, d'échecs économiques, de revers politiques, de décisions coercitives mal supportées.

L'organisation de l'instruction publique, entreprise nécessaire, ne fut que partiellement menée à son terme. De nombreuses communes restèrent dépourvues d'écoles primaires. À la fin de l'Empire, dans l'arrondissement d'Aix-en-Provence, 33 communes étaient dotées d'un enseignement du premier degré, mais 25 ne possédaient ni école, ni instituteur. Dans le pays niçois, les maîtres, généralement dépourvus de qualification, ne connaissaient guère que le nissard, un mauvais italien et des rudiments de français, ce qui ne permettait pas de faire progresser la langue officielle. L'enseignement secondaire, reposant sur un réseau de collèges privés et de lycées d'État, présentait un bilan contrasté. Les lycées bénéficiaient de toute la sollicitude des autorités et devaient servir au rayonnement du régime napoléonien, de sorte que les familles royalistes, influentes en Provence, refusaient d'y envoyer leurs enfants. De toute manière, des retards furent enregistrés : le lycée d'Avignon ne fut inauguré qu'en 1810 ; les Niçois, qui insistaient pour obtenir la création d'un lycée, ne se trouvèrent satisfaits qu'en 1812, et encore grâce aux interventions d'un influent enfant du pays, le maréchal Masséna ; lorsque après divers travaux d'aménagement, cet établissement ouvrit ses portes, l'Empire était perdu. Moins heureux que les Niçois, les Toulonnais ne furent pas autorisés à transformer en lycée la maison d'éducation que la municipalité avait installée dans l'ancien évêché.

Si le régime n'avait pas mis en place un ensemble d'écoles et de lycées suffisant, avait-il mieux réussi dans le domaine économique ? Des efforts furent incontestablement fournis, surtout au début. À Marseille, la Chambre de Commerce avait été rétablie dès le 24 décembre 1802. La signature de la paix d'Amiens avec l'Angleterre, la même année, et la reprise des relations avec le sultan ottoman semblaient ouvrir de belles perspectives au commerce phocéen ; une compagnie de l'Isle de France, orientée vers l'île Maurice, fut fondée. Le préfet Charles Delacroix entreprit des travaux d'embellissement au chef-lieu des Bouches-du-Rhône. À Bompas, la première pierre du pont sur la Durance fut posée en l'an XII. Dans les Alpes-Maritimes, Dubouchage poursuivit la construction de « la route impériale de première classe n° 8 de

Paris à Rome » ou Grande Corniche jusqu'à Menton. Partout les foires et marchés furent à nouveau organisés. Certaines industries locales, comme la tannerie et la draperie grassoises, qui avaient pâti des difficultés d'approvisionnement en matières premières et du manque de débouchés, réalisèrent plus de profits. À Toulon, l'arsenal, travaillant sans relâche à la reconstitution de la flotte et la présence des marins, plus souvent à terre qu'en mer, entretenaient l'activité et favorisaient le mouvement des affaires ; cette relative prospérité et le souvenir laissé par le général Bonaparte qui avait plusieurs fois séjourné dans le grand port militaire expliquent la durable popularité de l'Empire à Toulon, alors même que l'image du régime se dégradait ailleurs en Provence.

En effet, très vite, l'évolution économique entraîna déception, puis colère chez les Provençaux. Les Marseillais ne purent obtenir la franchise de leur port qu'ils demandaient inlassablement et, avec le Blocus continental, virent s'arrêter le commerce maritime ; les faillites se multiplièrent et le comte de Las Cases, envoyé en mission d'inspection, put dresser ce bilan désastreux en 1812 : « Plus de commerce, plus de manufactures, plus de fabriques ; les maisons y sont désertes, les vaisseaux désarmés et le port sans activité. » Les importations de blé en provenance de Russie et des pays barbaresques étant interrompues et les récoltes locales s'étant révélées mauvaises entre 1808 et 1811, le prix du pain monta. Des quêtes et des soupes populaires furent organisées. Certaines villes renvoyèrent les mendiants dans leur commune d'origine ou les internèrent dans des ateliers de charité. À Marseille, en 1811, quelque 10 000 familles recevaient des secours publics. La misère contribua à ranimer le brigandage, presque disparu. Dans le Var, 74 attaques sur les routes furent dénombrées en 1812.

Aux départements provençaux durement touchés par le marasme était en plus demandé le paiement de lourds impôts. Les Alpes-Maritimes, toujours en retard dans leurs paiements, étaient de plus en plus endettées. L'instauration, en ventose an XII, des droits réunis taxant la circulation et la vente au détail des boissons fut d'emblée impopulaire.

La situation politico-religieuse ajoutait au mécontentement. En effet, une région aussi catholique que la Provence fut très choquée par le conflit entre Napoléon et le pape Pie VII. Quand ce dernier, arrêté sur ordre de l'Empereur en 1809, gagna Savone, où il était assigné à résidence, en passant par Avignon, Aix et Nice, il attira sur son passage des foules de fidèles, à la fois émues et enthousiastes.

Autre cause de mécontentement, la conscription, assez bien supportée jusqu'en 1808, fit naître ensuite une forte résistance, car le nombre des appelés augmenta et les départs se firent à un âge de plus en plus jeune : dans le Var, 20 ans avant 1808 et 18 ans en 1814 ; en 1810, dans la marine étaient incorporés des adolescents de 15 à 18 ans ; de plus, les rappels de classes se multiplièrent à la fin de l'Empire. Les appelés pouvaient, à condition d'en posséder les moyens, payer un autre homme qui prenait leur place sous les drapeaux. Or la hausse du prix des remplacements montre bien qu'il existait en ce domaine plus de demandes que d'offres : à Avignon, le tarif moyen d'un remplacement passa de 2 000 francs en 1806 à 5 200 francs en 1809. En 1813 et 1814, la fuite devant le service militaire s'accentua. Des incidents éclatèrent. À Pignans, dans le Var, circula un appel à la désertion. À La Roquebrussanne éclata une véritable rébellion en mars 1814 : les conscrits s'en prirent au maire, refusèrent de partir, détruisirent les aigles impériales et se déclarèrent déterminés à ne plus payer les contributions directes. L'insoumission s'amplifia partout ; dans le Var, elle passa de 3 % dans les années précédant 1808 à 15 % pour la levée décidée en novembre 1813 ; dans les Basses-Alpes, sur 582 hommes appelés en 1814, seuls 72 revêtirent l'uniforme. Les réfractaires et les déserteurs se réfugiaient dans les montagnes ou les forêts et se livraient souvent à des actes de brigandage.

La guerre, au surplus, ne demeurait pas une réalité lointaine. La flotte anglaise croisait au large des côtes provençales, entravait la navigation et le commerce, bombardait parfois des communes du littoral, comme La Ciotat en août 1808, ou débarquait des troupes chargées d'opérer des destructions, ainsi aux Saintes-Maries en 1808 et à l'île de Pomègues en 1810.

Il était facile aux Anglais, maîtres de la mer, d'établir des contacts avec les plus résolus des opposants à l'Empire. Une conspiration hétéroclite, rassemblant des éléments très divers, se constitua en 1809. Elle comprenait des républicains, anciens Jacobins, appuyés sur le petit peuple de Toulon et de Grasse, et des royalistes, surtout influents chez les négociants de Marseille. Les premiers avaient pour chef de file le général grassois Guidal qui conspirait depuis le Consulat, l'officier de marine Charabot, l'avocat Jaume, l'adjudant général Bergier. La première recrue royaliste était le Marseillais Paban ; Charles IV, roi d'Espagne dépossédé par Napoléon et assigné à résidence dans la grande cité phocéenne, semble avoir aussi appartenu au complot. L'ancien directeur Barras, Provençal de naissance, fixé pour l'heure dans sa propriété des Aygalades près de Marseille, entretenait des relations avec les deux groupes.

Les conjurés nourrissaient des aspirations différentes. Les plus modestes d'entre eux et les républicains voulaient reprendre l'œuvre révolutionnaire, rétablir l'égalité, imposer des réquisitions forcées aux riches pour lutter contre la misère. Les royalistes, sans être indifférents aux souffrances du petit peuple, échafaudaient des projets d'abord politiques et préparaient un soulèvement de toute la Provence. Tous incriminaient les représentants du pouvoir central, préfets, policiers, gendarmes, agents du fisc, le plus souvent étrangers à la région, et comptaient sur l'aide des Anglais pour renverser le régime. À cette fin, entre 1809 et 1814 plusieurs émissaires furent dépêchés auprès des amiraux britanniques qui croisaient au large.

Mais les allées et venues des conspirateurs, ainsi que la présence d'indicateurs infiltrés dans leurs rangs, alertèrent les forces de l'ordre. Guidal, arrêté, fut transféré à Paris où il entra en contact avec le général de Malet qui le délivra lors de sa tentative de coup d'État en octobre 1812 ; l'échec de cette entreprise entraîna la condamnation et l'exécution de Guidal. Les autres conjurés provençaux, dénoncés par Charabot, furent presque tous arrêtés. Six d'entre eux, notamment Paban et Bergier, jugés à Toulon, furent fusillés le 20 décembre 1813. Charabot, qui avait fait des révélations, et Jaume, de qui la police en attendait, bénéficièrent d'un sursis et furent finalement amnistiés. Charles IV et Barras, trop habile pour que des preuves décisives de sa culpabilité pussent lui être opposées, durent s'exiler à Rome. Les accusés secondaires, au nombre de 61, subirent une longue instruction, laquelle n'était pas achevée à la chute de l'Empire, ce qui leur valut d'être libérés par Louis XVIII.

III. UN DOUBLE INTERMÈDE : LA PREMIÈRE RESTAURATION ET LES CENT-JOURS

Souvent déçus par l'Empire, exaspérés par les difficultés économiques et le poids des impôts, lassés de guerres interminables, les Provençaux accueillirent généralement la chute de Napoléon et l'avènement des Bourbons avec la plus grande faveur.

Lorsque à la mi-avril 1814 arriva à Marseille la nouvelle de l'entrée des alliés à Paris et de la restauration de Louis XVIII, la foule laissa éclater sa joie. Le préfet Thibaudeau, qui incarnait l'Empire déchu, dut s'enfuir et fut remplacé par un revenant de l'Ancien Régime, le marquis d'Albertas. Les nouvelles autorités entrèrent en relation officielle avec les Anglais qui naviguaient toujours au large des côtes provençales et étaient maintenant considérés comme des amis. À Grasse et Avignon, la chute de l'Empire fut célébrée par des farandoles, des illuminations, des banquets. Même à Toulon, ville pourtant plus attachée à Napoléon, le changement de régime se fit dans le calme et, le 25 avril 1814, fut célébrée « la fête de la Paix et du retour des Bourbons ». Les Niçois acclamèrent aussi le retour de la paix et, malgré les efforts du préfet Dubouchage qui voulait faire reconnaître Louis XVIII, envoyèrent des députés à Turin pour affirmer leur allégeance à Victor-Emmanuel Ier, roi de Piémont-Sardaigne, ce qui préfigurait la restitution officielle du Comté de Nice à ce souverain par le traité de Paris du 30 mai 1814.

Quant à Napoléon, ayant quitté Fontainebleau pour l'île d'Elbe qui lui était dévolue, il traversa la Provence et, surtout dans la partie occidentale de celle-ci, il put mesurer l'hostilité que son règne avait suscitée.

Les sentiments monarchistes de la Provence occidentale purent encore s'exprimer avec éclat lors des visites des membres de la famille de Bourbon : en juillet la duchesse d'Orléans et son fils rentrant d'exil, en octobre le comte d'Artois qui promit aux Marseillais la franchise de leur port. Cependant, malgré l'accueil favorable qu'il rencontrait, le nouveau régime ne réalisait pas vraiment l'unanimité : des militaires, démobilisés ou en service, éprouvaient une hostilité latente contre le roi ; les marins toulonnais murmuraient contre le désarmement des 80 navires de l'escadre et les ouvriers de l'arsenal s'inquiétaient des licenciements ; le petit peuple payait les impôts, mais en rechignant ; quelques incidents, certes moins graves que sous l'Empire, furent même suscités par la présence des agents du fisc.

Brusquement, le 1er mars 1815, Napoléon, échappé de l'île d'Elbe, débarqua à Golfe-Juan. Il ne put rallier la garnison d'Antibes, restée fidèle à Louis XVIII. Se rappelant les humiliations qu'il avait subies lors de son passage dans la vallée du Rhône, il décida de marcher sur Grasse, où il évita cependant d'entrer, puis de passer par la haute Provence, malgré la médiocrité des routes et la neige qui y était encore épaisse. L'Empereur chemina par Séranon, Castellane, Digne, Sisteron. Il rencontra un accueil très réservé dans le Var, plus chaleureux dans les Alpes où le degré de politisation était moindre. À l'étape de Digne, le 4 mars, son passage suscita une curiosité apparemment dépourvue d'hostilité ; quelques cris de « Vive l'Empereur » éclatèrent même, mais il n'entraîna avec lui que cinq recrues, malgré les promesses d'avancement rapide qu'il avait prodiguées.

Pendant ce temps, la basse Provence royaliste s'agitait contre « l'usurpateur ». À Avignon, des prières publiques étaient dites chaque jour pour Louis XVIII et le buste du roi promené sous un baldaquin. À Marseille, le maréchal Masséna, commandant la VIIIe dévision militaire, cachant ses véritables sentiments, assurait qu'il resterait fidèle aux Bourbons. Le duc d'Angoulême, accouru en Provence, faisait acclamer la monarchie et levait une armée pour courir sus à Bonaparte.

Mais l'armée du duc d'Angoulême fut dispersée par Grouchy à Lapalud, le 8 avril 1815. Toulon se soumit à l'Empereur et le maire Courtès rétablit les trois couleurs sur la ville. Le 10 avril, Masséna, se dévoilant, annonça son ralliement à Napoléon et, le 11, somma Marseille d'en faire autant, faute de quoi il l'y obligerait par la force : « Plus de délais : Marseille se soumettra ou je marcherai sur elle. »

Les communes royalistes durent bien se résoudre à plier. Des préfets et des maires nouveaux furent nommés. Les bonapartistes reprirent courage. À Avignon, ils molestèrent des hommes de l'armée royale qui regagnaient leurs foyers. Mais à Aix, Arles, Marseille, les royalistes s'agitèrent et des rixes éclatèrent. Le maréchal Brune qui avait remplacé Masséna à la tête de la VIIIe division proclama l'état de siège dans le chef-lieu des Bouches-du Rhône le 20 mai ; les canons du port furent braqués sur la ville.

En fait, durant les Cent-Jours, la majorité des départements provençaux observèrent une attitude d'attentisme mêlé d'inquiétude. La réserve fut manifeste lors du plébiscite prévu par l'Acte additionnel aux Constitutions de l'Empire. L'abstention fut massive ; dans le Var, sur environ 70 000 électeurs, 5 240, soit seulement 7 %, se présentèrent. Les élections législatives du 13 mai 1815 ne mobilisèrent pas davantage le corps électoral ; quant aux élus, bien souvent, ils ne se soucièrent même pas de se rendre à Paris pour remplir leur mandat. La levée des troupes se fit très mal ; à Brignoles, seul un requis sur trente se montra.

À la nouvelle de la défaite de Napoléon à Waterloo, des émeutes royalistes éclatèrent en divers points, surtout dans l'arrondissement de Brignoles, dans les communes voisines de Toulon, Aix, Avignon. Des bonapartistes et d'anciens Jacobins furent rossés ou emprisonnés, leurs maisons ou leurs commerces dévastés, pillés, incendiés. À Marseille, la violence, dégénérant en Terreur blanche, prit un tour tragique : la populace, déchaînée, massacra, entre le 25 et le 27 juin 1815, une trentaine de personnes, dont des policiers particulièrement détestés, des officiers à la retraite, de vieux républicains et une douzaine de « mameluks ».

Le cas de ces derniers mérite une explication. Dans cette grande ville, en effet, avait été constitué un « dépôt égyptien » accueillant ceux qui avaient apporté leur appui à Bonaparte durant son expédition au Proche-Orient. Ces exilés, appelés communément Égyptiens ou mameluks, appartenaient en fait à des minorités de l'Empire ottoman, Syriens, Grecs, Albanais, Coptes. La majorité étaient chrétiens, mais ils ne s'étaient pas fondus dans la population locale dont ils différaient par l'allure physique, l'habillement, l'ignorance du français, la fidélité aux rites religieux orientaux, l'extrême pauvreté. Cette indigence favorisait la petite délinquance ; certaines femmes, notamment d'anciennes esclaves noires, se prostituaient ; beaucoup devenaient la proie des prêteurs sur gages. Tous inspiraient la méfiance et une sourde hostilité née de la différence. Le rejet se révélait d'autant plus fort que les mamaluks étaient réputés pour leur dévouement à Napoléon ; quelques-uns avaient été reconnus, manifestant leur joie, lors d'un défilé bonapartiste organisé à Marseille en mai 1815. Aussi, le 26 juin, ces malheureux allogènes, prenant figure de boucs émissaires, prirent-ils place parmi les premières victimes de la réaction blanche.

La Terreur blanche fit une autre victime, celle-là illustre, le maréchal Brune. Celui-ci, replié à Toulon avec son armée, voulait protéger la base contre les Anglais car il craignait que les royalistes ne se soumissent trop volontiers à ces derniers. Mais le maréchal, abandonné par les autorités maritimes pressées de se rallier au roi, et convaincu que la cause de l'Empire était décidément perdue, remit son commandement, rétablit le drapeau blanc et prit le chemin de Paris. Reconnu à l'étape d'Avignon par une populace furieuse, il fut abattu d'un coup de pistolet et son corps jeté dans le Rhône. Cet assassinat, dont le retentissement fut considérable, accrédita pour longtemps l'image d'un peuple provençal réactionnaire et sauvage.

CHAPITRE IV

LA PROVENCE SOUS LA MONARCHIE CENSITAIRE (1815-1848) L'APAISEMENT

Sous la Restauration et la monarchie de Juillet, la Provence connut trente-trois années de paix. L'adhésion massive aux Bourbons en 1815 n'empêcha pas les Provençaux d'accepter calmement le changement de dynastie en 1830, changement qui satisfaisait d'ailleurs certaines aspirations libérales. En fait, l'apparente stabilité qui caractérisait les départements méridionaux recouvrait des mutations politiques et sociales qui se révélèrent au grand jour en 1848.

I. « TOUJOURS EN FRANCE LES BOURBONS ET LA FOI » (1815-1830)

Tel était le chant que les Provençaux, heureux d'avoir retrouvé la monarchie et la religion catholique, entonnaient lors de leurs rassemblements. Le retour de la paix, l'allégement de la conscription et du prélèvement fiscal, la reprise de la production et du commerce consolidèrent l'adhésion au régime.

Les sentiments royalistes qui prévalaient en Provence expliquent que l'occupation étrangère fut bien supportée. Certes, les garnisons d'Antibes et de Toulon refusèrent de laisser entrer les troupes sardes et autrichiennes, menacèrent de résister par la force si les nouveaux venus insistaient et restèrent finalement inviolées, Louis XVIII ayant obtenu par la voix diplomatique que ses « alliés » renoncent à occuper les deux places fortes. Ailleurs, les Anglais, les Autrichiens et les Italiens, arrivés en juillet 1815, furent bien accueillis, car ils étaient vus comme les artisans de la Restauration tant souhaitée. Leur présence causa un minimum d'incidents. Du reste, l'occupation, assez brève, ne dura pas au-delà de décembre 1815.

La Terreur blanche, au cours de laquelle des violences avaient été commises, surtout en juin et juillet 1815, s'estompa assez vite, même si les bonapartistes et les républicains, ou supposés tels, furent encore les victimes de vexations épisodiques et parfois d'agressions : des incidents furent signalés à Avignon en 1817 et 1819. Mais plus qu'à des excès rappelant ceux de l'été 1815, on assista à une épuration du personnel politique. Les opposants furent écartés des conseils généraux et municipaux, ainsi que de la fonction publique. Les nouveaux nommés étaient des personnalités sur la loyauté desquelles aucun doute ne pouvait être nourri. À Marseille, le marquis de Montgrand, nommé à la mairie en 1813, mais qui n'avait jamais caché ses sentiments royalistes, retrouva son siège de premier magistrat de la cité et le conserva jusqu'en 1830. Grasse fut encore administrée par des représentants des vieilles familles locales, Joseph de Fontmichel, Louis de Tressemanes, chevalier de Saint-Louis et de Jérusalem, Honoré Camille Mougins de Roquefort, maire de 1823 à 1830. Le premier magistrat d'Hyères fut François de Boutiny dont plusieurs ancêtres avaient occupé les fonctions de premier consul de la cité sous l'Ancien Régime. Pour meubler les échelons inférieurs de l'administration, il n'était pas rare que le préfet demandât aux curés de dresser des listes d'« honnêtes gens ».

La seule consultation électorale existante, le choix des députés, se faisait selon un régime censitaire qui avantageait les riches négociants et les grands propriétaires fonciers : pour être électeur, il fallait payer 300 francs d'imposition directe et pour être éligible 1 000 francs. Grâce à ce système, tous les députés choisis par la Provence jusqu'en 1829 furent des royalistes, ultras ou, du moins, en accord avec les vues du gouvernement.

Les sentiments royalistes trouvaient l'occasion de s'exprimer avec éclat lors des grandes cérémonies, civiles ou religieuses. Les fêtes et les visites de la famille royale, notamment la venue du duc d'Angoulême en octobre 1815, de Marie-Caroline de Bourbon-Naples en mai-juin 1816, et de cette même princesse, devenue duchesse de Berry, en novembre 1829, de la duchesse d'Angoulême en mai 1823 suscitaient une grande ferveur monarchiste.

Le clergé catholique se signalait par une ardente propagande royaliste. Seul maintenu parmi les évêques nommés sous l'Empire, Mgr de Miollis, titulaire du siège de Digne, professait des sentiments bourboniens, tout comme ses confrères NNSS de Beausset à Aix-en-Provence et Maurel de Mons qui, à Avignon, avait remplacé Mgr Périer ; celui-ci, couvert d'injures, avait été obligé de se retirer, non seulement en raison de son passé constitutionnel, mais surtout pour avoir publié un mandement en faveur de Napoléon durant les Cent-Jours. La Restauration avait en outre rétabli deux diocèses, ceux de Fréjus, confié à Mgr de Richery, et de Marseille, à Mgr Fortuné de Mazenod, alerte vieillard, d'une fine intelligence, demeuré en émigration jusqu'en 1817.

Ces prélats aristocrates et leur clergé, pleins de zèle, entendaient affirmer la présence de l'Église dans la société, maintenir la foi de leurs ouailles et si possible en améliorer la qualité par des manifestations éclatantes. Les années 1820 virent de grandes processions, entendirent d'éloquentes prédications et assistèrent à de spectaculaires missions. Celle de février 1819 à Avignon rassembla 60 000 personnes, fut marquée par des conversions, des autodafés de livres philosophiques, l'érection d'une représentation du calvaire sur l'esplanade située devant Notre-Dame des Doms. Pour améliorer l'œuvre missionnaire, le Père Eugène de Mazenod, habile prédicateur, neveu de l'évêque de Marseille et son successeur en 1837, fonda les Missions de Provence, devenues ensuite la congrégation des Oblats de Marie-Immaculée.

L'Église se montrait tellement intransigeante et attachée à l'ordre politique qu'elle refusait généralement d'organiser des obsèques solennelles pour les défunts qui lui paraissaient suspects de bonapartisme ou de républicanisme. Ainsi, en 1817, à Arles, Antonelle, ancien maire sous la Révolution et député à la Législative, pourtant rallié aux Bourbons avant sa mort, n'eut droit à un service funèbre, et encore fort discret, que grâce à l'insistance du ministre de l'Intérieur et du maire.

De fait, les détenteurs du pouvoir civil et, au premier rang, les préfets apparaissaient souvent plus modérés que certains de leurs administrés et que les autorités religieuses. Ainsi, Chevalier, préfet du Var de 1815 à 1823, et le comte Christophe de Villeneuve-Bargemon, préfet des Bouches-du-Rhône de 1815 à sa mort en 1829, se distinguèrent par leur équité et leur tolérance en matière politique, ainsi que par leur compétence économique. Le Provençal Villeneuve-Bargemon, qui connaissait bien la région qui lui était confiée, sut apaiser les esprits, gagner la confiance des ultras sans signer les révocations en masse qu'ils exigeaient en 1815, acquérir l'estime des libéraux et des protestants, tout en conservant la sympathie des catholiques ; grand constructeur, éditeur d'une monumentale *Statistique départementale* en quatre volumes et un atlas, il fut unanimement regretté à sa mort.

L'influence des royalistes, aristocrates et petit peuple unis, appuyés par l'Église, et l'habileté manœuvrière des préfets ne laissaient pas un grand espace politique à l'opposition. Celle-ci, pour révéler son existence, en était réduite à de furtives et prudentes manifestations : ainsi, au matin du 10 septembre 1829, les gendarmes d'Hyères découvrirent, collée sur un mur de la mairie durant la nuit, une affichette anonyme portant les mots « Vive Napoléon — Abat (sic) les Bourbons. Homme libre ». De fait, il ne faisait pas bon montrer ouvertement les sentiments d'hostilité que l'on pouvait nourrir contre la monarchie restaurée. Les particuliers, exposés aux vexations, aux révocations et parfois aux coups, l'apprenaient à leurs dépens. Dans les cas les plus graves, les agitateurs pouvaient être punis de la peine de mort : le capitaine Vallé, qui avait tenté d'introduire la charbonnerie à Toulon, fut pris, jugé et guillotiné sur la place d'Italie le 10 juin 1822. Les communautés n'étaient pas non plus à l'abri des sanctions : Tarascon, où les royalistes avaient subi diverses avanies, se retrouva privée de sa sous-préfecture dont le siège fut transféré à Arles en 1816. Toulon, la ville la moins royaliste de Provence, fut surveillée de près, mais, sa population demeurant calme dans l'ensemble, elle ne connut pas de mesure de rigueur. Ce calme venait peut-être de ce que l'habile préfet du Var, Chevalier, avait concédé un gage au grand port militaire en lui donnant pour maire, de 1818 à 1822, un libéral, le colonel Girard, qui avait servi sous la Révolution, l'Empire et les Cent-Jours.

Déjà peu nombreux, les libéraux, en butte à l'hostilité populaire et à la surveillance policière, quittaient souvent la Provence pour faire carrière sous d'autres cieux plus favorables. L'avocat Jacques-Antoine Manuel, originaire de Barcelonnette, rallié au roi de Rome, dignitaire de charbonnerie, alla demander aux villes « bleues » de Vendée de l'élire à la députation. L'avocat républicain Louis Michel, né à Pourrières, s'installa à Bourges. Le Marseillais Adolphe Thiers et son ami l'historien aixois Auguste Mignet s'établirent à Paris dès 1821.

Cependant, les idées libérales progressaient dans la bourgeoisie. Au début, il ne s'agit probablement que d'une différence de sensibilité au sein du courant royaliste. Ainsi, quand les négociants avignonnais obtinrent en 1820 que la mairie fût confiée à l'un des leurs, le marchand de soie Soullier, de préférence à l'aristocrate de Forbin des Issarts, ils ne manifestaient pas par ce choix des sentiments moins ardemment royalistes, mais ils affirmaient seulement leur indépendance face à un groupe nobiliaire fermé et tourné vers une économie agrarienne. Par la suite, la rigidité des structures politiques, sociales et économiques, ainsi que les excès du cléricalisme, amenèrent progressivement certains hommes d'affaires vers un libéralisme plus résolu. Grâce aux capitaux dont ils disposaient ils publièrent des journaux. En 1820, *le Phocéen*, édité à Marseille par un jeune publiciste doué, Alphonse Rabbe, ne put sortir qu'une vingtaine de numéros, avant d'être interdit. En 1821, le polémiste Joseph Méry fut condamné en justice pour ses écrits dans *le Caducée* ; mais, nullement découragé, il écrivit encore, seul ou avec son ami Auguste Barthélemy, des philippiques en vers contre les jésuites, les ministres Villèle, Peyronnet, Corbière ; en 1828, il fit paraître un *Napoléon en Égypte*, poème d'inspiration bonapartiste. Si *le Phocéen* de 1820 n'avait pu survivre, *le Sémaphore* de Marseille, fondé en décembre 1827, connut une longue existence ; accablé de procès, il put cependant prolonger son existence grâce à la qualité de son contenu et à la présence d'une opinion libérale plus réceptive. À Toulon, *l'Aviso de la Méditerranée*, lancé en novembre 1828, bénéficia des mêmes atouts.

Le renforcement de l'opposition devint évident lorsque l'avocat marseillais Joseph-Antoine Thomas, chef de file des libéraux, candidat malheureux aux élections de 1827, fut élu le 27 mars 1829, en remplacement de Strafforello, démissionnaire.

Pourtant ce succès parut sans lendemain dans les Bouches-du-Rhône où le régime, à la veille de sa chute, connut un ultime moment de popularité. En effet, l'expédition d'Alger, préparée par le gouvernement de Charles X, rassembla tous les suffrages dans la région.

Cette satisfaction et le regain de popularité dont bénéficia de la sorte le régime contribuèrent à l'échec de Thomas aux élections de juin 1830. Au revers du député libéral, élu un an plus tôt, avaient également concouru les pressions administratives du nouveau préfet des Bouches-du-Rhône, le marquis d'Arbaud-Jouques qui affichait son ultra-royalisme.

Mais les partisans de Charles X ne purent savourer longtemps leur victoire. Les journées de juillet 1830, à Paris, contraignirent le vieux roi à prendre le chemin de l'exil.

II. LA MONARCHIE DE JUILLET : STABILITÉ DE SURFACE, MUTATIONS EN PROFONDEUR (1830-1848)

La révolution de 1830 fut connue dans diverses villes provençales par des correspondances privées dès le 31 juillet et par d'autres sources d'information, dépêches officielles, presse, les jours suivants. L'avènement du nouveau régime s'effectua sans que des actes de résistance majeurs fussent enregistrés. Dans les communes les plus légitimistes, les manifestations contre le nouveau roi des Français, Louis-Philippe, restèrent relativement discrètes et ne dégénérèrent pas : on entendit dans les rues, notamment à Arles, des cris « Vive Charles X » ; certains maires tardèrent à hisser le drapeau tricolore adopté par le nouveau régime ou ne le firent qu'occasionnellement, le dimanche par exemple. Les préfets et les administrations municipales les plus hostiles à la monarchie de Juillet démissionnèrent ; treize magistrats de la Cour royale d'Aix en firent autant, par fidélité à la branche aînée des Bourbons.

En revanche, les libéraux affichaient leur satisfaction, s'enrôlaient dans la Garde nationale en voie de réorganisation, accédaient aux fonctions officielles à la place des personnalités démissionnaires ou destituées. Des conseils municipaux pourtant nommés par le gouvernement de Charles X se ralliaient sans regret apparent au nouveau régime, ainsi les édiles de Grasse qui, regrettant de n'avoir pu aider les « généreux Parisiens », adressèrent leurs félicitations à Louis-Philippe et lui prêtèrent serment de fidélité.

La Charte remaniée abaissa le cens de 500 à 200 francs pour les électeurs, ce qui accrut notablement le nombre de ceux-ci au moment où leurs responsabilités étaient augmentées : la loi du 21 mars 1831 leur confia l'élection des conseils municipaux, à l'exception des maires toujours nommés par le gouvernement, et la loi du 22 juin 1833 leur attribua en plus le choix des conseillers généraux. De la sorte, le corps électoral de Marseille qui comprenait 852 personnes en 1829 passa à 1 355 en 1833 ; la prospérité du grand port et le développement de la population firent progresser régulièrement les effectifs des électeurs censitaires qui étaient 2 997 en 1847.

Les nouvelles dispositions élargissant le corps politique officiel ne remettaient pas en cause l'influence des couches supérieures de la bourgeoisie. Cependant, une fraction des classes plus populaires, englobant des boutiquiers, des artisans et même des moyens ou petits paysans, accédaient à la responsabilité électorale.

La timidité de la « démocratisation » censitaire, la prospérité qui satisfaisait l'ensemble de la bourgeoisie, les manœuvres et les pressions de l'administration, la publication de journaux dévoués au gouvernement comme *le Garde National* de Marseille, devenu *le Sud* en 1838, ou, à

Toulon, *la Sentinelle* et *le Toulonnais*, tous ces facteurs assuraient au régime des majorités confortables. Sur les dix-sept députés que désignaient les départements provençaux — six dans les Bouches-du-Rhône, cinq dans le Var, quatre dans le Vaucluse, deux dans les Basses-Alpes — le nombre des élus favorables au gouvernement ne descendit jamais au-dessous de onze. En 1846, Guizot, principal ministre du roi Louis-Philippe, put même se réjouir d'avoir obtenu l'élection de quinze de ses partisans. Dans les régions les plus favorables au régime, les Basses-Alpes, les circonscriptions d'Aix, Apt, Orange, Draguignan, Grasse, la majorité des municipalités étaient tenues par une bourgeoisie orléaniste paisible, installée dans un conservatisme sans complexes. Ainsi, sur les 27 conseillers municipaux choisis par les 610 électeurs grassois en 1831, figuraient six hommes de loi, six négociants, cinq parfumeurs, un fabricant d'huile, un chirurgien, un pharmacien et le receveur des contributions directes ; le maire placé par le gouvernement à la tête de ce conseil, Claude-Marie Courmes, était un savonnier, royaliste modéré pour qui le changement de dynastie et l'élargissement limité du régime censitaire constituaient les ultimes concessions à l'esprit nouveau.

La bourgeoisie libérale d'avant 1830, devenue une oligarchie satisfaite des réformes et de la politique de juste milieu pratiquée par le régime, assurait à celui-ci la stabilité qu'il recherchait. La personnalité symbolisant le mieux ces libéraux transformés en notables conservateurs et orléanistes était peut-être Joseph Thomas, député d'opposition en 1829, nommé préfet des Bouches-du-Rhône en 1830, en poste jusqu'en 1836, obsédé par le maintien de l'ordre, avare, avide d'honneurs et d'avantages matériels.

Les légitimistes, fidèles au vieux Charles X, souvent appelés à l'époque carlistes ou absolutistes, tout puissants avant 1830, se voyaient relégués dans l'opposition. Au cœur des régions où ils gardaient de l'influence, surtout deux des trois circonscriptions de Marseille, Arles, Tarascon, Carpentras, Brignoles, la campagne toulonnaise, ils entretenaient une hostilité diffuse allant de la grogne boudeuse à l'incident frondeur. Les légitimistes n'hésitaient pas à brandir le drapeau blanc des Bourbons et à rappeler par des cris leur fidélité dynastique ; ils abattaient les arbres de la liberté, comme ce fut le cas à Salernes et à Flayosc dans le Var en 1831 ; ils publiaient des journaux hostiles au nouveau régime, comme *la Gazette du Midi* éditée à Marseille, *la Gazette du Peuple* à Draguignan, *l'Indicateur d'Avignon* auquel succéda *la Gazette de Vaucluse*. Certains carlistes se risquaient à conspirer, ainsi, dans les premières années de la monarchie de Juillet, un groupe d'aristocrates avignonnais qui reprirent les méthodes des carbonari, constituèrent des dépôts d'armes et de munitions, nouèrent des contacts secrets avec les comités légitimistes des Bouches-du-Rhône et du Gard, recrutèrent des hommes de main dans le milieu populaire des portefaix.

Mais, dès 1832, l'échec de l'équipée de la duchesse de Berry montra bien que ces menées souterraines ne pouvaient mettre le régime en péril. La duchesse de Berry, réfugiée en Italie après la révolution de Juillet, rêvait de reconquérir le trône de France pour son fils, le duc de Bordeaux. À cette fin, un plan d'action fut mis au point avec les carlistes de Marseille : si la grande ville légitimiste se ralliait à l'ancienne dynastie, l'espoir que nourrissait celle-ci de remonter sur le trône pouvait se réaliser. Dans la nuit du 28 au 29 avril 1832, la duchesse débarqua clandestinement près de la calanque de Sausset. Le 30, les conjurés marseillais sonnèrent le tocsin, hissèrent un drapeau blanc sur le clocher de l'église Saint-Laurent et parcoururent la ville avec une flamme de la même couleur en criant : « Vive Henri V ! Vive la Religion ! Vive la Croix ! » Mais ils ne furent pas suivis et la foule les regarda passer avec indifférence. Tout fut réglé en quelques heures, le groupe légitimiste dispersé et plusieurs de ses chefs arrêtés, le drapeau tricolore rétabli. La duchesse de Berry qui attendait, cachée dans les bois de Carry, décida alors de gagner la Vendée où elle fut elle-même arrêtée quelques semaines plus tard. Après cette piteuse équipée, il apparaissait que, même si certaines régions provençales restaient attachées aux Bourbons, elles n'étaient pas prêtes à se lancer dans une aventure, faute d'un soutien populaire résolu. La ferveur dynastique de 1815 était passée.

Il ne restait plus aux partisans de la branche aînée qu'à s'orienter vers l'opposition légale et à faire élire leurs amis par ce qui restait de la Provence blanche. Ils y parvinrent et obtinrent, selon les moments, de trois à cinq députés. Le plus illustre de ces légitimistes fut l'avocat Pierre Antoine Berryer, orateur puissant, nature séduisante et généreuse, défenseur à la fois de Chateaubriand et des travailleurs les plus déshérités, éloquent porte-parole des intérêts de Marseille qui lui renouvela souvent sa confiance et lui éleva une statue en 1875.

Contestée à droite par les légitimistes, la monarchie de Juillet se heurtait aussi à une opposition de gauche. Celle-ci fut passagèrement incarnée par les saint-simoniens, dans les premières années du régime. Ce mouvement suscita quelques adhésions enthousiastes, celles du Marseillais Alphonse Dory, des Toulonnais Jean Aicard et Louis Jourdan, de Félicien David, originaire de Cadenet. Cependant le milieu ouvrier ne fut pas très marqué par l'enseignement de ces jeunes gens anticonformistes.

Plus profonde se révéla l'influence des républicains. Ceux-ci, déçus par les réformes de 1830, manifestèrent aussitôt leur opposition qui prit un tour politique et anticlérical. Pour donner plus d'efficacité à leur action, les républicains se regroupèrent, par exemple dans la Société des Droits de l'Homme, ou, à Aix et Arles, dans la Société de la Coucourde, terme désignant les gourdes faites de courges séchées et ayant servi d'emblème aux républicains provençaux de 1789. Les adversaires de la monarchie conservatrice réussirent à publier quelques journaux, notamment *le Peuple Souverain*, à Marseille, entre 1833 et 1835. Vers 1833, l'effectif des républicains de Marseille était estimé à 1 200 personnes et *le Peuple Souverain* comptait 310 abonnés. Ces hommes étaient, à l'origine, des bourgeois, anciens libéraux avancés déçus par la politique de juste milieu du régime orléaniste, des fabricants, comme les producteurs de bouchons de La Garde-Freinet, encore proches de l'artisanat, des fils de patrons, ayant poursuivi des études et opté pour des idées plus radicales que celles de leurs pères.

Mais, grâce à tout un jeu d'influences, le républicanisme gagnait une partie des classes populaires. Certes celles-ci étaient généralement et spontanément conservatrices, attachées à la monarchie, à la religion, aux vieux usages folkloriques. Elles professaient souvent une mentalité particulariste caractérisée par la fidélité aux anciennes techniques professionnelles et une volonté de défense corporatiste du métier. La protection paternaliste que les notables traditionnels, eux-mêmes conservateurs et catholiques, accordaient au petit peuple renforçait chez celui-ci l'attachement au passé. Mais une évolution se dessinait. Le monde ouvrier, prenant davantage conscience de lui-même, se dotait de groupements spécifiques comme les sociétés de secours mutuels. De cette couche sociale émergeaient d'attachantes figures de poètes ouvriers dont la plus connue fut Charles Poncy, remarqué par George Sand. Ceux des bourgeois qui adhéraient au républicanisme et à l'esprit laïc influençaient à la longue le petit peuple dépendant d'eux ou, en tout cas, préparaient un terrain favorable pour un changement ultérieur. L'augmentation, même limitée, du nombre des électeurs favorisait le débat politique et l'échange des idées ; ces discussions, comme le remarquait Thomas, préfet des Bouches-du-Rhône, n'étaient jamais à l'avantage de « l'homme de bien », ce bourgeois modéré sur lequel s'appuyait le régime :

« C'est dans les cabarets et les estaminets que, grâce au rabaissement du cens, les élections se préparent. Un essaim de carlistes et de républicains appartenant aux classes inférieures se répand dans les lieux publics, les boutiques des petits cordonniers et merciers, chez les gargotiers et marchands de vin. Ces factieux dépriment l'homme de bien, le calomnient effrontément et vantent les candidats de leur façon » (Jean Vidalenc, *Lettres de J. A. M. Thomas à Adolphe Tiers*, Gap, 1953).

Ce fut à Toulon que s'accomplit une étape décisive dans la mutation du monde ouvrier. Les 3 000 à 4 000 employés de l'arsenal, divisés en nombreux corps de métier, influencés par le prestige des officiers de marine, fidèles aux autorités traditionnelles et à la religion, constituaient une masse paisible. Or, dans les années 1830, deux phénomènes nouveaux entraînèrent un changement. En premier lieu, le développement des commandes faites à l'arsenal, la modernisation des techniques, l'arrivée de la machine à vapeur imposèrent le recrutement d'ouvriers supplémentaires, mécaniciens, tôliers, chaudronniers, forgerons, venus du Nord et des ports de l'Ouest. Ces hommes, étrangers aux traditions provençales, introduisirent un nouvel état d'esprit, plus revendicatif. Deuxième ferment de mutation : une scission au sein du compagnonnage toulonnais. En 1830, une rixe dans la profession des serruriers suscita une révolte des jeunes aspirants contre leurs anciens. Les premiers fondèrent une organisation dissidente, la Société de l'Union, d'inspiration moderne, dépouillée des vieux rites compagnonniques et influente dans plusieurs des corps de métier qui venaient renforcer les effectifs de l'arsenal. Malgré les appels à la réconciliation lancés par un célèbre compagnon, Agricol Perdiguier, alias Avignonnais-la-Vertu, les représentants des vieux Devoirs et les membres de l'Union s'affrontèrent durement. Au travers de ces luttes et de ces rixes, les unionistes affirmèrent un esprit plus contestataire et contribuèrent au renforcement de la revendication ouvrière.

La preuve du changement fut administrée dès 1845. L'année précédente, la célèbre révolutionnaire et féministe Flora Tristan était venue à Toulon ; elle y avait rencontré et séduit les sociétaires de l'Union travaillant à l'arsenal. Après son départ, un groupement nouveau, le Cercle des Ouvriers, s'était formé pour perpétuer l'enseignement de celle qui prêchait pour le rassemblement du prolétariat international. Or, en mars 1845, un conflit, peu important au départ, dégénéra en une grève générale d'une semaine, la première que l'arsenal eût connue. Les meneurs du mouvement, qui frappa beaucoup l'opinion toulonnaise, étaient précisément des ouvriers issus de la Société de l'Union et organisés par Flora Tristan quelques mois plus tôt. Certes, le conflit fut vite résolu grâce à l'entremise d'un prêtre, l'abbé Marin, qui bénéficiait de la confiance des travailleurs, ce qui montre que les attitudes anciennes et la fidélité à l'égard des autorités traditionnelles n'étaient pas totalement abolies. Mais cette grève, l'arrêt général du travail qu'elle avait causé, le rôle joué par les disciples de Flora Tristan témoignaient de la mutation de la classe ouvrière. Celle-ci, sensible aux mots d'ordre politiques et sociaux, ne devait plus rester passive comme elle l'avait été jusqu'alors.

La monarchie de Juillet fut d'autant plus gênée par l'existence de deux oppositions actives, légitimiste et républicaine, que ces dernières, oubliant leur rivalité, savaient parfois s'unir. Une telle conjonction, dite carlo-républicaine, s'était déjà produite sous l'Empire, au temps de la conspiration du général Guidal. Sous Louis-Philippe, en 1834, le légitimiste Berryer se vit offrir un banquet par ses amis et par les opposants de gauche qui appréciaient sa générosité et sa hauteur de vue ; ce banquet scellait l'alliance des deux familles contre le candidat officiel du régime.

Malgré leur résolution et leurs ententes conjoncturelles, les opposants ne réussirent pas à menacer sérieusement le régime, servi par des fonctionnaires zélés et une majorité de députés fidèles, appuyé par une large fraction de la bourgeoisie.

En fait, ce fut surtout l'évolution de la situation économique qui sapa la confiance accordée jusque-là au régime. La crise de la fin du règne, le chômage, l'augmentation des prix, surtout celui de la viande, la mévente du vin amenèrent les milieux d'affaires, soutiens du gouvernement, à demander l'instauration du libre-échange. La réduction des droits de douane, négociée principalement avec le royaume de Piémont, devait, pensait-on, permettre à ce pays d'acheter les vins de Provence et de fournir à celle-ci les produits alimentaires qui faisaient défaut ou se révélaient trop chers. Cette revendication qui satisfaisait les intérêts des producteurs, des commerçants et des consommateurs devenait populaire. À Toulon, le professeur Ortolan, candidat de l'opposition de centre-gauche à la députation depuis 1846, réclamait fortement l'établissement du libre-échange et, bien qu'il fût toujours battu, gagnait des voix à chaque élection. À Marseille, d'influents hommes d'affaires, le banquier Lazare Luce, le négociant érudit Alfred Rabaud, le fondateur de la Caisse d'épargne et conseiller général Wulfram Puget, l'économiste et député Louis Reybaud, auteur d'une célèbre satire des mœurs du temps, *Jérôme Paturot à la recherche d'une position sociale*, tous ces hommes militaient au sein de l'Association de libre-échange. Des pétitions réclamant la réforme de la législation douanière circulaient. La même revendication était présentée au cours de réunions publiques réunissant de prestigieux orateurs comme Lamartine, très apprécié à Marseille.

Cependant, pour vive que fût l'inquiétude devant la crise et insistante la demande de l'abaissement des droits, la Provence ne connut pas de troubles politiques et ne participa pas à la campagne des banquets. Aussi la révolution de février 1848 constitua-t-elle une surprise.

CHAPITRE V

LA SECONDE RÉPUBLIQUE (1848-1852)
LE DIFFICILE APPRENTISSAGE DE LA DÉMOCRATIE

Les quatre courtes années de la IIe République qui conduisirent des illusions fraternelles du début de 1848 à la guerre civile de décembre 1851, de l'instauration du suffrage universel au renforcement de la réaction et à la restauration d'un Empire autoritaire, se révélèrent fertiles en événements et très riches d'expériences politiques.

I. LES GRANDES ESPÉRANCES (FÉVRIER-JUIN 1848)

L'effondrement de la monarchie, qui causa une vive surprise, et le passage à la République s'effectuèrent selon des modalités diverses et suscitèrent quelques incidents, généralement peu graves.

Dans les Bouches-du-Rhône, le préfet et les maires ne voulurent pas proclamer l'avènement de la République et laissèrent ce soin aux nouvelles autorités. À Marseille, le maire, Élysée Reynard, pair de France, soucieux de maintenir l'ordre, réorganisa la Garde nationale ; aussitôt les républicains l'accusèrent d'armer la bourgeoisie contre les ouvriers et allèrent lapider sa maison. Les manifestants marseillais exigèrent aussi la mise en liberté du journaliste Agénon, arrêté pour délit de presse, et obtinrent satisfaction. À Toulon, les membres les plus avancés du conseil municipal convainquirent le maire, le modéré Garnier, de proclamer le ralliement de la ville à la République. À Avignon, où les événements prirent un tour plus radical, un comité républicain, présidé par l'avocat Alphonse Gent, chassa le préfet et contraignit le maire Chauffard à se retirer ; les membres du comité parcoururent la ville à la lueur des torches en faisant acclamer la République et décrétèrent l'abolition de l'octroi et des droits de régie sur les vins. Les habitants de Draguignan, Manosque et Barcelonnette profitèrent aussi de la naissance du nouveau régime pour manifester leur hostilité contre le fisc. Dans les campagnes, l'avènement de la République fut souvent compris par le petit peuple comme la promesse d'une amélioration économique et sociale ou la restauration des usages collectifs compromis par les grands propriétaires. Ainsi des paysans récupérèrent de force des communaux vendus. À Montmeyan, dans le Var, les villageois qui revendiquaient des droits d'usage dans une forêt cédée à un particulier entreprirent de démolir le mur élevé par ce dernier et d'arracher les arbres fruitiers qu'il avait plantés.

Les espérances éveillées par la République expliquent que la proclamation de celle-ci s'effectua souvent dans une ambiance de fête, en présence d'une population joyeuse et empressée.

Dans les premières semaines se créèrent de nombreux clubs et se multiplièrent les cérémonies patriotiques, les plantations d'arbres de la liberté, souvent bénis par le clergé, les banquets célébrant la fraternité des Français, les discours emplis de bons sentiments. Les évêques apportaient leur caution au nouveau régime. À Digne, le 12 mars 1848, Mgr Sibour accueillit en personne l'envoyé du gouvernement venant remplacer le préfet ; après les harangues d'usage, les deux hommes s'étreignirent et le prélat fut raccompagné à son palais par une foule joyeuse criant « Vive la République, Vive l'évêque de Digne ». Les légitimistes, vengés de l'usurpateur Louis-Philippe et espérant que le suffrage universel faciliterait la restauration d'Henri V, se ralliaient souvent. À Avignon, pour bien marquer leur volonté de mettre un terme aux dissensions politiques, ils rebaptisèrent leur journal *l'Union de Vaucluse*. Échange de bons procédés, à Arles, des républicains rendirent une visite amicale à l'un des plus célèbres cafés royalistes de la ville.

Pour remplacer les préfets de la monarchie de Juillet, le nouveau régime désigna des commissaires de la République. Ainsi furent nommés dans le Vaucluse Tramier de La Boissière, dans les Basses-Alpes Châteauneuf et à Marseille, avec autorité sur les Bouches-du-Rhône et le Var, l'avocat Émile Ollivier. Ce dernier, originaire de la cité phocéenne et fils du vieux militant républicain Démosthène Ollivier, n'avait pas encore 23 ans. Intelligent, orateur exceptionnel capable d'apaiser par sa flamme et sa sincérité les foules les plus emportées, le nouveau commissaire était sincèrement dévoué au bien public, déterminé à résoudre les problèmes sociaux, prêt à prendre des mesures audacieuses, mais adversaire de la violence et de tout extrémisme politique. Arrivé à Marseille le 29 février 1848 pour présider la cérémonie de proclamation de la République, il centra son allocution sur des idées à la fois généreuses et sages : la justice, le devoir, le respect des lois et des vaincus. Il nomma ensuite une commission municipale composée d'ouvriers républicains et de bourgeois modérés, parfois même légitimistes ou orléanistes. Cette commission déclara aussitôt qu'elle voulait soulager les misères, développer le commerce, réaliser « l'alliance indissoluble de l'ordre et de la liberté ». Dans plusieurs communes et au conseil général des Bouches-du-Rhône, Émile Ollivier demanda à des hommes ayant servi la monarchie de Juillet de conserver leur poste. Les révolutionnaires, surpris et consternés par les déclarations et les initiatives mesurées du commissaire de la République, réclamèrent, par la parole et les manifestations, des mesures plus énergiques, notamment la nomination d'une commission municipale marseillaise apparentée à un Comité de salut public, l'arrestation de l'évêque légitimiste, Mgr Eugène de Mazenod, pourtant rallié au nouveau régime, la destitution de Franz Mayor de Montricher, ingénieur des Ponts et Chaussées, qui construisait alors le canal de Marseille. Ollivier ne céda pas.

Modéré à Marseille, Émile Ollivier sut aussi se montrer audacieux à Toulon où il se rendit du 12 au 19 mars 1848. Il parcourut d'abord les rues de la ville dans une calèche découverte où il avait fait monter, à ses côtés, son père Démosthène, célèbre pour son ancien dévouement à la République, le lieutenant de vaisseau Giraud-Cabasse, connu pour ses idées saint-simonniennes, Charles Poncy, ouvrier-poète et gloire locale. Initiative plus importante, Ollivier nomma une commission municipale formée de républicains ne faisant pas mystère de leurs convictions socialistes et dont le chef de file, faisant fonction de maire, était Fulcran Suchet. Puis le commissaire de la République se rendit auprès d'Abd el-Kader, emprisonné à Toulon après sa reddition de 1847 et lui promit que le nouveau régime, animé d'un esprit généreux, le libérerait sous peu, promesse tenue seulement en 1852. Pour contrebalancer l'effet de ses audaces, Ollivier, avant de partir pour Draguignan, invita les membres de tous les partis à oublier les vieilles querelles et à s'unir pour le bien commun.

Il était difficile de demander à des militants, professant des idées différentes, de rester unis dans une période de consultation électorale. Précisément les Français se préparaient à désigner, le 23 avril 1848, pour la première fois au suffrage universel, les membres de l'Assemblée constituante. De nombreuses candidatures étaient enregistrées, 52 dans le seul département du Vaucluse qui avait droit à cinq sièges. Les clubs discutaient passionnément des mérites des candidats, les interrogeaient sur leur passé politique et sur leur programme. Ces auditions permirent d'éliminer certains individus peu qualifiés, mais, dans le choc des mots sonores et des grandes idées, fort à la mode, les électeurs, dont la maturité politique était souvent faible, avaient du mal à distinguer la valeur réelle et les options profondes des compétiteurs. Aussi, le gouvernement, soucieux d'éclairer et de guider ce premier vote démocratique, favorisa-t-il la création de comités départementaux centraux qui, formés de délégués des clubs, dressaient chacun une liste de candidats bons républicains. Mais, dès que ces listes furent connues, elles suscitèrent de nouveaux débats : ceux qui en étaient écartés les contestaient ; certains électeurs regrettaient que des notabilités nationales, comme Lamartine ou Lacordaire, n'eussent pas été choisies ; d'autres déploraient la place secondaire réservée aux ouvriers. Bien entendu, les listes concurrentes, toujours libres de se constituer, cherchaient à capter les suffrages et critiquaient les candidats des comités départementaux.

En définitive, le 23 avril, ce furent les républicains modérés qui s'assurèrent le succès. Dans le Var ils obtinrent même la totalité des neuf sièges et, dans les Bouches-du-Rhône, sept sièges sur dix. Les élus ouvriers étaient peu nombreux : le mécanicien Marius André et le confiseur Henri Arnaud de

Toulon, le portefaix Louis Astouin de Marseille. L'ébéniste avignonnais Agricol Perdiguier, élu à la fois dans le Vaucluse et à Paris, avait opté pour cette ville où il résidait. Les bourgeois orléanistes ne comptaient que quatre sièges dans toute la Provence, dont trois dans les Basses-Alpes, et les légitimistes trois dans les Bouches-du-Rhône, dont celui qu'avait retrouvé le grand orateur Berryer.

La participation avait été massive : elle atteignait 75 % dans le Vaucluse et 87 % dans le Var. Mais de grands écarts de voix séparaient souvent les candidats. Ainsi, le modéré Joseph Barthélémy, maire de Marseille, avait obtenu 72 084 suffrages, ce qui le mettait en tête des élus des Bouches-du-Rhône, et Louis Pascal d'Aix, avocat réputé révolutionnaire, dernier des élus de ce même département, comptait seulement 30 581 voix. Dans le Var, le premier, Marcelin Maurel, maire de Vence, totalisait 52 279 voix et le dernier, Marc-Antoine Arène, sous-préfet de Toulon, 24 592.

Les élections révélaient que l'ère des grands sentiments, l'espoir d'une union fraternelle des partis hier antagonistes et d'une amélioration rapide de la condition ouvrière ne pouvaient durer. Avant même le début de la campagne électorale, les tensions avaient sourdement repris. Dans les Bouches-du-Rhône, les adversaires d'Émile Ollivier avaient obtenu du gouvernement la nomination d'un commissaire général, chargé de mener une enquête dans le Midi. Le nouveau venu avait enlevé à Ollivier l'administration du Var, confiée à un républicain modéré, Lucien Guigues. Après les élections, les incidents se multiplièrent : grèves et manifestations de chômeurs, conflits entre grands propriétaires et paysans, polémiques sur l'entrée des ouvriers dans la Garde nationale. À Toulon, le sous-préfet modéré, Marc-Antoine Arène, soutenu par le commissaire du Var Lucien Guigues et par certains journaux locaux, *le Toulonnais* et surtout *la Sentinelle*, se méfiait du maire socialiste, Fulcran Suchet, très populaire dans la ville et appuyé par *la Démocratie du Midi*. Le résultat des élections du 23 avril, victoire des modérés et défaite des socialistes, encouragea les autorités varoises à signer la révocation de Suchet, le 6 mai 1848. Mais une manifestation massive des ouvriers en faveur du maire convainquit aussitôt le sous-préfet de rapporter sa décision.

La manifestation toulonnaise du 6 mai était restée pacifique. Il n'en alla pas de même des journées que Marseille, à l'instar de Paris, connut en juin. Cet épisode sonna le glas des grandes espérances nées en février 1848. Les ateliers nationaux organisés dans le grand port phocéen par l'ingénieur de Montricher avaient donné de meilleurs résultats que dans la capitale : aplanissement de la Corderie, aménagement de la Corniche et de la Plaine Saint-Michel, future place Jean Jaurès. La journée de travail était de 10 heures, malgré un décret du gouvernement imposant des journées de 11 heures en province. Mais beaucoup de patrons voulaient appliquer la décision gouvernementale qui les avantageait ou opérer des retenues sur les salaires pour rétablir l'équilibre de leur trésorerie. Cette situation avait déjà amené beaucoup de polémiques entre employeurs et ouvriers quand, le

12 juin 1848, arrivèrent à Marseille des volontaires parisiens partant se battre en Italie. Le consul de Sardaigne ayant refusé d'accorder un visa à ces hommes, ceux-ci, dépourvus de ressources, se trouvèrent à la charge de la ville. Le 17 juin, une manifestation populaire exigea du commissaire de la République, Émile Ollivier, qu'il accordât des secours publics aux nouveaux venus. Dans l'excitation générale, née des tensions sociales et du problème des volontaires pour l'Italie, naquit l'idée d'une autre manifestation au cours de laquelle, le 22 juin, seraient présentées les revendications des travailleurs des ateliers. Le jour dit, un cortège se forma dans le quartier Saint-Charles, gagna la préfecture, située dans l'actuelle rue Montgrand, et s'y heurta au service d'ordre. Les manifestants, croyant qu'Ollivier ne voulait pas accéder à leurs demandes et exagérant l'importance du choc avec la troupe, refluèrent alors et élevèrent des barricades rue de la Palud et rue Estelle. Devant cet acte séditieux, un affrontement plus grave devenait inévitable. La troupe et les gardes nationaux prirent d'assaut les barricades, mais les émeutiers, se repliant, allèrent en édifier de nouvelles place aux Œufs et place Castellane. Après de durs combats, la première fut enlevée dans la soirée du 22 juin et la deuxième le 23. Les forces de l'ordre comptaient neuf morts et les insurgés de vingt à quarante.

Les journées de juin coûtèrent son poste à Émile Ollivier. Très critiqué, accusé de faiblesse par les conservateurs et considéré comme trop répressif par les républicains avancés, il fut nommé par le chef de l'exécutif, Cavaignac, à la tête d'une préfecture moins importante, celle de Chaumont dans la Haute-Marne, avant d'être révoqué six mois plus tard.

II. LE RENFORCEMENT DE LA RÉACTION (JUIN 1848-DÉCEMBRE 1851)

Au lendemain des journées de juin, le virage à droite de la IIe République s'accéléra, encouragé par les notables qu'effrayaient les événements récents et les déclarations enflammées des socialistes. Les commissaires de la République jugés trop avancés furent remplacés par des hommes plus modérés. À Toulon, le maire socialiste, Suchet, fut révoqué sans que, cette fois, le petit peuple osât bouger ; des ouvriers de l'arsenal, connus pour leurs idées d'avant-garde, furent licenciés. En août, les élections cantonales et municipales permirent aux conservateurs, souvent à des légitimistes ou à des orléanistes, de reconquérir une partie de leurs positions, surtout dans les grandes villes, Marseille, Aix, Avignon, Arles et même Toulon où la tradition libérale était cependant forte.

Les élections présidentielles du 10 décembre 1848, s'inscrivant à la fois dans la continuité et le renouvellement de la tradition politique provençale, mirent en évidence l'originalité de cette région. Louis-Napoléon Bonaparte, placé en tête par l'ensemble des électeurs français, avec 75 % des voix, obtint des résultats nettement inférieurs dans les départements du Sud-Est méditerranéen qui confirmèrent leur réaction de rejet antibonapartiste de 1815. Le neveu de l'empereur était certes classé au premier rang par les Basses-Alpes et le Vaucluse avec respectivement 59 % et 52 % des suffrages ; là, il avait rassemblé sur son nom les voix les plus conservatrices et royalistes ; dans le canton d'Avignon sud, où les carlistes étaient puissamment implantés, il obtenait le score de 72 %, presque égal au résultat national. Mais dans le Var Louis-Napoléon ne dépassait pas 25 % et 23 % dans les Bouches-du-Rhône ; il payait ainsi le mauvais souvenir laissé en Provence par Napoléon Ier et ne parvenait pas à entraîner dans son sillage tous les électeurs de droite. Ceux-ci préférèrent souvent se prononcer en faveur du général Cavaignac qui incarnait une République modérée : au lieu de 20 % dans l'ensemble de la France, ce candidat obtint 39 % des voix en Provence : 21 % dans les Basses-Alpes, 29 % dans le Vaucluse, 50 % dans les Bouches-du-Rhône, 55 % dans le Var. Cavaignac devait ce bon résultat non seulement à l'hostilité qu'avait rencontrée son principal concurrent, mais aux prises de position sans équivoque, en sa faveur, de l'administration, des bourgeois et de certains évêques, comme celui de Marseille, Mgr de Mazenod. Quant à Ledru-Rollin, porte-parole des éléments les plus avancés, appuyé par l'association de la Solidarité républicaine, par des journaux comme l'influente *Voix du Peuple* de Marseille, par des personnalités connues telles que Suchet, l'ancien maire de Toulon, ou Gent qui avait proclamé la République en février 1848 à Avignon, il obtenait 5 % des voix dans l'ensemble de la France et 18 % en Provence : les faubourgs et les quartiers populaires lui avaient souvent apporté massivement leur appui. Ainsi, une partie du petit peuple qui soutenait les blancs en 1815 se ralliait aux rouges en 1848.

La victoire de Louis-Napoléon Bonaparte entraîna un renforcement de la réaction. Ainsi, l'énergique Georges-Eugène Haussmann, nommé préfet dans le département « mal pensant » du Var, le 5 février 1849, entreprit une sérieuse épuration. Entre sa prise de fonction et avril 1850, il prononça la dissolution de vingt-six sociétés, chambrées ou réunions privées et il suspendit quinze maires ou adjoints, sous les prétextes les plus divers.

Les élections législatives du 13 mai 1849 symbolisèrent l'affrontement entre droite et gauche. Ce furent en effet deux camps bien indivisualisés qui s'opposèrent. Le parti de l'Ordre rassemblant les conservateurs et les royalistes de toute nuance bénéficiait de l'appui du gouvernement ; il ne parlait pas ouvertement de rétablir la monarchie, mais affirmait sa volonté de défendre l'ordre, la propriété, la famille, la religion contre les rouges. En face, les démocrates de la Montagne et les socialistes s'étaient regroupés ; ils demandaient des réformes sociales et une extension des libertés, le recrutement des fonctionnaires par l'élection ou le concours, l'impôt sur le revenu, l'exploitation des services publics par l'État... Les candidats isolés, républicains modérés, ultra-légitimistes, communistes, qui refusèrent d'opter pour l'un des deux camps, furent laminés et n'obtinrent aucun siège. La droite, qui reçut environ 60 % des voix dans les Bouches-du-Rhône et le Vaucluse, remporta la totalité des quatorze sièges de ces deux départements ; neuf de ces députés étaient légitimistes, dont Berryer à Marseille et d'Olivier, ancien maire d'Avignon. Les résultats furent plus partagés dans les Basses-Alpes et le Var où la gauche, avec des scores un peu supérieurs à 50 % des voix, obtint respectivement deux sièges sur trois et quatre sur sept. Parmi les élus démocrates-socialistes du Var se trouvaient Ledru-Rollin et Suchet.

Ces résultats traduisaient une évolution de la géographie électorale. La droite était bien implantée dans certaines villes, Avignon, Aix, Marseille, Grasse, dans les petits ports comme Hyères, dans des villages où l'aristocratie restait influente, ainsi à Lorgues, dans les campagnes aisées du Comtat et du nord-ouest des Bouches-du-Rhône. La gauche s'installait dans des communes où une ancienne tradition libérale lui avait frayé le chemin, à Toulon, Draguignan, Le Luc, en Provence intérieure, par exemple dans des régions comme celle de Brignoles où la vieille alliance carlo-républicaine profitait finalement aux éléments les plus avancés. Les facteurs locaux introduisaient naturellement de nombreuses variantes : à la campagne, la présence d'un grand propriétaire pouvant accorder ou refuser du travail aux paysans et exerçant sur ceux-ci, parfois avec l'aide du clergé, des pressions directes ou indirectes, aboutissait souvent à renforcer les voix de la droite. Ailleurs, le conflit entre un grand propriétaire et une communauté villageoise à laquelle il refusait l'accès à d'anciens terrains communaux risquait d'amener l'effet inverse.

Au lendemain des élections de mai 1849, le parti de l'Ordre, victorieux, éprouvant la plus vive méfiance contre les Montagnards démocrates et socialistes, multiplia les mesures de rigueur contre ces derniers. Dès le 13 juin, la manifestation organisée à Paris par la gauche contre l'expédition de Rome, manifestation jugée subversive par le gouvernement, valut aux deux principaux élus varois, Ledru-Rollin et Suchet, d'être déchus de leur mandat : le premier s'enfuit à Londres ; le second, arrêté, fut condamné à trois ans de prison. Aux élections complémentaires destinées à remplacer les deux anciens députés, le 10 mars 1850, les démocrates varois ne purent conserver qu'un seul des deux sièges.

Peu après s'abattit une répression plus vaste et plus sévère sur les démocrates socialistes. Ceux-ci, gênés par la loi du 31 mai 1850 qui limitait l'exercice du suffrage universel, avaient constitué un stock d'armes à Marseille et, selon l'accusation des conservateurs, préparé un plan d'insurrection du Sud-Est. En octobre 1850, la police arrêta les principaux animateurs de la gauche provençale, soupçonnés d'avoir participé à ce complot, l'Avignonnais Alphonse Gent, l'avocat aixois Albin Thourel, l'ouvrier et journaliste Longomazino établi à Digne. Quarante-neuf de ces hommes, dont douze contumaces, furent jugés à Lyon en août 1851 et lourdement condamnés ; Gent et Longomazino furent déportés aux îles Marquises.

Les conservateurs, rendus encore plus méfiants par l'affaire de la Nouvelle Montagne, redoublèrent de vigilance. Les chambrées où le petit peuple se retrouvait pour se détendre et discuter furent étroitement surveillées et fermées s'il apparaissait que la teneur des conversations ou des activités ressemblaient à celles d'un club politique. L'administration multiplia les tracasseries et les poursuites contre les suspects. Le vicomte de Suleau, préfet des Bouches-du-Rhône depuis septembre 1849, traquait littéralement les opposants en même temps qu'il essayait de se concilier les faveurs de la bonne société marseillaise. Dévoué au prince-président Louis-Napoléon Bonaparte, Suleau préparait le terrain pour le coup d'État du 2 décembre 1851.

III. LE COUP D'ÉTAT DU 2 DÉCEMBRE 1851 : RÉSISTANCE ET RÉPRESSION

Ce fut dans la journée du 3 décembre 1851 que la nouvelle du coup d'État opéré la veille par Louis-Napoléon Bonaparte parvint en Provence. Les agissements du prince-président reçurent l'approbation des représentants du pouvoir et de la plupart des conservateurs, à quelques exceptions près parmi lesquelles on peut signaler l'orléaniste Élysée Reynard, ancien maire de Marseille, et les légitimistes avignonnais.

En revanche, les événements provoquèrent la colère des républicains. À Aix, ces derniers se rendirent à la sous-préfecture pour réclamer la libération d'un des leurs. À Toulon, un rassemblement hostile à Louis-Napoléon se forma sur la place d'Armes. Mais ce ne fut pas dans les villes importantes que l'agitation se développa : la puissance des forces de l'ordre qui y étaient stationnées et les arrestations opérées dès le 4 décembre rendirent vaines les tentatives d'opposition. Dans les villes moyennes, la situation apparut plus indécise en raison de la faiblesse des garnisons. Ainsi à Draguignan, où ne se trouvaient que 80 gendarmes et 700 jeunes recrues peu exercées au maniement des armes, les républicains eurent les coudées plus franches et élevèrent des barricades aux abords de la préfecture et de la caserne. Les fonctionnaires et leurs familles se réfugièrent dans l'hôtel départemental, amassèrent des provisions et obturèrent les fenêtres pour résister à un siège, tandis que la cavalerie, massée derrière les grilles, se tenait prête à dégager les rues par où les attaquants pourraient déboucher.

Dans les campagnes, les bourgs et les villages, le soulèvement contre le coup d'État se développa avec succès, surtout dans l'ouest et le sud des Basses-Alpes, les Maures et le centre du Var, le nord et l'est du Vaucluse, quelques communes plus rares dans les Bouches-du-Rhône, notamment Vitrolles, Saint-Chamas, Trinquetaille. Les actes de violence furent très rares, sauf à Cuers où un brigadier de gendarmerie fut tué et un de ses collègues blessé. Les otages, comme en témoigna le journaliste légitimiste Hyppolite Maquan, retenu trois jours, furent bien traités.

Maîtres de nombreuses petites communes, les villageois se rassemblèrent dans les gros bourgs, Brignoles, Le Luc, Vidauban, La Garde-Freinet, Pertuis, Apt, Sisteron, Forcalquier, Orange. Là, les insurgés décidèrent de s'organiser en colonnes pour s'emparer des préfectures. Ces colonnes comprenaient une majorité de paysans et une forte minorité d'ouvriers et artisans, bouchonniers, cordonniers, maçons, menuisiers, tanneurs, tisserands.

Sociologie des 3 147 Varois arrêtés après l'insurrection de décembre 1851

Hommes	3 131
Femmes	16
Mariés	2 015
Célibataires et veufs	1 132

Profession

Paysans	1 341	soit	43 %
Ouvriers	466	soit	14 %
Artisans	418	soit	13 %
Bourgeois	175	soit	6 %
Commerçants	128	soit	4 %
Divers	619	soit	20 %

Âge

16-20 ans	185	soit	6 %
20-30 ans	1 167	soit	37 %
30-40 ans	970	soit	30 %
40-50 ans	554	soit	18 %
50-60 ans	222	soit	7 %
Plus de 60 ans	49	soit	2 %

Origine géographique

Arrondissement de Brignoles	46 %
Arrondissement de Draguignan	37 %
Arrondissement de Toulon	15 %
Arrondissement de Grasse	2 %

Les cadres étaient formés par des artisans et des bourgeois libéraux fidèles à leurs anciennes convictions. Parmi les chefs, on remarquait surtout, dans les Basses-Alpes, Ailhaud, originaire de Volx, garde général des Eaux et Forêts, révoqué en raison de ses idées socialistes, Buisson, ancien maire de Manosque, Aillaud venu de Valensole ; dans le Var, Camille Duteil, journaliste au *Peuple* de Marseille, Antonin Campdoras, chirurgien de marine, habitant Saint-Tropez, Pierre Arambide, ancien ouvrier à l'arsenal de Toulon. Les hommes étaient sommairement armés de fusils, plus rarement de pistolets et de sabres, parfois de faux, de haches et de gourdins. Ils suivaient le drapeau rouge et les chefs signalaient leur qualité par des rubans ou des écharpes de la même couleur. Parmi les combattants cheminaient quelques femmes dont la plus célèbre, Mme Ferrier, sorte de figure emblématique, servit de modèle à Émile Zola pour le personnage de Miette dans *La fortune des Rougon.*

La colonne des Basses-Alpes qui avait pris Forcalquier le 5 décembre et Sisteron le 6, marcha sur la préfecture, Digne, le 7. La petite garnison capitula aussitôt, le préfet s'enfuit, les républicains entrèrent dans la ville en chantant la Marseillaise et nommèrent un comité municipal révolutionnaire, tandis que des représentants du nouveau pouvoir insurrectionnel prenaient le contrôle des sous-préfectures de Barcelonnette et Castellane. Au cours des deux journées suivantes, les rebelles célébrèrent joyeusement leur victoire, allumèrent un grand feu sur la place du Champ de Foire à Digne, y jetèrent les arrêtés du gouvernement et les dossiers des contributions, dansèrent la farandole. Mais une petite armée régulière, venue de Marseille, remontait la vallée de la Durance. Ailhaud essaya de l'arrêter aux Mées, le 9 décembre : après avoir vaillamment et vainement tenté de barrer la route à l'adversaire, il ordonna à ses hommes de se disperser car, sachant que le reste de la France acceptait le coup d'État, il avait compris que son entreprise était vouée à l'échec. Pour sa part, il se réfugia dans les montagnes de Forcalquier et de Lure, suivi par quelques centaines de ses amis dont beaucoup, poursuivis par les forces de l'ordre, furent pris les jours suivants et parfois fusillés sur place. Ailhaud, se cachant et marchant de nuit, réussit à traverser la Provence et à atteindre Marseille où il fut reconnu et arrêté.

Les insurgés varois avaient afflué au Luc et à Vidauban où, le 7 décembre, ils reçurent des renforts du Muy et des Arcs. Le chef de la colonne, Duteil, fougueux mais dépourvu de qualités militaires, renonça à marcher sur Draguignan et préféra se diriger vers les Basses-Alpes où l'insurrection triomphait alors. Il passa par Lorgues où les habitants, restés conservateurs, lui firent un mauvais accueil, et Salernes où, au contraire, les sympathies républicaines étaient vives. Puis la colonne atteignit Aups, le 9 décembre au soir. Pendant ce temps, les forces de l'ordre, appelées colonne Travers-Pastoureau, du nom de son chef, le colonel Travers, et du préfet Pastoureau, nommé le 2 décembre à la tête du Var, se préparaient à agir. Un régiment venu de Marseille reprit facilement Brignoles et Barjols, tandis qu'une autre unité régulière, partie de Toulon, accompagnée du préfet Pastoureau, réoccupait Cuers le 5 décembre, puis Puget, Carnoules, Pignans, Gonfaron, Le Luc. Le 8, le nouveau préfet, Pastoureau, entra à Draguignan et libéra son prédécesseur assiégé dans la préfecture. Le 10 décembre 1851, la troupe régulière, colonne Travers-Pastoureau, rejoignit les insurgés à Aups. Arambide, placé en avant-poste sur les hauteurs de Tourtour, fut balayé. Le gros des républicains, peu entraînés au combat rangé, mal armés et mal commandés, fut défait après un court engagement. La bataille causa deux morts dans les forces de l'ordre et officiellement vingt-cinq chez les républicains, en réalité beaucoup plus car nombre de blessés moururent par la suite et des fuyards furent abattus sommairement ; l'un d'eux, Louis Martin, dit Bidouré, peigneur de chanvre, atteignit à une triste gloire posthume : fusillé une première fois et laissé pour mort, il put se cacher, mais, retrouvé, il fut à nouveau exécuté et achevé. Quant à Duteil, il put s'échapper et se réfugier en Italie.

Dans le Vaucluse, la colonne républicaine, constituée le 7 décembre à Apt, peu importante, n'eut pas à livrer un combat aussi décisif. Elle se dirigea d'abord vers Avignon, mais, consciente de sa faiblesse, elle se replia à l'Isle-sur-Sorgue. Le 9 décembre, continuant sa route vers Cavaillon, elle fut arrêtée par les troupes régulières stationnées dans cette localité. Les républicains se dispersèrent aussitôt, tandis que les autorités gouvernementales reprenaient leur place dans toutes les communes du département.

Dans les semaines qui suivirent, une sévère répression tomba sur la Provence. Les républicains les plus compromis essayaient de gagner l'étranger, d'autres se cachaient, quelques-uns revenaient discrètement dans leur village. Des colonnes mobiles de l'armée régulière se mirent à parcourir le pays pour arrêter les agitateurs. Certains de ceux-ci furent exécutés sommairement.

Des juges et des officiers instruisirent les dossiers et déférèrent les inculpés devant des tribunaux spéciaux, les commissions mixtes qui, dans chaque département, comprenaient le préfet, le commandant militaire et le procureur de la République. Le nombre des inculpés était important :

Var	3 147
Basses-Alpes	1 669
Vaucluse	680
Bouches-du-Rhône	223
Total	5 719

Les Provençaux fournissaient à eux seuls 21 % des insurgés poursuivis par la justice sur l'ensemble du territoire français. Les commissions mixtes agirent rapidement et se montrèrent sévères. Dans le Var, la commission acquitta 689 inculpés et, pour les autres, prononça les peines suivantes :

Mise en liberté surveillée dans la commune d'origine	667
Mise en liberté surveillée en Algérie	622
Internement dans des forts ou sur des navires à Toulon	506
Emprisonnement en Algérie	168
Mise en liberté surveillée hors du Var	163
Expulsion hors de France	158
Renvoi devant les tribunaux correctionnels	144
Renvoi devant le conseil de guerre	25
Envoi au bagne de Cayenne	5

En avril 1852, le prince-président, considérant que l'intimidation qu'il avait voulu exercer sur les républicains était suffisante, envoya en Provence un conseiller d'État, Quentin-Bauchard, avec des consignes d'indulgence. De nombreuses réductions de peine furent prononcées et des personnes éloignées purent revenir dans leur commune d'origine. De nouvelles grâces furent encore accordées en septembre 1852 et en décembre suivant, lors du rétablissement de l'Empire.

Même si elle fut un peu adoucie dans le courant de 1852, la répression, par son ampleur et sa sévérité initiales, facilita la marche à l'Empire. Lorsque fut organisé le plébiscite du 20 décembre 1851, destiné à faire ratifier ou désavouer le coup d'État du 2 décembre, les républicains, pourchassés de toutes parts, ne purent manifester leur opposition. Ainsi s'expliqua, avec la réserve de nombreux légitimistes, l'importance des abstentions : plus du tiers des inscrits dans le Var, 40 % dans le Vaucluse, 50 % dans les Bouches-du-Rhône. Mais ceux qui votèrent, encouragés par le clergé et la bourgeoisie conservatrice, accordèrent un éclatant soutien à Louis-Napoléon Bonaparte : 85 % des voix dans le Vaucluse, 90 % dans les Bouches-du-Rhône, 94 % dans le Var.

L'opposition resta aussi amorphe lors des élections du 29 février 1852 au Corps législatif. Cette consultation, soigneusement préparée par les préfets, marquée par la forte réduction des sièges à pourvoir et par la désignation de candidats officiels, mobilisa encore moins les électeurs. Dans les Bouches-du-Rhône, les abstentionnistes furent même nettement majoritaires en totalisant 55 % des inscrits. Les élus, sur le nom desquels les partisans de l'ordre s'étaient massivement reportés, étaient tous partisans de Louis-Napoléon.

Le prince-président qui préparait la restauration de l'Empire vint en Provence en septembre 1852 pour tâter l'opinion et prendre appui sur elle. Le voyage fut minutieusement organisé. Les 25 et 26, le prince-président séjourna à Marseille, non sans qu'un complot dirigé contre lui et opportunément découvert ne fût venu rappeler le péril social et resserrer les partisans de l'ordre derrière le prince. Celui-ci retrouva dans le grand port le protocole et l'ambiance qu'il avait connus à Avignon : acclamations, drapeaux ornés d'aigles et de N couronnés, revue des troupes, bal, joutes nautiques... Louis-Napoléon présida deux importantes cérémonies destinées à séduire les Marseillais : il posa la première pierre de la nouvelle cathédrale et exprima à cette occasion son attachement à la religion ; il renforça ainsi ses liens avec le clergé et notamment avec l'évêque, Mgr de Mazenod, qui sera nommé sénateur en 1856. Puis le prince posa la première pierre de la Bourse et de la Chambre de Commerce ; pour rallier les milieux d'affaires, il affirma alors sa volonté de développer la prospérité de Marseille, en particulier en entreprenant une politique d'expansion en Méditerranée. Le 27 septembre, le neveu de Napoléon Ier vint à Toulon et là, au cours d'un bal, une couronne manipulée au moyen d'une poulie descendit au-dessus de sa tête. Le 29, il visita Aix et Roquefavour, puis il quitta la Provence.

Rentré à Paris, Louis-Napoléon Bonaparte se sentit assez fort pour organiser, le 21 novembre 1852, le plébiscite destiné à faire approuver le rétablissement de l'Empire. Les préfets des départements provençaux mirent tout en œuvre pour que le nombre des abstentions fût limité et massif le nombre des oui. Sur le premier point, une amélioration fut enregistrée par comparaison avec les précédentes consultations. Cependant, les Bouches-du-Rhône détenaient le record national des abstentions : 47 %. Le Var, avec près de 30 % de non-votants, et le Vaucluse, avec 27 %, montraient que les réticences demeuraient fortes. En revanche, le oui l'emportait de manière écrasante par rapport aux suffrages exprimés : 98 % dans le Var, 97 % dans le Vaucluse, 94 % dans les Bouches-du-Rhône.

Un an après le coup d'État, le 2 décembre 1852, le prince fut officiellement proclamé empereur sous le nom de Napoléon III.

CHAPITRE VI

LE SECOND EMPIRE (1852-1870)
RETOUR À L'ORDRE ET RÉSERVE DES PROVENÇAUX

Le Second Empire, né d'un coup de force vivement combattu par les Provençaux, s'effondra dans l'indifférence dix-huit ans plus tard. Ce régime, malgré la modernisation économique qu'il avait entreprise et l'évolution libérale amorcée dans les années 1860, ne parvint pas à s'enraciner profondément dans la région.

I. L'EMPIRE AUTORITAIRE (1852-1860) : LE CALME D'UNE PROVENCE SOUS HAUTE SURVEILLANCE

Sous le Second Empire, la Provence, comme l'ensemble français, connut un remarquable développement économique. Le chemin de fer relia Paris et Lyon à Avignon, Marseille, Toulon, Draguignan et Nice en 1864. L'organisation de la poste et du télégraphe électrique accéléra la transmission des nouvelles. L'agriculture, où la part de la céréaliculture diminua, amorça un mouvement de spécialisation, notamment pour la vigne et les primeurs. Des activités industrielles modernes s'implantèrent, comme la construction navale à La Seyne. Dans les villes, le lancement de grands travaux permit de construire des quartiers et des bâtiments publics neufs, d'aménager des percées nouvelles, d'améliorer l'adduction d'eau et d'installer l'éclairage au gaz. La prospérité et la modernisation rendirent-ils le régime populaire en Provence ?

Le gouvernement prenait toutes les précautions pour maintenir l'ordre et contenir l'opposition. Les préfets surveillaient attentivement leur département et nommaient des maires dévoués à l'Empire. Les agissements et les propos de ceux qui étaient soupçonnés de nourrir des sentiments contraires au régime étaient épiés par la police.

Dans les années 1850, l'Empire ne laissait aucun espace de liberté. Le journal *L'Union du Var*, dans lequel écrivait le légitimiste Hyppolite Maquan, après avoir reçu deux avertissements, le premier pour avoir contesté le tracé de la voie ferrée Toulon-Nice, le deuxième pour avoir critiqué le gouvernement du Piémont, fut interdit. Bien d'autres journaux subirent les foudres de la censure. À la suite de l'attentat d'Orsini contre l'empereur, commis à Paris le 14 janvier 1858, les mesures de sûreté générale furent renforcées, des arrestations opérées et quelques opposants déportés en Algérie. Napoléon III venu avec l'impératrice à Marseille, en 1860, fut mécontent de la bouderie hautaine des légitimistes et des critiques à peine voilées qu'en cette occasion les républicains lancèrent contre le régime, au moyen de tracts. Le préfet des Bouches-du-Rhône fut aussitôt remplacé par un homme particulièrement énergique et autoritaire, le sénateur Émile de Maupas, symbole de ces hauts fonctionnaires totalement dévoués à l'Empire, déterminés à accélérer la modernisation économique, stimulant le zèle des exécutants et ne tolérant aucune opposition.

Pourtant l'opposition restait très discrète en ces premières années de l'Empire. Les républicains, exilés ou étroitement surveillés, n'osaient plus guère se manifester. Quelques-uns se réunissaient clandestinement ; d'autres affichaient leur solidarité de manière anodine, en se faisant tous tailler la barbe sur le même modèle ! À Toulon, les ouvriers de l'arsenal dont le vote était contrôlé se montraient dociles. Quant aux légitimistes, ils se contentaient de bouder le régime. Les plus résolus avaient abandonné leurs fonctions officielles dans les conseils généraux et municipaux, les chambres de commerce, pour ne pas avoir à prêter un serment de fidélité à l'empereur ; ceux qui acceptaient de prononcer ce serment se rendaient d'autant plus suspects à la police qui les soupçonnaient de parjure.

Malgré le poids de l'administration et l'organisation de la candidature officielle, les élections permettaient de mesurer, au moins schématiquement, l'influence de l'opposition. L'abstention restait considérable et montrait que, malgré les bienfaits économiques et les pressions du pouvoir, une masse de Provençaux n'étaient pas séduits par l'Empire. Le 24 décembre 1854, à l'occasion d'une élection partielle à Marseille, ce furent 80 % des inscrits qui refusèrent de se rendre aux urnes ; lors d'une autre élection partielle à Marseille, le 18 mars 1855, le taux d'abstention atteignit encore 50 %. Aux élections générales du 21 juin 1857, destinées à renouveler le Corps législatif, l'indifférence des électeurs apparut encore considérable : 41,5 % d'abstentions dans le Vaucluse, 51 % dans les Bouches-du-Rhône. Cependant, les condidats officiels étaient facilement élus, avec des majorités confortables. En 1857, les républicains qui se présentèrent dans les Bouches-du-Rhône, Hippolyte Carnot et Émile Ollivier, n'obtinrent respectivement que 7 % et 5,5 % des suffrages exprimés ; dans la première circonscription du Vaucluse, qui comprenait les arrondissements d'Avignon et de Carpentras, le général Cavaignac qui portait aussi les couleurs républicaines parvint à un meilleur résultat, 25 %, ce qui inquiéta les autorités.

De fait, au début des années 1860, l'Empire dut davantage tenir compte de l'opposition et prit une orientation nouvelle. Mais auparavant, il avait remporté un grand succès politique grâce à l'annexion du Comté de Nice.

II. LE RATTACHEMENT DU COMTÉ DE NICE À LA FRANCE (1860)

La rattachement du Comté de Nice à la France fut une des conséquences de la formation de l'unité italienne. Au cours des entretiens de Plombières, en juillet 1858, Napoléon III avait promis à Cavour, chef du gouvernement piémontais, de l'aider à libérer l'Italie du nord du joug autrichien en échange de la remise à la France de la Savoie et du Comté de Nice. Ces accords, compromis par l'armistice de Villafranca et la démission de Cavour, furent ranimés par le retour de celui-ci au pouvoir en janvier 1860. Le 24 mars 1860, le traité d'annexion de Nice par la France fut rendu public. Il devait être ratifié par les Chambres des deux pays et entériné par un vote des populations concernées.

Depuis plusieurs mois, les Niçois savaient que leur avenir était en jeu. Des campagnes de presse, des manifestations dans les théâtres, des incidents opposant partisans et adversaires de l'annexion composaient une atmosphère fiévreuse.

Le parti français, appuyé sur le journal *l'Avenir de Nice* qu'avaient fondé l'ingénieur Victor Juge et le banquier Auguste Carlone, avançait de nombreux arguments en faveur de sa cause : l'ancienneté des liens historiques et culturels entre le Comté et la Provence, l'abandon économique dans lequel le royaume de Piémont-Sardaigne avait laissé la région, l'insuffisance notoire des moyens de communication, la suppression du port franc en 1853 et la concurrence de Gênes, l'importance du débouché commercial que constituait la France, notamment pour l'huile et les agrumes déjà exportés massivement dans le pays voisin. Ces thèses séduisaient une partie de la bourgeoisie instruite, certains officiers, les négociants, ceux qui, dans le petit peuple, espéraient une amélioration de la situation économique. L'évêque de Nice, le populaire Mgr Pierre Sola, délié de son serment de fidélité par le roi de Piémont-Sardaigne et mécontent de ce que celui-ci voulût prendre Rome au pape, pesait de tout son poids en faveur de la France. De même, les juifs, déçus par le régime piémontais qui tardait à leur accorder les mesures d'égalité prévues par la constitution, le *Statuto*, étaient ralliés à la solution française.

Le parti italien possédait aussi sa presse, notamment *Il Nizzardo* et *la Gazette de Nice* animée par l'horticulteur pamphlétaire Alphonse Karr et le chevalier Arson. Ce parti regroupait des éléments divers, militaires, fonctionnaires et membres de l'aristocratie voulant rester fidèles à la dynastie, celle de la Maison de Savoie, salariés piémontais attachés à leur patrie, républicains français, réfugiés politiques, tel Alphonse Karr, qui détestaient l'homme du 2 décembre. Beaucoup de ces adversaires de l'Empire considéraient le Niçois Garibaldi, héros de la liberté, comme le meilleur et le plus illustre défenseur de leur cause. Les membres du parti italien adjuraient le roi de Piémont-Sardaigne, Victor-Emmanuel, de ne pas céder Nice, mais le monarque ayant fait savoir qu'il acceptait le rattachement du Comté à la France, ils ne purent s'obstiner dans une fidélité dont ils étaient officiellement déliés et adoptèrent en grande partie la solution française. Cependant quelques-uns, ne voulant ni s'éloigner de l'Italie ni devenir sujets français, avancèrent l'idée de la transformation de Nice en un État autonome, comme la principauté de Monaco.

Il est difficile d'évaluer les forces respectives des deux partis. Faut-il croire Alphonse Karr qui estimait le nombre des activistes de chaque camp à 150 ? Il est sûr que la cause française, soutenue d'emblée par une partie des Niçois et renforcée par le ralliement des notables que Victor-Emmanuel encourageait à se séparer de lui, se renforça progressivement, comme en témoigna l'excellent accueil réservé aux troupes impériales lors de leur passage à Nice. Ce fut aussi en faveur de la France que travaillèrent les principaux responsables politiques du Comté. Le représentant extraordinaire de Napoléon III à Nice, le sénateur Paul-Marie Piétri, multipliait les promesses et rassurait tous ceux qu'inquiétait le changement de statut du Comté.

Les 15 et 16 avril 1860, le plébiscite se déroula dans une ambiance joyeuse. Dans beaucoup de communes, les votants se rendirent aux urnes groupés derrière leur curé et leur syndic brandissant le drapeau français. Les résultats furent dépourvus d'ambiguïté :

Inscrits 30 706
Votants .... 25 933 soit 84,5 %
Oui .... 25 743 soit 84 % des inscrits et 99 % des votants
Non 160
Nuls 30

À Nice même, le oui triomphait avec 86 % des inscrits. Certaines communes du haut pays avaient voté à 100 % en faveur de la France. Le pourcentage des abstentions et des non prenait seulement quelque consistance dans les communes situées à l'est du Comté, à proximité de la nouvelle frontière entre la France et l'Italie. Après la ratification de la cession par le Parlement de Turin, la remise officielle du Comté de Nice à l'Empire français eut lieu le 14 juin 1860.

Il restait à fixer le tracé précis de la frontière. Après de longues négociations, ce fut chose faite le 25 novembre 1860 : la France acceptait d'abandonner à l'Italie des territoires situés dans les hautes vallées, avec les communes de Tende et La Brigue qui avaient pourtant voté unanimement en faveur du rattachement. Par le traité du 2 février 1861, le prince de Monaco céda à la France les villes de Menton et de Roquebrune qui s'étaient rebellées contre lui en 1848 et étaient depuis administrées par le Piémont-Sardaigne ; en échange, le prince recevait une indemnité de quatre millions, forme déguisée d'achat. Enfin, l'arrondissement de Grasse, vieille terre provençale, distrait du département du Var, fut ajouté au Comté de Nice pour former le nouveau département des Alpes-Maritimes.

III. LE RÉVEIL DE L'OPPOSITION (1860-1870)

Tout au long des années 1860, l'Empire évolua de l'autoritarisme vers un plus grand libéralisme. Une partie des conservateurs et du clergé catholique, choqués par un régime qui offrait une amnistie aux républicains dès 1859, se faisait « complice de la révolution » en Italie, modernisait à l'excès l'enseignement, se tenaient dans une réserve grandissante. L'opposition de gauche réclamait avec Thiers « les libertés nécessaires » et profitait de celles-ci, quand elles étaient accordées, pour attaquer la politique de l'Empire et exiger d'autres concessions.

Les conservateurs, sortant de leur bouderie, reprirent une part plus active dans le combat politique. Dans le domaine culturel, ils développèrent avec le Félibrige, fondé en 1854, une réaction traditionnaliste contre la modernisation trop rapide de la Provence. Condamnant les villes « haussmanniennes », telle Marseille sillonnée par les larges percées rectilignes et hérissée de bâtiments officiels neufs et pompeux, les félibres, Mistral, Roumanille, Aubanel, Mathieu, Crousillat... voulaient maintenir une Provence rurale, pieuse, fidèle à son vieux parler et à ses antiques usages. Cette vision aboutissait à récuser les valeurs et les progrès modernes dont l'Empire se faisait l'apôtre.

Les républicains, reprenant confiance et profitant de la libéralisation du régime, lançaient des journaux comme *le Peuple*, publié à Marseille par Naquet et Chappuis ou *le Phare du Littoral* à Nice. Ils tenaient des réunions publiques qui, souvent houleuses et nécessitant l'intervention de la police, rappelaient les clubs de 1848. À Toulon, les 4 000 ouvriers de l'arsenal, formant le tiers de l'électorat urbain, représentaient un gros noyau de contestation qui prenait conscience de sa force. Au sein de l'opposition de gauche, le courant socialiste revêtit une importance grandissante à la fin de la décennie, principalement à Marseille. Dans cette ville, le typographe André Bastelica, responsable de l'Association internationale des travailleurs, donna à cette organisation une orientation révolutionnaire inspirée de Bakounine et créa des sections quand le terrain se révélait favorable, notamment chez les bouchonniers des Maures et les mineurs de Fuveau. En 1867, ces derniers, bientôt suivis par leurs camarades de la Bouilladisse et d'Auriol, se lancèrent dans une grève dure pour l'amélioration des conditions de travail et de la rémunération.

Dans la partie niçoise du nouveau département des Alpes-Maritimes, l'Empire, sans faire naître une opposition ouverte, accumula les déceptions et les rancœurs. Malgré la présence d'un préfet à la fois ferme et intelligent, Denis Gavini de Campile, et l'importance des crédits accordés à la région — quelque 50 millions en dix ans — les maladresses et l'oubli des promesses furent nombreux : suppression de la Cour d'appel et des institutions universitaires niçoises, entraves à l'enseignement de l'italien, réduction du nombre des charges et offices, réglementation plus sévère frappant certaines professions, application des lois forestières françaises privant les paysans de leurs droits séculaires, mise à l'écart des fonctionnaires locaux, remplacés par des Français d'outre-Var ou des Corses, souvent très méprisants à l'égard de leurs administrés. Ainsi se renforça dans l'ancien Comté l'esprit particulariste. Les nostalgiques du régime existant avant 1860 — les Italianissimes — regroupant tous les déçus, les garibaldiens, les fidèles de la Maison de Savoie, se livrèrent à une agitation sporadique, peu dangereuse, mais significative du désenchantement. Le journal *La Mensoneghiera*, dirigé par François Guisol et rédigé en nissart, porte-parole de la résistance localiste, fustigeait « ce courant venu du dehors ne tendant rien moins qu'à absorber l'esprit local, à oblitérer le respect de nos mœurs et de nos coutumes, à proscrire notre langage, à détruire ou à dénaturer les traditions de notre belle histoire » (20 mai 1869).

Les autorités impériales, conscientes du réveil de l'opposition et redoutant que ce mouvement ne se traduisît aux élections, préparèrent soigneusement les échéances législatives. En effet, la libéralisation progressive à la tête du régime n'entraînait pas, surtout à l'échelon local, un abandon simultané des vieilles habitudes, des pressions administratives, de la candidature officielle. Ce dernier système fut même alourdi en prévision de la consultation législative en 1863.

Soumis à de nombreuses pressions, rendus parfois perplexes ou ne trouvant pas de candidat qui leur convînt, beaucoup d'électeurs se réfugiaient encore dans l'abstention : celle-ci atteignit en 1863 une moyenne de 43 % dans les Bouches-du-Rhône, 40 % dans le Vaucluse, 77 % dans le canton de Nice. Les hommes choisis par le pouvoir furent généralement élus, sauf dans les Bouches-du-Rhône où l'opposition effectua une percée remarquée. Dans ce département, l'Union libérale, alliance des partis hostiles au régime et résurgence de la vieille coalition carlo-républicaine des années 1830, présentait des candidats de premier plan : l'ancien député légitimiste et prestigieux orateur Pierre-Antoine Berryer, le républicain modéré et ex-ministre du gouvernement provisoire de 1848 Pierre-Thomas Marie, le libéral Adolphe Thiers. Appuyés par l'ensemble de l'opposition et par des journaux habituellement antagonistes, *le Sémaphore* et *la Gazette du Midi*, les deux premiers furent élus avec respectivement 64 % et 57 % des suffrages exprimés. Battu à Aix, Thiers eut la consolation d'obtenir un siège à Paris.

La remontée de l'opposition fut illustrée par les consultations électorales suivantes. Lors d'une élection partielle au conseil général du Var, le républicain Fulcran Suchet, ancien maire de Toulon, député en 1849 et condamné après la journée parisienne du 13 juin 1849, fut facilement élu avec, notamment, les deux tiers des voix toulonnaises. Aux municipales de 1865, la poussée de l'opposition s'accentua : le conseil municipal de Marseille comprit désormais vingt-six adversaires du régime, en majorité des républicains comme Amat et Alexandre Labadié, contre seulement dix bonapartistes. À Toulon, où les sortants avaient été balayés, la nouvelle majorité municipale se situait dans le sillage d'Émile Ollivier qui réclamait une évolution libérale. Draguignan, La Seyne, Ollioules, Cuers... passèrent aussi à l'opposition.

Les élections législatives de mai-juin 1869 rendirent encore plus manifestes la participation croissante des Provençaux au débat politique et les progrès de l'opposition. Pourtant les préfets avaient encore recouru à la candidature officielle et redécoupé les circonscriptions pour défavoriser les adversaires de l'Empire. Mais ceux-ci, profitant des libertés nouvelles, effectuèrent une campagne très active. Les républicains, devenus plus radicaux et se sentant plus forts, refusèrent de s'entendre avec les légitimistes comme en 1863 et allèrent seuls à la bataille. L'abstention recula nettement : dans les Bouches-du-Rhône de 43 % en 1863 à 34 % aux deux tours de 1869, dans le Vaucluse de 40 % à 31,5 % au premier tour et 26 % au deuxième tour. Les candidats bonapartistes furent facilement élus dans les Basses-Alpes et les Alpes-Maritimes, encore que, dans ce département, l'influent maire de Nice, Malausséna, tout en restant soumis à l'Empire, eût refusé l'investiture officielle et affirmé son indépendance. Dans le Var, la situation se révéla plus difficile pour les serviteurs du régime et les républicains obtinrent près de 40 % des voix ; l'un des élus était Émile Ollivier, devenu partisan de l'Empire libéral. De même, dans le Vaucluse, les bonapartistes durent batailler ferme et ne gagnèrent un siège qu'au deuxième tour ; dans la circonscription d'Avignon-Carpentras, Alphonse Gent, l'un des chefs du mouvement démocratique provençal, condamné et exilé depuis dix-huit ans, suivait de près le candidat officiel avec 47 % des suffrages exprimés. Dans les Bouches-du-Rhône, les républicains Jules Favre et Eugène Pelletan furent battus par des bonapartistes bien implantés, mais les républicains triomphèrent dans les deux autres circonscriptions : Alphonse Esquiros, auteur de *l'Evangile du Peuple* et exilé après le coup d'État du 2 décembre, battit facilement son compétiteur protégé par l'administration et le républicain modéré Marie, tandis que l'autre siège, jadis occupé par Berryer, mort en 1868, revint à Léon Gambetta qui, avec 72 %, écrasait l'officiel Ferdinand de Lesseps. Dans ce département, l'opposition se trouvait nettement majoritaire en nombre de voix.

Les résultats du plébiscite du 8 mai 1870 confirmèrent l'évolution récente de la situation politique. Cette consultation, sous couleur de solliciter une approbation de l'évolution libérale suivie par l'Empire depuis 1860, cherchait en réalité à faire légitimer une nouvelle fois Napoléon III. L'ambiguïté de l'enjeu troubla quelques électeurs : les légitimistes de La Seyne optèrent pour le non, ceux de Toulon pour le oui ; Suchet, chef de file des républicains toulonnais, créa la surprise en appelant à voter oui, cela pour approuver tout progrès, même partiel. Cependant, dans l'ensemble, les républicains ne se laissèrent pas capter. Les non, au nombre de 53 000 contre 39 000 oui, soit 57 % de votes négatifs, furent majoritaires dans les Bouches-du-Rhône, département qui, de la sorte, se situa en deuxième position après la Seine pour son hostilité à l'Empire. Dans les autres départements provençaux, le oui l'emporta, mais les votes négatifs, qui atteignaient 40 % dans le Var et le Vaucluse, représentaient de forts contingents du corps électoral.

Cependant, à l'échelle nationale, le oui avait triomphé à plus de 80 % et le régime semblait, selon le mot de Gambetta, « plus fort que jamais ». Or la fin, conséquence de la malheureuse guerre menée contre la Prusse, était toute proche. L'annonce des premières défaites militaires amena inquiétude et effervescence. Dès le 8 août 1870, à Marseille, éclata une première émeute, car le préfet avait refusé de recevoir une délégation qui demandait l'armement de tous les citoyens. Les élections municipales des 27 et 28 août suivants confirmèrent la place prise par les républicains dans plusieurs villes, notamment Marseille et Toulon. Le 4 septembre au matin, la nouvelle du désastre de Sedan causa la plus profonde émotion. La dépêche qui, le même jour, en fin d'après-midi, fit connaître la proclamation de la République à Paris entraîna partout des manifestations d'adhésion. Aucune voix ne s'éleva pour soutenir l'Empire. Celui-ci s'effondrait dans l'indifférence et laissait au nouveau régime républicain un héritage politique difficile.

CHAPITRE VII

L'ENRACINEMENT DE LA RÉPUBLIQUE (1870-1914)

Née dans la défaite et marquée au début par des troubles graves, la République, trouvant en Provence un terrain propice, parvint à surmonter les obstacles. Défendue par les radicaux et les socialistes, elle s'enracina profondément et rallia même une partie de la droite, initialement hostile au régime.

I. LE TEMPS DES TROUBLES (1870-1871)

Les premiers mois de la jeune République, assaillie de difficultés, furent marqués par une grave agitation politique et sociale en Provence et dans le Comté de Nice.

Dans les Alpes-Maritimes, la gestion administrative manqua de continuité car, dans l'espace d'un mois, le département connut trois préfets successifs et la ville de Nice trois maires. La presse niçoise de langue française faisait preuve d'un vif patriotisme, demandait la levée en masse des hommes en âge de se battre et récusait, en cas de négociation avec l'ennemi, tout arrangement déshonorant aboutissant à une mutilation du territoire national. Cette presse se montrait aussi ardemment républicaine et *le Journal de Nice*, jadis porte-parole appointé de l'Empire, n'était pas le dernier à exalter le nouveau régime synonyme de liberté. Mais cette loyauté et cette résolution hautement proclamées par la presse cachaient une réalité plus complexe. Les Niçois rechignaient en fait à l'effort militaire ; les hommes appelés sous les drapeaux cherchaient tous les prétextes pour se dérober ; selon Marc Dufraisse, préfet d'octobre 1870 à février 1871, le nombre des réfractaires s'élevait à un millier. À cette inertie face à l'effort s'ajoutait une sourde inquiétude née de la conjoncture politique et sociale. Le 5 septembre, un groupe de manifestants, drapeau rouge en tête, avait ouvert les portes des prisons niçoises et, les jours suivants, les citoyens avaient dû s'armer afin de retrouver les anciens détenus et de leur faire regagner leurs geôles. De plus, les autorités, craignant la formation d'un mouvement séparatiste dans une région française depuis seulement dix ans, maintenaient l'état de siège, désarmaient la Garde nationale et appelaient des troupes pour maintenir l'ordre. Les touristes étrangers, effrayés par le changement de régime et les troubles, s'étaient éloignés, ce qui plongeait les villes de saison dans le marasme, augmentait le chômage, mécontentait tous ceux qui vivaient de la fonction d'accueil et permettait aux milieux pro-italiens de répéter que le Comté avait eu tort de se rattacher à un pays aussi instable que la France.

À Avignon, le comité républicain formé le 5 septembre avait fait distribuer des armes au peuple et nourrissait la flamme patriotique. Entrant rapidement en conflit avec le préfet Poujade, républicain modéré, ce comité demanda que la commune fût indépendante de la préfecture. Cependant, le conflit ne déboucha pas sur un affrontement armé et se limita à une campagne d'affiches.

À Toulon, l'agitation prit une ampleur plus grande. Malgré une atmosphère d'apparente unanimité patriotique, une sourde méfiance séparait le préfet maritime et les autorités civiles, les officiers de marine et les ouvriers de l'arsenal. Des incidents opposaient ces derniers et les gradés, soupçonnés de conservatisme. Cette tension déboucha sur une émeute populaire à la mi-octobre 1870. Le 12 octobre, le préfet maritime La Grandière, réputé bonapartiste, avait fait arrêter un fourrier des équipages qui tenait des propos imprudents en public. Le lendemain, une foule menaçante vint réclamer la libération du prisonnier et, s'étant heurtée à un refus, donna l'assaut à la préfecture ; les gendarmes maritimes, ouvrant le feu, blessèrent six personnes dont l'une mourut par la suite. Le calme revint seulement quand La Grandière eut libéré le fourrier. Le 7 novembre, la rue toulonnaise imposa une nouvelle fois sa volonté : le préfet Paul Cotte, désavoué par le gouvernement de Tours, ayant démissionné, une foule imposante défila pour exiger son maintien ; le préfet, appuyé par cette manifestation, reprit effectivement ses fonctions.

Ce fut à Marseille que les troubles se révélèrent les plus graves. En l'espace de quelques mois, la ville connut plusieurs expériences politiques inédites. La première phase, du 5 septembre au 4 novembre 1870, fut marquée par une sorte d'autogestion populaire. Dès le 5 septembre, le conseil municipal élu fort légalement en août, désigna une commission départementale que présidait Alexandre Labadié, faisant fonction de préfet. Mais ce dernier, dépourvu de pouvoir réel, était encadré par Alphonse Esquiros, nommé par le gouvernement administrateur supérieur des Bouches-du-Rhône, et par la Garde civique, composée de républicains avancés, souvent des ouvriers appartenant à l'Internationale, installés dans la préfecture même, laquelle était surmontée d'un drapeau noir. Les « civiques », incarnation du peuple en armes, organisaient, dans une ambiance d'exaltation patriotique rappelant le souvenir des Marseillais de 1792, des fêtes et des cortèges. Les modérés de la municipalité et les bourgeois, impressionnés ou débordés, laissaient faire ; ils devaient même subir les irrégularités et les violences des « civiques » qui procédaient à des visites domiciliaires, des confiscations, des arrestations arbitraires, des voies de fait sur les policiers ou les prêtres ; la milice populaire alla jusqu'à arrêter des magistrats ayant rendu un verdict qui lui déplaisait.

Le gouvernement de Tours qu'inquiétait cette agitation s'alarma davantage quand se constitua la Ligue du Midi. Cette organisation, formée par les républicains les plus radicaux du Sud-Est, voulait, dans un esprit de large décentralisation, assurer elle-même la défense de la région contre les Prussiens ; à cette fin, elle souhaitait lever elle-même des troupes et opérer des réquisitions. Cette initiative audacieuse, fortement appuyée par Esquiros, fut comprise à Tours comme une forme d'autonomisme voulant entraîner le gouvernement trop à gauche. Aussi Gambetta désavoua-t-il Esquiros et accepta sa démission.

L'émotion causée à Marseille par le retrait de l'administrateur supérieur du département fut considérablement renforcée par la nouvelle, parvenue le 29 octobre, de la capitulation de Metz. Cette effervescence déboucha le 1er novembre sur la mise en place d'une commune insurrectionnelle, présidée par Adolphe Carcassonne, exigeant le maintien d'Esquiros, se défendant de toute menée séparatiste et affirmant sa volonté de sauver « la France de 89 et 93 ». Le général Cluseret, nommé par la nouvelle commune chef de la Garde nationale et des troupes de la Ligue du Midi, déclara : « L'heure des armées populaires va sonner à l'horloge de la Victoire. L'élection saura trouver parmi vous les Hoche, les Marceau, les Kléber de notre jeune République. »

Confronté à cette situation révolutionnaire, Gambetta eut l'habileté de remplacer Esquiros par un autre républicain incontestable, originaire du Vaucluse, connu pour avoir participé aux luttes de 1848 et payé ses convictions par un long exil, Alphonse Gent. Celui-ci fut cependant mal accueilli par la commune révolutionnaire, sommé de partager le pouvoir avec Esquiros, menacé d'arrestation et même, au milieu d'une discussion violente, légèrement blessé par un coup de revolver. Mais Gent, faisant alterner la fermeté et la modération, aidé par le départ d'Esquiros et de Cluseret, parvint en quelques jours à ramener l'ordre ; calmant les esprits, il réussit à dissoudre la commune insurrectionnelle et la Garde civique, puis à faire élire un conseil municipal formé de républicains modérés. Cette consultation mit un terme à la première phase des troubles à Marseille.

Aux élections du 8 février 1871, destinées à désigner les membres de l'Assemblée nationale de Bordeaux, les républicains remportèrent de beaux succès en Provence : la totalité des sièges des Bouches-du-Rhône et du Vaucluse étaient pour eux ; à Nice, Garibaldi se classait au premier rang des élus. Mais les radicaux observaient avec inquiétude qu'à l'échelle nationale la tendance royaliste obtenait la majorité. Aussi accueillirent-ils avec une vive sympathie la Commune de Paris qui incarnait le patriotisme, promettait des réalisations audacieuses en matière sociale et réveillait le mouvement fédéraliste esquissé quelques mois plus tôt par la Ligue du Midi.

Le 22 mars 1871, au cours d'une réunion tenue à Marseille, Gaston Crémieux, jeune avocat, franc-maçon, très écouté dans les milieux radicaux, condamna l'Assemblée nationale, élue par « un tas de ruraux », conservatrice, décidée à la paix ; il fit jurer à ses auditeurs de défendre le pouvoir établi à Paris contre le gouvernement de Thiers à Versailles. Le lendemain 23 mars, une manifestation organisée par les anciens gardes civiques, des gardes nationaux et des garibaldiens démobilisés aboutit au pillage des dépôts d'armes, à l'occupation de la préfecture et à la mise en place d'une commission départementale insurrectionnelle présidée par Crémieux. Ainsi commença la deuxième Commune de Marseille.

La nouvelle commission départementale adressa des proclamations aux communes des Bouches-du-Rhône, mais celles-ci ne la suivirent pas. De même, des contacts furent pris avec les républicains toulonnais. Des rassemblements et des affiches favorables au mouvement marseillais apparurent dans le grand port militaire, mais la masse, impressionnée par la présence de l'armée, privée de cadres révolutionnaires et bien contrôlée par un conseil municipal assez radical pour n'être pas débordé sur sa gauche, ne bougea pas. Seul Paul Cotte, ancien préfet du Var, se rallia aux insurgés, mais, isolé au Luc, il ne parvint pas à susciter un courant d'adhésions et son entreprise échoua. De même, à La Ciotat une tentative communaliste, sous la direction de Joseph Émile Prenez, fut rapidement réprimée.

La Commune de Marseille se trouva donc réduite à ses seules forces, lesquelles se réduisirent même le 27 mars, quand les représentants de la municipalité et de la Garde nationale se retirèrent de la commission départementale. Le découragement gagnait les membres de cette dernière lorsque, le 28 mars, arrivèrent les délégués de la Commune parisienne. La résolution revint et furent élaborés des projets audacieux : arrestation des responsables départementaux, remise des loyers, réorganisation politique de la France permettant de concilier unité et décentralisation.

Mais rien ne fut entrepris car la fin était proche. Le général Espivent de La Villeboisnet, commandant la 9e division, officier d'esprit fort réactionnaire, s'était replié à Aubagne où il préparait la répression de la commune. Dès le 26 mars, il déclara les Bouches-du-Rhône en état de guerre et, le 3 avril, il proclama l'état de siège à Marseille. Le même jour, il passa à l'offensive avec ses soldats et les marins. Les barricades élevées par les communards dans les rues Montgrand et Armeny furent enlevées tandis que la préfecture, où s'étaient retranchés quelque 2 000 hommes, était bombardée depuis le fort Saint-Nicolas et les hauteurs de Notre-Dame de la Garde. Le soir du 4 avril, les forces de l'ordre reprirent le contrôle de la ville. Les morts étaient au nombre d'une trentaine du côté de l'armée et d'environ 150 chez les insurgés.

Marseille fut dès lors placée sous surveillance et resta soumise à l'état de siège jusqu'en 1876. Dix-sept chefs de la Commune comparurent devant le conseil de guerre ; les peines furent sévères. Gaston Crémieux, condamné à mort le 28 juin 1871 et ayant espéré obtenir sa grâce durant cinq mois, fut fusillé le 30 novembre suivant. La mort de cet homme jeune, généreux, éloquent, ayant davantage joué le rôle d'un modérateur que celui d'un extrémiste, produisit une forte impression à Marseille. Autre partisan de la Commune, le jeune Clovis Hugues, condamné à trois ans de prison, sentit s'éveiller, au fond de son cachot, une vocation poétique qui était une sorte de protestation.

II. DE L'ORDRE MORAL À L'AFFIRMATION DU RADICALISME

Après l'alerte de la Commune, le gouvernement de Thiers, jusqu'en 1873, essaya de favoriser l'épanouissement d'une République modérée. Son successeur, le duc de Broglie, infléchit le régime dans un sens conservateur, assurant « l'Ordre moral », et sembla préparer une restauration monarchique.

L'orientation à droite de la République se traduisit en Provence par la nomination de préfets énergiques, décidés à combattre les éléments les plus avancés. Dans les Bouches-du-Rhône, le comte de Kératry, représentant le pouvoir central, se heurta à plusieurs reprises au conseil général, présidé par Alexandre Labadié, lui-même homme de caractère et appuyé par la majorité républicaine de l'assemblée départementale ; le préfet voulut obtenir la dissolution du conseil ; n'ayant pas réussi, il démissionna en 1872. Ses successeurs, Limbourg et surtout Jacques de Tracy, reprirent le même combat : le conflit entre Tracy et Labadié prit une telle ampleur qu'il remonta jusqu'au Conseil d'État. Parallèlement les préfets s'attachèrent à évincer des municipalités tous ceux qui ne partageaient pas leurs vues. Ces épurations successives firent que Marseille connut, entre 1871 et 1876, trois conseils municipaux et deux commissions municipales différentes. À Avignon, le préfet Doncieu prononça la dissolution du corps municipal et nomma une commission nouvelle, présidée par le comte Roger du Demaine et composée de royalistes, carlistes ou orléanistes.

Fort curieusement, la politique de l'Ordre moral joua plutôt un rôle d'apaisement dans le pays niçois. Là, les séparatistes, brandissant le nom de Garibaldi comme un étendard et groupés autour de leur journal *Il Pensiero di Nizza* que dirigeait l'avocat Joseph André, entretenaient une agitation sporadique. Le maire de Nice, Auguste Raynaud, sans afficher un séparatisme militant, favorisait au moins le particularisme et freinait l'assimilation en stimulant l'enseignement de l'italien dans les écoles, en hissant sur l'hôtel de ville le drapeau niçois à la place de l'emblème tricolore, en plaçant le buste de Garibaldi dans la salle du conseil municipal et en demandant aux conseillers de s'exprimer en nissart. Ce respect des traditions était fort bien vu par le préfet conservateur, le marquis de Villeneuve-Bargemon, qui, tout compte fait, accordait plus de sympathie aux fidèles de la Maison de Savoie qu'aux républicains avancés. Aussi préférait-il s'appuyer sur les révisionnistes, nom donné à ceux qui voulaient que fût modifié le statut de Nice au sein de la République française. Le préfet soutint la municipalité Raynaud, nomma des maires bonapartistes ou pro-italiens dans les campagnes, fit accorder des subventions au département. Cette attitude conciliante plaça les séparatistes en porte à faux : il ne leur était plus possible de mettre en cause les mauvaises intentions de la France et d'agiter le spectre d'une République rouge. Lorsque, le 22 avril 1874, le député Piccon, à la fin d'un banquet, souhaita le retour du Comté à la Maison de Savoie, il déclencha un scandale et fut acculé à la démission, tandis que son collègue Bergondi, également pro-italien, se donnait la mort.

Ces événements dramatiques n'entraînèrent aucune agitation populaire. Le temps du séparatisme était passé. En fait, les Niçois se montraient surtout soucieux de préserver leur identité culturelle, notamment par la création de sociétés et de revues savantes préservant l'héritage linguistique, littéraire et historique du Comté. La volonté politique de concentrer le pouvoir local dans la ville de Nice, au détriment de la région grassoise, était conforme à la tradition de large autonomie dont le chef-lieu du nouveau département des Alpes-Maritimes avait joui sous les anciens États de Savoie et ne remettait pas en cause l'appartenance à l'ensemble français. L'homme fort des Alpes-Maritimes dans les dernières décennies du XIXe siècle, Alfred Borriglione, maire de Nice de 1878 à 1886, député de 1876 à 1894, puis sénateur jusqu'à sa mort en 1902, était tout naturellement passé du séparatisme, qu'il avait professé jusqu'en 1875, à une adhésion définitive à la République française ; rallié à Gambetta, puis à Ferry, il suivait les grandes orientations de la vie nationale.

Les impulsions conservatrices qui, au début de la IIIe République, prévalaient en haut lieu, rencontraient l'adhésion de l'opinion dans plusieurs secteurs de la Provence. Dans le Var, les régions de Brignoles et de Lorgues se raidirent dans un fréquent refus du nouveau régime. Quelques villages du Vaucluse conserveront des municipalités royalistes jusqu'en 1935 ! De même, les partisans d'une restauration demeureront longtemps influents dans certains points des Bouches-du-Rhône, surtout l'arrondissement d'Arles surnommé la Vendée provençale ; dans ce département, des conseillers généraux monarchistes se maintiendront longtemps : le marquis de Clapiers, représentant le canton d'Orgon, jusqu'en 1895, le comte Terray, élu de Châteaurenard, jusqu'en 1901, Louis Gay à Marseille jusqu'en 1910. Les blancs possédaient aussi une presse variée : à Marseille paraissait depuis 1830 la vénérable *Gazette du Midi*, *le Citoyen* lancé en 1871, *la Vedette* en 1877 et quelques autres feuilles plus éphémères. Aix, Arles, Tarascon possédaient leurs propres publications. Les royalistes d'Avignon disposaient de *l'Union de Vaucluse* depuis 1870. *Le Journal du Midi*, créé dans la cité des papes en 1873 et transféré à Nimes en 1876, tirait 12 000 exemplaires en 1880 et était répandu dans toute la Provence.

Cependant, au total, la droite, notamment dans son incarnation royaliste, perdait du terrain. Divisée, parfois maladroite, faisant alterner les phases d'activité et les périodes de découragement, elle ne mobilisait plus d'importants contingents de voix. Le tirage des journaux monarchistes déclinait généralement ; à Marseille, *le Soleil du Midi*, créé en 1885, finit par absorber l'année suivante les deux feuilles plus anciennes et très affaiblies qu'étaient *la Gazette du Midi* et *le Citoyen*. Beaucoup de notables royalistes hésitaient à poursuivre une activité publique de plus en plus aléatoire.

Face au déclin de la droite, s'affirmait le succès grandissant de la gauche dont la cause se confondait avec la République. Cette ascension était due au dynamisme et à l'activité des républicains, aux contacts qu'ils nouaient avec les masses, à leur organisation politique. Les républicains allaient ainsi à la rencontre des aspirations progressistes qui se renforçaient depuis le milieu du XIXe siècle. Dans les Bouches-du-Rhône, dès août 1871, le Parti radical, champion du régime nouveau, constitua un comité central républicain qui fédérait les divers cercles et comités sympathisants, désignait démocratiquement des candidats aux élections et les aidait de toutes ses forces.

Au début, le combat se révéla difficile. Les préfets de l'Ordre moral entravaient de toutes les manières l'action de leurs adversaires, suscitaient des candidatures officielles de droite, poursuivaient même le comité central des Bouches-du-Rhône pour association illicite. Dans certains villages où la droite restait puissante et agressive, les républicains renonçaient à briguer les mairies et préféraient se compter aux élections législatives.

Cependant la résolution des radicaux, la solidarité qui les liait, la vertu d'exemple de la conjoncture nationale marquée par le progrès des républicains acculaient peu à peu la droite à la défensive et permettaient aux partisans du nouveau régime de marquer des points.

Aux élections législatives de février-mars 1876, vingt des vingt-quatre sièges que totalisaient les Bouches-du-Rhône, les Basses-Alpes, le Vaucluse, le Var et les Alpes-Maritimes furent remportés par des républicains. La majorité de ces vingt hommes étaient des amis de Gambetta, lui-même élu à Marseille avec Maurice Rouvier et Alexandre Labadié ; six d'entre eux, notamment le vieux François Raspail élu à Marseille, Édouard Lockroy à Aix, Alfred Naquet à Apt, représentaient le radicalisme le plus avancé. C'était un titre de gloire et une prime à l'élection que de pouvoir faire état d'une lutte ancienne contre le Second Empire, d'une condamnation par les tribunaux impériaux, voire d'une participation aux combats de la IIe République : député du Vaucluse, Alphonse Gent avait été maire et député montagnard d'Avignon en 1848, condamné à la déportation en 1851 et à vingt ans de bannissement ; Augustin Daumas, député puis sénateur de Toulon, ancien portefaix, avait été condamné à perpétuité en 1851 ; Charles Brun et Joannès Ferrouillat, sénateurs du Var, étaient aussi d'anciens quarante-huitards ; Alphonse Esquiros et Eugène Pelletan, sénateurs des Bouches-du-Rhône, avaient dû s'exiler pour leur opposition à Napoléon III. Les Provençaux s'honoraient aussi d'offrir un siège à des personnalités d'envergure nationale, étrangères à la région ; Gambetta en avait profité dès 1869 ; plus tard, Georges Clemenceau devint député du Var en 1885 et fut réélu en 1889.

D'élection en élection, la gauche fortifia ses positions. Ce furent surtout les radicaux qui se renforcèrent, tout en critiquant la politique « opportuniste » de Gambetta, trop modéré à leurs yeux. Les radicaux conquirent des mairies de plus en plus nombreuses, dans les villages et les grandes villes. Ainsi La Seyne fut administrée dès 1876 par Cyrus Hugues et Toulon de 1878 à 1888 par Henri Dutasta, ancien professeur de philosophie, rationaliste, anticlérical, doté d'une forte personnalité. À Marseille, ce fut en 1881 que les radicaux s'installèrent à la mairie avec la victoire de Brochier.

L'influence du radicalisme s'exerçait par le truchement de structures démocratiques, souples et décentralisées. Les comités municipaux radicaux, spontanés, cooptés ou élus en assemblée, se réunissaient en congrès cantonaux ou départementaux et faisaient souvent approuver leurs décisions par des rassemblements populaires ; ils définissaient une ligne politique et choisissaient des candidats pour les diverses élections. Les cercles, implantés dans les villages et les quartiers des villes, constituaient des lieux de réunion particulièrement appréciés, à la fois cafés d'habitués, sociétés de pensée, clubs masculins permettant de goûter aux joies de la convivialité. Les cercles formaient des relais politiques importants où la discussion, la réflexion, la propagande pouvaient se développer parmi un public réceptif. À Toulon, Dutasta s'était fait connaître dès la fin de l'Empire au cours des réunions d'un cercle qu'il avait fondé dans le quartier du Mourillon ; devenu maire, il continua de s'appuyer sur ce type d'organisation ; en 1880, lors d'élections municipales partielles, il fit élire ses amis grâce au patronage des cercles radicaux qui, en la circonstance, s'opposèrent au choix du comité central.

L'arrivée au pouvoir des radicaux se traduisit très souvent par l'adoption de mesures anticléricales. En ce domaine, le combat commença en Provence dès les années 1870, avant les premières décisions gouvernementales prises au cours de la décennie suivante. De fait, la laïcisation de la vie publique prenait valeur de profession de foi républicaine et était comprise comme un moyen de gagner de nouveaux appuis au régime. Dès 1872-1873, les conseils municipaux radicaux, notamment ceux du Vaucluse, demandèrent que des instituteurs laïques vinssent remplacer les congréganistes dans les écoles communales.

Les conseils municipaux pouvaient manifester leurs convictions anticléricales de bien d'autres manières : réduction du traitement des prêtres, suppression des indemnités de binage, enlèvement des grandes croix dans les cimetières. À Toulon, Dutasta laïcisa le Bureau de bienfaisance, interdit les crucifix et l'instruction religieuse dans les écoles publiques, ferma les écoles congréganistes, entretint des polémiques contre le clergé dans le journal qu'il avait fondé, *le Petit Var*.

La lutte entre radicaux et catholiques se centra fréquemment sur la question des processions. Ces manifestations religieuses, traditions souvent anciennes, auxquelles participaient les confréries de pénitents et parfois les conseils municipaux, attiraient des foules importantes et assuraient de gros profits aux commerçants. Les municipalités républicaines décidaient généralement de ne plus autoriser ces pieux défilés, ainsi à Marseille en 1878 et à

Avignon en 1881. Dans ce cas, la droite volait au secours de la religion ; des manifestations et des bagarres de rues où s'illustraient les royalistes s'ensuivaient, comme ce fut le cas à Marseille en 1878. De fait, les minorités monarchistes, dont les positions s'effritaient, voulaient défendre le catholicisme avec une intransigeance non dépourvue d'arrière-pensées politiques. On le vit bien dans le Vaucluse, en 1906, à l'époque des inventaires : l'archevêque, le libéral Mgr Sueur, soucieux d'éviter les affrontements, ayant recommandé de laisser agir les forces de l'ordre, fut accusé par de nombreux fidèles conservateurs de pactiser avec la République. Cette résolution de la droite, ajoutée à la raideur maladroite d'un préfet ardemment anticlérical, entraîna des incidents répétés, des échauffourées aux portes des églises, des arrestations et des condamnations. En revanche, dans les régions d'Apt et de Pertuis où un radicalisme avancé avait presque totalement supplanté le monarchisme, les inventaires s'effectuèrent dans le calme.

Les radicaux, allant plus loin, essayaient de remplacer les signes cultuels chrétiens qu'ils combattaient par de nouveaux rituels et des symboles laïques. Ainsi, certaines communes, comme Cogolin, fêtaient le 14 juillet et le 4 septembre par des farandoles qui partaient de la mairie, centre de la vie républicaine, abondamment illuminée et ennoblie par le buste d'une Marianne drapée de tricolore, placée en évidence sur l'appui de la fenêtre principale du bâtiment. Dans les plus anciens fiefs radicaux le décor urbain était lui-même républicanisé. Des Marianne étaient dressées sur les façades des hôtels de ville, notamment pour rallier symboliquement au nouveau régime des édifices communaux construits avant 1789. Des monuments de la liberté et des allégories républicaines étaient érigés sur les places. Les petites communes choisissaient la formule la plus économique : un simple buste de Marianne en fonte bronzée, produite industriellement par la fonderie de Tusey dans la Meuse. Les communes plus riches optaient pour de grandes statues de pierre, parfois enrichies d'attributs divers, flambeaux, épées, tables de la loi, lions... Ces effigies étaient souvent juchées sur une fontaine, celle-ci se trouvant presque toujours dans un lieu très fréquenté. Quand l'adduction d'eau était contemporaine de la République, les édiles trouvaient une occasion idéale pour associer en une même célébration le progrès et le régime dispensateur de ce bien-être. Mas le radicalisme évoluait progressivement vers des positions moins combatives et se trouva dépassé par des éléments plus avancés.

III. L'ÉMERGENCE DU SOCIALISME

Dans les dernières années du XIXe siècle, le radicalisme qui avait gagné de fortes positions vit celles-ci menacées et parfois entamées par le jeune mouvement socialiste qui le débordait par la gauche.

Cette nouvelle situation s'expliquait d'abord par l'évolution même des radicaux. Ceux-ci, devenus par leurs succès des notables, des patrons locaux cumulant mandats, responsabilités et honneurs, cédaient davantage au modérantisme. Ils ne pouvaient conserver leur pure et dure intransigeance de jadis quand ils devaient satisfaire leur clientèle, lui accorder des avantages divers, gérer des communes et des cantons, remplir des mandats parlementaires en ménageant tous les intérêts en présence, intérêts souvent divergents, élargir leur base électorale en obtenant de nouveaux soutiens situés plus à droite. En outre, l'effacement des conservateurs et l'apparition simultanée du socialisme contribuaient puissamment à repousser le radicalisme vers des positions plus modérées.

Autre frein à l'essor des radicaux : leurs divisions. Différences de tempérament d'abord, inévitables certes, mais nuisant à la cohérence d'un grand parti, surtout quand ces différences portaient sur des points essentiels du programme. Ainsi, tout opposait le maire de Toulon, Henri Dutasta, professeur, résolument anticlérical, à son collègue d'Avignon, Gaston Pourquery de Boisserin, en poste de 1888 à 1904, se proclamant partisan d'une application stricte des lois sur les congrégations, mais cherchant à s'entendre avec le clergé local et à obtenir les voix catholiques, franc-maçon et antidreyfusard, ami des pauvres et vivant richement dans son château, généreux et démagogue. Les divisions pouvaient tourner au combat fratricide. Ainsi, dans le Var, la forte personnalité de Clemenceau ne faisait pas l'unanimité. Élu député en 1885 et 1889, il fut battu en 1893, après avoir été compromis dans le scandale de Panama, et dut attendre 1902 pour retrouver dans ce département un siège de sénateur. Par la suite, Clemenceau, ministre de l'Intérieur en 1906, puis président du Conseil jusqu'en 1909, se révéla homme d'ordre, opposé aux « utopies collectivistes », réprimant les grèves ; le discrédit qui frappa le « fusilleur » des vignerons en 1907 rejaillit sur tous ses amis radicaux.

Il était fâcheux pour le radicalisme de perdre du terrain dans les milieux populaires, car les effectifs ouvriers augmentaient et se concentraient. À Toulon, l'arsenal employait 7 137 salariés en 1886 et plus de 13 % de la population tirait ses ressources de l'activité industrielle. Vers 1900, quelque 3 000 ouvriers travaillaient aux chantiers navals de La Seyne, près de 750 aux carrières du Drammont, 1 010 aux mines de plomb argentifère des Bornettes près d'Hyères ; l'exploitation de la bauxite, qui avait commencé après 1890, occupait 300 hommes sur le seul site de Mazaugues. Des industries nouvelles s'installaient, la production d'alumine à Gardanne, les fabrications militaires à La Londe et Saint-Tropez. Ces activités attiraient une importante main-d'œuvre étrangère. Dans les mines de bauxite, 80 % des travailleurs étaient italiens. En 1901, les 90 000 Transalpins recensés à Marseille formaient à eux seuls plus de 18 % de la population totale. À Nice, la proportion correspondante était de 23,5 % en 1911.

Les conditions de vie se révélaient difficiles. L'afflux des immigrés permettait aux employeurs d'avilir les salaires : en 1901, les dockers de Marseille gagnaient six francs pour dix heures de travail, alors que leurs camarades du Havre et de Dunkerque obtenaient la même somme pour huit heures de travail quotidien. À l'arsenal de Toulon, le salaire moyen s'élevait en 1901 à 3,35 francs pour neuf heures trente de travail. Le chômage, souvent élevé, frappait 10 000 ouvriers marseillais en 1884. De la sorte, les mouvements sociaux, fréquents, venaient traduire l'inquiétude et le mécontentement de ceux qui conservaient un niveau de vie très médiocre. De 1880 à 1901, Marseille connut 237 grèves ; en 1900, dans cette ville, l'arrêt de travail, d'une ampleur sans précédent, concerna 40 000 ouvriers, dont les dockers qui suspendirent toute activité pendant quarante-trois jours. Dans les dernières années du XIXe siècle, les mines et carrières du Var, pourtant isolées et comportant des taux importants de main-d'œuvre étrangère, réputée docile, subirent en moyenne une grève par an, grève toujours dynamique et menée avec persévérance jusqu'à son terme. À Nice, la Fédération socialiste révolutionnaire italienne organisa dans les premières années du XXe siècle de nombreuses grèves, dont un arrêt quasi général du travail en septembre-octobre 1903.

Cette agitation sociale, mis à part le cas de Nice, apparaissait le plus souvent spontanée. Dans les années 1880, le nombre des syndiqués restait relativement faible : environ 10 000 à Marseille. À Toulon, la célébration du 1er mai ne rassembla que 50 ouvriers en 1890. Mais le développement de la classe ouvrière, vivant dans des conditions difficiles et ne pouvant que médiocrement se reconnaître dans un radicalisme devenu plus modéré, offrait un terrain favorable au socialisme.

Le mouvement socialiste, affaibli après l'échec de la répression de la Commune, avait commencé à se reconstruire au milieu des années 1870. Mais ce fut le 20 octobre 1879 que survint l'événement essentiel, la réunion du congrès de Marseille. Ce rassemblement avait été bien préparé au sein des chambres syndicales, des coopératives, des cercles et groupes de travailleurs, tel celui de Cuers qui avait rédigé un « Programme et adresse des socialistes révolutionnaires ». Le principal organisateur et secrétaire général du congrès était l'ouvrier bijoutier d'origine toulonnaise Jean Lombard. Quelque 130 délégués, représentant 45 villes, s'exprimèrent devant une assistance considérable qui comprit jusqu'à 1 800 auditeurs. Les amis de Jules Guesde, tel Lombard, défendirent les théories marxistes et affirmèrent la nécessité de la lutte des classes. Finalement, le congrès, renonçant aux thèses coopératives, se rallia au collectivisme et décida de mettre en place un parti ouvrier unique, sous le nom de Fédération du Parti des Travailleurs socialistes de France. Cette volonté d'organisation ne tint pas ses promesses et les courants socialistes tardèrent encore de longues années avant de se rassembler, mais le congrès de Marseille avait marqué une étape décisive sur le chemin de l'unité et donné confiance aux militants provençaux.

Encouragés, les socialistes s'attachaient à améliorer leurs positions locales et appuyaient les nouvelles organisations de travailleurs, syndicats, Bourses du travail fondées à Marseille en 1888, Toulon en 1889, La Seyne en 1903, Draguignan en 1907... À la campagne, les coopératives, parfois créées à l'initiative des radicaux, comme celle de Camps dans le Var, résultaient plus souvent des efforts des socialistes, comme le Varois Octave Vigne. Ces formes de socialisme pratique faisaient beaucoup pour populariser le nouveau courant politique. Une presse variée jouait le même rôle. À Marseille, plus de trente petits journaux socialistes parurent entre 1881 et 1900, dont *la Fédération* de Jean Lombard, *la Voix du Peuple* de Félix Pyat, *la République au Travail.* Le premier numéro du *Cri du Var*, « organe de la démocratie sociale du département », puis « journal du Parti socialiste », sortit en 1904, à l'initiative de Gustave Fourment, professeur de philosophie à Draguignan et futur député-maire de cette ville.

Les socialistes italiens jetèrent aussi les fondements de leur organisation dans les dernières années du XIXe siècle. La violente répression des insurrections révolutionnaires survenues dans la péninsule en 1898 entraîna l'exode de nombreux militants qui fournirent les cadres dont le jeune mouvement avait besoin, ainsi à Marseille le journaliste Luigi Campolonghi, fondateur de *l'Emigrato*, à Nice Rocco Lombardo et Giovanni Petrini qui lança le journal *Il Riscatto dei Lavoratori.* Les socialistes étrangers n'étaient pas très nombreux — un millier dans les Bouches-du-Rhône en 1900, moins de 300 dans les Alpes-Maritimes en 1905 — mais résolus et engagés très activement dans le mouvement social, la diffusion de la propagande, l'organisation des grèves.

Tous ces efforts portèrent leurs fruits et les socialistes français commancèrent à remporter des succès électoraux. Les Marseillais désignèrent le premier député socialiste en août 1881 : c'était Clovis Hugues, natif de Ménerbes dans le Vaucluse, journaliste et poète, qui avait tué en duel en 1877 le journaliste bonapartiste Daime. En 1885, toujours grâce aux électeurs des Bouches-du-Rhône, Hugues fut rejoint au Parlement par l'ouvrier Antide Boyer, puis, en 1888, à la faveur d'une élection partielle, par Félix Pyat. En 1889 et 1893, les Bouches-du-Rhône ne donnèrent qu'un siège aux socialistes, mais ceux-ci en retrouvèrent trois en 1898 avec le succès de Boyer, Cadenat et Carnaud, puis quatre en 1902, cinq en 1906, trois en 1910, quatre en 1914, dont Fernand Bouisson et Sixte Quenin. À la veille de la Grande Guerre, sur l'ensemble des 29 sièges provençaux, la droite en remporta 10 et la gauche 19, ces derniers répartis en 10 radicaux et 9 socialistes. Si le Vaucluse n'avait élu qu'un socialiste, Alexandre Blanc, dans le Var quatre des cinq députés appartenaient à ce courant : Renaudel, Fourment, Vigne et Berthon.

Les socialistes s'installaient aussi dans les conseils généraux et les mairies. Dès 1884, Gustave Vincent, président du syndicat agricole et secrétaire de l'Association ouvrière de production de chaussures de Flayosc, dans le Var, était maire de ce village. En 1892, le populaire Siméon Flaissières, le « médecin des pauvres », fut le premier socialiste qui entra à l'hôtel de ville de Marseille où il demeura jusqu'en 1902. Son ami politique, le journaliste Prosper Ferrero, administra Toulon de 1893 à 1897 ; l'ingénieur Marius Escartefigue, socialiste proche des radicaux, fut à son tour maire de Toulon de 1904 à 1909. En 1914, les « rouges » possédaient dans le seul département du Var 11 conseillers généraux, 3 conseillers d'arrondissement et 14 maires.

Ces victoires socialistes s'effectuaient généralement au détriment des radicaux. Certes, ces derniers, lors des votes effectués au scrutin de la liste, faisaient parfois appel à un ou deux « collectivistes » pour barrer la route à un candidat de droite jugé redoutable. Mais, dans les scrutins uninominaux, la lutte se révélait vive, surtout au premier tour. Au second tour, malgré le principe de la discipline républicaine permettant le désistement des moins bien placés au profit de ceux qui se trouvaient en tête, les reports de voix ne se faisaient pas toujours dans de bonnes conditions, surtout quand le premier était un socialiste.

Les socialistes durent aussi composer avec une autre difficulté : leurs divisions internes. Après le grand espoir d'unité qu'avait fait naître le congrès de Marseille en 1879, les militants locaux restèrent séparés en tendances, les guesdistes avec Bernard Cadenat, les possibilistes avec Henri Cadénat, les allemanistes avec Cerati, les indépendants avec Antide Boyer. L'unification de 1905 qui donna naissance à la SFIO ne résolut pas le problème car de nombreux chefs, Flaissières, Boyer, Carnaud, Clovis Hugues dans les Bouches-du-Rhône, le sénateur Reymonenq dans le Var... refusèrent d'entrer dans le nouveau parti et restèrent indépendants, rattachés au Parti socialiste français, devenu Parti républicain socialiste en 1910. De la sorte, la fédération SFIO des Bouches-du-Rhône ne comptait qu'un millier d'adhérents en 1905 et 2 300 en 1910 ; elle était elle-même divisée en jauressistes derrière Henri Tasso, en opportunistes avec Fernand Bouisson, en hervéistes.

Sur leur gauche, les socialistes rencontraient la rivalité et parfois l'hostilité des anarchistes. Ceux-ci, français ou étrangers, au nombre de quelques dizaines dans les grands centres, se montraient particulièrement actifs à Toulon avec Fouque et Henri Riemer, Saint-Raphaël avec Léon Prouvost, Nice avec le groupe Ni Dieu ni maître, Marseille où séjournèrent Sébastien Faure et Errico Malatesta. Dans le grand port phocéen, les libertaires espagnols et surtout italiens militaient avec résolution malgré la répression policière ; l'ébéniste Cesar Parra, d'origine toscane, responsable marseillais de l'Alliance républicaine universelle fondée par Mazzini en 1866, expédiait en Italie plus de 7 500 exemplaires du journal *l'International Anarchiste* publié dans la ville ; il fut finalement expulsé en 1894. Les petits groupes anarchistes n'organisaient pas d'attentats, mais ils publiaient des journaux, participaient à des meetings, invitaient des conférenciers, essayaient de noyauter les syndicats et de supplanter les autres responsables de gauche. L'influence des libertaires sur les ouvriers étrangers, sans être déterminante, augmentait sensiblement : à Marseille, ils comptaient dans leurs rangs un tiers d'ouvriers dans les années 1880, deux tiers en 1914.

Les luttes de tendances, les conflits, les scissions, les heurts de personnalité, si nombreux dans le socialisme méridional, révélaient les particularités de celui-ci. Même s'il dépassait le radicalisme sur sa gauche, il tendait à s'en rapprocher par certains comportements, l'individualisme, les réticences à l'égard d'une organisation stricte, parfois l'indiscipline, la volonté de conquérir des mandats, fut-ce au prix d'alliances douteuses, l'installation des élus dans le confortable statut de notables. Les certitudes idéologiques pouvaient rester floues, ce qui exposait les militants à des déviations. Ferrero, maire de Toulon, ignorait tout du marxisme ; l'ancien communard Gustave Cluseret, député socialiste du Var, était en même temps le collaborateur d'Édouard Drumont dans le journal antisémite *la Libre Parole* ; Clovis Hugues, député de Marseille, fraya un moment avec le boulangisme ; son collègue Antide Boyer, type de politicien bonhomme, multipliant les services rendus à ses administrés, fut accusé d'être mêlé au scandale de Panama...

Les socialistes, qui ne parvenaient pas toujours à éviter pour eux-mêmes les pièges de l'antisémitisme et de la xénophobie, se révélaient généralement incapables, faute d'une représentativité suffisante, d'en détourner les masses ; c'était en vain qu'ils répétaient leurs mises en garde contre les excès du nationalisme. En effet, la présence d'une importante main-d'œuvre étrangère, principalement italienne, créait un malaise : le petit peuple, dont le niveau de vie restait médiocre, accusait les étrangers d'envahir la Provence, d'exercer une concurrence redoutable, de servir de « jaunes » au patronat, d'avilir les salaires. La police, pour sa part, insistait sur les désordres moraux, le jeu, la boisson, la saleté, la délinquance, le terrorisme politique imputables, selon elle, aux immigrés. Le mépris des Français pour leurs hôtes se traduisait par une fréquente attitude de rejet et par le vocabulaire, notamment par l'emploi du mot « babi » utilisé péjorativement pour désigner les Italiens. Cette séparation nationale au sein du monde ouvrier s'était déjà manifestée sous la monarchie de Juillet, plus nettement en 1848, quand les étrangers avaient été exclus des ateliers communaux à Marseille, à la fin du Second Empire ; un arrêté du préfet des Bouches-du-Rhône, en date du 17 avril 1871, avait organisé l'expulsion de plusieurs centaines d'Italiens sans emploi.

De fait, quand le chômage montait et qu'un grief précis, réel ou supposé, pouvait être articulé contre les étrangers, la pire violence risquait de se déchaîner. Ce fut ce qui se produisit lors des « Vêpres marseillaises » en juin 1881, quand des Transalpins, accusés d'avoir hué des soldats français, furent assaillis par des foules furieuses ; cette affaire causa trois morts et une vingtaine de blessés. Même si les deux gouvernements, celui de Paris et celui de Rome, essayèrent d'atténuer la portée de l'affaire et en attribuèrent la responsabilité à des excités, voire à des nervis, les répercussions des Vêpres marseillaises se révélèrent profondes. La colonie italienne resta durablement traumatisée ; des deux côtés, l'opinion publique mit du temps avant de retrouver sa sérénité ; certains journaux français proférèrent de méprisantes insultes contre le pays voisin et stigmatisèrent l'ingratitude de ses ressortissants ; la presse italienne ne demeura pas en reste : quelques feuilles évaluèrent le nombre des morts à vingt, parmi lesquels figurait le consul d'Italie à Marseille.

Le grave affrontement dont Marseille avait été le cadre ne fut que le premier d'une longue série qui attesta en cette fin du XIXe siècle la montée du nationalisme et la gravité des rivalités professionnelles. Ainsi en Languedoc, en février 1882, à Célas, des ouvriers italiens travaillant à la construction du chemin de fer d'Uzès furent attaqués et blessés. Un incident identique survint à Beaucaire en 1882. En mai 1884, les mineurs français de la Jasse chassèrent leurs collègues transalpins. En août 1893, à Aigues-Mortes, théâtre de l'affrontement le plus dramatique de cette période, d'autres travailleurs nationaux, ivres de sang, s'en prirent aux Italiens employés par les Salins du Midi et accusés de voler le travail ; ce fut un véritable massacre, à coups de pelles et de pierres ; le bilan officiel, inférieur à la réalité, fit état de huit morts italiens et d'une cinquantaine de blessés. En 1894, après l'assassinat du président Carnot à Lyon par un anarchiste italien, de nouveaux incidents déferlèrent sur les villes provençales, notamment Marseille ; les manifestants français s'en prirent surtout aux commerces transalpins, dévastés et pillés. À Aubagne en 1899 et à Arles en 1900, de nouvelles rixes éclatèrent.

Le nationalisme ambiant révélait un certain relèvement de la droite dans les années précédant la Grande Guerre.

IV. UN RÉVEIL DE LA DROITE À LA VEILLE DE LA GRANDE GUERRE

La droite, qui s'était trouvée acculée à la défensive après l'échec de l'Ordre moral, n'avait cependant pas perdu tous ses atouts. Elle possédait bien souvent des moyens financiers qui lui permettaient de consolider ou d'améliorer ses positions. Les grandes et riches familles marseillaises, les Noilly-Prat, les Bergasse, les Estrangin, les Charles-Roux, créaient des journaux, subventionnaient généreusement les mouvements et les hommes travaillant pour « la bonne cause ». L'argent pouvait même assurer le succès électoral. Dans les Alpes-Maritimes, le banquier Raphaël Bischoffsheim, député de Nice de 1881 à 1889 et de Puget-Théniers de 1893 à 1906, avait acquis la fidélité de ses électeurs grâce à ses libéralités. De même, dans les Basses-Alpes, le comte Boni de Castellane, immensément riche grâce à la dot de sa femme Anna Gould, fille d'un milliardaire américain, fut, entre 1898 et 1910, député de l'arrondissement portant son nom, car, dans cette région très pauvre, il pouvait littéralement acheter les voix.

Une presse bien diffusée étendait l'influence des conservateurs. Les modérés pouvaient compter sur *l'Éclaireur de Nice*, *le Mistral*, d'Avignon, *la République du Var*, *le Sémaphore de Marseille*, *le Petit Marseillais* qui tirait 170 000 exemplaires. D'autres feuilles moins lues, comme *le Soleil du Midi*, se rattachaient au royalisme.

La droite s'appuyait aussi sur des personnalités et des groupes sociaux qui lui servaient de relais. Les membres de l'aristocratie remplissaient souvent cette fonction, ainsi, dans les Bouches-du-Rhône, le marquis de Foresta, président du comité royaliste départemental, l'érudit baron de Flotte, le marquis de Clapiers ; dans les Alpes-Maritimes, le baron Roissard de Bellet et le baron Raiberti. La droite possédait d'autres assises solides, comme les milieux d'affaires, représentés à Marseille par Jules Charles-Roux ou Henry Bergasse père et fils, le clergé catholique et ceux des fidèles qui n'acceptaient pas la législation anticléricale couronnée par la séparation de l'Église et de l'État.

Malgré les soutiens traditionnels qu'elle avait conservés, une partie de la droite s'était ralliée à la République. Ainsi, dès les élections législatives de 1889, Jules Charles-Roux, conservateur et républicain, avait battu à Marseille le royaliste Le Mée. Dans les Alpes-Maritimes, alors que la gauche était implantée dans l'arrondissement de Grasse, avec Maurice Rouvier puis les Ossola père et fils, les modérés républicains étaient maîtres de l'ancien Comté de Nice. Le baron Flaminius Raiberti, député de 1890 à 1922, puis sénateur jusqu'à sa mort en 1929, y exerçait un véritable principat. Appuyé par *l'Éclaireur de Nice* et par un appareil sans rigidité comprenant les groupements de propriétaires et de commerçants, ainsi que les comités de quartier, il était en contact permanent avec sa clientèle : de la sorte s'était constituée une machine efficace, aux niveaux soigneusement hiérarchisés, conduisant de l'élu au citoyen, en passant par les responsables locaux ou associatifs, et permettant l'échange des services. Face à cette puissance, la gauche, représentée dans les Alpes-Maritimes par des radicaux et quelques socialistes, comme l'original baron Frédéric de Stackelberg, émigré russe évoluant de l'anarchisme au marxisme, obtenait des scores électoraux très faibles. En 1914, tous les élus des Alpes-Maritimes, mis à part le radical grassois Jean Ossola, étaient des amis de Raiberti.

D'une manière générale, la droite effectua une nette remontée électorale : en 1914, elle obtint le tiers des sièges de députés mis en compétition dans les départements provençaux. Ses suffrages les plus importants venaient des villes et plus particulièrement des quartiers bourgeois.

Quant à la partie de la droite restée fidèle au roi, elle sortait de sa torpeur grâce au dynamisme de la jeune Action Française. Ce mouvement dont le maître à penser, Charles Maurras, était originaire de Martigues, donna sa première conférence à Marseille en 1903, fonda des sections à Avignon en 1906 et à Marseille en 1908, puis s'implanta à Aix et à Toulon. Le premier congrès régional de l'Action Française fut organisé à Avignon les 24 et 25 février 1912. Le dogmatisme raisonneur de Maurras et la violence des méthodes séduisaient un nombre grandissant de jeunes intellectuels.

Enfin, la droite, qu'elle fût républicaine ou monarchiste, détournait à son profit deux séries de facteurs : la peur de l'agitation sociale qu'elle exploitait savamment et les progrès du nationalisme qu'elle essayait de monopoliser.

L'opinion modérée s'inquiétait des succès électoraux remportés par les socialistes, de l'affirmation de la tendance syndicaliste révolutionnaire devenue généralement majoritaire dans les grands centres industriels, de la fréquence des grèves. En 1904, plus de 50 000 ouvriers marseillais cessèrent le travail et l'armée dut intervenir pour rétablir l'ordre. La célébration du 1er mai, de plus en plus suivie par les travailleurs déployant des drapeaux rouges et chantant *l'Internationale*, constituait un autre facteur d'appréhension pour la droite ; le nombre des ouvriers ayant fêté le 1er mai à Toulon était passé de 50 en 1890 à 4 000 en 1903. Les conservateurs, qui repoussaient les doctrines collectivistes et toute forme d'internationalisme, paraissaient les plus aptes à maintenir l'ordre. Siméon Flaissières perdit ainsi son fauteuil de maire de Marseille : accusé de financer sa politique sociale au prix d'un déficit budgétaire excessif et de montrer trop de complaisance à l'égard des grévistes, il fut battu en 1902 par le modéré Chanot.

Face à la bannière rouge, la droite brandissait très haut le drapeau tricolore et défendait avec conviction les valeurs nationales. Or celles-ci progressaient jusque dans la petite bourgeoisie et entraînaient parfois avec elles des hommes de gauche. Cet élargissement de l'audience des thèmes défendus par les milieux réactionnaires apparut très nettement lors des troubles engendrés par l'affaire Dreyfus. La Provence ne fut pas épargnée par la vague antisémite et Marseille, où les minorités religieuses bénéficiaient pourtant d'une relative tolérance, devint, après Paris, le deuxième foyer d'effervescence nationaliste. Dans cette ville, la Ligue des Patriotes compta plus de 4 000 adhérents. À Aix, les élections municipales de 1896 furent remportées par un ancien radical et franc-maçon, l'avocat Baron, qui voulait chasser de la mairie la famille des juifs Bédarride, lesquels, d'oncle en neveu, s'y succédaient depuis des années.

Le rayonnement du nationalisme était encore attesté par le succès que remportaient les sociétés de tir et d'instruction militaire : leur nombre s'éleva à Marseille de 4 en 1906 à 18 en 1913. Les prises d'armes et les meetings attiraient des foules importantes et enthousiastes. Partout se constituaient des associations d'Alsaciens et Lorrains qui ne voulaient pas laisser s'éteindre l'espoir de la revanche contre l'Allemagne. En 1914, le président des Alsaciens-Lorrains résidant à Marseille était Joseph Thierry, natif d'Haguenau, député et chef de file des conservateurs dans la cité phocéenne.

L'adoption de la loi de trois ans de service militaire en 1913 souleva certes des oppositions, celles des anarchistes, des socialistes, de certains radicaux, de la Ligue des droits de l'homme ; les critiques lancées contre cette loi rencontrèrent l'adhésion de nombreux ouvriers et de paysans qui n'appréciaient pas de voir leurs fils, main-d'œuvre précieuse, retenus un an de plus sous les drapeaux. Mais aucun incident ne se produisit. Les conseils de révision, à l'automne de 1913, se déroulèrent dans leur habituelle ambiance de gaieté, en présence des élus socialistes hostiles à la loi. La Provence semblait prête pour la guerre.

CHAPITRE VIII

GUERRE ET PAIX : LES TEMPS INCERTAINS (1914-1939)

De 1914 à 1939, la Provence connut de profonds ébranlements et entra dans une ère de grande instabilité. Après le choc de la Grande Guerre, les difficultés politiques et sociales, étroitement mêlées, engendrèrent une vive agitation, de nombreux incidents de rue, l'apparition et le renforcement de partis extrémistes qui passionnèrent souvent le débat public.

I. 1914-1918 : LES RÉPERCUSSIONS D'UNE RÉALITÉ LOINTAINE

Durant les quatre années de la Grande Guerre, la Provence demeura éloignée du théâtre des opérations militaires, ce qui ne l'empêcha pas d'être directement concernée par le déroulement des batailles et l'évolution de la conjoncture politique.

Dans les derniers jours de juillet 1914, la marche vers le conflit suscita quelques réactions d'hostilité. Le 30, les socialistes d'Avignon essayèrent, malgré l'interdiction du maire, de tenir un meeting de protestation qui fut accueilli par des bordées de sifflets, des cris de « Vive l'armée » et même « Vive la guerre » ; les jeunes de l'Action Française organisèrent une contre-manifestation et entonnèrent une vibrante *Marseillaise* reprise par la foule.

L'entrée en guerre, l'affichage de l'ordre de mobilisation générale le 1er août 1914, les mouvements de troupes n'entraînèrent aucune opposition publiquement proclamée. Les socialistes se turent et, comme les autres citoyens, se préparèrent à accomplir leur devoir militaire. En ces premières heures du conflit, l'Union Sacrée, réclamée par le président de la République Poincaré, ne fut pas un vain mot. De la gauche à la droite, tous les Provençaux semblèrent unir leurs efforts. L'Église, oubliant les griefs qu'elle pouvait nourrir contre la République, prit sa place dans la communauté nationale. Les évêques firent célébrer, devant des assemblées beaucoup plus nombreuses et ferventes que d'ordinaire, des offices pour la victoire des armes françaises et le retour de la paix. Les sermons patriotiques, les prières à Jeanne d'Arc et à saint Michel, l'interprétation de la *Marseillaise* sur les grandes orgues témoignaient de cette réconciliation pratique entre la religion et la vie publique. L'Union s'étendit jusqu'aux étrangers : beaucoup d'entre eux décidèrent de s'engager dans l'armée française ; les Italiens d'Avignon constituèrent un corps de volontaires, la Légion garibaldienne.

À observer les comportements, de nombreux signes illustraient la popularité de l'armée et la confiance que lui vouait les Provençaux. Les troupes qui défilaient étaient vivement acclamées et les orphéons municipaux réquisitionnés pour interpréter des musiques militaires. Au départ des unités, la foule criait : « À Berlin, à Berlin ! » et les soldats se donnaient rendez-vous pour prendre l'apéritif dans la capitale allemande d'ici quelques jours. Le patriotisme se mesurait aussi à l'aune de l'antigermanisme : parlementaires, journalistes, prédicateurs se liguaient pour stigmatiser la lourdeur d'esprit, la vulgarité et l'appétit de puissance des Allemands. Les habitants de la Côte d'Azur, oubliant tout ce qu'ils devaient aux riches touristes venus jadis d'outre-Rhin, accusaient ceux-ci d'avoir voulu coloniser le pays, prendre le contrôle des entreprises, diriger les meilleurs hôtels, acheter les plus belles propriétés. À Nice, des Alsaciens-Lorrains que leur accent et leur aspect physique avaient fait prendre pour des espions allemands furent à plusieurs reprises agressés par des foules passionnées.

Cet exemple de nervosité invite à nuancer le tableau d'une opinion uniformément sereine et aveuglée par une confiance sans limites. À Toulon, port militaire, la sonnerie de la générale à tous les carrefours, les coups sourds du canon de la passe et le tintement répété de la cloche de l'arsenal avaient, dès le 1er août, souligné la gravité de l'heure et dramatisé l'ambiance. Ailleurs, quand les soldats s'éloignaient et que les vivats s'éteignaient, les préoccupations de la vie quotidienne reprenaient le dessus : les particuliers retiraient leur argent de la Caisse d'épargne, les ménagères entassaient des provisions, les commerçants augmentaient leurs prix, les services publics essayaient tant bien que mal de remplacer le personnel mobilisé... Les Provençaux s'inquiétaient tout particulièrement de l'attitude de l'Italie, alliée de l'Allemagne et de l'Autriche-Hongrie, car, si le pays voisin restait fidèle à ses engagements, un front pourrait s'ouvrir sur les Alpes. Aussi la déclaration de neutralité faite par le gouvernement de Rome fut-elle accueillie avec un profond soulagement, par les Français et par les immigrés italiens.

Les unités du Midi accomplirent courageusement leur devoir. Après que l'Italie eut proclamé sa neutralité, les chasseurs alpins des Alpes-Maritimes, maintenus jusque-là dans la région, furent envoyés dans les Vosges. De nombreux territoriaux furent dirigés vers le Maroc pour y remplacer les troupes d'active venues en métropole. Le XVe corps, formé de Provençaux, fut intégré à la IIe armée du général de Castelnau et engagé en Lorraine, entre Dieuze et Morhange dès le 19 août. Là, en un des points les plus difficiles du front, le XVe corps, arrêté par un ennemi plus nombreux doté au surplus d'une artillerie lourde bien supérieure, dut se replier après avoir subi des pertes considérables. Tous les témoignages, à commencer par ceux du président Poincaré, du général de Castelnau et de l'état-major allemand, concordent pour garantir que le XVe corps s'était courageusement comporté et qu'il n'avait pas plus démérité que les autres unités françaises battant aussi en retraite. Pourtant, le 24 août 1914, le sénateur Auguste Gervais, élu radical de la Seine, publia dans un grand journal parisien, *le Matin*, un incroyable article qui, avec une hautaine condescendance, mettait en cause la valeur combative de « l'aimable Provence » et ravalait ses habitants dans une sous-catégorie, celle des Français de deuxième zone, moins valeureux.

En fait, la laborieuse et offensante analyse de psychologie provençale que le sénateur Gervais développait reflétait des préoccupations politiques très immédiates. L'état-major français, humilié par une retraite qui démentait les illusions entretenues jusque-là, cherchait à sauver la face et probablement aussi à faire taire Clemenceau, sénateur du Var, qui critiquait vigoureusement le commandement. Il fallait trouver une explication et un bouc émissaire : la Provence stéréotypée, pays du soleil, des farandoles et des « galéjades » faisait l'affaire ; elle serait le maillon faible de la solide chaîne française et porterait la responsabilité de l'échec. Le sénateur Gervais, agissant en service commandé, avait rédigé son article à la demande de son ami Messimy, ministre de la Guerre.

L'indignation qui s'éleva aussitôt dans le Midi prouva que les responsables militaires avaient commis une lourde maladresse. Mais une mauvaise et durable réputation s'attachait désormais aux soldats du Midi : jusqu'en 1918, ils furent considérés avec soupçon, parfois insultés et brimés en raison de leur origine et de la couardise qui semblait s'attacher à celle-ci.

L'escadre de la Méditerranée ne subit pas, pour sa part, les calomnies qui affectaient l'armée de terre. Commandée au début de la guerre par l'amiral Boué de Lapeyrière, elle quitta Toulon et y revint peu.

C'était dans les ports de Toulon et de Marseille que se rassemblaient les hommes envoyés vers le front de Salonique ; dans ces mêmes ports arrivaient les troupes et la main-d'œuvre indigènes, les contingents venant de l'Empire britannique, les Serbes chassés par l'offensive bulgare, les renforts russes envoyés par le tsar en 1916, les réfugiés arméniens... De 1914 à 1917, quelque quatre millions d'hommes transitèrent par la seule Marseille.

L'ampleur de ces mouvements avait vite fait comprendre aux populations de l'arrière que la conduite de la guerre serait plus difficile qu'on ne l'avait pensé en août 1914. Certes, jusqu'en 1915, l'Union Sacrée se maintint, attestée par les manifestations nombreuses du patriotisme, l'empressement des civils à suivre les cérémonies officielles, l'effort en faveur des blessés et des réfugiés fuyant la zone des combats, la dénonciation véhémente des embusqués, la chasse active aux espions, parfois la destruction de biens appartenant à des Allemands. L'entrée en guerre de l'Italie aux côtés de la France, en mai 1915, fut accueillie avec enthousiasme et apparut comme une préfiguration de la victoire tant souhaitée.

Mais, avec le temps, la cohésion du début s'effrita. La durée de la guerre, l'accumulation des mauvaises nouvelles, même soigneusement filtrées par la censure, la mort de parents et d'amis, les souffrances matérielles, la pénurie d'énergie et de denrées alimentaires, la baisse des revenus, la médiocrité des récoltes en raison du manque d'hommes et d'engrais, la chute du trafic portuaire à Marseille, l'effondrement du tourisme sur la Côte d'Azur, tous ces facteurs entamèrent la confiance et amenèrent une lassitude grandissante.

Le patriotisme, ainsi que l'attestait le succès des emprunts et des collectes d'or, n'avait certes pas disparu, mais il se faisait discret. Les cérémonies militaires étaient moins suivies et la soif de détente grandissait ; les salles de spectacle, les restaurants, les terrasses de café étaient pleines d'une foule apparemment détendue dont l'insouciance choquait les permissionnaires.

La confiance fléchit particulièrement en 1917. La défaite italienne de Caporetto fit craindre que l'ennemi, après avoir déboulé dans la plaine du Pô, n'arrivât en Provence par la frontière des Alpes. De plus, l'utilisation presque exclusive de la voie ferrée Marseille-Vintimille pour l'acheminement des renforts militaires aggrava les pénuries en denrées alimentaires. Les habitants des Alpes-Maritimes, où les privations étaient très sévères, reprirent leurs accusations, déjà formulées, contre Marseille, centre régional de distribution du ravitaillement, soupçonnée de garder l'essentiel pour elle.

Les syndicats, exploitant le mécontentement né de la cherté des prix et de l'insuffisance du ravitaillement, reprirent leurs activités. Des grèves éclatèrent à Toulon et surtout à Marseille en 1917 ; en avril 1918, les six cents ouvriers d'une usine fabriquant des uniformes à Avignon cessèrent le travail. Dans le même temps, le pacifisme se réveilla. Dès 1916, les anarchistes distribuèrent aux ouvriers toulonnais des numéros du *Libertaire* qui critiquaient les socialistes entrés au gouvernement en 1914 et exigeaient une paix immédiate, sans vainqueurs ni vaincus ; un des hommes qui diffusaient le journal invita les employés de l'arsenal à cesser de fabriquer des munitions, ce qui mettrait un terme immédiat à la guerre. Dans la même année 1916, le vieux militant de gauche Frédéric de Stackelberg, toujours installé à Nice, essaya de lancer une Fédération communiste révolutionnaire du Sud-Est.

Sur l'attitude à adopter à l'égard de la guerre, les socialistes provençaux se divisèrent. Beaucoup demeurèrent fidèles à l'Union Sacrée. Siméon Flaissières restait très hostile aux Allemands. Pierre Renaudel, député du Var, vieil ami de Jaurès assassiné à ses côtés en 1914, voulait maintenir l'effort jusqu'à la victoire complète ; membre influent de la commission parlementaire de l'Armée, il intervenait régulièrement dans les débats concernant la défense nationale et ses avis se révélaient souvent décisifs, notamment dans les domaines de l'armement et des forces sous-marines. Fernand Bouisson, député socialiste des Bouches-du-Rhône, avait accepté de siéger dans le gouvernement de Clemenceau, le « Père la Victoire ». En revanche, d'autres socialistes étaient lassés par la poursuite du conflit. Sixte Quenin, député d'Arles, demandait dans toutes ses interventions une paix rapide. Alexandre Blanc, député d'Orange, prit une initiative plus audacieuse : en avril 1916, il se rendit avec deux de ses collègues français à Kienthal, en Suisse, où se tenait une conférence socialiste internationale, en présence notamment de Lénine et de Rosa Luxembourg ; Blanc signa la déclaration finale qui exigeait une paix immédiate et sans annexions, condamnait la collaboration de classe et demandait aux socialistes de cesser immédiatement leur participation aux « gouvernements capitalistes de guerre ».

Qu'ils fussent partisans d'une paix blanche ou d'une victoire totale, les Provençaux, comme l'ensemble de l'opinion française, attendaient avec impatience la fin des combats. L'arrivée de Clemenceau, dont l'énergie était connue, à la tête du gouvernement en novembre 1917 ranima l'espoir ; la reprise de la guerre de mouvement en 1918 renforça la confiance. Le 11 novembre, dès que la nouvelle de l'armistice fut connue, une joie extraordinaire déferla sur le Midi.

L'explosion de joie ne pouvait faire oublier le prix de la guerre : des milliers de morts, 7 353 dans le Var, 9 120 dans les Alpes-Maritimes, dont 3 665 pour la seule ville de Nice, le déficit des naissances, le fort ralentissement des activités économiques dépourvues de liens avec l'armement, l'inflation, l'endettement des communes. La période de l'après-guerre s'ouvrait sous de sombres auspices.

II. LES TROUBLES ET L'INSTABILITÉ DE L'APRÈS-GUERRE (1919-1929)

Les deux années qui suivirent la fin de la guerre furent marquées par une intense agitation à la fois chez les militaires et chez les ouvriers. Beaucoup de soldats attendaient leur démobilisation avec impatience et, après tant d'années d'une guerre éprouvante, ne supportaient plus les contraintes de l'armée.

À la lassitude engendrée par les combats menés jusqu'au 11 novembre pouvait s'ajouter la volonté politique de ne pas se battre contre les rouges en Russie. Quand le 58e régiment d'infanterie d'Avignon fut engagé au nord d'Odessa, en février 1919, il refusa de marcher contre les bolcheviks et annonça ainsi les mutineries de la mer Noire. Ce fut en mai 1919 que la Provence connut, grâce à des journaux d'extrême-gauche et au récit des premiers militaires rapatriés d'Orient, les événements survenus en mer Noire. Une vive agitation se développa alors à Toulon, dans les cafés, à l'arsenal, au Cercle naval, dans les casernes où les commentaires parfois passionnés se multiplièrent, sur les grands bateaux où la discipline était sévère et où de véritables mutineries éclatèrent. Le mouvement atteignit son point culminant à la mi-juin, surtout sur le cuirassé *la Provence* qui se préparait à appareiller pour l'Orient. Un comité secret des équipages se forma, comité que certains matelots armés voulaient transformer en soviet militaire. Des marins descendirent à terre sans permission et défilèrent dans la ville en compagnie de quelques soldats et ouvriers sympathisants. La situation se tendit : l'ensemble des équipages refusa d'assurer le service par solidarité avec les hommes de *la Provence* ; le préfet maritime, l'amiral Lacaze, venu haranguer les marins, reçut une ferme réplique de la part d'un simple quartier-maître ; aussi les troupes de terre les plus sûres furent-elles mises en état d'alerte et des renforts appelés. Mais le comité secret était divisé, les matelots modérés hésitaient à s'engager plus avant, l'organisation de la révolte embryonnaire. Les autorités firent preuve de fermeté et surent aussi se montrer souples : le départ de *la Provence* fut annulé, des marins arrêtés furent remis en liberté, des permissions et un début de démobilisation accordés, de sorte que la situation se rétablit progressivement.

L'agitation des militaires aurait pu se révéler plus dangereuse si un lien étroit avait été noué avec la contestation ouvrière qui se développait parallèlement.

Les cheminots, qui exigeaient de meilleures conditions de travail et l'instauration de la journée de huit heures, furent souvent à la pointe de la contestation. Les employés de la compagnie PLM se mirent en grève à Avignon dès le 25 janvier 1919 et entraînèrent nombre de leurs camarades, ainsi que les ouvriers d'autres professions, ceux du bâtiment, du gaz, des tramways. Le mouvement des cheminots rebondit en février-mars 1920 car la compagnie PLM tardait à satisfaire les revendications exprimées l'année précédente ; le mouvement fut encore très suivi.

La vague d'agitation ne concerna pas seulement les employés des chemins de fer. À Marseille, les dockers, bientôt imités par les métallurgistes, les salariés du bâtiment, de l'industrie chimique et du commerce, cessèrent le travail au printemps de 1919 pour obtenir la journée de huit heures et protester contre la cherté de la vie. Le mouvement qui s'était calmé repartit en août et septembre. Les chantiers navals de La Seyne furent aussi paralysées par quarante-neuf jours de grève entre le 10 juin et le 29 juillet 1919, grève suivie par 94 % du personnel. Dans les Alpes-Maritimes, les vingt-six arrêts de travaux enregistrés dans l'année 1919 concernèrent près de 80 % des salariés du département.

Le 1er mai 1920 éclata un autre vaste mouvement de grèves pour des raisons d'ordre corporatif et aussi politique : amnistie en faveur des mutins de la mer Noire ou, parfois, affirmation d'une solidarité avec les bolcheviks. Le mouvement, largement suivi, ne s'arrêta qu'après le 10 mai. La reprise s'expliquait par les divisions des ouvriers et les mesures énergiques prises par le gouvernement.

Les craintes engendrées par cette agitation sociale, ajoutées à l'exaltation patriotique régnant en ces lendemains de guerre, concoururent à favoriser, en Provence comme dans le reste de la France, une poussée de la droite aux élections législatives de 1919. La gauche ne résista bien que dans les Bouches-du-Rhône et le Vaucluse. Dans le premier de ces départements elle obtint sept élus, dont le socialiste Fernand Bouisson, contre deux à la droite qui s'était présentée divisée au scrutin. Dans le Vaucluse, les électeurs choisirent un conservateur et trois hommes de gauche, dont le socialiste Alexandre Blanc qui avait participé à la conférence de Kienthal et le radical Édouard Daladier ; celui-ci, déjà maire de Carpentras depuis 1912, entama alors une longue et brillante carrière parlementaire. Dans les autres départements provençaux, la droite, rassemblée au sein du Bloc National, l'emporta largement. Dans les Basses-Alpes, elle ne concéda qu'un siège à la gauche et en remporta quatre, dont celui de Paul Reynaud, originaire de Barcelonnette et lui aussi à l'orée d'une belle carrière politique. Les cinq sièges du Var allèrent également à la droite. Celle-ci obtint cinq élus dans les Alpes-Maritimes, dont Raiberti ; le sixième, le radical grassois Jean Ossola, avait été candidat sur la liste du Bloc National et prouvait ainsi que ses opinions étaient fort modérées.

Distancée aux élections de 1919, la gauche fut encore divisée en 1920 par la scission communiste. L'adhésion à la IIIe Internationale rassembla la majorité des mandats dans les fédérations socialistes des Basses-Alpes, du Vaucluse, des Alpes-Maritimes ; les suffrages se partagèrent davantage dans le Var et les Bouches-du-Rhône. D'une manière générale, les militants les plus anciens, comme le Varois Renaudel qui approchait des cinquante ans, se montrèrent les plus fidèles à la SFIO, tandis que les jeunes étaient plus attirés par le communisme ; ainsi, dans les Bouches-du-Rhône, l'actif Gabriel Péri, âgé de dix-huit ans, devint le premier secrétaire départemental du nouveau parti.

Le Parti communiste, dont les débuts se révélaient encourageants, s'affaiblit rapidement, malgré le dévouement de ses militants, tels le docteur Morucci à Marseille ou l'instituteur Virgile Barel dans les Alpes-Maritimes. Isolé par son intransigeance doctrinale, il se retrouva amputé par la démission d'adhérents rebelles à la rigoureuse discipline qu'il leur imposait et par des scissions, comme celle qui, en 1922, donna naissance à Marseille à un Parti socialiste-communiste où s'inscrivit bientôt l'ambitieux Simon Sabiani.

De son côté, la SFIO, qui avait gardé le contrôle de nombreuses mairies, comme celles de Toulon et de Marseille où Flaissières avait été réélu en 1919, offrait à ses membres les avantages d'un appareil installé, étayé par le pouvoir municipal, bénéficiant de la fréquente alliance des radicaux. Aussi le vieux parti, la « Vieille Maison » comme disait Blum, reconstitua-t-il assez vite ses forces. L'entente entre socialistes et radicaux, entente qui n'était certes pas dépourvue d'arrière-pensées, se révélait très utile lors des élections. Les facteurs qui avaient favorisé le succès de la droite en 1919 et la gauche non communiste parvenant à s'entendre, la situation électorale qui prévalait avant 1914 se rétablit. À partir de la consultation législative de 1924, la gauche retrouva sa position prédominante. Dans le Vaucluse, Édouard Daladier, aidé par le socialiste modéré Louis Gros, maire d'Avignon, faisait figure de chef de file des progressistes. Dans le Var, le socialiste Renaudel, lui aussi régulièrement réélu, jouait le même rôle. Dans les Bouches-du-Rhône, la SFIO se trouvait majoritaire. La droite, mis à part les quartiers bourgeois des villes, ne conservait qu'un bastion régional, l'ancien Comté de Nice, où étaient réélus sans difficultés les républicains modérés comme Léon Baréty et surtout Jean Médecin, maire de Nice depuis 1928 et député à partir de 1932.

De la fin des années 1920 au milieu des années 1930, Marseille se trouva projetée au premier rang de l'actualité par la très mauvaise réputation qu'elle acquit. Le grand port, que sa population très cosmopolite et souvent pauvre faisait déjà apparaître sous un jour inquiétant, souffrit de la dégradation des mœurs politiques. Plusieurs politiciens locaux étaient réputés malhonnêtes, notamment le socialiste Bouisson, mais le symbole de la corruption était Simon Sabiani. Celui-ci, héros de la Grande Guerre, ancien délégué de la SFIO au congrès de Tours et membre du Parti communiste, avait quitté cette formation en 1923 pour animer un groupe dissident évoluant vers la droite. Élu député en 1928, il s'était allié à Flaissières en 1929 et, grâce aux voix populaires et corses qu'il pouvait mobiliser, il avait permis au vieux maire de conserver son siège. Sabiani, récompensé par un poste de premier adjoint, était devenu encore plus puissant sous la municipalité Ribot, qui avait succédé à Flaissières mort en 1931. Sabiani disposait alors de nombreux atouts : homme fort de l'hôtel de ville, il pouvait procurer à ceux qui le soutenaient des avantages appréciables, notamment les postes municipaux ; appuyé sur son journal, *Marseille-Libre*, il possédait aussi des intérêts dans le quotidien *Marseille-Matin* ; il jouissait de la bienveillance de la droite, qui espérait l'utiliser, et d'une grande popularité chez ses amis corses ainsi que dans les quartiers populaires. Dépourvu de scrupules, il n'hésitait pas à modifier les listes électorales à son profit et à faire molester ses adversaires par des bandes de nervis que rassemblaient ses complices Carbone et Spirito, membres éminents du milieu marseillais. Les fraudes électorales, les pressions, les chantages, les rixes parfois meurtrières se multipliaient dans le grand port, fréquemment comparé à une sorte de Chicago sur Méditerranée. Ainsi, des agents électoraux malhonnêtes et des truands protégés par des politiciens véreux purent pendant quelques années se croire maîtres de la ville.

Marseille gagna une réputation encore plus mauvaise après que, le 9 octobre 1934, le roi Alexandre Ier de Yougoslavie, hôte de la France, et Louis Barthou, ministre des Affaires étrangères, eurent été assassinés sur la Canebière, à la hauteur de la Bourse, par un terroriste croate. Les autorités locales n'étaient aucunement responsables de ce drame, mais l'opinion les mit en cause, en raison de l'insécurité qui régnait ordinairement dans la ville.

III. LA CRISE ET LE FRONT POPULAIRE (1930-1939)

Avec les années 1930, la France subit le choc de la grande crise économique mondiale. L'activité des grands centres industriels ralentit. Le tourisme azuréen perdit de nombreux clients parmi les plus fortunés ; vingt-deux grands hôtels de Nice et dix-huit à Menton fermèrent dans la décennie. Le chômage augmenta : de 21,4 % à La Seyne entre 1935 et 1936, de 12,7 % à Toulon. La politique de déflation, suivie par les gouvernements conservateurs et responsable de la baisse des revenus, engendra un vif mécontentement dans toutes les catégories sociales.

Les lignes d'extrême-droite, les Jeunesses Patriotes, les Francistes et surtout les Croix de Feu, reçurent des adhérents nouveaux, déçus par l'impuissance du régime et révoltés par les scandales politico-financiers comme l'affaire Stavisky. À Nice, une société secrète, les Chevaliers du glaive, qui avait emprunté son cérémonial à la franc-maçonnerie, recrutait dans les ligues les membres les plus convaincus et, après un rituel d'initiation, les lançait à l'attaque des loges maçonniques et des vitrines des magasins juifs. En février 1934, se formèrent des cortèges de représentants des classes moyennes et d'anciens combattants, encadrés par les mouvements de droite, clamant leur solidarité avec les manifestants parisiens du 6 février et exigeant une épuration du personnel politique. La gauche réagit également par des meetings et y ajouta des grèves. Le 12 février 1934, de nombreux manifestants syndicalistes et des militants des partis progressistes, depuis les cheminots communistes jusqu'aux artisans radicaux, défilèrent pour affirmer leur hostilité au fascisme qu'ils croyaient déceler dans les ligues de droite.

L'agitation, nourrie par la crise économique, le chômage et l'impuissance des gouvernements à résoudre ces difficultés, se développa avec encore plus de vigueur en 1935 : grèves dans les mines des Bouches-du-Rhône et dans les transports marseillais, graves émeutes à Toulon. Dans cette dernière ville, en août, après que le gouvernement eut décidé de réduire les salaires des fonctionnaires de 10 % et ceux des ouvriers de l'arsenal de 21 %, le petit peuple descendit dans la rue ; des vitrines furent brisées, des magasins pillés, les bureaux du *Petit Var* saccagés, les réverbères abattus. L'armée fut appelée pour rétablir l'ordre. Le 8 août 1935, les affrontements causèrent deux morts chez les ouvriers et vingt-huit blessés graves, dont neuf militaires.

Cette situation difficile aida le Parti communiste à sortir de l'isolement dans lequel il était confiné depuis sa fondation. À vrai dire, le parti se préparait à un nouveau destin par un renouvellement de ses structures et de sa stratégie. Il renforçait patiemment ses positions syndicales. Ainsi, la centrale qui dépendait de lui, la CGTU, était devenue majoritaire à l'arsenal de Toulon. Dans les campagnes, il essayait de prendre la direction des coopératives et d'exercer de la sorte une influence en prise directe sur les préoccupations immédiates des agriculteurs. Il présentait systématiquement des candidats aux élections, malgré les revers qu'il essuyait régulièrement. En prévision des consultations à venir, il mettait en place des cadres plus jeunes et dynamiques, ainsi à Marseille Jean Cristofol, né à Aja en Espagne en 1901, et François Billoux, né en 1903 dans la Loire. Le Parti communiste, soucieux d'élargir sa base, jusque-là seulement prolétarienne, lançait des appels à toutes les victimes de la crise, aux commerçants, aux artisans, aux membres des classes moyennes, aux paysans. Cette volonté d'ouverture se concrétisa dès le début de 1934 par la conclusion de nombreux pactes d'unité entre communistes et socialistes, cela avant l'accord national de juillet 1934. Pour leur part, les cheminots avignonnais décidèrent de réunifier leurs syndicats CGT et CGTU dès la fin de l'année.

Cette politique porta rapidement ses fruits. En juin 1935, une élection législative partielle eut lieu dans la circonscription ouvrière de Toulon-La Seyne, après la mort de son député, Renaudel. La division de la SFIO, due au fait que Renaudel, suivi par la majorité des socialistes varois, était passé à la dissidence néo-socialiste en 1933, et la discipline de vote au deuxième tour permirent à un communiste, Jean Bartolini, de conquérir pour la première fois un siège dans cette région, avec 67 % des suffrages exprimés. En revanche, la discipline, jouant cette fois au bénéfice de la SFIO, permit à un socialiste modéré, Henry Tasso, de s'installer à la mairie de Marseille en mai 1935.

Le rassemblement de la gauche au sein du Front Populaire semblait donc bien placé pour remporter les élections générales de 1936. De fait, sur les 29 députés élus dans les vieux départements provençaux et les Alpes-Maritimes, la droite n'en compta que sept, dont le succès était essentiellement dû aux voix des quartiers bourgeois des villes. Trois de ces conservateurs représentaient des circonscriptions marseillaises ; parmi eux figurait Fernand Bouisson, en rupture de socialisme. Trois autres avaient gagné leur siège dans les Alpes-Maritimes : Jean Médecin, le tout puissant maire de Nice, et Léon Baréty, président du conseil général, faciles vainqueurs dès le premier tour avec chacun 60 % des suffrages, Jean Hennessy, fabricant de cognac, au deuxième tour. Le septième élu de droite était le populaire Marius Escartefigue, surnommé « la barbu » par ses administrés, éloigné des positions progressistes de sa jeunesse et redevenu maire de Toulon en 1929.

À gauche, se confirmait le déclin du Parti radical qui revendiquait seulement quatre députés : un dans les Basses-Alpes, un à Grasse dans les Alpes-Maritimes, deux dans le Vaucluse, dont Édouard Daladier réélu à Orange dès le premier tour avec 54 % des suffrages exprimés. La SFIO affirmait sa force avec onze sièges : cinq dans les Bouches-du-Rhône, dont Félix Gouin et Henry Tasso, maire de Marseille, qui rassemblait 79 % des suffrages exprimés dès le premier tour ; deux dans le Var, deux dans le Vaucluse dont Charles Lussy, élu au deuxième tour à Apt avec 75 % des suffrages exprimés ; deux dans les Basses-Alpes. Le Parti communiste confirma sa percée en obtenant sept députés : trois dans les Bouches-du-Rhône dont Jean Cristofol et François Billoux qui battit de haute lutte Simon Sabiani au deuxième tour, deux dans les Alpes-Maritimes dont Virgile Barel, deux dans le Var dont Jean Bartolini qui conservait son score de 67 % des suffrages exprimés déjà atteint lors de sa première élection en 1935.

Le Parti communiste remportait de beaux succès dans les régions industrielles de Marseille et de Toulon-La Seyne, mais aussi dans des régions agricoles, comme Arles, Brignoles, la campagne cannoise. Certes, le parti avait été servi par la discipline de vote qui, au deuxième tour, l'avait fait bénéficier du désistement de ses alliés de gauche, mais il était aussi parvenu à sortir des faubourgs ouvriers et à rassembler des voix paysannes. Beaucoup de ruraux provençaux se proclamaient rouges depuis 1848 ; les communistes, s'avançant sur ce terrain favorable, avaient su parler aux agriculteurs de leurs difficultés et leur proposer des solutions qui les avaient séduits.

Le rayonnement du Parti communiste se traduisait dans les chiffres. En 1937, il possédait dans le Var 3 000 adhérents, répartis en 146 cellules, ce qui faisait de lui la force militante la plus importante du département. Dans la région marseillaise, le parti comptait plus de 10 000 adhérents et un millier de cellules ; contrôlant les postes clés de la CGT, il exerçait une influence décisive sur les quelque 150 000 membres que cette centrale revendiquait dans les Bouches-du-Rhône. Dans les Alpes-Maritimes, où la droite gardait de fortes positions, il groupait pourtant 6 000 cotisants en 1937, auxquels s'ajoutaient les 4 000 adhérentes de l'Union fraternelle des femmes contre la misère et la guerre. Le journal révolutionnaire *Rouge-Midi* tirait environ 70 000 exemplaires en 1937. *Le Cri des Travailleurs*, publié dans les Alpes-Maritimes, était passé de 3 000 exemplaires en 1935 à 20 000 en juillet 1936.

La victoire du Front populaire s'accompagna en Provence comme ailleurs, et parfois même plus qu'ailleurs, d'un vaste mouvement de grèves. Celles-ci se déclenchèrent spontanément ou à l'initiative des syndicats, souvent à l'appel de secteurs professionnels fortement syndiqués, quitte à s'étendre ensuite à des secteurs peu organisés et à des localités isolées. Les premiers arrêts de travail eurent lieu dès la fin du mois de mai, ainsi à Marseille dès le 27 et surtout le 29 mai à l'entreprise Coder. Mais, dans les Alpes-Maritimes, le mouvement ne commença réellement que le 11 juin, soit trois jours après la signature des accords Matignon qui devaient régler la question sociale à l'échelle nationale. Les grèves furent massives et fréquemment accompagnées de l'occupation des locaux ; même des bateaux furent « occupés » dans le port de Marseille. Les arrêts de travail touchèrent tous les corps de métier et tous les types d'entreprise ; on vit même débrayer l'unique employé d'une boulangerie. Le point culminant se situa en juin : on compta alors à Marseille 40 000 grévistes appartenant à 240 établissements, 33 000 dans les Alpes-Maritimes, soit 28,5 % des salariés de ce département. La contestation décrut ensuite, mais connut des reprises — on dénombrait encore quelque 10 000 grévistes à Marseille à la mi-septembre 1936 — et ne disparut qu'au début de 1937.

Face à la victoire de la gauche, l'extrême-droite ne resta pas inactive. Si le Parti Social Français, issu des Croix de Feu et recrutant surtout dans les classes moyennes, ne se révélait pas dangereux, les membres des autres ligues dissoutes essayaient de se regrouper pour résister au Front populaire.

La réaction la plus vigoureuse fut celle du Parti Populaire Français fondé le 28 juin 1936 à Saint-Denis par Jacques Doriot, aussitôt rejoint par Simon

Sabiani et ses équipes marseillaises, ainsi que par les ligueurs les plus résolus et par d'anciens communistes. Ce parti fascisant rassembla dans les Bouches-du-Rhône quelque 15 000 adhérents, dans les Alpes-Maritimes 5 000 en mai 1937 et 9 500 en novembre 1938. Le recrutement apparaissait plus prolétarien que dans les autres formations d'extrême-droite et l'organisation du PPF était calquée sur celle du Parti communiste, afin de mieux concurrencer celui-ci sur son propre terrain, notamment dans les entreprises.

Les responsables doriotistes mirent rapidement en place l'infrastructure de leur parti dans toute la Provence. Les Marseillais jouèrent dans ce domaine un rôle très actif ; Sabiani, Carbone et Spirito vinrent présider des réunions ou installer des sections jusque dans la région de Grasse et de Cannes. Dans le comté de Nice, le PPF était dirigé par un ancien communiste, Victor Barthélemy, excellent organisateur. Plusieurs journaux, notamment *Marseille-Libre*, *le Cri Populaire Français* à Toulon, *la Voix du Peuple Français* à Nice, diffusaient les idées du nouveau parti : anticommunisme, critique du Front populaire, amitié pour Franco, politique de paix à l'égard de l'Allemagne, antisémitisme. La situation était dramatisée : selon les amis de Doriot, les rouges, alignés sur Moscou, préparaient une sanglante révolution en Provence, accumulaient des armes dans des dépôts secrets et dressaient les listes de bons Français à massacrer. La résolution à la fois des doriotistes, pleins de haine pour leurs adversaires, et des hommes de gauche, qui ne voulaient pas céder devant les fascistes, entraîna des incidents souvent violents.

D'autres groupes extrémistes agissaient loin de la foule. Les comploteurs de la Cagoule, qui avaient absorbé le groupe niçois des Chevaliers du glaive, s'étaient implantés dans le Midi. L'un de leurs chefs les plus dynamiques, Joseph Darnand, transfuge de l'Action Française, passé ensuite au PPF, dirigeait à Nice une entreprise de déménagement, ce qui lui permettait, à l'aide de ses camions, de ramener discrètement des armes d'Italie.

Mussolini ne se contentait pas d'aider secrètement les ennemis du Front populaire. À l'abri des consulats et des fasci, où se rassemblaient ses séides, il entretenait depuis de longues années des groupes d'agents qui se livraient à l'espionnage et à la provocation. Sous le couvert d'activités culturelles et sportives, ces agents essayaient aussi de conserver le contrôle politique de leurs nombreux compatriotes émigrés en Provence et de les détourner de la naturalisation considérée par le régime fasciste comme une trahison.

À l'offensive politique menée par les adversaires du Front populaire s'ajoutait l'hostilité manifeste des employeurs qui cherchaient souvent à tourner les lois sociales et à reprendre ce qu'ils avaient dû céder. Cependant ce furent probablement moins l'action de ses adversaires que ses divisions internes qui minèrent l'alliance de la gauche. Dès octobre 1937, aux élections cantonales, les communistes marquèrent le pas, tandis que des radicaux hostiles au Front populaire furent élus grâce aux voix de droite.

Ce fut l'ensemble du Parti radical qui prit un tournant vers la droite lors du congrès tenu à Marseille en octobre 1938. À cette date le Front populaire avait vécu et le gouvernement était dirigé par le Provençal Daladier dont l'apparente énergie — on le surnommait « le taureau du Vaucluse » — semblait à même de redresser la situation de la France face à l'aggravation des menaces internationales. Au congrès de Marseille, les radicaux blâmèrent le Parti communiste qui, « par son opposition agressive et injurieuse de ces derniers mois a rompu la solidarité qui l'unissait aux autres partis de Rassemblement Populaire ». Le virage à droite était symbolisé par la présence au gouvernement d'un des plus brillants représentants de la droite libérale, le Provençal Paul Reynaud.

Le congrès de Marseille fut aussi marqué par un fait divers qui entraîna des conséquences politiques. Le 28 octobre 1938, un violent incendie, attisé par le mistral, éclata dans un grand magasin de la Canebière, les Nouvelles Galeries, et causa 73 morts. Les délégués radicaux, ministres, sénateurs et députés, dont l'hôtel était situé à proximité, furent témoins de la mauvaise organisation des services municipaux de lutte contre le feu, ce qui ne contribua pas à redresser la réputation, déjà mauvaise, de Marseille. Peu après, le gouvernement dota la ville d'un bataillon de marins-pompiers et la mit en tutelle en nommant à la tête de son administration un haut fonctionnaire. Le poste de maire était supprimé et remplacé par celui de président du conseil municipal. Daladier n'était sans doute pas mécontent de réduire ainsi les pouvoirs du maire élu, le socialiste Tasso, à l'égard duquel il nourrissait des préventions.

La situation exceptionnelle dans laquelle vivait désormais Marseille ne constituait qu'une préfiguration du bouleversement total qui attendait la France.

CHAPITRE IX

1939-1945. LA PROVENCE DANS L'ÉPREUVE

Entre 1914 et 1918 la Provence avait subi les répercussions d'une guerre qui se déroulait au loin. Le deuxième conflit mondial constitua une réalité beaucoup plus présente, par les combats de 1940 sur la frontière franco-italienne, par l'occupation, les bombardements, l'action des collaborateurs et des résistants, le débarquement et la campagne de Provence en août 1944.

I. DE LA « DRÔLE DE GUERRE » À LA DÉFAITE (SEPTEMBRE 1939-JUIN 1940)

Le rappel des réservistes, à partir du 23 août 1939, puis l'affichage de l'ordre de mobilisation générale le 1er septembre ne suscitèrent pas de manifestations marquantes. Le sentiment qui dominait était celui de la résignation.

De même qu'en 1914, les Provençaux s'inquiétaient de l'attitude de l'Italie, alliée à l'Allemagne. À toutes fins utiles, le commandement français décida de renforcer le potentiel militaire stationné dans les Alpes-Maritimes.

Durant la « drôle de guerre », les seules opérations d'envergure se firent par voie maritime. Les forces navales de Méditerranée protégèrent les convois transportant des troupes vers la Corse et le Liban, acheminèrent des armements achetés aux États-Unis et des lingots d'or polonais mis à l'abri en France.

Devant le calme persistant du front, les civils reprirent leurs habitudes et multiplièrent les réclamations contre les mesures qui perturbaient la vie quotidienne : réduction des lumières, fermeture des salles de spectacle le soir, exercices de défense passive... La diminution des livraisons de denrées alimentaires, le ralentissement des affaires, la montée du chômage laissaient mal augurer de l'avenir.

La vie politique était surtout marquée par une vigoureuse répression contre le Parti communiste. Celui-ci était déjà affaibli à la suite du départ d'une bonne partie de ses cadres les plus actifs, requis par la mobilisation. La nouvelle de la signature du pacte germano-soviétique, parvenue le 23 août, avait créé un profond malaise dans le parti et suscité une vague d'anticommunisme. Certains dirigeants éprouvés, comme François Billoux, député de Marseille, essayaient de justifier le pacte, « facteur de paix », d'autres se tenaient dans une prudente expectative, tandis que les défections se multipliaient. Bartolini, député du Var, avoua lui-même, le 21 septembre : « Personne n'y comprend rien. » Le vote des crédits de guerre par les élus communistes n'avait pas retourné l'opinion en leur faveur. *Marseille-Matin* réclama, le 2 septembre 1939, « le poteau d'exécution » pour les traîtres rouges. Au sein de la CGT, les anciens confédérés entamaient des manœuvres savantes pour évincer leurs rivaux communistes des postes de responsabilité qu'ils occupaient depuis la réunification. Il en allait de même à l'Union Populaire Italienne, formation où s'étaient rassemblés les partis italiens immigrés favorables au Front Populaire ; là aussi les socialistes essayaient de mettre en échec ceux qui approuvaient le pacte germano-soviétique. Après la dissolution de Parti communiste, le 26 septembre, le gouvernement fit effectuer de nombreuses perquisitions dans les locaux du parti ou le domicile de ses militants ; ainsi, dans la seule région marseillaise, eurent lieu deux cents visites de septembre au 10 novembre 1939. Les élus qui ne désavouaient pas le pacte furent déchus de leur mandat et les parlementaires arrêtés, y compris le sergent-chef Pourtalet, député de Cannes, appréhendé dans sa caserne à Avignon, le 11 novembre. Le Parti communiste, triplement éprouvé par la mobilisation, la répression et une révision idéologique brutale, éloigné de son état-major parisien, dut faire seul l'apprentissage de la clandestinité.

Les difficultés de la vie quotidienne et les débats de la politique intérieure faisaient oublier la réalité de la guerre. Celle-ci s'imposa brutalement à l'attention à partir de l'offensive allemande de mai 1940 et des défaites françaises. Le 1er et le 2 juin, des bombardiers de la Luftwaffe vinrent bombarder des navires et des réservoirs d'essence dans le port de Marseille ; 31 personnes furent tuées.

Ce fut dans ce contexte que l'Italie entra en guerre contre la France, le 10 juin 1940.

Dans les Alpes-Maritimes, 52 000 hommes et 420 canons attendaient l'assaut italien. Ces forces étaient appuyées sur la « ligne Maginot des Alpes » qui comprenait des fortifications datant de la fin du XIXe siècle et des ouvrages modernes, parfois impressionnants par leur puissance, comme les forts de Rimplas, Sainte-Agnès, Monte-Grosso. En avant de cette ligne était organisé un réseau de fortins entre lesquels se déplaçaient des sections d'éclaireurs-skieurs chargés de donner l'alerte et, éventuellement, de livrer des combats de retardement. Les Italiens alignaient 140 000 hommes et 1 300 canons, mais ces forces étaient mal encadrées, peu entraînées, médiocrement équipées. L'artillerie se révéla peu mobile. Les fantassins devaient gravir des pentes escarpées avant de s'exposer à découvert, sur l'autre versant, au feu des Français.

Du 11 au 13 juin, les Italiens ne tentèrent que quelques opérations peu importantes. Le 13, ils effectuèrent au-dessus de Toulon un raid aérien qui fut repoussé par la DCA ; la marine riposta à cette opération en allant bombarder les dépôts de pétrole de Gênes et les usines d'armement de Sestri-Ponante. Les Transalpins accrurent leur pression, le 15 et le 16 juin, mais ils furent arrêtés par une contre-attaque française, le 17. Mussolini, pressé d'obtenir une victoire décisive, donna l'ordre de l'offensive générale le 20 juin. Dès le lendemain, une attaque aérienne sur Marseille fit 400 victimes. Mais le mauvais temps gênant l'envol des avions, l'affrontement fut surtout terrestre. Malgré des combats acharnés, la progression des Italiens fut très limitée. Ils ne purent s'emparer d'aucun fortin. Ils furent repoussés lors d'une tentative de débarquement au Cap-Martin et arrêtés dans leurs offensives sur Breil, Saorge, Belvédère, Saint-Martin-Vésubie. En définitive, ils ne progressèrent de 2 à 3 kilomètres que dans quelques rares secteurs, à Fontan et à Isola, dans la vieille ville de Menton. Ces combats avaient coûté aux Français 9 tués, 42 blessés et 33 prisonniers, aux Italiens 200 tués, 913 blessés, 116 prisonniers.

L'armistice du 24 juin 1940 permit aux Transalpins d'occuper les maigres territoires qu'ils avaient conquis et imposa aux Français de démilitariser une bande de 50 kilomètres le long de la frontière. L'armée des Alpes, qui estimait avoir tenu l'agresseur en échec, participa à une dernière prise d'armes à Draguignan le 9 juillet, puis fut démobilisée.

II. LES DÉBUTS DU RÉGIME DE VICHY ET LA NAISSANCE DE LA RÉSISTANCE (JUILLET 1940-NOVEMBRE 1942)

Au lendemain de l'armistice, la Provence se trouvait incluse dans la zone non occupée et était administrée directement par le gouvernement de Vichy.

Le nouveau régime fut bien accueilli par une population qu'avaient profondément traumatisée l'ampleur de la défaite, la prise de nombreux prisonniers par les Allemands, l'arrivée d'un flot de réfugiés du Nord.

Dans un tel contexte, le maréchal Pétain apparaissait comme l'homme providentiel qui ramènerait rapidement une situation normale. L'affaire de Mers el-Kébir au cours de laquelle la Royal Navy attaqua une escadre française, le 3 juillet 1940, alimentant l'anglophobie traditionnelle de la marine et d'une partie de la droite, renforça la position de ceux qui approuvaient la fin des combats et se groupaient autour du maréchal.

Le chef de l'État jouissait d'un véritable culte de la personnalité. Les journalistes célébraient le moindre de ses propos et de ses gestes. Les conseils municipaux et les assemblées élues multipliaient les déclarations d'allégeance et de reconnaissance, débaptisaient les rues dédiées à des personnalités pouvant être mal vues par le nouveau régime et faisaient graver de nouvelles plaques au nom de Pétain.

Quand le maréchal se déplaçait, comme il le fit à Marseille, Aix, Toulon, Avignon, lorsqu'il venait se reposer sur la Côte d'Azur, dans sa propriété de Villeneuve-Loubet, il était accueilli par des foules à la fois déférentes et enthousiastes.

Outre l'adhésion spontanée de la population, le régime de Vichy bénéficiait d'appuis nombreux et variés. La hiérarchie catholique et une bonne partie des fidèles accueillaient avec faveur des dirigeants bien disposés à leur égard, résolus à réagir contre les principes trop laïques de la IIIe République, à défendre l'Ordre moral, le Travail, la Famille et la Patrie. La vieille droite, qui attendait sa revanche depuis longtemps et dénonçait le pouvoir des rouges, de la franc-maçonnerie, ainsi que, parfois, celui des juifs, se ralliait aussi avec ensemble. Des notables locaux, anciens militants radicaux ou socialistes, désemparés par la défaite et par l'effondrement de la République, sensibles au prestige du vainqueur de Verdun, soucieux dans certains cas de conserver leurs fonctions municipales, se rangeaient avec éclat derrière Pétain, de même que des syndicalistes de tendance pacifiste.

Des organisations patriotiques ou politiques, nouvelles ou anciennes, soutenaient également le régime. La Légion des Combattants, instituée par une loi du 29 août 1940, fut mise en place en octobre 1940. Ce groupement, d'inspiration civique, destiné théoriquement à rapprocher le gouvernement et les anciens combattants, citoyens d'élite, constituait en fait un instrument du pouvoir. En mars 1941, elle comptait dans les Alpes-Maritimes 33 000 membres, commandés par Joseph Darnand, effectifs auxquels s'ajoutaient 17 000 Amis de la Légion, non-combattants, et 2 000 adhérents de la Jeunesse de France et d'Outre-Mer (JFOM). À la même date, le Var possédait 20 000 légionnaires.

Le Parti Populaire Français de Doriot, influent et bien structuré, profitait d'une implantation provençale remontant à 1936, de la présence à sa tête de fortes personnalités, notamment le Marseillais Simon Sabiani et le Niçois Victor Barthélémy, devenu secrétaire national du parti. Le PPF ne reposait pas sur des adhésions massives : 700 membres dans les Alpes-Maritimes en 1941-1942, environ 300 à Toulon-Hyères, une quarantaine à Avignon, mais ces hommes étaient ambitieux et actifs.

Les autres mouvements d'extrême-droite rassemblaient des effectifs encore plus faibles : 230 francistes dans les Alpes-Maritimes et une quarantaine dans le Var, 210 membres du groupe Collaboration dans les Alpes-Maritimes et une vingtaine dans le Var, quelques dizaines d'adhérents au Rassemblement national populaire, mais la plupart étaient, comme les doriotistes, des militants résolus. Ces hommes, généralement jeunes, habitaient les villes et représentaient les classes moyennes urbaines, les professions libérales, le commerce, la fonction publique ; aux échelons inférieurs figurait un sous-prolétariat assez important, peu politisé, attiré par les avantages matériels, le goût des armes ou l'influence d'un proche.

Grâce à ces appuis et aux ralliements qu'il avait enregistrés l'État français put développer sa politique de Révolution nationale. Celle-ci reposait d'abord sur une vaste épuration. Les enquêtes de police et de nombreuses dénonciations, émanant des organisations politiques ou de simples particuliers, permirent d'accumuler des renseignements sur les individus ou les collectivités. Ainsi, juifs, francs-maçons, partisans du Front Populaire, militants syndicalistes furent évincés de la vie publique et, parfois, de leur travail. Le personnel préfectoral se trouva en grande partie renouvelé. Les maires de gauche ou ceux de droite dont le loyalisme républicain apparaissait trop fort, le parcours politique trop sinueux, le comportement trop démagogique, ainsi Escartefigue à Toulon, furent souvent démis de leurs fonctions. Dans le Var, 63 conseils municipaux sur 151, soit 42 %, furent dissous ; dans les Alpes-Maritimes, département conservateur, l'épuration fut plus limitée : 40 conseils sur 163, soit 24,5 %. Ces changements affectèrent surtout les communes plus peuplées et prospères du littoral et du moyen pays, beaucoup moins les villages isolés de la montagne. L'administration municipale fut confiée à des notables, représentants des classes moyennes, fonctionnaires, ingénieurs, gros exploitants agricoles, plus âgés que leurs prédécesseurs et souvent battus par le suffrage universel avant la guerre. Dans les Alpes-Maritimes, plusieurs communes importantes étaient désormais contrôlées par des membres du PPF.

Le Parti communiste, très affaibli, essayait de se réorganiser dans l'ombre. La direction nationale envoyait de nouveaux cadres, chargés de rétablir les liaisons et de dresser un nouvel organigramme du parti. Ainsi, à la mi-juin 1940 arrivèrent à Marseille Raymond Barbé, alias Pierre Laffaurie, puis Henri Caresmel. Des journaux reparurent, dont une *Humanité* régionale, tirée clandestinement à environ 4 000 exemplaires. Mais l'insuffisance du cloisonnement, la présence d'au moins un indicateur au sein de la direction provençale du parti et l'ardeur répressive des nouvelles autorités ruinèrent les efforts de reconstruction. Le 19 octobre 1940, Barbé fut arrêté avec une centaine de ses camarades ; le 1er mars 1941, toute la direction régionale fut appréhendée, puis, le 30 mars, les responsables des Jeunesses communistes. Tous ces hommes furent internés, notamment aux camps de Chibron et de Saint-Paul d'Eyjaux.

Les dirigeants de Vichy aimaient à réunir les « bons Français », ceux qui ne tombaient pas sous les foudres de l'épuration. À Nice, qui, pour son zèle en faveur du nouveau régime, mérita le surnom de « Fille aînée de la Révolution nationale », des foules considérables, de 30 000 à 100 000 personnes, se rassemblaient à l'occasion des cérémonies officielles, fête du Travail, fête de Jeanne d'Arc, serment de la Légion. Les voyages de Pétain attiraient aussi des dizaines de milliers de spectateurs. Les conférences politiques, très fréquentes, destinées à populariser les thèmes de la Révolution nationale, étaient très courues : à Nice, Jacques Doriot, traitant le sujet « Comment refaire la France », attira 8 000 auditeurs le 27 juin 1941 ; ce furent 7 000 Avignonnais qui, le 19 juillet 1942, vinrent entendre Philippe Henriot.

Le choix de la collaboration effectué par le gouvernement de Vichy se concrétisa dans l'implantation en Provence de mouvements favorables au Reich : le Rassemblement National Populaire, le groupe Collaboration, le Service d'Ordre Légionnaire mis en place en février 1942.

Révélatrice de l'orientation collaborationniste était aussi l'accentuation de la politique antisémite. Les francistes niçois, particulièrement dynamiques, organisèrent le 15 juillet 1942 une exposition consacrée aux « Juifs et Francs-Maçons » qui fit ensuite le tour de France.

L'épuration, l'intensification de la collaboration, les mesures antisémites, les provocations auxquelles se livraient les groupements d'extrême-droite, l'annexion de facto de Menton à l'Italie, les revendications de ce pays sur le Comté de Nice où avaient été créés des Gruppi d'Azione Nizzarda, l'entrée en guerre de l'Allemagne contre la Russie, ce qui rendit plus claire la position des communistes, tous ces facteurs stimulèrent la Résistance à ses débuts. Celle-ci naquit très tôt mais ne se développa que très progressivement. Les premiers résistants, tout en appartenant à des horizons très différents, francs-maçons, militaires, étrangers, anciens combattants dont les organisations avaient été dissoutes, communistes, socialistes, chrétiens de gauche..., n'étaient pas nombreux et, pour l'essentiel, agissaient à l'intérieur des villes.

Les premières initiatives résistantes furent prises dans l'été et surtout à l'automne de 1940. Des militaires cachèrent des armes dans les semaines qui suivirent la signature de l'armistice, notamment dans la vallée de l'Ubaye. Le capitaine Henry Frénay commença à recruter ses premiers compagnons en juillet-août à Marseille, puis dans la région de Sainte-Maxime et de Saint-Raphaël. À Toulon se constitua un groupe qui fut à l'origine du réseau de renseignement franco-polonais F2. Le 25 novembre 1940 fut distribué à Marseille un tract intitulé « Liberté », rédigé par des démocrates-chrétiens, comme François de Menthon, Pierre-Henri Teitgen, Paul Coste-Floret. Dans le courant de 1941, les grands mouvements, Combat, Libération, Franc-Tireur, l'organisation Carte, le Front National s'organisèrent. Le Parti communiste, réussissant à surmonter les difficultés qu'il avait affrontées depuis 1939, se reconstitua sur des bases nouvelles, avec un encadrement plus jeune et des méthodes appropriées à la lutte clandestine. Dans le Var, le communiste italien Giuliano Pajetta recruta des militants nouveaux parmi ses compatriotes et les antifascistes réfugiés ; dans les Alpes-Maritimes, Jean Laurenti parvint à relancer le parti dans l'été 1942.

Les premières actions de la Résistance furent orientées vers la propagande grâce à l'impression de tracts et à la distribution de journaux clandestins contenant de violentes attaques contre les Allemands, les Italiens, le régime de Vichy et les déplorables résultats de sa politique, les réquisitions de travailleurs pour le Reich, la déportation des juifs étrangers, les mauvaises conditions de vie et d'approvisionnement. La recherche de renseignements, au profit du mouvement de la France Libre ou des services britanniques, constituait une autre priorité. Jean Moulin, lui-même d'origine provençale, agent gaulliste, chargé d'unifier la Résistance, parachuté au-dessus des

Alpilles dans la nuit du 1er au 2 janvier 1942, ouvrit à Nice, en octobre suivant, une galerie de peinture destinée à servir de boîte aux lettres pour les réseaux de renseignement. Sur le littoral eurent lieu quelques débarquements et embarquements d'agents. Les combattants de l'ombre niçois, surtout le courageux René Sainson, réussirent en 1942 à organiser l'évasion collective d'aviateurs alliés internés au fort de la Revère. Dans le Var, les résistants encouragèrent les manifestations collectives, nombreuses en 1942, protestations de ménagères, grève des mineurs de bauxite, dans le bassin de Brignoles, entre le 24 et le 27 mars, gestes patriotiques le 14 juillet et le 11 novembre. À Avignon aussi, le 14 juillet 1942, se forma un cortège de jeunes arborant la cocarde tricolore, ce qui valut à une vingtaine d'entre eux d'être arrêtés.

Ces initiatives publiques, ajoutées au déclin de la participation populaire lors des cérémonies vichystes — le premier anniversaire de la Légion avait ressemblé 10 000 personnes à Toulon le 31 août 1941 et le second seulement 1 600 le 31 août 1942 — montraient que l'opinion se séparait du régime.

III. L'OCCUPATION ET L'ESSOR DE LA RÉSISTANCE (NOVEMBRE 1942-JUIN 1944)

L'occupation totale de la France, donc de la Provence, le 11 novembre 1942, accéléra le divorce entre la population et Vichy. Les forces de l'Axe se partagèrent le territoire. Les Italiens s'établirent dans les Alpes-Maritimes et les Basses-Alpes, la plus grande partie du Var, le nord du Vaucluse. Les Allemands étaient à Marseille, à Avignon, dans le sud-ouest du Vaucluse et à l'arsenal de Toulon après qu'ils eurent pris cette ville.

Hitler avait promis de respecter le camp retranché de Toulon et de ne pas s'emparer de la flotte. Le grand port militaire restant la seule ville française libre, le bruit courut que Pétain viendrait s'y installer. Si le gouvernement ne quitta pas Vichy, les Allemands entrèrent à Toulon, malgré leurs engagements, car ils redoutaient que tout ou partie de la flotte ne se laissât tenter par une reprise du combat. Pourtant l'amiral de Laborde, commandant en chef, faisait confiance à la parole d'Hitler et, anti-Anglais, n'envisageait nullement de se rendre à Alger. Les Allemands, préparant l'investissement du port dans le plus grand secret, purent s'approcher de Toulon sans éveiller l'attention. L'attaque, lancée le 26 novembre 1942 à l'aube, surprit totalement les marins. L'amiral Marquis, préfet maritime, fut capturé au lit. L'amiral de Laborde, appliquant un ordre ancien de Darlan, ne put qu'ordonner le sabordage de la flotte. Ainsi, plus de cinquante bateaux modernes, représentant 220 000 tonnes, coulèrent sans avoir combattu. Seuls trois sous-marins, dont le *Casabianca*, réussirent à s'échapper.

La présence des armées d'occupation amena un lot supplémentaire d'épreuves. La répression s'aggrava. L'OVRA italienne et la Gestapo allemande effectuèrent des centaines d'arrestations dans chaque département.

Les Mouvements Unis de Résistance (MUR) furent démantelés en avril-mai 1943. De nouveaux camps d'internement furent ouverts. Les occupants obtinrent le départ de plusieurs préfets et maires, notamment le premier édile niçois, Jean Médecin, maintenu en fonction par Vichy, mais affirmant trop hautement le caractère français de sa ville et sa sympathie pour certains adversaires des Italiens ; destitué en juillet 1943, Médecin ne tarda pas à adhérer au Front National. Les Marseillais furent particulièrement malmenés. À la suite de quelques attentats commis contre les Allemands, Hitler était persuadé que le quartier du Vieux-Port, avec son lacis de ruelles tortueuses et de caves sombres, constituait le repaire de la Résistance et offrait d'innombrables cachettes pour les terroristes, les déserteurs, les espions, les armes. Aussi, le 24 janvier 1943, plus de 20 000 habitants reçurent-ils l'ordre d'abandonner leurs maisons qui, peu après, furent détruites à l'explosif. Cette opération brutale constitua un rude choc psychologique pour la population marseillaise.

Le comportement des deux puissances de l'Axe présentait des différences. Les Italiens, moins bien organisés, médiocrement équipés, n'inspirant que rarement la frayeur, se révélaient plus débonnaires. Ils s'opposèrent même aux Allemands et aux autorités de Vichy sur la question des juifs. Les Transalpins, en effet, interdisaient dans leur domaine toute arrestation, déportation ou brimade contre les israélites. Les carabiniers gardaient les synagogues et les centres d'accueil pour empêcher la police française d'y opérer des arrestations. Aussi les juifs affluaient-ils dans le Sud-Est où ils savaient trouver un abri ; 30 000 d'entre eux s'étaient installés dans les seules Alpes-Maritimes.

Le 8 septembre 1943 au soir, après le renversement de Mussolini, la radio annonça l'armistice italien. L'armée transalpine, surprise, démoralisée et privée d'instructions précises, se disloqua aussitôt. De nombreux soldats, abandonnés par leurs officiers, se débarrassèrent de leurs armes, cherchèrent des vêtements civils et refluèrent en désordre vers leur pays. Des unités entières se laissèrent désarmer par les Allemands, méprisants et brutaux.

Les hommes du Reich assurèrent désormais seuls l'occupation de la Provence, avec une efficacité redoutable. Ils affectèrent de nombreux jeunes au STO et des soldats italiens prisonniers aux travaux de défense côtière. La répression et la chasse aux juifs se durcirent. Les Allemands reçurent, pour toutes ces tâches, le renfort des organisations françaises collaborationnistes. La Légion, qui avait perdu jusqu'aux deux tiers de ses effectifs, et les municipalités, souvent impopulaires et dépassées par l'ampleur des problèmes, se révélaient peu efficaces. En revanche, le PPF, les francistes, la Milice de Darnand formée à partir de février 1943 avec les éléments les plus durs du SOL apportèrent leurs concours aux polices nazies. Les effectifs de ces mouvements, qui avaient chuté en 1943 en raison de leurs rivalités ainsi que d'un découragement suscité par la débâcle italienne et la peur des attentats, remontèrent en 1944. L'énergie des occupants allemands, le regain de confiance que leur présence entraînait, les avantages matériels qu'on pouvait espérer amenèrent des jeunes, issus surtout du sous-prolétariat, à s'engager dans la Milice et le PPF.

Les Allemands et leurs serviteurs français traquaient les réfractaires du STO, les juifs, les résistants. Grâce à de patientes investigations, à l'infiltration des réseaux, aux confidences des traîtres de la Résistance, aux aveux arrachés sous la torture, les policiers multipliaient les arrestations ou établissaient avec certitude l'identité des patriotes qu'ils combattaient. À Marseille, Combat et l'Armée Secrète furent décimés en septembre 1943, l'Organisation de Résistance de l'armée (ORA) en grande partie démantelée en juillet 1944. Les chefs régionaux des FFI, Rossi alias Levallois, puis Renard alias Turpin furent arrêtés. À la veille de la Libération, la plupart des responsables marseillais de la Résistance étaient identifiés et traqués. Les nazis et les collaborateurs ne reculaient pas devant la violence : l'utilisation de la torture, la prise et l'exécution d'otages, les expéditions punitives contre les villages aidant les résistants étaient fréquentes. Le 7 juillet 1944, deux francs-tireurs partisans, Torrin et Grassi, furent pendus en plein centre de Nice et laissés exposés à la vue des passants « pour l'exemple ». Le 18 juillet et le 12 août 1944, trente-huit hauts responsables de la Résistance provençale, dont Rossi, Louis Martin-Bret alias Michel, chef des MUR et du Comité de Libération des Basses-Alpes, Georges Cisson, chef de Libération pour le Var, furent fusillés près de Signes, au pied de la Sainte-Baume. Nombreux furent les détenus politiques sommairement exécutés pour venger la mort d'un officier allemand ou d'un collaborateur abattu par des résistants. S'ils luttaient volontiers en Provence contre leurs compatriotes, les Français pro-nazis furent en revanche beaucoup moins nombreux à s'engager dans la Légion des Volontaires français et à partir sur le front russe.

Les épreuves de l'occupation, la perte d'autorité de Vichy, la dureté de la répression renforcèrent la Résistance. Celle-ci étoffa ses effectifs, améliora son organisation et ses méthodes d'action, essaya de surmonter ses divisions pour atteindre à une meilleure coordination. Les partis politiques se dotèrent de branches clandestines, ainsi les socialistes avec Félix Gouin, qui s'était rendu à Londres en août 1942, Gaston Defferre, Daniel Mayer, Alex Roubert, Jacques Cotta... Les communistes et les organisations proches, Front National, Francs-Tireurs partisans, Main-d'Œuvre Immigrée (MOI), CGT, apportèrent à la Résistance leur élan et leur expérience de la clandestinité. Les grands mouvements, Combat, Franc-Tireur et Libération se rassemblèrent au sein des Mouvements Unis de Résistance (MUR), devenus Mouvement de Libération Nationale (MLN) en 1944, comportant des branches spécialisées dans le renseignement, la presse, le combat. Le chef régional des MUR fut d'abord Maurice Chevance alias Bertin, puis Max Juvénal alias Maxence. De nombreux réseaux indépendants se constituèrent, comme l'Organisation de Résistance de l'Armée (ORA) créée par des officiers généralement giraudistes, la Section atterrissage et parachutage (SAP), dirigée dans les Basses-Alpes par le poète René Char, le Mouvement des prisonniers de guerre (MNRPG), le réseau Buckmaster spécialisé dans le parachutage et les attaques contre les usines hydro-électriques de la vallée de la Durance.

À la fin de 1942 et en 1943 des maquis se formèrent dans les forêts et les montagnes, là même où les royalistes à l'époque du Directoire et les républicains hostiles au coup d'État de Louis-Napoléon Bonaparte s'étaient déjà assemblés : le nord des Maures, le pourtour de la Sainte-Baume, les collines du nord-ouest varois, les hauteurs allant d'Apt au Mont-Ventoux, les régions de Sault, Banon, Ganagobie, Barrême, La Penne, le col du Labouret... Le noyau initial d'un maquis était souvent composé de militants politiques menacés et obligés de se cacher, de juifs, d'évadés des camps d'internement, d'antifascites espagnols. Ceux-ci étaient rejoints par des réfractaires du STO, des Chantiers de la Jeunesse ou des groupements de travailleurs étrangers, par des déserteurs italiens, surtout nombreux en septembre 1943, par des jeunes chez qui se mêlaient l'élan patriotique et l'admiration pour leurs aînés déjà au combat. La majorité des maquisards venaient des milieux populaires des villes : plus de 60 % des membres de la 1re compagnie FTP du Var-camp Faïta étaient des ouvriers citadins. Ces hommes étaient généralement jeunes et célibataires ; la proportion des étrangers atteignait parfois le quart des effectifs de certains maquis. Les paysans dont le soutien ou tout au moins le silence se révélaient indispensables à la survie des groupes formaient un glacis protecteur fournissant le ravitaillement, les renseignements, quelquefois l'hébergement et les soins. Les combattants pouvaient compter sur l'aide indéfectible d'une minorité de ruraux et sur le mutisme de la majorité à qui ils inspiraient à la fois crainte et admiration.

L'action de la Résistance prit une ampleur de plus en plus considérable. La propagande restait active, marquée par l'impression d'une multitude de journaux clandestins et par la distribution de tracts, comme les 200 suppléments de *Combat* qui, distribués à Digne le 1er mai 1942, constituèrent dans cette ville la première manifestation publique d'hostilité à Vichy. Mais la propagande laissait de plus en plus place à l'action. Celle-ci apparaissait multiforme : sauvetage de juifs, domaine où s'illustra notamment Mgr Rémond, évêque de Nice, qui put mettre à l'abri de nombreux adultes et plus de 500 enfants, lacération d'affiches officielles, utilisation de timbres à l'effigie du général de Gaulle, sabotages allant des lenteurs et des erreurs administratives volontaires jusqu'aux attentats contre les voies ferrées ou les usines travaillant pour l'ennemi, attaques contre les troupes d'occupation, les magasins appartenant à des commerçants fascistes, les collaborateurs. Certains de ces coups de main furent aussi audacieux que spectaculaires : exécution du chef de la Milice de Marseille en avril 1943, du secrétaire fédéral du PPF à Nice en novembre 1943, du président de la Légion à Barrême en mars 1944. Un groupe de soldats allemands fut attaqué à la grenade sur la Canebière en juin 1943 et cinq miliciens tués à la porte du restaurant légionnaire de Nice en novembre suivant. Les résistants essayaient d'organiser, avec des succès variables mais de plus en plus marqués, des actions de masse : manifestations patriotiques comme celles du 14 juillet 1943 qui réunirent 1 000 personnes à Nice et 4 000 à Hyères, grèves comme celle qui toucha 10 000 travailleurs de Marseille et s'étendait à Fuveau, Gréasque, Meyreuil, Saint-Savournin, Gardanne lorsqu'elle fut brisée par le terrible bombardement du 27 mai.

De fait, la Provence fut dramatiquement éprouvée par les bombes que les avions alliés vinrent déverser sur les installations industrielles et militaires, les gares et les voies de communication. Nombreuses furent les victimes innocentes, personnel employé dans les entreprises visées, civils habitant dans les immeubles voisins des cibles, simples passants.

IV. LA LIBÉRATION

L'intensification des bombardements, même si les morts et l'accumulation des dégâts matériels servaient la propagande pro-allemande, était considérée comme un signe avant-coureur de la libération. Les résistants se préparaient pour affronter les derniers combats et cueillir les fruits de la victoire dans les meilleures conditions. Le 30 mai 1944, un groupe de combattants français, Max Juvénal, Jean Lippmann et Maurice Plantier vinrent rencontrer deux de leurs camarades italiens, Livio Bianco et Gigi Ventre, à Saretto, près du col de Larche, pour signer les accords Provence-Piémont qui prévoyaient une coordination de l'action résistante menée des deux côtés de la frontière contre les Allemands.

Des Comités départementaux de Libération (CDL) furent mis en place — dès avril 1943 dans le Var et au cours des mois suivants dans les autres départements — pour coordonner la lutte sur le plan régional, tenir les hommes prêts à se lancer dans le combat final et organiser la relève politique du régime de Vichy. Les CDL et les comités locaux (CLL) dont ils favorisaient la naissance comprenaient des représentants des mouvements, des partis, des syndicats. Mais la bonne entente ne régnait pas toujours dans ces comités : la stratégie militaire à adopter, la composition des futures municipalités, la dévolution des biens saisis aux collaborateurs, imprimeries, ateliers et locaux divers, introduisaient des divergences. Les clivages idéologiques au sein des CDL se traduisaient par des rivalités, accentuées par la proximité de la victoire : chacun voulait s'assurer des gages et apparaître comme le meilleur artisan de la Libération. Beaucoup de socialistes, de démocrates-chrétiens et de modérés considéraient que les communistes s'attribuaient trop de responsabilités dans les nouveaux organismes.

Les plans élaborés par les résistants pour la libération de la Provence furent bouleversés par l'ordre de guerilla lancé dans toute la France lors du débarquement en Normandie, le 6 juin 1944. Sortant de l'ombre, des combattants des villes se dirigèrent vers les maquis. Ces derniers, rassemblant leurs effectifs et quittant leurs refuges écartés, entreprirent des actions contre les Allemands, mais du même coup se découvrirent et s'exposèrent à une répression d'autant plus efficace que les armées alliées n'avaient pas paru en Provence.

La Gestapo de Marseille, la Milice stationnée à Draguignan, les groupes d'action PPF de Brignoles et de Nice se montrèrent particulièrement efficaces et cruels dans la répression. Les responsables allemands et leurs complices français, agissant avec l'énergie du désespoir, multiplièrent alors les tortures et les exécutions.

Le débarquement tant espéré s'effectua enfin le 15 août 1944. Cette opération, appelée d'abord *Anvil*, puis rebaptisée *Dragoon*, fut confiée à la VIIe armée américaine, commandée par le général Patch, force comprenant un corps français placé sous les ordres du général de Lattre de Tassigny. Le gros des troupes alliées débarqua entre Saint-Raphaël et Cavalaire ; des commandos français agirent aux deux ailes, à Théoule et au Cap Negu. Les alliés purent prendre pied sur le rivage grâce à la conjonction de plusieurs facteurs : leur supériorité sur mer et dans les airs, l'arrivée trop tardive des renforts allemands, l'action décisive d'éléments aéroportés largués dans la région du Muy et empêchant l'ennemi de rejoindre le littoral, l'aide des maquisards. Seules les forces qui attaquèrent le secteur de Fréjus-Saint-Raphaël furent repoussées et durent se diriger vers le Dramont.

Le succès étant acquis sur la côte, les parachutistes largués au Muy se portèrent vers Fréjus, pris le 16 août, puis, franchissant l'Estérel, s'emparèrent de Grasse et de Cannes le 24, d'Antibes le 26. Pendant ce temps, les FFI obtinrent la reddition des garnisons allemandes de Puget-Théniers, Saint-Martin-Vésubie et Bancairon. Nice se souleva à l'appel du CDL le 28 août, ce qui permit aux parachutistes alliés d'entrer dans la ville le 29 et de poursuivre l'ennemi le long du littoral jusqu'à Menton, libérée le 6 septembre. À cette date, les Allemands n'occupaient plus que la frange est des Alpes-Maritimes, du Pont Saint-Louis à l'Authion, région qui sera nettoyée en avril 1945 par la Ire DFL.

La VIIe armée du général Patch s'était, pour sa part, portée vers le nord. Activement secondée par les maquis des Basses-Alpes, elle atteignit Manosque le 19 août, puis Sisteron et Gap.

La Ire DB commandée par le général du Vigier, s'élançant vers l'ouest à la poursuite des Allemands, libéra Brignoles, Gardanne, Salon, Arles et enfin, le 25 août, Avignon dont les résistants s'étaient pratiquement rendus maîtres depuis trois jours.

Restaient Toulon et Marseille, camps retranchés auxquels Hitler avait ordonné de tenir à tout prix. Dès le 20 août, le général de Lattre entreprit le siège du grand port militaire où était enfermé l'amiral Ruhfus avec 25 000 hommes. Le 20 et le 21, les Français enveloppèrent et isolèrent Toulon en prenant le contrôle des campagnes avoisinantes. Le 22 et le 23, ils entrèrent dans les faubourgs, tandis que les FFI engageaient des combats de rue. Du 24 au 26, ce fut la réduction des poches de résistance ennemie. Le 27 août, l'armée de De Lattre pouvait défiler victorieusement sur le boulevard de Strasbourg, mais l'amiral Ruhfus, retranché dans la forteresse de

Saint-Mandrier, ne capitula que le lendemain. Même si l'arsenal se trouvait très endommagé, les alliés s'assuraient le contrôle du port militaire et récupéraient un matériel considérable.

La libération de Marseille résulta d'une opération audacieuse effectuée par l'avant-garde française aux ordres du général de Montsabert. Depuis le 18 août, la ville pouvait être considérée comme en rébellion : la population n'avait pas obéi à l'ordre d'évacuation générale donné par les Allemands, de nombreux corps de métier étaient en grève et les résistants passaient à l'action dans les faubourgs. Ayant forcé les verrous d'Aubagne et de Cadolive, le général de Montsabert, pensant que la mobilité et l'élan de ses hommes compensaient leur infériorité numérique, décida d'entrer dans la ville dès le 23 août. Les combats, acharnés, durèrent jusqu'au 28. Les Allemands, avant de capituler, avaient détruit des quais, la quasi-totalité des grues, le pont transbordeur et coulé 176 navires, mais Marseille était libérée avec vingt-six jours d'avance sur les prévisions et le port, après une rapide remise en état, pouvait recevoir le matériel considérable dont le général Eisenhower avait besoin pour la suite de son offensive vers le nord.

Ainsi, la campagne de Provence, menée avec décision, avait permis la mise hors de combat de deux divisions allemandes et la capture de 37 000 prisonniers. Mais la région, rudement éprouvée par l'Occupation et les combats de la Libération, devait se livrer à un difficile travail de reconstruction économique, politique et morale.

CHAPITRE X

DE LA TOUTE-PUISSANCE DE LA GAUCHE À LA RENAISSANCE DE LA DROITE (1945-1990)

La Libération rétablit la vieille tradition politique qui assurait la prééminence de la gauche. Celle-ci, même divisée, conserva la première place jusqu'au début des années 1980. La droite dont l'implantation locale était moins assurée, sauf dans les Alpes-Maritimes, ne remporta que des succès temporaires, surtout avec le RPF sous la IVe République. Mais les transformations socio-économiques survenues depuis le début des années 1980 semblent devoir lui redonner une emprise durable.

I. L'IMMÉDIAT APRÈS-GUERRE ET LE GRAND RETOUR DE LA GAUCHE

La Provence avait davantage souffert de la Deuxième Guerre mondiale que du conflit de 1914-1918. L'Occupation, la répression exercée par les autorités italo-allemandes, les bombardements, les combats de la Libération avaient accumulé les ruines matérielles et multiplié les épreuves morales. L'effondrement successif de la IIIe République en 1940 et du régime de Vichy en 1944 privait le pays d'institutions. Nombre de pouvoirs étaient exercés par des autorités provisoires qui devaient généralement leur position et leur prestige à leur engagement dans la Résistance.

Les communistes et les socialistes, qui profitaient le plus de la dynamique née de la Résistance, contrôlaient les principaux leviers de commande. Le commissaire de la République siégeant à Marseille, Raymond Aubrac, était engagé très à gauche et avait nommé le communiste Jean Cristofol président du Comité régional de Libération. Le Comité départemental de Libération était présidé dans les Bouches-du-Rhône par le socialiste Francis Leenhardt et dans les Alpes-Maritimes par Sénèque Brunet, du Front National, organisation proche du Parti communiste. Les socialistes Gaston Defferre et Louis Gros dirigeaient respectivement les délégations municipales de Marseille et d'Avignon ; celle de Nice était présidée par le communiste Virgile Barel.

Dans les Alpes-Maritimes, le Front National détenait à lui seul 46 % des présidences de Comités locaux de Libération.

Au lendemain de la guerre, la gauche rayonnait aussi par la place primordiale qu'occupaient ses journaux. À Marseille, le *Provençal*, socialiste, la *Marseillaise* et *Rouge-Midi*, communistes, devançaient largement le *Méridional*, organe des chrétiens. À Nice, la gauche alignait trois titres, l'*Espoir*, socialiste, le *Patriote*, qui dépendait du Front National, et l'*Aurore*, communiste, tandis que les modérés pouvaient seulement compter sur *Combat*, dont la parution s'arrêta assez vite ; par la suite, les feuilles progressistes s'opposèrent autant qu'elles le purent à la parution de la *Liberté de Nice*, organe de la Résistance chrétienne.

La gauche exigeait une épuration rapide, sévère et profonde frappant les serviteurs de Vichy, les collaborateurs, les commerçants enrichis grâce au marché noir, les trusts.

Dans un premier temps, l'épuration se traduisit par des suspensions de fonctionnaires, préfets, magistrats, inspecteurs d'Académie, professeurs... L'archevêque d'Aix-en-Provence, Mgr Dubois de La Villerabel, rejeté par ses fidèles, se retira de lui-même et démissionna. À ces mises à l'écart s'ajoutèrent quelques centaines d'exécutions sommaires cachant parfois des règlements de comptes.

Pour éviter que les citoyens ne s'érigeassent en justiciers, le gouvernement mit en place des tribunaux qui prononcèrent des sentences respectant les règles du droit. Dans les Bouches-du-Rhône, 4 367 personnes, dont 260 étrangers, furent jugées ; 1 192, soit 27 %, furent acquittées.

Sanctions et acquittements dans les Bouches-du-Rhône

Mort suivie d'exécution	32
Mort sans exécution	492
Travaux forcés et réclusion	617
Prison	1 009
Confiscation des biens	10
Dégradation nationale	1 015
Total des sanctions	3 175
Acquittements	1 192

Dans les Alpes-Maritimes, les tribunaux d'épuration jugèrent 1 920 personnes, dont 486 étrangers, et prononcèrent 509 acquittements, soit 26 % ; à ces chiffres, il faut ajouter 445 jugements par contumace.

Sanctions et acquittements dans les Alpes-Maritimes

Mort suivie d'exécution	10
Mort sans exécution	23
Travaux forcés et réclusion	223
Prison	674
Dégradation nationale	481
Total des sanctions	1 411
Acquittements	509

Les Provençaux ne voulaient cependant pas s'appesantir sur leurs déceptions et, comme tous les Français, nourrissaient de grandes espérances. Pour eux, la Libération signifiait le retour de la liberté et de la démocratie à laquelle ils avaient montré tant d'attachement dans le passé, la mise en place d'une société plus juste et plus égalitaire grâce aux nouvelles lois sociales. Les voyages du général de Gaulle dans le Midi, notamment à Marseille le 15 septembre 1944 et à Nice le 9 avril 1945, où il fut accueilli par quelque 80 000 personnes, cristallisèrent ces moments d'espoir et donnèrent l'impression, à travers l'enthousiasme du public, d'une profonde unanimité populaire.

En fait, cette unanimité devait se révéler éphémère. Les modérés, les démocrates-chrétiens du Mouvement Républicain Populaire (MRP) ou les anciens résistants de Combat se méfiaient de la gauche, lui reprochaient d'accaparer le pouvoir et de conduire une épuration trop cruelle. De leur côté, les communistes et les socialistes se comportaient de plus en plus en rivaux. Le commissaire de la République Raymond Aubrac, accusé par la SFIO et les modérés de faire le jeu de l'extrême-gauche, fut remplacé par un haut fonctionnaire, Paul Haag. Aux élections municipales d'avril 1945, les progressistes parvinrent parfois à s'entendre, comme à Marseille où fut constituée une liste socialo-communiste Defferre-Billoux qui s'installa à la mairie grâce aux 49 % des suffrages exprimés qu'elle remporta. Mais dans beaucoup d'autres communes, SFIO et Parti communiste ne purent se mettre d'accord ; ce fut le cas à Nice où les élections furent remportées par une liste comprenant des socialistes, des MRP, des syndicalistes et des résistants, menés par Jacques Cotta, de la SFIO, qui battit la liste à majorité communiste de Virgile Barel. Les élections aux deux assemblées constituantes virent s'étaler les mêmes divisions. Ainsi, dans le Vaucluse, s'affrontèrent chaque fois quatre listes représentant le Parti communiste, le Parti socialiste, le Parti radical et le MRP.

Dans ce contexte, la droite et la Parti radical, laminés par la poussée de la gauche et du MRP au lendemain de la Libération, s'effacèrent. À Nice, le modéré Jean Médecin, provisoirement inéligible pour avoir voté les pleins pouvoirs à Pétain en 1940, ne put se présenter aux élections municipales d'avril 1945. À Avignon, le radical Édouard Daladier fut battu aux élections à la première assemblée constituante, le 21 octobre 1945, et ne retrouva son siège qu'à la deuxième assemblée, le 2 juin 1946.

La droite renforça cependant ses positions sous la IVe République.

II. RENAISSANCE DE LA DROITE ET DIVISION DE LA GAUCHE SOUS LA IVe RÉPUBLIQUE (1946-1958)

Sous la IVe République, de nombreuses personnalités provençales jouèrent un rôle important dans la vie nationale. Ainsi, la Marseillaise Germaine Poinso-Chapuis, qui s'était illustrée dans la Résistance et avait été élue député MRP des Bouches-du-Rhône en 1945, nommée ministre de la Santé publique et de la Population dans le cabinet Robert Schuman en 1947, devint la première femme recevant la charge d'un ministère à part entière. Gaston Defferre, maire de Marseille de 1953 à 1986, fut un des principaux dirigeants du Parti socialiste et occupa des fonctions ministérielles qui lui permirent d'engager la décolonisation par l'adoption de la loi-cadre portant son nom. Le député-maire d'Istres, Félix Gouin qui, durant la guerre, avait représenté la SFIO auprès du général de Gaulle, succéda à ce dernier comme président du gouvernement provisoire en janvier 1946 et occupa par la suite divers postes ministériels. Le communiste marseillais François Billoux fut successivement, entre 1944 et 1947, ministre de la Santé, de l'Économie nationale et de la Reconstruction, de la Guerre. Le chef de file de la droite marseillaise, Henry Bergasse, devint ministre des Anciens Combattants en 1953. Le général Édouard Corniglion-Molinier, député gaulliste des Alpes-Maritimes, fut ministre chargé du Plan en 1953, ministre des Travaux publics en 1955, garde des Sceaux en 1957 et ministre d'État chargé du Sahara en 1958. Jean Médecin, maire modéré de Nice, fut présenté par les radicaux comme candidat à l'élection présidentielle de 1953 et occupa les fonctions de secrétaire d'État à la présidence du Conseil en 1956.

Tandis que les personnalités issues du Midi accédaient à des responsabilités importantes dans les instances gouvernementales, en Provence même les partis furent affectés, au début de la IVe République, par deux mouvements : un renforcement de la droite et une division de la gauche.

Depuis la Libération, la droite, demeurée discrète, n'avait pas retrouvé ses positions anciennes. Le Parti républicain de la Liberté, qui incarnait le conservatisme traditionnel, n'avait pas rencontré une grande audience. Le MRP se voulait progressiste, même si certains électeurs de droite se tournaient vers lui, faute de mieux. Ce fut dans ce contexte que le général de Gaulle lança en avril 1947 le Rassemblement du Peuple Français (RPF). Ce mouvement, qui contestait le régime des partis et voulait se situer au-dessus de ceux-ci, défendait des idées propres à séduire l'électorat modéré : un virulent anticommunisme entraînant une vive méfiance à l'endroit de l'URSS, des réticences face à l'impérialisme américain, une exaltation de l'unité et de l'indépendance nationales.

Le RPF obtint d'emblée le soutien de personnalités influentes : à Marseille l'avocat Henry Bergasse, descendant d'une grande famille de négociants, et un chirurgien éminent, le professeur Robert de Vernejoul, à Aix René Hostache, à Toulon le docteur Puy... Aux élections municipales d'octobre 1947, la vague gaulliste déferla sur la Provence et emporta des mairies importantes, notamment celles de Marseille conquise par Michel Carlini, de Toulon où s'installa le pharmacien général Baylon qui, décédé en décembre suivant eut pour successeur le docteur Puy, de Grasse dévolue par les électeurs au grand résistant Pierre Ziller... À Avignon, le RPF Henri Mazo ne gagna l'hôtel de ville qu'en 1948, après la démission du socialiste Rouvier. À Nice cependant, les gaullistes échouèrent car ils ne purent entamer la solide implantation locale du modéré Jean Médecin dont la popularité était sortie intacte de la guerre : aux élections municipales d'avril 1945, l'ancien maire avait obtenu plus de 15 000 voix, bien qu'il ne fût pas candidat ; il reconquit ensuite ses mandats de conseiller général et de député, puis, en 1947, il se réinstalla à la mairie où il resta jusqu'à sa mort en 1965.

Malgré un départ foudroyant, le RPF piétina assez vite et finit par se déliter. Les autres partis ripostèrent et mirent au point une nouvelle loi électorale, dite loi des apparentements, qui permettait aux candidats de la majorité sortante d'additionner leurs voix et, pour le cas où ils parvenaient ainsi à la majorité absolue, d'obtenir la totalité des sièges du département. Cette réglementation, toute de circonstance, permettait d'isoler à la fois les gaullistes et les communistes. Aux élections législatives de 1951, la poussée du RPF fut de la sorte contenue. Dans le Vaucluse, par exemple, le Parti socialiste et le MRP, apparentés avec les radicaux, obtinrent chacun la réélection de leur député, bien qu'ils eussent perdu respectivement 6 950 et 8 855 voix par rapport aux élections de 1946 ; en revanche, le RPF, qui avait rassemblé plus de suffrages que le MRP, ne se vit attribuer aucun siège. La déception des gaullistes fut juste tempérée par quelques succès locaux, notamment l'élection d'Henry Bergasse dans les Bouches-du-Rhône et de Marcel Dassault et Édouard Corniglion-Molinier dans les Alpes-Maritimes. Mais la fidélité de ces députés ne se révéla pas toujours définitive : en 1952, Bergasse fut de ceux qui abandonnèrent le RPF pour voter la confiance au gouvernement d'Antoine Pinay, représentant de la droite classique non-gaulliste. Cette initiative accéléra le déclin et l'échec final du mouvement fondé par le général de Gaulle.

La gauche, de son côté, s'était divisée depuis 1947. Les communistes, évincés du gouvernement en mai de cette année, se trouvaient marginalisés. À l'automne, ils tinrent le premier rôle dans l'agitation qui partit de Marseille. Le nouveau maire RPF, Michel Carlini, ayant décidé d'augmenter les tarifs des tramways, des manifestations organisées à l'appel de la CGT dégénérèrent en émeutes, facilitées par la passivité des CRS au sein desquelles les communistes étaient nombreux. L'agitation culmina le 12 novembre : Carlini fut molesté et blessé, des bâtiments publics envahis, des boîtes de nuit du quartier de l'Opéra, dont le luxe semblait insulter à la misère de ces temps d'immédiat après-guerre, furent saccagées. Au cours de ces affrontements plusieurs personnes furent blessées et un jeune ouvrier, Vincent Voulant, tué, apparemment par des membres du milieu marseillais que les manifestants avaient pris à partie. Les grandes grèves qui firent suite à ces troubles s'étendirent à l'ensemble du pays et furent particulièrement suivies dans le Midi. Elles ne purent être jugulées que grâce à l'épuration des CRS et à l'énergique répression dirigée par le ministre de l'Intérieur, le socialiste Jules Moch.

Cependant, même divisée, la gauche garda de fortes positions en Provence, surtout dans les Basses-Alpes, les Bouches-du-Rhône et le Var où elle fut majoritaire aux élections législatives de 1951 et 1956. Les moins bons résultats enregistrés dans le Vaucluse et les Alpes-Maritimes étaient dus principalement aux faibles scores de la SFIO. À l'issue de ces deux consultations, la moyenne générale des suffrages exprimés en faveur de la gauche dans les cinq départements provençaux s'établissait à 52,4 %.

Résultats électoraux du PC et de la SFIO en 1951 et 1956
Pourcentages des suffrages exprimés

		1951	1956
Basses-Alpes	PC	30,9	27,8
	SFIO	27,7	36,2
	Total	58,6	64
Vaucluse	PC	32,6	27,6
	SFIO	14,5	10,5
	Total	47,1	38,1
Bouches-du-Rhône	PC	37,2	36,5
	SFIO	22	22,5
	Total	59,2	59
Var	PC	36,5	34,9
	SFIO	25,2	22,7
	Total	61,7	57,6
Alpes-Maritimes	PC	32,8	32,6
	SFIO	9	4,5
	Total	41,8	37,1

Le Parti communiste incarnait sous la IVe République le môle de résistance de la gauche ; en 1951, environ 70 % des ouvriers marseillais lui apportèrent leurs voix. Nombreuses étaient les foules qu'il rassemblait dans ses manifestations contre les guerres d'Indochine et de Corée ou pour la libération d'Henry Martin, second maître accusé d'« entreprise de démoralisation de l'armée » et condamné à cinq ans de réclusion par le tribunal maritime de Toulon. Cependant, en dépit de son incontestable audience, le Parti communiste n'obtint pas toujours la représentation politique qu'il pouvait espérer. Ses rivaux s'ingéniaient à le marginaliser et à le maintenir dans un isolement facteur de faiblesse. Ainsi, aux élections législatives de 1951, il n'eut aucun élu dans les Alpes-Maritimes, au contraire du RPF qui avait cependant rassemblé deux fois moins de suffrages : les gaullistes et les modérés amis de Jean Médecin, s'étant apparentés, avaient de la sorte atteint la majorité absolue et monopolisaient tous les sièges. Autre exemple de coalition anticommuniste, à l'issue des élections municipales de 1953, le socialiste Gaston Defferre devint maire de Marseille grâce à l'appui des indépendants, des radicaux, du MRP et même des gaullistes qui voulaient empêcher la désignation d'un communiste comme premier magistrat de la cité. Ce fut pour les mêmes raisons qu'à Toulon le socialiste Édouard Le Bellegou devint maire grâce au soutien du RPF.

III. PERMANENCES ET MUTATIONS SOUS LA Ve RÉPUBLIQUE

La présence en Provence de nombreux travailleurs immigrés d'origine maghrébine et l'importance des liens économiques tissés avec l'Afrique du Nord expliquent que les méridionaux aient suivi les phases de la guerre d'Algérie avec une attention particulièrement soutenue. Dans l'été de 1958, Marseille se sentit même directement concernée par le conflit, à la suite de l'attentat commis par le FLN contre les réservoirs d'essence de Mourepiane. Dans la vieille cité phocéenne, l'armateur Jean Fraissinet, qui essayait de regrouper toute la droite autour de son quotidien le *Méridional*, plaidait pour la défense de l'Algérie française.

Ce furent ces mêmes événements d'Algérie qui entraînèrent le retour au pouvoir du général de Gaulle en mai 1958, retour voulu par l'ensemble de la droite provençale et facilitée par le ralliement du socialiste Gaston Defferre. Au référendum du 28 septembre 1958, destiné à approuver la nouvelle constitution, le oui l'emporta largement.

Le référendum du 28 septembre 1958 à Marseille

abstentions	15,2 %
blancs ou nuls	0,8 %
oui	61,5 %
non	22,5 %

Les élections législatives de novembre 1958 confirmèrent la poussée gaulliste et le recul corrélatif de la gauche. En fait, beaucoup d'électeurs de gauche, surtout parmi les communistes, qui avaient voté oui au référendum, s'abstinrent lors du scrutin législatif. Dans les Bouches-du-Rhône, les communistes ne conservèrent que deux sièges, dont celui de Billoux, les socialistes trois ; Defferre, malgré son ralliement, était battu par un gaulliste UNR ; les membres de ce parti et les indépendants obtenaient six élus parmi lesquels Bergasse, Fraissinet et Hostache. Des résultats tout aussi significatifs furent enregistrés dans les autres départements : les Varois choisirent quatre députés gaullistes et ainsi, pour la première fois, privèrent la gauche de représentation. À Avignon, l'UNR (Union pour la Nouvelle République) Mazo rassembla deux fois plus de voix que son concurrent communiste.

Cependant, l'ambiguïté des votes de 1958 apparut rapidement. La gauche se ressaisit et chercha à remobiliser ses forces. À Marseille, Gaston Defferre, nouant une alliance avec le modéré Jacques Rastoin et développant un socialisme non doctrinaire, conserva sans difficulté son fauteuil de maire. À droite, les partisans de l'Algérie française, s'estimant trompés par le général de Gaulle à mesure que celui-ci s'orientait vers l'octroi de l'indépendance à ce territoire, passèrent à l'opposition. Fraissinet, devenu très hostile au fondateur de la Ve République, dut subir les foudres de la censure pour plusieurs de ses éditoriaux dans le *Méridional*. Deux députés du Var, Fabre et Vitel, favorables au maintien de l'Algérie dans le giron de la France, se séparèrent de la majorité et firent campagne pour le non au référendum de janvier 1961 sur l'autodétermination. En 1962, après la proclamation de l'indépendance de l'Algérie, le reflux des rapatriés, profondément traumatisés par les années difficiles qu'ils venaient de vivre et par les conditions dramatiques de leur exode, renforça le courant d'hostilité à de Gaulle.

À Nice, Jean Médecin se situait dans l'opposition pour des raisons différentes : il demeurait fidèle au libéralisme et au parlementarisme tels qu'ils avaient existé sous les IIIe et IVe Rébupliques. Très influent dans son département et subissant peu de menaces sur sa gauche, il n'éprouvait pas le besoin de s'allier aux gaullistes. Son fils et successeur, Jacques Médecin, suivit au début de sa carrière la même politique : il conquit son siège de député contre un concurrent gaulliste, il fit campagne pour le non au référendum de 1969 et, à l'élection présidentielle qui suivit la démission de De Gaulle, il se prononça en faveur d'Alain Poher, le centriste, contre Georges Pompidou, le gaulliste.

La conjugaison de ces différents facteurs empêcha le gaullisme de s'enraciner en Provence aussi profondément que dans d'autres régions. Il remporta certes des succès locaux ; ainsi, Pierre Ziller, s'il ne put se maintenir à la mairie de Grasse, conserva son mandat de député jusqu'à sa mort en décembre 1971. À Marseille, un célèbre chirurgien, membre du mouvement gaulliste, le professeur Joseph Comiti, conquit un siège de député et fut nommé secrétaire d'État à la Jeunesse et aux Sports en 1968. Mais globalement, et les Alpes-Maritimes mises à part, la gauche conserva de fortes positions jusqu'au début des années 1980. En 1967, les Aixois élirent Félix Ciccolini, premier maire socialiste de cette ville depuis 1925. Lorsque le courant progressiste défendait des principes analogues à ceux de la droite non gaulliste, la Provence se trouvait en opposition totale avec la tendance nationale dominante. Ainsi, au référendum d'octobre 1962, portant sur l'élection du président de la République au suffrage universel, les vieux départements provençaux figurèrent parmi les treize où le non l'emporta sur le oui. Cette particularité encouragea Gaston Defferre à constituer une grande Fédération démocrate et socialiste, située entre le gaullisme et le communisme, puis à se lancer dans la course à l'élection présidentielle de 1965. Le maire de Marseille dut abandonner le combat avant son terme, mais son entreprise avait préparé le terrain à François Mitterrand qui, au second tour, le 19 décembre 1965, dépassa le général de Gaulle dans tous les départements, sauf dans les Alpes-Maritimes.

Le deuxième tour de l'élection présidentielle de 1965
% des suffrages exprimés

	Basses-Alpes	Vaucluse	Bouches-du-Rhône	Var	Alpes-Maritimes	Moyenne
F. Mitterrand	56	58,3	56,5	52,6	49,5	54,6
C. de Gaulle	44	41,7	43,5	47,4	50,5	45,4

De même, aux élections législatives, si l'on met à part la consultation de 1968 où les Provençaux, réagissant comme les autres Français à la suite des événements sociaux, donnèrent plus de voix et de sièges à la majorité gaulliste, la gauche réalisa longtemps des scores importants dont la moyenne, calculée sur les cinq élections de 1962, 1967, 1973, 1978 et 1981, s'établissait à 54,3 % des suffrages exprimés.

La SFIO et le PC aux élections legislatives
% des suffrages exprimés

		1962	1967	1973	1978	1981
Basses-Alpes	PC	26	26,4	27	25,4	26,2
	SFIO	30,9	32,2	29,8	25,2	34,2
	Total	56,9	58,6	56,8	50,6	60,4
Vaucluse	PC	25,5	22,8	24	25	20,8
	SFIO	21,7	29,6	26,9	21,8	38,7
	Total	47,2	52,4	50,9	46,8	59,5
Bouches-du-Rhône	PC	30,2	31,2	32	31,9	28,4
	SFIO	27,6	28,8	27,8	23,9	33,7
	Total	57,8	60	59,8	55,8	62,6
Var	PC	27,6	26,2	25,7	24	17,4
	SFIO	18,2	20,2	22,3	20,6	34,7
	Total	45,8	46,4	48	44,6	52,1
Alpes-Maritimes	PC	25,3	24,7	23,3	24,4	17,5
	SFIO	15,4	18,2	14,8	15,4	23,8
	Total	40,7	42,9	38,1	39,8	41,3

La présence d'un important électorat de rapatriés assura également de bons résultats à la droite non gaulliste. Au premier tour des élections présidentielles de 1965, Jean-Louis Tixier-Vignancour, qui défendait les vues à la fois des milieux conservateurs ultra-nationalistes et des pieds-noirs, rassembla 5 % des voix dans l'ensemble de la France, mais 10 % à Marseille, 13,4 % à Avignon, 16 % à Toulon. Carnoux, commune où s'étaient installés de très nombreux rapatriés, donna 113 voix à de Gaulle, 306 à Tixier-Vignancour, 77 à Lecanuet, 53 à Mitterrand, 6 à Barbu, soit 452 aux opposants. La rancune suscitée par la politique algérienne du général de Gaulle ne se limita pas toujours à des choix électoraux antigaullistes : le 15 août 1964, lors d'une cérémonie au Mont-Faron, à Toulon, le président de la République échappa de peu à un attentat préparé par des irréductibles de l'Algérie française.

Une profonde mutation politique s'est opérée en Provence depuis le début des années 1980 : la gauche se trouve en perte de vitesse. Certes, au premier tour des élections présidentielles du 26 avril 1981, les suffrages additionnés de François Mitterrand et de Georges Marchais restaient majoritaires dans les Alpes-de-Haute-Provence, le Vaucluse et les Bouches-du-Rhône, mais, sauf dans ce dernier département, avec une faible avance sur les voix de Valéry Giscard d'Estaing et de Jacques Chirac.

Élections présidentielles du 26 avril 1981
% des suffrages exprimés

	Alpes-de-Haute-Provence	Vaucluse	Bouche-du-Rhône	Var	Alpes-Maritimes
F. Mitterand	25	25,9	23,8	22,9	21,2
G. Marchais	19,9	19	25,5	18	16,2
Total gauche	44,9	44,9	49,3	40,9	37,4
V. Giscard d'Estaing	27,2	26,8	25,5	31,3	32,2
J. Chirac	15,7	16,2	14,8	17,3	20,2
Total droite	42,9	43	40,3	48,6	42,4

Sept ans plus tard, le 24 avril 1988, au premier tour des élections présidentielles, les voix additionnées du socialiste François Mitterrand et du communiste André Lajoinie furent partout largement distancées par les suffrages des conservateurs Jacques Chirac, Raymond Barre et Jean-Marie Le Pen.

Élections présidentielles du 24 avril 1988
% des suffrages exprimés

	Alpes-de-Haute-Provence	Vaucluse	Bouches-du-Rhône	Var	Alpes-Maritimes
F. Mitterand	30,3	29,5	27	25,5	24,4
A. Lajoinie	9,2	7,8	11,2	7,1	6,1
Total gauche	39,5	37,3	38,2	32,6	30,5
J. Chirac	18,3	16,8	14,8	19,9	24,3
R. Barre	15,7	15,2	13,9	16,2	15
J.-M. Le Pen	16,7	23,2	26,4	25	24,2
Total droite	50,7	55,2	55,1	61,1	63,5

Le deuxième tour, le 10 mai 1988, disputé entre François Mitterrand et Jacques Chirac, confirma le caractère majoritaire de la droite.

Élections présidentielles du 10 mai 1988
% des suffrages exprimés

	Alpes-de-Haute-Provence	Vaucluse	Bouches-du-Rhône	Var	Alpes-Maritimes	Moyenne
J. Chirac	47	49,7	49,5	56,4	59	52,3
F. Mitterrand	53	50,3	50,5	43,6	41	47,7

Les élections législatives, effectuées dans un autre contexte où les considérations locales revêtent plus d'importance, révélaient aussi l'affaiblissement de la gauche, surtout des communistes, et les progrès de la droite au sein de laquelle le Front National obtint des scores de plus en plus notables. La moyenne des suffrages exprimés en Provence en faveur du Parti communiste entre 1962 et 1981 atteignait 25, 5 % ; aux élections législatives de 1986 et 1988, ce pourcentage tomba à 12,4 %, alors qu'il s'élevait à 18,2 % pour le Front National. À l'issue des consultations de mars 1986 et de

Élections législatives du 16 mars 1986
% des suffrages exprimés

	Alpes-de-Haute-Provence	Vaucluse	Bouches-du-Rhône	Var	Alpes-Maritimes	Moyenne
RPR-UDF	42	32	30,6	45,5	44	
FN	10,6	18	22,5	17,1	20,8	
Total droite	52,6	50	53,1	62,6	64,8	56,6
PS	30,8	30,1	25,8	24,1	23,5	
PC	14,2	10,8	14,5	10,3	8,6	
Total gauche	45	40,9	40,3	34,4	32,1	38,5

Élections législatives du 12 juin 1988 (1er tour)
% des suffrages exprimés

	Alpes-de-Haute-Provence	Vaucluse	Bouches-du-Rhône	Var	Alpes-Maritimes	Moyenne
RPR-UDF	35,4	34	24,7	36,3	41	
FN	11,3	18,1	24,7	21,2	18,1	
Total droite	46,7	52,1	49,4	57,5	59,1	53
PS	35,6	35,5	29,9	28,2	22,7	
PC	14,2	11,3	17,3	10,5	12,5	
Total gauche	49,8	46,8	47,2	38,7	35,5	43,6

Répartition des sièges de députés

	1986	1988
RPR-UDF	17	22
FN	8	1
PS	10	12
PC	2	3

Les élections européennes du 18 juin 1989 confirmèrent les tendances apparues lors des scrutins précédents.

Élections européennes du 18 juin 1989
% des suffrages exprimés

	Alpes-de-Haute-Provence	Vaucluse	Bouche-du-Rhône	Var	Alpes-Maritimes	Moyenne
RPR-UDF	25,4	26,2	23,9	28,3	30,4	
FN	12	17,8	20,8	22,9	25	
Centre	6,9	6,4	6	5,9	6,6	
Total droite	44,3	50,4	50,7	57,1	62	52,9
PS	22,2	21,5	19	18	17,2	
PC	9,7	8	12,9	8	7,2	
Total gauche	31,9	29,5	31,9	26	24,4	28,7
Écologistes	12,2	10,3	10,4	8,8	8,8	

juin 1988, la droite, dans ses diverses nuances, se trouva chaque fois majoritaire en voix et en sièges. En 1988, les Alpes-Maritimes et le Var ne concédèrent aucun siège à la gauche ; ce furent les Varois qui élirent le seul député Front National de France, Mme Yann Piat.

Le recul manque pour expliquer véritablement les changements politiques survenus en Provence. Le déclin de la gauche semble lié à l'évolution socio-économique de la région : ébranlement du monde rural où se conservait la tradition rouge, affaiblissement de la fonction industrielle et de la classe ouvrière qui fournissait de nombreux électeurs à la gauche, essor des activités tertiaires et des « cols blancs » où se recrute un électorat plus modéré, afflux dans les régions résidentielles de personnes âgées et aisées qui se tournent plutôt vers la droite, poids du vote pied-noir qui s'oriente également à droite, importance de l'immigration maghrébine et des problèmes de relation avec les autochtones dont certains se tournent vers le Front National, celui-ci se flattant de résoudre les difficultés par une réduction énergique de la présence étrangère.

Outre l'évolution des forces politiques, la Provence a connu sous la Ve République des changements plus ou moins importants dans ses structures administratives. Aux termes d'un décret du 13 avril 1970, le vieux département des Basses-Alpes a pris le nom plus flatteur d'Alpes-de-Haute-Provence. En décembre 1974, la préfecture du Var fut transférée de Draguignan à Toulon qui, arguant de son importance, réclamait depuis longtemps cette promotion ; les Dracenois, bien qu'ils eussent obtenu quelques compensations, maintien de certains services adminitratifs dont les Archives départementales, implantation de l'École d'artillerie, protestèrent violemment, mais ne purent fléchir les pouvoirs publics.

La création de la région Provence-Alpes-Côte d'Azur par la loi du 5 juillet 1972, l'élection d'un conseil régional et l'attribution de fonctions importantes à celui-ci grâce à la décentralisation instituée en 1982 consolident en quelque sorte l'unité et la solidarité des départements de l'extrême Sud-Est. Les habitants ne semblent pas toujours très sensibles à l'idéal régional, mais le rassemblement des terres provençales dans un cadre administratif commun et l'exercice d'une certaine autonomie laissée à celui-ci peuvent à terme permettre à la région de développer sa prospérité et de mieux défendre sa personnalité.

BIBLIOGRAPHIE

Généralités

AUTRAND (Aimé), *Un siècle de politique en Vaucluse, 1848-1956*, Avignon, 1958.

BASSO (Jacques), SCHOR (Ralph et alii), *Aspects de Nice du XVIIIe siècle au XXe siècle*, Annales de la Faculté des Lettres de Nice, 1973.

DEIDIER (Marius), *Histoire de La Ciotat*, La Ciotat, 1965.

DERLANGE (Michel), GONNET (Paul), SCHOR (Ralph), *Les Niçois dans l'histoire*, Privat, Toulouse, 1988.
EMMANUELLI (François-Xavier), *Histoire de la Provence*, Hachette, Paris, 1980.
FOURNIER (Joseph), *Histoire politique du département des Bouches-du-Rhône*, Encyclopédie départementale, tome V, Marseille, 1928.
GUIRAL (Pierre) et REYNAUD (Félix), *Les Marseillais dans l'histoire*, Toulouse, 1988.
Midi rouge et Midi blanc, *Provence-Historique*, avril-juin 1987.

Les débuts du XIXe siècle

AGULHON (Maurice), *La vie sociale en Provence intérieure au lendemain de la Révolution*, Paris, 1970.
AGULHON (Maurice), *La République au village. Les populations du Var de la Révolution à la IIe République*, Paris, 1979.
HONORÉ (Louis), « L'émigration dans le Var (1789-1825) », *Bulletin de la Société d'Études Scientifiques et Archéologiques de Draguignan*, tome XII, 1923.
MARGUERITTE (Michel), *La conscription napoléonienne dans le Var*, *ibid.*, tomes XIX et XX, 1974-1975.

Deuxième République

CONSTANT (Émilien), *Le département du Var sous le Second Empire et au début de la IIIe République*, thèse, 5 volumes, Aix-en-Provence, 1977.
VIGIER (Philippe), *La IIe République dans la région alpine*, Paris, 1963.

Le rattachement du Comté de Nice à la France

Les Alpes-Maritimes. Intégration et particularismes, 1860-1914, Nice, 1988.
HILDESHEIMER (Ernest), « L'annexion de Nice à la France », *Nice-Historique*, 1946, 1960, 1961.

Le mouvement ouvrier aux XIXe et XXe siècles

BEZIAS (Jean-Rémy), *Le communisme dans les Alpes-Maritimes, 1920-1939*, Nice, 1988.
BIANCO (René), *Le mouvement anarchiste à Marseille et dans les Bouches-du-Rhône*, Marseille, 1977.
MASSE (Jean), *Le mouvement anarchiste dans le département du Var de 1879 à 1904*, Actes du 90e congrès des Sociétés savantes, Paris, 1968.
OLIVESI (Antoine), *La Commune de 1871 à Marseille et ses origines*, Paris, 1950.
OLIVESI (Antoine), BERNARD (Marcel-Pierre), GUILLON (Jean-Marie), *Rouge-Midi*, in « Les communistes français de Munich à Châteaubriant (1938-1941) », Paris, 1987.

La IIIe et la IVe République

AGULHON (Maurice) et BARRAT (F.), *CRS à Marseille, 1940-1947*, Paris, 1971.

GIRAULT (Jacques), GUILLON (Jean-Marie), SCHOR (Ralph), *Le Var de 1914 à 1944*, Nice, 1985.

MESLIAND (Claude), « Gauche et droite dans les campagnes provençales sous la IIIe République », *Études Rurales*, juillet-décembre 1976.

« La presse dans les Alpes-Maritimes avant 1945 », *Mesclun*, no 1, 1986.

OLIVESI (Antoine) et RONCAYOLO (Marcel), *Géographie électorale des Bouches-du-Rhône sous la IVe République*, Paris, 1961.

SCHOR (Ralph), *Nice et les Alpes-Maritimes de 1914 à 1945*, Nice, 2e éd., 1980.

SCHOR (Ralph, dir.), « Presse et vie politique dans les Alpes-Maritimes dans la première moitié du XXe siècle », *Cahiers de la Méditerranée*, décembre 1986-juin 1987.

SCHOR (Ralph), « L'Idée Latine. Une revue de rapprochement franco-italien dans les années trente », *Italia, Francia e Mediterraneo*, Milan, 1990.

SCHOR (Ralph), *L'arrivée des juifs d'Italie dans les Alpes-Maritimes (1938-1940), ibid.*

Guerre de 1914-1918

MASSON (Paul), *Marseille pendant la guerre*, Paris, 1926.

SCHOR (Ralph), *Nice pendant la guerre de 1914-1918*, Aix-en-Provence, 1964.

SCHOR (Ralph), « Les réfugiés dans les Alpes-Maritimes pendant la guerre de 1914-1918 », *Provence-Historique*, janvier-mars 1969.

Le Front Populaire

BROT (Michel), *Le Front populaire dans les Alpes-Maritimes*, Nice, 1988.

GIRAULT (Jacques), « Les enseignants varois au moment du Front Populaire », *Annales du Midi*, juillet-septembre 1975.

OLIVESI (Antoine), « Le Front Populaire à Marseille d'après un sondage d'opinion », *Provence-Historique*, juillet-septembre 1967.

La Seconde Guerre mondiale

ARNOUX (Claude), *Le maquis Ventoux*, Presse Universelle, 1974.

AUTRAND (Aimé), *Le département du Vaucluse de la défaite à la Libération*, Avignon, 1965.

BAUDOIN (Madeleine), *Histoire des GF MUR de Marseille*, Paris, 1962.

BELLANGER (Claude), *La presse clandestine*, Colin, Paris, 1961.

DAUMAS (J.), *Avignon dans la tourmente, 25 mai-25 août 1944*, Avignon, 1975.

DELPERRIE DE BAYAC, *Histoire de la Milice*, Paris, 1969.

DURANDET (Christian), *Les maquis de Provence*, Paris, 1974.

GAILLARD (Lucien), « Les étrangers et l'épuration dans les Bouches-du-Rhône », *Revue d'Histoire de la Deuxième Guerre mondiale*, janvier 1979.

GARCIN (Jean), *De l'armistice à la Libération dans les Alpes-de-Haute-Provence (1940-1944), Chronique*, Digne, 1983.
GAUJAC (Paul), *La bataille de Provence, 1943-1944*, Paris, 1984.
GAUJAC (Paul), *La bataille et la libération de Toulon, 18 au 28 août 1944*, Fayard, Paris, 1984.
GIRARD (Joseph), « L'organisation et les opérations à caractère militaire des FFI dans les Alpes-Maritimes, mars-août 1944 », *Revue d'Histoire de la Deuxième Guerre mondiale*, 1972.
GIRARD (Joseph), *La Résistance dans les Alpes-Maritimes*, thèse de 3e cycle, 3 vol., Nice, 1973.
GIRARD (Joseph), « Contribution à l'étude de l'épuration dans les Alpes-Maritimes », *Recherches Régionales*, 1976, n° 3.
GUILLON (Jean-Marie), « Les mouvements de collaboration dans le Var », *Revue d'Histoire de la Deuxième Guerre mondiale*, janvier 1979.
GUILLON (Jean-Marie), « Le Var dans la Deuxième Guerre mondiale », *Historiens et Géographes, Bulletin de la Régionale de Nice*, mai-juin 1982.
GUILLON (Jean-Marie), « Vichy et les communes du Var ou les dilemmes de l'épuration », *Provence-Historique*, octobre-décembre 1983.
GUIRAL (Pierre), *Libération de Marseille*, Paris, 1974.
LATTRE DE (général), *Histoire de la 1re armée française*, Plon, Paris, 1956.
« La Libération des Alpes-Maritimes », *Cahiers de la Méditerranée*, juin 1976.
MICHEL (Henry), « Aspects politiques de l'occupation italienne », *Revue d'Histoire de la Deuxième Guerre mondiale*, 1957.
NOGUERES (Henry), *Le suicide de la flotte française à Toulon*, Paris, 1961.
NOUSCHI (André), GUILLON (Jean-Marie), PANICACCI (Jean-Louis) et alii, « Le débarquement du 15 août 1944 et la Libération de la Provence », *Provence-Historique*, avril-juin 1986.
OLIVESI (Antoine) et GUILLON (Jean-Marie), « Maquis et STO », *Provence-Historique*, janvier-mars 1987.
PANICACCI (J.-L.), « Les juifs et la question juive dans les Alpes-Maritimes de 1939 à 1945 », *Recherches Régionales*, 1983, n° 4.
PANICACCI (J.-L.), *Menton dans la tourmente*, Menton, 1984.
PANICACCI (J.-L.), *Les Alpes Maritimes de 1939 à 1945*, Nice, 1989.
PANICACCI (J.-L.), *Les communistes italiens dans les Alpes-Maritimes de 1939 à 1945*, Annali Feltrinelli, 1985.
Le Parti communiste dans la Résistance des Alpes-Maritimes, La Trinité, 1974.
ROBICHON (Jacques), *Le débarquement de Provence, 15 août 1944*, Paris, 1962.
ROUX (Gustave), *Histoire de l'occupation de la région d'Hyères et de sa libération*, Joulian, Draguignan, 1947.

Les hommes

CHAPUSOT (P. Robert), *Mgr Jean-Baptiste Colonna d'Istria, premier évêque français de Nice, 1758-1835*, Lethielleux, Paris, 1971.

COPPOLANI (J.-Yves), *Grands notables du Premier Empire. Alpes-Martimes*, Paris, 1980.

DELIAS, *Jean Médecin, maire de Nice*, Nice, 1972.

GIRAULT (Jacques), « Le dernier voyage de Clemenceau dans le Var (1920) » *in Clemenceau et la justice*, Publications de la Sorbonne, Paris, 1983.

GUEYRAUD (Paul), *Grands notables du Premier Empire. Bouches-du-Rhône*, Paris, 1980.

GUIRAL (Pierre), *Victor Gelu conservateur de gauche*, Marseille, 1983.

IZZU (J.-C.), *Clovis Hugues : un rouge du Midi*, Marseille, 1978.

LEFLON (Jean), *Eugène de Mazenod, évêque de Marseille*, 2 vol., Paris, 1960.

LEROY (André), « Les sénateurs du Var sous la IIIe République », *Bulletin de l'Académie du Var*, 1969.

LÉVY-SCHNEIDER, *L'application du concordat par un prélat d'Ancien Régime, Mgr Champion de Sicé*, Rieder, Paris, 1921.

MAUREAU (A.), *Grands notables du Premier Empire. Le Vaucluse*, Paris, 1978.

MESTRE (Jean-Louis), « Politique et recrutement du conseil général des Bouches-du-Rhône de 1852 à 1879 », *Provence-Historique*, avril-juin 1971.

MORY (Fernand), *Destins varois : de Peiresc à Clemenceau*, Toulouse, 1972.

OLIVESI (Antoine), « L'action militante de Gabriel Péri à Marseille », *Provence-Historique*, octobre-décembre 1975.

REY (A.), *Pourquery de Boisserin (1852-1920)*, Avignon, s.d.

SCHOR (Ralph), *Mgr Paul Rémond, un évêque dans le siècle*, Nice, 1984.

Les étrangers

SCHOR (Ralph), « Les Italiens dans les Alpes-Maritimes », 1919-1939, in *Les Italiens en France, 1914-1940*, École française de Rome, 1986.

TEMIME (Émile, dir.), *Histoire des migrations à Marseille*, 4 vol., Édisud, Aix-en-Provence, 1989-1991.

LIVRE TROISIÈME

LES ARTS PLASTIQUES AUX XIXe ET XXe SIÈCLES

Gérard Monnier

Par sa place dans la métamorphose de la vie sociale qu'apporte l'intense urbanisation, l'architecture est étroitement associée à l'histoire de la région depuis le milieu du XIXe siècle. Mais, à quelques exceptions près, la série des palaces de 1890 et la poignée des villas d'avant-garde, cette masse énorme de constructions est intégrée à une histoire nationale, et ne participe que de façon limitée à la création d'une identité régionale. Il n'en est pas de même pour la peinture : en dehors du creuset parisien, aucune région, en France et en Europe, n'est comme ici un territoire où se rencontrent à la fois les pratiques traditionnelles et les recherches de l'avant-garde, où la mobilité des artistes est intense, où les lieux fixent des références majeures dans l'histoire de l'art moderne et dans la culture de masse, avec les figures populaires de Cézanne, de Van Gogh, de Matisse et de Picasso.

D'un point de vue historique, cette présence de l'art moderne doit être restituée dans un contexte plus large que celui des œuvres, celui des pratiques. L'activité artistique est d'abord intégrée aux tâches traditionnelles du contrôle de l'environnement et de production de sa signification, dans les conditions d'une commande, passée selon les conventions en cours ; au début du XIXe siècle, malgré le changement des commanditaires, cette pratique des travaux d'art prolonge sans discontinuité les usages de la société d'Ancien Régime, et trouve longtemps son expression dans tous les arts. Le succès local des expositions, sur le modèle du Salon, et avec lui l'émergence progressive du marché du tableau, objet d'art, proposé à la vente, vont bouleverser les pratiques artistiques dans leur ensemble, transformer les conditions de l'accès aux œuvres, ruiner les systèmes de formation et de promotion, changer la carrière de l'artiste.

Caractéristique de l'évolution des buts et du statut de l'artiste à partir du Second Empire, l'art indépendant, affirmation d'un projet individuel d'autonomie, est la réponse, en termes d'émancipation culturelle, aux pressions qu'exercent les conventions sociales. Dans le Midi, Bruyas, à Montpellier, célèbre pour son appui à Courbet, et Cézanne à Aix ont manifesté les premiers cette rupture. Articulé avec les démarches correspondantes des artistes venus de Paris, cet art indépendant impose les sujets réalistes, la peinture en plein air, le refus de l'anecdote et de la fiction.

Entre 1880 et 1925, cette émancipation de quelques-uns est à la source de l'insertion insistante des artistes modernes dans le territoire méridional, même si leur présence a aussi d'autres causes : techniques (la lumière, les sites du littoral, peindre en plein air en hiver), conjoncturelles (l'accès depuis Paris en chemin de fer), et sociales (les artistes indépendants se regroupent par affinité, sont souvent accueillis sur place par des amis d'atelier). Le résultat est l'entrée en masse des images du Midi méditerranéen dans le musée imaginaire de l'art moderne, de Van Gogh à Cézanne et à Signac, de Renoir à Matisse et à Picasso.

Dans les années qui suivent la Seconde Guerre mondiale, la modernité n'est plus une rébellion, les nouvelles institutions de l'art implantées dans la région et les choix des élites consacrent l'art moderne comme une référence positive intégrée à l'identité régionale.

CHAPITRE XI

LA PEINTURE ET LA SCULPTURE

I. LES ARTS ET LES ARTISTES EN PROVENCE (1800-1925)

1. Les conditions de la pratique artistique en Provence au XIXe siècle

Au XIXe siècle, le fait nouveau en Provence est la constitution de deux pôles pour l'activité artistique : les nouveaux « amateurs » de tableaux, et la commande publique, qui ouvre aux artistes, en particulier aux sculpteurs, un large champ d'activité pour le décor architectural et urbain. À côté de travaux d'art liés à des pratiques sociales traditionnelles, comme les ex-voto, les genres artistiques dominants se redistribuent ainsi sur un schéma binaire : d'une part, impliquant la commande, l'art monumental et l'art de la commémoration, publique ou privée (le portrait et l'art funéraire) ; d'autre part, une peinture marchande, faite surtout de paysages, donnant lieu à de nouvelles pratiques, l'exposition et le marché des tableaux, prêts à la vente, proposés à une clientèle élargie.

Les rapports avec les institutions artistiques nationales se renforcent, en particulier avec l'École des Beaux-Arts de Paris et avec le Salon annuel. La formation et la reconnaissance sociale des artistes locaux adoptent des dispositifs identiques à ceux qui se mettent en place un peu partout en France à ce moment.

Les écoles de dessin, apparues à Aix et à Marseille au XVIIIe siècle, se multiplient à Avignon, à Carpentras, à Toulon. La plupart se transforment en écoles municipales des Beaux-Arts, à Aix, à Avignon, à Marseille, à Toulon. À Nice, une école des Arts décoratifs est créée en 1881. À l'école des Beaux-Arts de Marseille, l'enseignement de la peinture n'apparaît pas avant 1878. Plusieurs responsables de ces écoles jouent un rôle majeur : à Marseille, le peintre Émile Loubon (1809-1863), nommé directeur en 1846, est un animateur de la vie artistique locale. À l'école de dessin d'Avignon, le peintre Pierre Grivolas (1823-1906), nommé directeur en 1878, ouvre l'enseignement à la pratique moderne du paysage peint en plein air.

Ces écoles sont en liaison avec l'École des Beaux-Arts de Paris, où les élèves les plus méritants accèdent après l'attribution par les municipalités ou les départements de bourses d'études. Une fois à Paris, le jeune artiste tente sa chance au Salon des artistes vivants. C'est l'itinéraire de Gustave Ricard (1823-1872), élève d'Aubert à Marseille, entré en 1823 dans l'atelier de Léon Coigniet à l'École des Beaux-Arts de Paris, qui devient un portraitiste recherché sous le Second Empire, et qui grâce à Loubon conserve des contacts avec Marseille. Laurens, Leydet, Vayson, pour Avignon et le Comtat, Loubon et Casile pour Marseille, Courdouan et Nardi pour Toulon, entre autres, ont suivi cette démarche.

Dans plusieurs villes de la région les Sociétés des Amis des Arts organisent, sur le modèle du Salon de Paris, des expositions artistiques locales. À Avignon, à Toulon, ces sociétés sont éphémères. À Marseille par contre, l'autorité locale d'Émile Loubon et ses relations avec les milieux artistiques parisiens donnent un grand éclat à la « Société des Amis des Arts de Marseille », dont la première exposition, en 1846, réunit 194 artistes et 356 œuvres. Le public peut voir des tableaux de Delacroix, de Couture, de Decamps, de Granet, de Rousseau, de Troyon, de Diaz, de Roqueplan et de Fromentin, un choix éclectique qui correspond à l'actualité des récents Salons parisiens. En 1850, à la « Société des Amis des Arts de Marseille » succède une « Société des Amis des Arts des Bouches-du-Rhône », qui étend son audience. En 1861, l'exposition qu'organise Loubon est une vaste rétrospective d'art provençal, qui comprend plus de 1 200 peintures, 300 dessins, des gravures, des sculptures, des objets d'art décoratif. Cet effort laisse une empreinte réelle dans la vie artistique locale, et favorise l'activité des peintres, qui trouvent dès lors à Marseille leur clientèle et leurs moyens d'existence.

À Aix, la « Société des Amis des Arts » organise à partir de 1895 une exposition annuelle, où les critères d'admission tendent à reproduire le modèle du Salon parisien : sont admis à exposer les sociétaires et les artistes admis au Salon de Paris. Cézanne, sociétaire, est présent à cette première exposition, avec deux paysages, d'ailleurs aussi mal accrochés que possible. La Société, dissoute en 1909, renaît en 1919, et existe encore aujourd'hui. À Nice, la Société des Beaux-Arts est créée en 1876 par le peintre Alexis Mossa (1844-1926).

Ces pratiques encouragent l'apparition d'une critique ; à Marseille, Paul Chaumelin, sous le Second Empire, écrit dans *La Tribune littéraire et artistique du Midi*. Le marché des tableaux bénéficie de ces efforts ; le marchand le plus actif sous le Second Empire à Marseille est peut-être le peintre autodidacte Paul Martin (1830-1903), qui tient commerce de tableaux, de 1852 à 1865, rue Ferréol, et qui, ami de Loubon, propose avec enthousiasme à ses clients les peintres que celui-ci défend.

Les musées sont en Provence comme dans toute la France issus des objectifs de la politique de la Révolution en faveur des arts et de l'Instruction publique. Souvent tributaires, dans les centres urbains de la région, d'une pérennité culturelle héritée de l'Ancien Régime, les musées au XIXe siècle témoignent de la capacité typique des élites urbaines à participer à l'enrichissement des collections par des dons et des legs substantiels. La relation de ces musées avec l'actualité artistique ne se précise que beaucoup plus tard, et dépend de la pression locale d'une production reconnue, par exemple, au début du XXe siècle, à Marseille, à Martigues, à Saint-Tropez.

À Avignon, le musée Calvet, fondé pendant la période révolutionnaire, tire son nom du legs du cabinet de curiosités d'un médecin d'Avignon, Esprit Calvet (1728-1810). À Carpentras, le musée abrite les collections léguées à la ville par Mgr d'Inguimbert, bibliophile et amateur d'art, dans un ensemble de bâtiments complété en 1887. Le Musée d'Aix, installé dans l'ancien prieuré de Saint-Jean-de-Malte, acheté par la municipalité en 1825, s'ouvre en 1838. Des dons importants sont ici à l'origine du musée et de son enrichissement : legs Fauris de Saint-Vincent en 1820, legs de la collection et du fonds d'atelier du peintre Granet en 1849, donation Bourguignon de Fabregoule en 1860, legs des portraits prestigieux de la famille de Gueydan. À Arles, les œuvres du peintre Julien Réattu (1760-1833) et de son oncle Antoine Raspal (1738-1811), installées dans les bâtiments de l'ancien prieuré de Malte, sont achetées en 1868 par la Ville, qui crée alors le musée des Beaux-Arts.

À Marseille, le premier musée, créé en 1792, bénéficie des dispositions du Directoire, qui décide le 14 fructidor an IX (18 août 1801) l'envoi de collections de tableaux dans les quinze principales villes de France. Il partage longtemps, avec l'École Centrale du département et avec l'École de Dessin, les bâtiments de l'ancien couvent des Bernardines (l'actuel lycée Thiers). Sous le Second Empire, et par anticipation du mouvement général de création des musées sous la Troisième République, la réalisation fastueuse du Palais Longchamp, édifié par Espérandieu, donne un cadre monumental exceptionnel au nouveau musée des Beaux-Arts, à la mesure de la place que l'art et les artistes s'apprêtent à prendre dans la société marseillaise.

Sous la Troisième République, et dans une problématique de service public, le réseau de ces musées se complète par des réalisations communales systématiques. À Digne, le musée ouvre en 1883, celui de Carpentras est agrandi en 1887. À Toulon, au musée installé en 1857 dans la chapelle du Saint-Esprit, succède en 1888 un édifice monumental, construit par l'architecte Allar. À Martigues, à Saint-Tropez, les dons des artistes et la pression de quelques amateurs d'art vivant créent les embryons d'une collection municipale, à Martigues en 1908, à Saint-Tropez en 1922.

Le modèle de la carrière académique perd de sa force. Dans la peinture, la mise à la vente d'objets (les tableaux) remplace la commande de travaux, et les critères de la compétence se transforment. Les peintres amateurs sont nombreux : Prosper Grésy (1804-1874) est un fonctionnaire des Domaines, Aiguier (1814-1865) est longtemps coiffeur à Marseille, Paul Guigou (1834-1871) est clerc de notaire avant d'opter pour la peinture, Édouard Ducros

(1856-1936) est greffier à la Cour d'appel d'Aix, avant d'opter à 46 ans pour la peinture, Ferdinand Pertus (1883-1948), élève de Grivolas, est paysagiste, puis notaire, Ravaisou (1865-1925) occupe divers emplois, dont ceux d'instituteur et de directeur du mont-de-piété. Plus près de nous, Ambrogiani (1907-1985) est titulaire d'un emploi de postier à Marseille. Le statut d'artiste, en même temps qu'il devient plus attirant, devient plus accessible.

De jeunes décorateurs deviennent peintres de chevalet, comme J.-B. Olive (1848-1936), peintre décorateur à Marseille, puis à Paris, avant de s'imposer avec ses tableaux du littoral, ou Marcel Arnaud (1877-1956), décorateur de théâtre à Paris de 1895 à 1898, avant de faire une carrière de portraitiste et de paysagiste.

Pour les sculpteurs, la formation académique, en garantissant l'accès à la commande, maintient son prestige, particulièrement à Marseille jusqu'au milieu du XXe siècle, avec les carrières académiques réussies d'Auguste Carli (1868-1930), de Botinelly (1883-1962), de Paul Gondard (1884-1953), de Jean-Élie Vésien (1890-1982).

Après 1880, pour les peintres, la carrière académique ne présente plus le même attrait ; mais dans la région, les institutions héritées du XIXe siècle, écoles d'art et musées, forment longtemps une sorte de noyau dur, où subsiste une culture artistique académique. L'élément nouveau à la fin du XIXe siècle est la socialisation des pratiques artistiques, sous la forme de groupes et de sociétés d'artistes, dont plusieurs se fondent dans le Midi. À Marseille, la création en 1889 de l'Association des artistes marseillais ouvre la voie à une série d'expositions annuelles, mais qui excluent la confrontation avec d'autres artistes ; en organisant en 1902 une rétrospective des peintres provençaux, de Constantin à Guigou, la nouvelle association ouvre la voie aux célébrations d'une autonomie artistique plus virtuelle que réelle. Le groupe « Fraternité esthétique », que fonde à Marseille Valère Bernard en 1893, est sans lendemain. À Avignon ce sont les dissidents de la Société des Amis des Arts qui forment le « Groupe des Treize », dont la première exposition date de 1912 ; lui succède le « Nouveau Groupe des Artistes Régionaux », dont font partie Auguste Chabaud, Claude Montagne, René Seyssaud, un groupe qui expose au Musée Calvet en 1926. À Marseille, Alfred Lombard, initié au fauvisme, est l'animateur d'un « Salon de Provence », créé en 1907, devenu en 1912 et en 1913 le « Salon de mai » de Marseille, qui montre les œuvres de plusieurs transfuges du fauvisme parisien.

Les allées et venues des artistes entre Paris et le Midi sont à leur comble entre 1880 et 1914. La rencontre des préoccupations des artistes avec un milieu attentif à l'affirmation de l'identité régionale explique en partie les itinéraires de Seyssaud (1867-1952), de Chabaud (1882-1955), de Verdilhan (1875-1928), des peintres qui, après avoir fréquenté les milieux artistiques parisiens, se détournent de la compétition et des hautes pressions parisiennes, tout en essayant de conserver le bénéfice d'un contact prestigieux avec Paris.

2. Art savant et art populaire en Provence au début du XIXe siècle

Le paysage historique. Pendant la Restauration, peu de peintres dans la région s'impliquent dans les thèmes historiques, bien que la conjoncture soit propice à la relance de la commande d'œuvres religieuses et d'une peinture historique de circonstance, édifiante et un peu niaise, comme le grand tableau de Pierre Revoil (1776-1842), *François Ier faisant chevalier son petit-fils François II* (1824, Musée Granet, Aix-en-Provence). Dans le contexte d'une culture néo-classique, le paysage historique a plus de succès. Il a comme principal représentant en Provence Jean-Joseph Xavier Bidauld (1758-1846). Né à Carpentras, Bidauld est à Paris en 1783, puis à Rome, de 1785 à 1790, d'où il rapporte plusieurs paysages. Dans la lignée du peintre Valenciennes, inventeur du concours du « paysage historique » à l'École des Beaux-Arts, Bidauld poursuit une carrière consacrée par des achats de l'État et des commandes décoratives. Il associe l'histoire nationale avec la représentation du paysage dans le grand tableau *François Ier à la Fontaine de Vaucluse* (1803, Musée Calvet, Avignon), où il figure le roi de France, accompagné du poète Clément Marot, écrivant sur le tombeau de Laure les vers qu'il avait écrits pour elle en 1533. Premier paysagiste élu à l'Institut en 1823, Bidauld est proche de Vernet par le métier. Mais il n'a ni sa verve, ni son sens décoratif de la surface. Plusieurs paysages de Xavier Bidauld représentent la Provence intérieure, les sites du Comtat, avec *L'aqueduc de Carpentras*, la *Vue de Carpentras, côté nord* (Musée de Carpentras).

Jean-Antoine Constantin (1756-1844) fait la transition avec le paysage moderne traité pour lui-même. Après son séjour à Rome, ses dessins, à la plume et au lavis, où la culture rococo marque son empreinte, se disciplinent dans les vues de ville, traitées avec une ampleur et un sens de la distance qui doit beaucoup à Vernet, comme dans la *Vue du Château Borély* (Musée Longchamp, Marseille), ou dans la célèbre *Vue de la ville d'Aix prise de la montée d'Avignon* (Musée Granet, Aix-en-Provence). En 1817 et en 1819, Constantin expose au Salon des vues de Provence remarquées, notamment par Thiers, alors critique d'art débutant. Dans la *Fontaine-de-Vaucluse* (Avignon, Musée Calvet), un gouffre terrifiant, sous un éclairage dramatique, et dans *L'orage* (Salon de 1827, Marseille, Musée Longchamp), Constantin interprète des thèmes caractéristiques du moment romantique.

Un peintre d'histoire, François-Marius Granet (1775-1849). Élève de Constantin, Granet est avant tout un artiste de la Restauration. Il est né à Aix, mais la plus grande partie de son itinéraire artistique concerne peu la Provence. Granet est proche d'Auguste de Forbin, un jeune noble rencontré à Aix, et qui, en 1796, à Paris, l'aurait introduit dans l'atelier de David. En 1802, les deux jeunes gens gagnent Rome, où Granet séjournera jusqu'en 1824. Dans le Paris de la Restauration, ses peintures, aux thèmes opportunistes, consacrées à la vie des monastères et des religieux, attirent l'attention, depuis le *Chœur des Capucins* (1812), présenté au Salon de 1819, et dont le peintre exécute dix-sept versions. *L'intérieur de l'église basse d'Assise*, présenté au Salon de 1822, est acheté par le roi 12 000 francs, somme élevée pour l'époque. En 1824, bénéficiant de la protection du comte de Forbin devenu directeur des Musées Royaux, Granet, de retour à Paris, est nommé conservateur adjoint, et commence une carrière administrative, confirmée par sa nomination en 1830 à l'Académie des Beaux-Arts. En pleine bataille romantique, alors que la peinture d'histoire traite des drames intenses, Granet propose un imaginaire historique fade et plein de componction (*Saint Louis à Damiette donnant des secours aux prisonniers* 1823, *La mort de Poussin*, achevée en 1834), ou des thèmes religieux qui évoquent l'apparat des cérémonies romaines (*Le Cloître des Chartreux*, 1829) et la quiétude des couvents. La faveur de Louis-Philippe lui assure des commandes de tableaux historiques, et en 1834 il est nommé conservateur du Musée Historique de Versailles. Mais il est alors désabusé et aigri, il a conscience d'être en dehors de l'actualité, et il écrit en 1840 : « Il ne nous faut plus compter sur l'approbation des hommes pour nos ouvrages. Les jeunes gens, à tort ou à raison, nous ont rayés de la liste des artistes ; plus de gloire, plus de fortune, tout cela nous a été enlevé. » À cette époque son intérêt pour le paysage, manifesté déjà à Rome, s'exerce à nouveau, à Paris, à Versailles ou à Aix, où il réside de loin en loin à partir de 1838. On a récemment mis en valeur les petites études en plein air, à l'aquarelle, souvent bien inégales. Nommé directeur honoraire du Musée d'Aix en 1844, à sa mort, en 1849, il fait don à la ville de son fonds d'atelier et de ses collections. Son statut de bienfaiteur du musée et son rôle officiel (membre du jury du Salon, il s'est fait remarquer pour son intransigeance à l'égard des novateurs) lui ont donné un statut local éminent, auquel ne correspond pas un rôle artistique réel en Provence.

La mer et la terre : la double image de la Provence. Joseph Vernet (1714-1789), né à Avignon, avait joué un rôle essentiel, par ses succès (il est agréé à l'Académie Royale en 1745) dans la participation à la fin du XVIIIe siècle des peintres de la Provence à la culture nationale et à la mode de la peinture de paysage. Ses proches, son propre frère, et aussi ses collaborateurs et ses imitateurs (dont Jean Henry, dit d'Arles, et Lacroix de Marseille), vont longtemps décliner les paysages grandioses et composés de Vernet. Au XIXe siècle cependant, la dualité maritime et terrestre des thèmes partage les artistes, dans une sorte de spécialisation professionnelle, en relation avec une demande sociale différenciée. Aux images de la vie maritime, souvent des œuvres de commande, liées aux puissances du commerce et des professions de la navigation, s'opposent les représentations de la Provence intérieure, agricole et pastorale, imposées par les peintres.

De Vernet à Ziem, le thème des « marines » montre la place du monde maritime dans la culture de l'époque ; en Provence, tout particulièrement, puisque le monde des affaires et la société urbaine des villes du littoral, à Marseille et à Toulon, sont constamment confrontés au monde de la mer, qui fixe longtemps les curiosités, avant de les voir se tourner vers les modes symétriques du terroir et de l'Orient. Ces images de la vie maritime et les vues des ports sont nombreuses en Provence, à Marseille et à Toulon, pendant toute la première moitié du XIXe siècle ; périodiquement mises au goût du jour, transformées en représentations classicisantes, elles insistent sur la pérennité d'une Provence maritime éternelle (encore fréquentes chez Cordouan dans les années 1860) ou, au contraire, elles mettent en évidence, sous l'influence du romantisme, des événements dramatiques, avec Horace Vernet, *Le choléra à bord de la « Melpomène »* (1833, Musées de Marseille).

La peinture décorative. Peu étudiée, il semble que la peinture décorative soit faiblement recherchée à Marseille dans la première moitié du XIXe siècle ; dans les nouveaux quartiers, l'évolution de l'habitation, pour les couches aisées, modifie la demande à partir de 1840, date à laquelle s'établit à Marseille Latila, un peintre lyonnais ; il travaille au décor des immeubles de l'avenue Longchamp, et à celui du Café de France sur la Canebière (Mouriès). À partir du Second Empire, plusieurs entreprises spécialisées commencent leur activité : Camoin Jeune (à partir de 1851), Apy, Partol et Cie (1871), Michelon (1873). Pour les grands chantiers monumentaux, on fait appel surtout à des artistes extérieurs ; pour les travaux de la Préfecture, après la démission de l'architecte Martin, en 1864, le sénateur de Maupas fait appel à un décorateur parisien, François-Joseph Nolau (1808-1883). Pour le Palais Longchamp, Espérandieu s'adresse à Puvis de Chavannes, qui donne deux grandes peintures murales, *Marseille colonie grecque* et *Marseille Porte de l'Orient*. Mais c'est un peintre local, Raphaël Ponson (1835-1904) qui reçoit la commande des peintures murales du musée d'Histoire naturelle. À la Bibliothèque municipale, après la mort d'Espérandieu, le décor de la salle des fêtes est confié à Dominique Magaud (1817-1899), qui intervient ensuite dans plusieurs édifices publics. Plus tard, ces conditions semblent meilleures ; ainsi Valère Bernard reçoit, entre 1893 et 1911, plusieurs commandes, pour le décor d'un café à Marseille, pour une villa (1904, villa Le Masque), et pour le Museon Arlaten, à Arles en 1911. Pour la reconstruction de l'Opéra de Marseille, Augustin Carrera (1878-1952) peint *La légende d'Orphée* (plafond du foyer), et Mathieu Verdilhan un vigoureux *14 juillet à Marseille* (couloir des loges).

La sculpture monumentale. Elle dépend des travaux d'édilité, elle est en relation étroite avec l'architecture publique, l'embellissement, le décor urbain, et elle participe à cette forte présence de « l'imagerie civique » qu'étudie Maurice Agulhon, qui montre que la sculpture de cette période est bien l'outil daté de ce « didactisme figuratif et monumental ». De ce point de vue, sa place dans la région est en relation avec la localisation des batailles politiques, et avec la chronologie de leurs résultats sur les institutions municipales, avec une expansion forte après 1880. À Aix, ville modérée, le programme d'un décor urbain classique l'emporte, à Toulon, ardente ville républicaine, s'impose, à la fin du siècle, la combinaison du réalisme et de l'emphase baroque qu'affectionnent les républicains. Le paradoxe est que, sous des styles souvent conventionnels, cette sculpture manifeste sa modernité par les pratiques : la souscription publique, la percée des techniques industrielles (la fonte de fer) et de l'achat sur catalogue.

À Aix, les sculpteurs qui interviennent au XIXe siècle dans le décor monumental de la ville sont des sculpteurs néoclassiques, formés à Paris entre 1820 et 1850. Ils font une carrière parisienne, mais c'est à eux que va l'essentiel de la commande publique destinée aux embellissements de leur ville natale. Joseph Ramus (1805-1888) est né à Aix, où il étudie à l'École de dessin ; élève de Cortot à l'École des Beaux-Arts, il obtient le second Grand Prix de Rome, et sa carrière est surtout parisienne. À partir de 1847, et sous le Second Empire, il devient le fournisseur attitré de la statuaire des espaces publics : on lui doit les bustes de Thiers, Granet, Vauvenargues, Pereisc, Forbin, et à Salon la statue d'Adam de Craponne. François Truphème (1820-1888), fait lui aussi une carrière parisienne sous le Second Empire ; son projet en plâtre pour une statue de Mirabeau, présenté au Salon de 1869, conduit l'administration à lui passer la commande d'une statue de marbre destinée à Aix, inaugurée en 1876, aujourd'hui au palais de justice. En 1882, il reçoit la commande de deux groupes allégoriques conventionnels, *Les Arts et l'Industrie. Les Lettres et les Sciences*, pour l'entrée du cours Mirabeau. Hippolyte Romain Ferrat (1822-1882), entre en 1841 dans l'atelier de Pradier, et expose une *Chute d'Icare* au Salon de 1849. Le buste de *Granet*, présenté au Salon de 1860, est acquis par la ville d'Aix pour la place Bellegarde. Il travaille aussi au décor du Palais Longchamp à Marseille. Louis-Félix Chabaud (1824-1902), lui aussi élève de Pradier, est Prix de Rome de Médaille en 1848. Proche de l'architecte Charles Garnier, son ancien condisciple à Rome, il participe largement au décor sculpté de l'Opéra de Paris. Dans l'église de Venelles, il laisse un relief, *Le Baptême de Clovis*.

En 1859, ces quatre sculpteurs sont chargés du décor sculpté de la fontaine de la Rotonde. Pour ce monument, conçu et réalisé par l'ingénieur Tournadre, la vasque en fonte de fer est fondue par les ateliers Berthet, à Aix ; Truphème donne les modèles pour les figures de fonte, et, au-dessus d'un socle décoré de reliefs qui figurent des dauphins, par Ferdinand Michel, un groupe de trois figures allégoriques réunit Ramus (*La Justice*), Chabaud (*L'Agriculture*), Ferrat (*Les Arts*). Inaugurée en 1860, la fontaine de la Rotonde est une empreinte majeure de l'esthétique du Second Empire sur le paysage urbain.

À Marseille, le caractère dominant est l'abondance des commandes, en relation avec l'intense production architecturale ; ces données favorisent l'activité des praticiens, nombreux à faire carrière, dans un milieu professionnel où la qualification artistique des sculpteurs est étroitement articulée avec les métiers et les entreprises, comme le montre la carrière de Jules Cantini (1826-1916), sculpteur et riche entrepreneur, propriétaire de carrières. Dans ce contexte, sous le Second Empire, la formation des sculpteurs donne une importance particulière à l'école des Beaux-Arts de Marseille, d'où sortent de nombreux praticiens et des artistes fixés ensuite localement par la pratique sociale ; Marseille, de ce point de vue, a un réel rayonnement dans la région pendant deux générations, en réponse à une demande sociale étendue : restaurer la statuaire religieuse disparue pendant la Révolution, produire les effigies de la Vierge destinées aux oratoires des carrefours, décorer les édifices publics nombreux entre 1850 et 1914, statufier les grands hommes sous la Troisième République, édifier les monuments aux morts de la région. À leur meilleur niveau entre 1880 et 1914, dans des formes néo-baroques réjouissantes, ces sculpteurs, après 1918, représentent à la fois le vieillissement de la culture académique, et les formes de sa reconversion dans le décor architectural, devenu d'un classicisme hiératique, qui se poursuit sans discontinuité jusqu'en 1940.

André Allar (1845-1926), formé à Marseille puis à Paris, Grand Prix de Rome en 1869, donne le buste du monument à Espérandieu (1876), la fontaine de la place Estrangin-Pastré (1890), et la spectaculaire fontaine Cantini (1911-1913), typique du néo-baroque. À Toulon, il sculpte la Fontaine de la Fédération (1890), un manifeste républicain.

Jean-Baptiste Hugues (1849-1923), Grand Prix de Rome en 1875, sculpte la Fontaine des Danaïdes (1908, place du Chapitre). Henri Lombard (1855-1929), Grand Prix de Rome en 1883, sculpte un Monument à Pierre Puget (Place de la Bourse). Dans un style plus classicisant, Constant Roux (1865-1942), Grand Prix de Rome en 1893, donne la statue de bronze *La France armée*, dans le monument aux Mobiles (1892-1894), dont Jean Turcan (1846-1895) sculpte les reliefs, et le monument à Jean Bouin (1922, stade vélodrome). Auguste Carli (1868-1930), second Grand Prix de Rome en 1897, élabore le monument à l'ancien ministre Paul Peytral (1926), Louis Botinelly (1883-1962), celui du monument à Frédéric Mistral (1931-1932), et au XVe corps (1933-1939). Célébration néo-baroque des fonctions maritimes et coloniales de Marseille, le chantier de l'escalier monumental de la gare Saint-Charles (1923-1926) réunit Carli, Botinelly, avec Henri Raybaud, Henri Martin, Annoi. Paul Gondard (1884-1953) donne les monuments à Edmond Rostand (parc Chanot, 1930) et à Ernest Reyer. Tous reçoivent en outre de nombreuses commandes funéraires, que stimule la création en 1855 du cimetière Saint-Pierre à Marseille.

Après 1918, Antoine Sartorio (1885-1988) est le principal représentant du « retour à l'ordre », dans un style primitif et hiératique. Proche de l'architecte du département Gaston Castel, il collabore à la reconstruction de l'Opéra de Marseille (1921-1924), conçoit et réalise les figures sculptées du monument aux morts d'Orient (1922), le décor du Tribunal de commerce (1930-1933), et, avec Botinelly et Vézien, il produit le monument commémoratif au roi Alexandre de Yougoslavie et à Louis Barthou (1936-1941). Jean-Élie Vezien (1890-1982), Grand Prix de Rome en 1921, donne le monument à Gustave Ganay (1938, stade vélodrome) et à P.-A. Berryer (1948).

Art populaire et pratiques sociales : images de navires, ex-voto. Ces deux domaines de l'art populaire ont en commun d'être les réponses que les techniques artistiques de la représentation apportent aux demandes de la pratique sociale. D'une catégorie à une autre, les commandes plus ou moins régulières, les prix plus ou moins élevés et des opérateurs plus ou moins qualifiés établissent des distinctions fortes. Aux images de navire, où la représentation est instrumentale, correspondent de réels spécialistes, pour les ex-voto, œuvres plus spirituelles, des compétences approximatives suffisent souvent.

Directement liées à la société maritime, les images de navires illustrent l'association étroite de la représentation classique et du dessin technique. Depuis le XVIIIe siècle, la profession de peintre de navires connaît son heure de gloire à Marseille avec la famille Roux, dont la boutique d'hydrographie, installée sur le port, est à la fois un commerce de cartes marines, d'instruments de navigation, et un atelier de peinture. Après le fondateur de la dynastie, Joseph, son fils Antoine Roux (1765-1835) est un véritable portraitiste de navires. Son activité répond à une large gamme de besoins, de la représentation documentaire et flatteuse d'un bateau de commerce, offerte à un armateur ou à son capitaine, à l'image pieuse d'un ex-voto commandé par les rescapés d'un naufrage. Avec les guerres de l'Empire et le blocus continental, le registre s'étend aux batailles navales et aux images d'un épisode glorieux pour le commandant d'un navire de guerre. Antoine Roux, prodigieux dessinateur et excellent aquarelliste, est un fin connaisseur des navires, dont il donne une image précise et complète, d'autant plus fidèle que bien souvent c'est un connaisseur intraitable qui passe commande. Le genre se prêtait à des simplifications, et à toutes sortes de pauvretés artistiques, qui ont été souvent la règle pour ces praticiens ; au contraire, les œuvres d'Antoine Roux sont conduites avec des ressources techniques élaborées, qui appliquent à la représentation des bateaux des moyens picturaux qui sont ceux de la grande peinture. La beauté de l'objet peint fait ici bon ménage avec la haute vraisemblance de l'image documentaire, et les aquarelles d'Antoine Roux nous rappellent que l'unité de l'art et de la représentation technique était alors possible. Antoine Roux a eu trois fils, Antoine fils, Frédéric et François, qui travailleront dans le même sens jusqu'aux années soixante-dix.

Résultante d'une demande sociale plus dispersée et plus modeste, les ex-voto ont une place vigoureuse dans la culture régionale. Dans plusieurs églises votives, à Marseille, à Château-Gombert, à Martigues, à Gémenos, à Allauch, ont été déposés depuis le XVIIe siècle des ensembles importants d'ex-voto. Ces petits tableaux, manifestations de reconnaissance et de piété, mettent en scène à la fois « le miracle et le quotidien » (Bernard Cousin) ; ils ont en Provence leur apogée pendant la Restauration. Les plus spectaculaires, offerts par des marins, à la suite de drames de la mer, sont traités par des peintres de Marseille, spécialistes des scènes marines. Les textes incorporés aux images racontent des scènes terribles, des naufrages tragiques. Les ex-voto d'accident ou de maladie, moins élaborés, sont de facture plus fruste, encore qu'ils attestent de la pénétration d'une culture picturale savante dans cette période ; la perspective, le dessin du corps et le clair-obscur sont toujours les techniques de référence, même si elles ne sont pas dominées et appliquées correctement. À Marseille, Jules Roméo (1832-1909) est un des rares peintres d'ex-voto identifiés.

À la charnière de l'art savant et de l'art populaire : le cas Monticelli (1824-1886). Monticelli occupe une grande place dans la chronique des arts à Marseille au XIXe siècle, en raison des qualités de sa peinture, mais aussi parce qu'elle alimente avec intensité les nouvelles pratiques d'achat de tableaux prêts à la vente. Peintre remarqué par les collectionneurs des villes du Midi, de Marseille à Béziers, Monticelli est soutenu à Marseille par des personnalités riches et en vue, comme son ami Léon Chave (1822-1890), puis par des collectionneurs avisés, comme le collectionneur François Honnorat (1853-1921), négociant marseillais, collectionneur de Monticelli et de René Seyssaud.

Monticelli est d'abord un peintre à succès, un portraitiste recherché, qui travaille sur commande, avec un métier classique. Puis son art se transforme, par l'adoption de thèmes empruntés au monde de rêve des « fêtes galantes » du XVIIIe siècle. À partir de 1870, ces thèmes imaginaires supplantent tout le reste, et son style, en perdant toute la précision dessinée de la tradition classique, devient allusif et, avant la lettre, tachiste. Enfin c'est une figure romanesque d'artiste peintre qui, à la fin de sa vie, refuse la plupart des conventions sociales, et qui sombre dans la démence, tandis qu'autour de lui se gonfle la rumeur et que s'ébauchent des chroniques souvent approximatives, encore amplifiées après sa mort. Une production prolifique, surtout dans les dernières années, et un style de plus en plus relâché, écartent plus tard de lui bien des amateurs, et attirent en même temps les faussaires qui, des dizaines d'années durant, multiplient les faux Monticelli. À partir de 1900, la fortune critique posthume du peintre, soutenue à Paris par de grands marchands, d'importantes expositions, et des ventes retentissantes, à Paris et à Marseille, ne cesse de s'élever.

Monticelli suit un itinéraire atypique. Né à Marseille, élève de l'École municipale de dessin, Monticelli obtient le prix de dessin du modèle vivant en 1846 ; il séjourne ensuite à Paris deux ans. À partir de 1848, de retour dans le Midi, il est actif comme portraitiste, en particulier dans les villes du Languedoc, où le négoce des vins enrichit la bourgeoisie locale. En 1855, à Marseille, à l'occasion du mariage de son ami Chave, il peint *L'Assemblée* (aujourd'hui à Washington, collection Clark, Corcoran Gallery of Art), où il reprend le thème des scènes galantes, dans la lignée de Watteau. Ses contemporains voient bien, dans cette peinture de genre, tout ce que l'artiste emprunte au passé, tout ce qui aussi atteste chez Monticelli des « manières différentes », et, en termes d'histoire de l'art, un réel maniérisme, ce « parfum de vétusté », qu'évoque Chaumelin, à propos d'un portrait d'enfant, dans la manière de Vélasquez, montré à l'exposition de Marseille de 1859.

Habile praticien, Monticelli traite alors des commandes décoratives : pour un café-concert, l'Eldorado, des plafonds peints dans le goût du XVIIIe siècle, et, sur les murs d'une villa, en 1859, des scènes de la bataille de Magenta. En 1863, peut-être sur les conseils de son ami le paysagiste Paul Guigou, Monticelli quitte Marseille pour Paris, où il réside, à l'exception d'un nouveau séjour à Marseille en 1868, jusqu'en 1870. C'est au Louvre que se développe son intérêt pour les thèmes de la peinture du début XVIIIe siècle, pour « les scènes galantes », pour « les fêtes dans un parc », et son habileté à saisir la manière des peintres du style rococo se met au point à ce moment. Ces formules sont à mettre en rapport avec la redécouverte par les Goncourt de *L'art du XVIIIe siècle*, publié en 1859.

À partir de son retour à Marseille, sa pratique écarte les commandes, et bascule dans la production de tableaux prêts à la vente ; sa technique s'individualise, par l'accumulation des empâtements, posés et non frottés, superposés à une ébauche en grisaille, et elle retiendra plus tard l'attention de Van Gogh, qui en fait une de ses références. La combinaison est alors au point : l'évasion dans les plaisirs d'une société d'autrefois, et l'évidence satisfaite d'une mise en lumière, un clair-obscur envahissant et une abondance de la matière. Cet outillage pictural hyperqualifié authentifie le tableau comme catégorie distincte des estampes et des photographies. Son succès est antithétique de la faveur de l'image photographique.

Il faut aussi faire la part de la pratique de l'amateur de peinture. Le plaisir d'acheter est ici à la fois celui de l'initié, la gratification de celui qui identifie la qualité d'une production locale hors norme, et la manifestation des effets d'entraînement d'un groupe social. Car le succès de Monticelli est celui qu'il rencontre dans la société prospère de l'industrie et du commerce à Marseille. Personnalité locale, à laquelle on prête décidément beaucoup, trop peut-être, puisque « sans publicité, sans exposition, sans critique de presse, grâce à sa facilité et parce que ses œuvres plaisaient, Monticelli a vendu plus de tableaux en dix ans que bien des peintres pendant toute leur vie » (Alauzen). À partir de 1881, ce sont les acheteurs, dit-on, qui viennent chaque jour trouver le peintre dans un café des allées de Meilhan. Largement représentée, dans les années 1880, dans les intérieurs marseillais, la peinture de Monticelli est tributaire d'un fort effet d'entraînement local, qui montre qu'au XIXe siècle l'écart qui se creuse est autant en terme de pratique qu'en terme de genre ou de style : à l'œuvre commandée succède le tableau à vendre, puis acheté ; c'est la leçon des expositions. Sans passer par le Salon, les marchands, la critique, des relais qui ont été en général nécessaires aux artistes de la période, toute une classe sociale, la bourgeoisie d'affaires, les propriétaires, les négociants, et leur proches, participent à la reconnaissance de l'art de Monticelli. Cette sympathie d'une clientèle locale, qui manifeste par ses achats une participation concrète à une évocation visuelle de l'art du passé, est un épisode de l'éclectisme.

3. Le paysage moderne : inventaire, apologie, témoignage

Les paysagistes provençaux du Second Empire. Un peu partout en France, depuis les années 1830, le goût du paysage renouvelle l'intérêt pour la peinture. En Provence, cet inventaire de la nature est conduit à partir de

Marseille d'abord, puis de Toulon, vers Martigues, la Camargue, la Provence intérieure, le pays d'Aix, le littoral varois.

En Provence, aucun artiste n'a mieux utilisé que Loubon (1809-1863), les nouvelles institutions pour faire naître une culture artistique régionale et pour aider les peintres à tirer parti de nouvelles relations avec Paris. Cette stratégie utilise le tableau de paysage dont Loubon interprète la couleur locale en astucieuses images poétiques, mises en scène dans un espace exaltant. Né à Aix, d'abord élève de Constantin et de Clérian, à Rome en 1829, Loubon s'installe à Paris de 1832 à 1845. À partir de 1833, ses envois au Salon sont pour la plupart des paysages de sites provençaux, le *Gué de Mirabeau*, nommé encore *Troupeaux d'Arles descendant des Alpes à Saint-Paul-lès-Durance* (Salon de 1835, Marseille, coll. Bonasse frères) ; la formule est déjà au point : grand format, panorama construit, premiers plans animés par des figures d'hommes et d'animaux, éclairage latéral violent. Ces tableaux sont appréciés, et Loubon obtient en 1842 une médaille de 3e classe. En 1845, il succède à Aubert à la direction de l'école des Beaux-Arts de Marseille, où, à travers les activités de la « Société des Amis des Arts », il donne la mesure de ses capacités d'organisateur.

Loubon est d'abord l'artiste qui fait entrer les sites caractérisés du Midi dans les grands formats d'une peinture spectaculaire faite pour frapper le public des Salons. Les paysages du littoral (jusqu'à Antibes), de Martigues et de l'étang de Berre, de la Crau, de la vallée de la Durance et de la Provence intérieure pénètrent avec lui dans le domaine du grand tableau de chevalet. Attentif à la lumière et à des atmosphères transparentes, ainsi qu'au pittoresque des figures rustiques qui peuplent ses tableaux, Loubon est à sa façon un de ces peintres réalistes qui, un peu partout en France, commencent à mettre en image la variété du territoire et des cultures régionales.

De la tradition savante du « paysage historique », les paysages de Loubon conservent le thème narratif, dans un registre qui va de l'événement historique contemporain à la scène de genre. Il commémore ainsi l'épidémie de 1835 avec *L'Émigration pendant le choléra à Marseille* (1850, Montpellier, Musée Fabre, envoi de l'État), et il consacre un grand tableau à la présence, en 1854, dans les environs d'Aix, pendant l'expédition d'Orient, d'un campement de l'armée impériale, *La levée du Camp du Midi, 22 novembre 1854*. Souvent la narration est prosaïque, représente des figures de paysans revenant du marché, des bouviers ou des bergers accompagnant les troupeaux, etc. Mais, à la différence de l'anonymat de la tradition académique du paysage historique et de son traitement décoratif, un paysage documenté, souvent traité comme un panorama, enveloppe la scène dans un vaste espace pictural, traité avec les ressources de la perspective et des effets atmosphériques : raccourcis saisissants pour les premiers plans, éclairages latéraux intenses, coloris chauds dans les premiers plans et froids pour les lointains, matières travaillées. L'accent est mis sur l'interprétation optique de la représentation et sur le balayage horizontal du regard qu'impose un format inusité. Plusieurs tableaux de Loubon sont d'ailleurs nommés par lui-même des « panoramas », ainsi le *Panorama du port et d'une partie de la ville de La Ciotat*, et le *Panorama de la ville et du port de Martigues* (conservés dans les collections de la Chambre de Commerce de Marseille), tous deux peints en 1844, l'année qui précède l'installation du peintre à Marseille. Un des bons exemples de cette synthèse de la chronique locale et du panorama est la *Vue de Marseille prise des Aygalades un jour de marché* (1,40 x 2,40, Salon de 1853, Marseille, Musée Longchamp). L'allongement du format, la dimension de la toile, mais aussi le soin apporté au dessin des figures caractérisent un tableau spectaculaire, préparé pour s'imposer ; cette *Vue de Marseille* suggère que les formules de Loubon doivent beaucoup à sa participation à la vie artistique parisienne. Ces expériences sur la représentation de l'espace débouchent à la fin de sa carrière sur la *Razzia par les chasseurs d'Afrique* (Salon de 1857, Aix-en-Provence, Musée Granet), un tableau de quatre mètres de long dont l'intensité dynamique et spatiale frappe la critique : « Toute cette avalanche dessinée en raccourci est d'un effet extraordinaire » (Maxime Ducamps).

Les tableaux de Loubon montrent la voie à plusieurs peintres provençaux ; à Marius Engalière (1824-1857), qui reste très près de la formule initiale avec sa *Vue générale de Grenade prise sur la route de Malaga*, 1854, exposée au Salon de 1855 (Exposition universelle) (1,32 x 2,10, musée Longchamp, Marseille). À la suite de Loubon, le thème des ruines antiques est une référence pour Fabius Brest (1823-1900) et son ténébreux *Pont romain de Saint-Chamas* (Musée Ziem). Le goût du panorama se retrouve dans la *Montagne Sainte Victoire* (Musée Granet, Aix-en-Provence) de Prosper Grésy. Peintre autodidacte, conseillé par Loubon, Louis-Auguste Aiguier (1814-1865) restitue avec précision la morphologie et l'aspect du littoral dans les conditions de lumière exactes, avec la *Soirée d'automne aux Catalans* (1855, Exposition universelle). Il expose régulièrement au Salon, de 1859 à 1865. En suivant les pratiques de Ziem, à la fin de sa carrière il donne plus d'intérêt à l'interprétation des couleurs, et participe à sa façon, rigoureuse et discrète, au renouvellement stylistique du paysage.

C'est autour de Loubon que se manifestent ces « paysagistes provençaux », qu'on a trop rapidement identifiés à une soi-disant « école provençale ». Comme le montre Marielle Latour, c'est d'un groupe informel dont il s'agit, et s'il a une cohérence, c'est par la démarche, professionnelle, inspirée par Loubon, qui montre comment articuler le travail local avec la sanction des tableaux par le Salon de Paris. Le succès global de tous ces paysagistes a des conséquences majeures, car la vogue du paysage, un thème moins directement instrumental que le portrait, contribue à la reconnaissance culturelle de l'art réaliste, et à la construction imaginaire d'une identité régionale.

Prosper Grésy (1804-1874), combine une carrière de fonctionnaire des Domaines avec un itinéraire de paysagiste provençal ; en poste en Provence (à Arles, à Aix, à Marseille) de 1831 à 1840, de retour à Marseille en 1861, il se manifeste par ses envois au Salon, de 1837 à 1867. Paul Guigou

(1834-1871), dans la génération suivante, fait le lien avec les recherches parisiennes ; clerc de notaire à Apt puis à Marseille, lui aussi stimulé par Loubon, il montre des paysages à l'exposition de la Société des amis des arts, à Marseille, à partir de 1854. Ses sites de prédilection sont la Provence intérieure, la vallée de la Durance, le Lubéron, la Crau. Il en exalte la minéralité, sinon l'âpreté, dans des représentations peintes sans mièvrerie ; les esquisses faites sur place, il travaille ensuite le tableau à l'atelier. Le coloris, qui était encore en 1860 conventionnel, avec des contrastes de valeur dans la manière sombre de Loubon, s'éclaircit, puis exprime avec franchise et recherche les tons spécifiques des sols et de la végétation. En s'installant à Paris en 1860 (un an avant Cézanne), Guigou semble se préparer à affronter un territoire professionnel plus vaste que celui de paysagiste régional ; présent aux rencontres du café Guerbois, il fréquente les sites choisis par les peintres qui deviendront les impressionnistes (Fontainebleau, Villennes et Triel, sur la Seine, en aval de Paris). Le tableau montré au Salon de 1863, *Les collines d'Allauch*, ne fait qu'évoquer les sources de la grande disponibilité de l'artiste ; sa disparition prématurée, à 37 ans, interrompt une démarche prometteuse.

Dans la génération suivante, plusieurs paysagistes poursuivent avec fidélité dans cette voie, notamment dans le pays d'Aix. Louis Gautier (1855-1947), est entré à Paris en 1880 dans l'atelier de Cabanel grâce à une bourse de la ville d'Aix ; de retour à Aix en 1884, son activité de paysagiste et de peintre de natures mortes s'exerce avec un évident succès local, mais dans une technique classique, préservée de toute contamination « moderne », ses références se limitant à Corot et à Meissonnier. Édouard Ducros (1856-1936), greffier à la Cour d'appel d'Aix jusqu'à l'âge de 46 ans, se consacre ensuite à la peinture ; dans ses paysages, traités avec des empâtements uniformes, il fait l'inventaire des sites pittoresques des environs d'Aix, en particulier de Martigues et des rives de l'étang de Berre. Mentionnons encore Théodore Jourdan (1833-1907), avec ses *Environs de Rognac* (Musée Ziem).

Ziem et Martigues. Dans l'inventaire systématique des paysages pittoresques de la Provence par les peintres, Martigues vient en bonne place. Le site offre à la fois le paysage naturel des rives de l'étang, bien distinct de la Provence minérale de l'intérieur, et la vue d'un port traditionnel, peuplé de marins-pêcheurs, un site maritime encore intact, à l'écart des bouleversements des grands ports par l'industrie. Enfin, pour d'autres artistes, comme Ziem, cette ville posée sur l'eau évoque les paysages exotiques de Venise et de la Méditerranée orientale. Les peintres qui font le succès de la « Venise provençale » sont Émile Loubon, Édouard Ducros, Honoré Boze (1880-1908), Henri Paillard (1844-1912).

Le plus illustre des peintres qui ont fréquenté Martigues, Félix Ziem (1821-1911), est né à Beaune, d'un père tailleur de pierre. Élève de l'École d'art de Dijon, il étudie d'abord l'architecture, mais il a décidé d'être peintre lorsqu'il quitte Beaune, à 19 ans, pour l'Italie et pour Rome. Voyageant à pied, sans argent, il travaille un temps à Marseille comme dessinateur dans l'agence de Montricher, l'ingénieur qui construit le canal de la Durance à Marseille. C'est à ce moment, en 1840, qu'il vient pour la première fois à Martigues.

Après un long séjour à Venise, qu'il voit avec les yeux d'un peintre orientaliste, ses toiles brillantes et mouvementées de la ville et de ses fêtes lui ouvrent la voie d'une carrière de peintre en vue à Paris ; il est admis au Salon dès 1849. En 1861, il revient à Martigues, attiré par son image de cité maritime, par ses plans d'eau. Il fait construire un atelier tourné vers le soleil couchant, en bordure de l'étang de Caronte, et dans le jardin une mosquée en réduction et son minaret lui fournissent les motifs orientalisants dont s'inspire sa peinture. Ziem renouvelle l'image picturale du motif maritime, en insistant sur l'apport de la couleur et sur l'intensité de la vision. Ses thèmes nautiques ont du mouvement, des effets atmosphériques, le style est dynamique, la mise en page frappante. Le passage à des grands tableaux justifie le changement de technique, l'usage d'une large brosse, qui banalise quelquefois une sorte de paysagisme à la Turner. La métamorphose de la représentation par le style saute aux yeux lorsqu'on observe l'interprétation que donne Ziem de la *Mosquée de Martigues* (Musée de Martigues) construite dans son jardin ; il la traite de façon allusive, en insistant sur l'unité des éléments, sur l'accord de l'architecture avec l'atmosphère. Ziem, et en cela, contemporain des impressionnistes, il est bien de son temps, n'est vraiment lui-même que dans ce rapport direct à l'expérience visuelle. Dans ce sens, on regardera avec attention les dessins de Ziem. Leur graphisme nerveux, la précision de l'analyse des éléments d'architecture ou des navires, doivent beaucoup ici à sa formation d'architecte.

Peintre à succès, il éblouit la bonne société de Martigues ; Ziem fait don à la ville en 1908 d'une brillante esquisse, *Visite de l'escadre italienne à Toulon en 1881*. Ce tableau sera l'embryon d'une collection municipale, autour de laquelle se forme le Musée Ziem. L'artiste, et plus tard madame Ziem en 1912, ont légué au musée plusieurs tableaux.

Au Musée de Martigues, deux petits tableaux de Francis Picabia, *L'Étang de Berre, paysage de la Mède* (1902), et *Le Canal du Roy* (1908), qui ne présentent qu'un intérêt de curiosité, attestent des séjours à Martigues du peintre, qui, avant d'être l'artiste des ruptures, est attaché à une vision naturaliste traditionnelle. En 1913, André Derain (1880-1954), qui est déjà une des vedettes de l'art parisien d'avant-garde, séjourne à Martigues, et il y peint d'intéressantes images de la ville et du site, dont une belle *Vue de Martigues* (1913, Musée de Zurich), au dessin stylisé, qui n'est plus du tout dans la lignée de la peinture naturaliste du XIXe siècle, mais où la vision du site est un point d'appui pour un retour à l'ordre de la peinture composée. Dans une autre version, de format plus carré, le peintre s'attache à une représentation plus imaginaire, avec au fond des montagnes élevées, dessinées dans le style d'un primitif italien (1913, Musée de l'Ermitage, Leningrad). À la veille de la guerre, à Martigues comme ailleurs, à l'inventaire des sites naturels succède l'expérimentation picturale.

Et lorsqu'il s'agit d'expérimenter les premiers procédés de la photographie en couleur, c'est encore à Martigues que viennent opérer plusieurs photographes, face aux peintres, et, à son tour, le rapin devant son chevalet devient à Martigues un motif pour le photographe ou pour le cinéaste. L'expérimentation des *plaques autochromes*, un des premiers procédés de photographie en couleur, mis au point en 1907, conduit naturellement à Martigues les photographes marseillais, qui y cherchent les « motifs » pittoresques ; et aussi la fameuse lumière des peintres.

Paul Cézanne (1839-1906). Aucun autre artiste ne représente avec autant d'intensité que Cézanne la fonction émancipatrice de l'art dans le contexte culturel et social de la Provence de la fin du XIXe siècle. Produit chimiquement pur d'une petite bourgeoisie locale, bénéficiaire de la prospérité d'un père entrepreneur puis banquier, il trouve dans ce statut social la source d'une indépendance économique qui lui permet de s'associer, non sans difficulté, aux pratiques culturelles des artistes avancés de Paris ; il en tire une revendication absolue d'autonomie, qu'il applique ensuite, dans un isolement local impressionnant, à la reconstruction délibérée d'un art de peindre.

L'itinéraire culturel et artistique du peintre passe d'abord par les amis de collège, Zola et Baille, la pratique de la musique, l'École de dessin d'Aix. En 1861-1863, les premiers séjours à Paris de Paul Cézanne ont des résultats virtuels : l'échec à l'admission à l'École des Beaux-Arts, la découverte du Louvre et du Salon, les rencontres de Cézanne avec Pissarro, Renoir, Monet, Sisley, Bazille ; il expose au fameux Salon des refusés en 1863. C'est dire le nombre et la qualité des attaches, à vrai dire étonnantes, que Cézanne parvient immédiatement à nouer avec le milieu qui sera celui des impressionnistes. Mais qui ne le fixent pas pour autant à Paris. En effet, à partir de 1864, Cézanne commence une vie de nomade, alternant des séjours à Paris et dans ses environs (Auvers, Fontainebleau), à Aix, et aussi à l'Estaque (à partir de 1870, où, avec la complicité familiale, il se met à l'abri d'un appel sous les drapeaux), à Gardanne (à partir de 1885). Un Cézanne nomade était impensable dans la génération précédente ; il est en effet tributaire du chemin de fer, du fameux PLM (on met quinze heures pour aller de Marseille à Paris en 1877), et les résidences de Cézanne dans les environs d'Aix sont en relation étroite avec la mise en service des lignes de chemin de fer d'Aix à Marseille, via Vitrolles et l'Estaque d'abord, puis via Gardanne (à partir de 1877). Mobilité ferroviaire, moderne et consentie, indéniablement.

Elle est relation avec l'apprentissage de la peinture de paysage et de la peinture en plein air, avec les séjours dans la région de Pontoise et d'Auvers, auprès du mentor Pissarro, entre 1872 et 1874. Une préoccupation qui lui est propre, la construction de la représentation, s'affirme pendant les séjours à Aix, à l'Estaque, à Gardanne, où les sites locaux, aux formes plus minérales, aux couleurs plus saturées, dans une lumière drue et violente, servent d'appui. Dans les années 1890, les thèmes s'étendent aux figures, saisies dans leur contemporanéité, avec *Les joueurs de cartes* (1891), les portraits, et, avec les ambitions du retour au grand format, les scènes idéales de la série des *Baigneuses*. Avec ses deux aspects fondamentaux, la perception consciente (« la petite sensation »), et la réalisation élaborée (aidée par la pratique de l'aquarelle), Cézanne ne cesse de développer l'expérimentation technique permise par la peinture en plein air ; les dernières toiles consacrées à la *Sainte-Victoire* (1906) établissent bien cette importance essentielle de la peinture sur le motif, maintenue jusqu'au bout, puisque c'est pendant une séance de travail en plein air que Cézanne est pris d'un malaise, qui amène sa mort, le 22 octobre 1906.

La vie personnelle de Cézanne, mais aussi sa vie sociale, sont en partie à Aix, en partie ailleurs. Ce milieu complice, ces artistes compétents et attentifs, ces premiers collectionneurs (Choquet), les marchands (Vollard), la consécration par une première exposition personnelle (galerie Vollard, 1895), Cézanne les trouve à Paris, à Fontainebleau, à Pontoise, à Auvers, à Giverny ; à Marseille aussi, où il rencontre Monticelli en 1883, avant de voyager avec lui en Provence, à l'Estaque en 1884, où il retrouve Monet et Renoir, au retour d'un voyage en Italie. Mais à Aix se manifeste beaucoup de dédain, pour l'héritier dévoyé, pour l'artiste raté, un mépris que Zola lui-même exprime avec cruauté dans son roman *L'œuvre*, en 1886, qui est la cause d'une rupture définitive entre les deux amis. Dans les faits, sa vie à Aix, après son mariage avec Hortense Fiquet, en 1886, est sans ride, et Cézanne se manifeste même dans les années 1890 par une piété de catholique pratiquant. C'est cependant à Aix que Cézanne procède à l'installation de ses résidences, dans la propriété familiale, au Jas de Bouffan, jusqu'en 1899, puis rue Boulégon, jusqu'à sa mort, complétées par des ateliers, un cabanon à Bibémus, au pied de la Sainte-Victoire, puis par la construction de l'atelier du chemin des Lauves, à partir de 1901.

Aix, c'est plus tard la visite des amis, l'hommage des jeunes artistes de passage, Émile Bernard, Maurice Denis, Charles Camoin. Écart symptomatique : Cézanne rencontre plusieurs fois Van Gogh, mais à Paris, pas à Arles, ni à Aix. Avec Cézanne s'impose pour la première fois le constat : l'artiste n'a plus comme autrefois cette relation de proximité, de dépendance, ce contact exclusif avec un environnement social immédiat. La mobilité, des institutions éclatées transforment les conditions de la vie personnelle et artistique de l'artiste.

Les sites que Cézanne découvre à portée d'Aix ont les ressources de la variété : des villages, des vues panoramiques, des sous-bois, des sites de plaines, des roches, des cours d'eau, la mer. Ceux qui avaient été interprétés dans la vision néoclassique ou romantique sont métamorphosés par une vision et une peinture expérimentales ; d'autres, dont personne avant Cézanne n'avait vu la beauté hors du temps, entrent dans le musée imaginaire du Midi consacré par l'art des peintres modernes : la campagne des Lauves, les sous-bois et les rochers de Bibémus, les terres rouges de Beaurecueil, qu'on ne peut plus voir aujourd'hui que sous la forme de sites cézanniens.

Émules de Cézanne. Des peintres aixois contemporains de Cézanne, Joseph Ravaisou (1865-1925) en est sans doute le plus proche par la rigueur morale et par la sincérité. Son itinéraire fait de lui à la fois un homme du XIXe siècle, avec les apparences d'un autodidacte instable, et un moderne, un peintre fervent du plein air, et surtout un artiste qui affirme sa culture d'opposition. Joseph Ravaisou est aussi un homme moral, un polémiste, qui le moment venu défend Cézanne dans la presse locale avec une claire conscience des enjeux. Soupçonné d'être un « libertaire », il reste toute sa vie à l'écart de la bonne société aixoise, même après être devenu directeur du mont-de-piété local, en 1912. Dès son retour à Aix en 1897 (il a 32 ans), et malgré cette forme de vocation tardive, il se comporte en artiste obstiné et convaincu de son projet, qu'il conduit sans autres références que Cézanne et la découverte bien tardive (en 1900 à Paris, à l'occasion de l'Exposition universelle) de la peinture des impressionnistes. Ardent défenseur de Cézanne à Aix, Ravaisou est aussi un critique attentif et lucide : « Cézanne est peut-être le plus exact et le plus réaliste des peintres contemporains », écrit-il en 1907.

Le plus ancien tableau conservé, *La ferme aux Pinchinats* (Collection particulière, Gardanne), date de 1898 ; la composition esquisse un canevas cézannien, et l'exécution est vivante. Disciple discret de Cézanne, qu'il a accompagné souvent sur le motif, comme lui Ravaisou opère dans les sites des environs d'Aix une sélection qui se prête à des interprétations modernes de l'espace et du coloris, avec un goût marqué pour les plans proches, pour les visions frontales, qui soulignent ce que Cézanne apporte à la vision du peintre. Resté volontairement et longtemps à l'écart des expositions (il n'expose jamais aux « Amis des Arts »), et des marchands, en 1914 Ravaisou consent à exposer, avec son amie Louise Germain, à la galerie Audin d'Aix. Mais, tout de suite après sa mort, des expositions rétrospectives, l'une à Marseille, en décembre 1925, l'autre à Aix, en 1937, amorcent une reconnaissance posthume, symbolisée par l'entrée d'un tableau de Ravaisou au musée du Luxembourg à Paris en 1929, événement dont la portée dépasse les limites de la région.

Marcel Arnaud (1877-1956) est né à Marseille, et c'est en décorateur de théâtre qu'il travaille à Paris de 1895 à 1898 ; après son service militaire, effectué à Toulon, il reste en Provence, où il a d'abord une activité de portraitiste ; à Marseille, il participe au mouvement créé par Valère Bernard, le Cénacle, en 1906. En 1913, il est nommé professeur de dessin à l'école des Beaux-Arts d'Aix, dont il est le directeur de 1917 à 1946 ; il est aussi de 1927 à 1949 conservateur du musée Granet. Il est un des Aixois, peu nombreux entre les deux guerres, conscients de l'importance de Cézanne, dont il occupe l'atelier de la rue Boulégon. Après les vigoureux portraits peints de 1900 à 1912, à Aix, il devient un peintre du plein air, un paysagiste enthousiaste et quelquefois inspiré, qui fait l'apologie des sites du pays d'Aix, dans des formats modestes, dans une vision qui doit beaucoup à son ami Ravaisou.

Coloristes provençaux : Seyssaud, Chabaud, Verdilhan. À partir des années 1880, l'itinéraire des artistes originaires de la région établit une relation étroite, au moins temporaire, avec les nouvelles structures de la vie artistique à Paris, les nouveaux salons (Salon des Indépendants, Salon d'automne), et les marchands en vue. Élèves du peintre Grivolas à l'école des Beaux-Arts d'Avignon, qui les initie au paysage moderne, René Seyssaud et Auguste Chabaud ont en commun un itinéraire identique, qui part d'une initiation, puis d'une participation, aux formes picturales parisiennes novatrices, et qui débouche sur l'exploitation commerciale intense, auprès de marchands parisiens et marseillais, de formules picturales figées qui font référence une fois pour toutes à l'une ou à l'autre phase artistique reconnue, au « fauvisme », ou à « l'expressionnisme », une manière éminemment commerciale de privilégier l'image de marque du produit.

René Seyssaud (1867-1952), fils d'avocat, est né à Marseille. Après des études artistiques à Marseille et à Avignon, où il subit la forte empreinte de Grivolas, il est rapidement présent chez les principaux marchands parisiens (Vollard, Bernheim jeune) et il expose au Salon des Indépendants, en 1892, puis au Salon d'automne. Avec de forts empâtements, une facture spontanée et un coloris arbitraire, la peinture de Seyssaud interprète avec violence les paysages régionaux ; mais le schéma figuratif reste tributaire de celui des paysagistes du XIXe siècle. Ce primitivisme, dont la chronologie établit qu'elle est antérieure au fauvisme, a du succès, attesté, après 1900, par de nombreux achats de l'État, et par une place constante dans les circuits régionaux et internationaux du marché de l'art. Seyssaud, qui réside à Paris et à Saint-Chamas, mène ainsi une carrière de paysagiste. Pour beaucoup, sa facture non conformiste, libérée des critères de la maîtrise conventionnelle du dessin et de l'exécution, est devenue un label incontestable de modernité.

Auguste Chabaud (1882-1955). D'abord élève de Grivolas à l'école des Beaux-Arts d'Avignon, Auguste Chabaud « monte » à Paris en 1899, où il sera l'élève de Cormon. Entre 1907 et 1912, Chabaud réside à Montmartre, où il côtoie tous ceux qui participent à l'émancipation de la peinture. Sa peinture se simplifie, il adopte un style rudimentaire et contrasté, fait d'à-plats de couleurs vives et de cernes noirs ; la perspective se limite à la combinaison de plans successifs, mais sans la spéculation et les raffinements du cubisme. Il consacre de nombreux tableaux à l'inventaire de la vie nocturne du quartier, de ses lieux emblématiques, le Moulin de la Galette et les beuglants du moment ; s'il voit le premier la modernité de la mise en scène de la rue par l'éclairage électrique et les enseignes lumineuses, les thèmes qui le retiennent le plus souvent sont convenus : celui du petit peuple qui hante les cafés-concerts, celui de la visite obligée au bordel, où Chabaud insiste avec morbidité sur l'image violente d'une population de soldats et de prostituées : « Nulle gaieté là-dedans, ni complicité canaille à la Lautrec, ni grandeur tragique à la Rouault. La peinture se fait dure et caricaturale. Les sourires sont macabres, les corps pitoyables. Sous le voyeur, le puritain perce, héritier d'une famille de pasteurs nîmois » (Philippe Dagen, 1989). Le schématisme de la mise en forme et la rudesse technique de la facture permettront à Chabaud plus tard d'affirmer qu'il a « hurlé avec les fauves ». Ces propos ambigus (alors que Chabaud ne figure pas dans le livret du Salon d'automne avant 1907) seront mis à profit par des critiques complaisants. Après la Grande Guerre, Auguste Chabaud, installé dans le village de Graveson, dans les Alpilles, entre Tarascon et la Durance, cultive son identité d'artiste rebelle et sauvage. Peintre moderne « indépendant », il applique ses formules à la production abondante d'une représentation stéréotypée de la vie rustique et des paysages régionaux, mais la violence convenue de l'interprétation et la véhémence du coloris n'ont plus la moindre base morale. Largement relayée par le commerce d'art régional, qui satisfait une population d'amateurs friands de participer à cette soi-disant émancipation de l'art, puis célébrée à des fins spéculatives, la peinture de Chabaud reste, par son succès, à la fois psychologiquement explicable et esthétiquement problématique.

Louis-Mathieu Verdilhan (1875-1928) est un autodidacte, né à Saint-Gilles-du-Gard. Fortement aidé par des amateurs de Toulon et de Marseille, il dispose en 1916 d'un atelier à Marseille, quai de Rive-Neuve. Ses succès à Paris, puis à Marseille, s'appuient sur des représentations schématiques des sites du port, où les formes sont données par un graphisme sombre, posé sur une peinture esquissée des fonds. Il participe au décor de l'Opéra de Marseille.

L'apologie d'un territoire. Le succès de ces peintres répond à la fois à l'épuisement du modèle académique de la carrière traditionnelle, à la disponibilité d'élites locales qui admettent l'indépendance de l'artiste, lorsqu'elle est cautionnée par une référence à l'avant-garde, et enfin à une forte demande de production imaginaire pour fixer des repères culturels résolument régionaux et locaux. La condition essentielle est l'existence d'un milieu local d'amateurs et de collectionneurs suffisant pour garantir une réussite à la démarche, et sa stabilité dans le temps. Cette condition est réunie en Provence, dans la mesure où dans quelques centres urbains, à Marseille surtout, à Salon aussi, la prospérité des industriels et des négociants donne une masse critique convenable au marché local des tableaux. Ce dispositif assure des débouchés régionaux à cette production imaginaire, où dominent les thèmes naturalistes et rustiques.

Dans une Provence bouleversée par l'urbanisation, les grands travaux, tout justifie la reconstruction imaginaire du territoire, et d'abord l'affirmation d'une identité rustique. Ces données ne sont pas différentes de celles du mouvement de renaissance culturelle provençale, dont Avignon est au XIXe siècle l'épicentre, et il faut s'interroger sur le rôle de Pierre Grivolas, source technique et humaine qui semble ici essentielle, et dont le personnage semble avoir été charismatique ; avant d'être en charge de l'école des Beaux-Arts d'Avignon, Grivolas est en effet, en bon émule de Mistral, un peintre convaincu d'avoir à jouer un rôle dans la défense de la culture provençale traditionnelle. L'abandon de ce projet, lorsqu'il devient ce fameux initiateur de la peinture en plein air pour ses élèves d'Avignon, ne transforme sans doute pas pour autant la base idéologique de sa démarche, qui exalte les sites pittoresques (le Ventoux, les Alpilles), éléments de l'identité d'une Provence de tradition.

Mais ce succès a sa contrepartie dans l'exclusion de la vie sociale réelle. Dans un territoire où l'urbanisation des sites industriels et portuaires installe un déséquilibre social irrémédiable, avec son cortège de difficultés, la délinquance, les vols et les crimes, en nombre considérable à l'époque, l'apologie d'une Provence rurale éternelle est une évasion du réel, qui joue en Provence en général et à Marseille en particulier le même rôle, à partir de 1880, et pour longtemps, que les paysans de Millet à Paris. Décalage significatif, mais qui est à mettre en rapport avec les inquiétudes des couches qui ensuite, dans l'entre-deux-guerres, cherchent dans les régionalismes une image rassurante. Paul Blanc (1836-1910), un élève de Gleyre, le seul artiste de Marseille qui saisisse dans ses eaux-fortes les images de la misère moderne, est un marginal qui termine sa vie dans une solitude dramatique.

Au-delà du succès commercial, succès social : après 1920, deviennent remarquables la « persistance des achats de l'État et des commandes publiques » (Éric Hild, à propos de Seyssaud), les honneurs officiels (Seyssaud a la Légion d'honneur en 1923, et le grade d'Officier en 1946), l'entrée en force dans les collections publiques de la région. La consécration par des rétrospectives suivra plus tard, entre 1950 et 1960. Les institutions de l'art traitent ces artistes comme les stars de l'art académique de la fin du XIXe siècle. Tout se passe comme si les images fortes de l'autonomie de l'artiste l'emportaient sur le style et le contenu, finalement anodin, des œuvres, définissant les nouvelles règles non écrites qui dans la région ouvrent pour l'artiste la voie à l'intégration sociale.

Plusieurs des peintres contemporains de Seyssaud ont été à la fois plus ambitieux et moins heureux dans leur carrière. Victor Leydet (1861-1904) élève de Grivolas puis de Gérôme, est l'héritier convaincu d'un réalisme savant, proche de Degas, qu'il manifeste dans des toiles sobres, comme *Avant la messe* (1905, Avignon, Musée Calvet). La démarche d'Eugène Martel (1869-1947), un ancien élève de Grivolas, puis à Paris, de 1892 à 1898, de l'atelier Gustave Moreau, est celle d'un authentique observateur de la réalité sociale de la haute Provence. Installé au Revest-du-Bion, près d'Apt, de 1898 à 1944, Martel expose régulièrement au Salon de la Nationale jusqu'en 1914. Son regard pessimiste, à la fois bon enfant et caustique, sur la vie sociale au village, s'exprime dans des scènes de genre travaillées dans la technique traditionnelle du clair-obscur, avec une saveur digne de Courbet, ou de son émule allemand Wilhelm Leibl, dans *L'intérieur de Café* (1901, Musée de Digne). *Le Café des sœurs Athanase* (1904, Salon d'automne, c.p.), est d'une verve virulente. Interprète lucide d'un mode de vie prêt à disparaître, il s'attarde avec sympathie sur ces images de la sociabilité paysanne ; témoin engagé de cette Provence rouge, il rencontre Giono en 1930, pour s'en écarter après Munich. Résolument à contre-courant des expériences stylistiques de son temps, réfractaire à tout projet de carrière commerciale, il néglige de faire acte de présence dans les réseaux régionaux. Après son dernier grand tableau, *La Terrasse de café au Revest* (1918, c.p.), qui montre une jeune servante, entre paysans âgés et touristes jeunes, discrète allégorie de la modernité, Martel se replie dans un statut strictement local, réservant son énergie aux portraits de ses proches. Sa production picturale limitée, qui échappe aux collections régionales et aux musées, a été redécouverte par le mouvement Alpes de Lumière. Dans une problématique toute différente, l'excellent Valère Bernard (1860-1936), élève à Marseille, puis de Cabanel à Paris, est de retour en 1884, et vit de portraits. Mais les limites du milieu local ne donnent pas beaucoup de chances de s'exprimer à sa verve d'artiste symboliste et à son métier d'aquafortiste, qui restent sans grande prise sur les intérêts de la clientèle.

4. Les incursions de la modernité 1880-1925

Après 1870, beaucoup d'artistes, venus de Paris, choisissent de situer en Provence ou sur la Côte d'Azur une activité indépendante des buts ou des critères d'une carrière conventionnelle d'artiste. Les uns poursuivent la chimère d'une communauté d'artistes, fondée dans un lieu baigné par une lumière différente de la lumière du nord. Plusieurs viennent à la suite d'un artiste-modèle, qui fait autorité : puisqu'il y a Monticelli (pour Van Gogh), puisqu'il y a Cézanne et Aix (pour beaucoup d'autres), il faut venir en Provence. Si pour quelques-uns le voyage est un acte d'évasion militante, pour beaucoup le séjour dans le Midi, c'est l'accès à des paysages aimables, et qu'ils vont aimer avec ferveur, dans les conditions d'un exotisme raisonnable, accessible et, par bien des aspects, domestique. Car ce Midi méditerranéen, devenu depuis 1860 le lieu de l'hivernage de l'aristocratie, c'est aussi la réalité, pratique et considérable, d'un climat qui permet aux praticiens de la peinture en plein air de travailler dans la saison d'hiver.

De Van Gogh à Signac, ils viennent de Paris chercher dans le Midi un appui pour une nouvelle étape dans leur art. La démarche, souvent inscrite dans le cadre de relations sociales et d'amitiés, est d'abord un projet artistique, à la recherche ardente des sources d'un art moderne. Et tous participent à la création d'un nouveau musée imaginaire, qui fixe, pour la génération qui suit l'impressionnisme, le nouveau paysage de référence, et qui livre au public l'image codée d'un art de vivre au soleil.

Un précurseur, Paul Huet (1803-1869). De 1833 à 1862, et donc, au début, bien avant les facilités qu'offre le voyage en chemin de fer, ce paysagiste de la période romantique voyage et séjourne en Provence et à Nice ; il est le premier, dans des toiles remarquables de fraîcheur, à utiliser en réaliste les ressources de la morphologie et de la végétation des paysages méridionaux. Mais ce type de voyage-découverte, conduit sans contacts locaux avec le milieu artistique, et par là semblable à un voyage exotique, reste isolé et semble sans portée sur les peintres provençaux.

Vincent Van Gogh (1853-1890). La venue de Van Gogh à Arles, le 20 février 1888, suit un séjour de près de deux ans à Paris ; il y a découvert la peinture des impressionnistes, dont il adopte rapidement les thèmes et la manière claire. Il y a fréquenté Pissarro, Seurat et Signac, Émile Bernard et Gauguin surtout, des rencontres qui lui donnent le sentiment d'appartenir à une communauté. Il voit une solution à son isolement, l'atelier, partagé par un petit groupe d'artistes, qui, réunis, dépenseront moins, travailleront plus et mieux. Lautrec, avec un péremptoire « c'est dans le Midi qu'il faut installer l'atelier de l'avenir », aurait déclenché le départ de Van Gogh dans cet hiver de 1888. Vincent vient donc en éclaireur, avec la mission de fonder une colonie d'artistes, sur le modèle de Pont-Aven, et avec le sentiment rassurant de suivre une voie tracée déjà par d'autres : « Bien vrai, nous sommes dans la trace de Monticelli ici, et ce qui plus est (...), nous avons une lumière sur notre chemin, et une lampe devant nos pieds dans le puissant travail de Brias (Bruyas) de Montpellier, qui a tant fait pour créer une école dans le Midi » (lettre à son frère Théo, 28 janvier 1889). La lumière véritable, plus que les sites, justifie une démarche expérimentale : « Vouloir voir une autre lumière, croire que regarder la nature sous un ciel plus clair peut nous donner une idée plus juste de la façon de sentir et de dessiner des Japonais. Vouloir enfin voir ce soleil plus fort, parce que l'on sent que sans le connaître on ne saurait comprendre au point de vue de l'exécution, de la technique, les tableaux de Delacroix et parce que l'on sent que les couleurs du prisme sont voilées de la brume dans le nord » (lettre à Théo, 10 septembre 1889).

Après avoir pris pension au restaurant Carrel, l'installation de Van Gogh, en mai 1888, dans la fameuse maison jaune du 2 rue Lamartine, va dans le sens de la réalisation du projet. De même le séjour de Gauguin, de fin octobre à fin décembre 1888, mais qui s'achève par une dispute violente, par l'agression de Gauguin par Van Gogh, la fuite du premier, l'épisode tragicomique de l'oreille coupée, offerte dans son premier accès de délire par Vincent à une prostituée du bordel. On sait la suite : les crises intermittentes, les hallucinations, l'hostilité croissante de la population, le premier internement en mars 1889 à l'hôpital d'Arles, puis, à la demande de Vincent, son admission en mai à l'asile de Saint-Rémy, où les crises violentes mais brèves alternent avec les périodes de lucidité, pendant lesquelles il peut peindre, dans les environs de l'asile ou dans la pièce qui est mise à sa disposition. Van Gogh quitte Saint-Rémy pour Paris le 16 mai 1890, se donne la mort à Auvers le 29 juillet.

Avant-dernière étape dans l'itinéraire dramatique du peintre, avant d'échouer à Auvers chez le docteur Gachet, le séjour d'Arles est encore celui des espoirs, de l'ultime utopie. Vincent passe de l'excitation des projets de phalanstère, défendus chiffres à l'appui dans ses lettres à son frère, à l'abattement et au désespoir. Après l'échec du séjour de Gauguin, il écrit encore à Théo que, s'il abandonne l'idée d'une communauté permanente, il peut offrir une halte aux artistes de passage, sur la voie du « vrai Midi », qui est ailleurs. Après la visite d'Eugène Boch, en septembre 1888, celle de Paul Signac, en mars 1889, le réconforte un moment. Et puis enfin, il renonce à cette bataille obstinée contre la misère, cesse de poursuivre la chimère de l'art, et admet, pour se réfugier contre lui-même, que l'asile d'aliénés est la solution.

Mais Vincent à Arles, c'est aussi une suite cohérente de deux cents tableaux, peints de février 1888 à février 1889, la plupart systématiquement expédiés à son frère, et de plus de cent dessins et aquarelles. Sommet de l'authenticité personnelle d'un peintre, cette intense production est aussi une synthèse, qui combine la leçon impressionniste (peinture claire et motifs modernes) avec la force de son dessin (qui donne leur intensité virulente aux portraits), et avec des acquisitions stylistiques, la peinture en à-plats, apportée de Pont-Aven par Gauguin, ou l'interprétation « japoniste » de l'espace.

La brillante exposition organisée en 1989 par les musées d'Arles permet de faire le point sur la question des motifs. Van Gogh à Arles s'est intéressé à des espaces urbains qui lui étaient familiers ; la plupart ont été détruits : l'hôtel-restaurant Carrel, la Maison Jaune, le Café de la Gare (le *Café de nuit*), les jardins de la place Lamartine ; la cour de l'hôtel-Dieu, avec son jardin restauré à l'identique, fait exception. Sa découverte des environs d'Arles, au printemps et en été 1888, est une démarche plus forte, où la pratique du peintre engage une relation étroite avec des sites précis, repris plusieurs fois, formant des séries qui ne laissent aucun doute sur l'importance que le peintre leur accorde : les vergers en fleurs, la route d'Arles à Tarascon, et à l'est de celle-ci, les mas et la plaine de la Crau, limitée à l'horizon par les Alpilles, avec les blés au temps de la moisson, le canal d'Arles à Bouc, avec ses ponts mobiles, qui rappelent les canaux du nord. Les dessins et les toiles exécutés sur ces motifs interprètent avec rigueur le réel, la saisie de cet environnement coloré stimule manifestement Van Gogh : « Ici la nature est *extraordinairement* belle » (lettre du 17 septembre 1888). Dans les tableaux, le coloris éclatant, les variations de dimension et de forme de la touche, la superposition des tons répondent parfaitement à l'émotion visuelle intense du peintre. Dans les quatorze toiles qui figurent des vergers, pour fixer leur « gaieté monstre », il cherche, en dehors des solutions conventionnelles, la technique appropriée : « Des empâtements, des endroits de toile pas couverts par-ci, par-là, des coins laissés totalement inachevés, des reprises, des brutalités ; enfin le résultat est, je suis porté à le croire, assez inquiétant et agaçant pour que ça ne fasse pas le bonheur des gens à idées arrêtées d'avance sur la technique » (lettre à Émile Bernard). Dans la dizaine de toiles consacrées en juin 1888 aux champs de blé, les jeux de hachures dans l'indication des premiers plans intègrent le graphisme du dessin au roseau taillé dans un original système pictural d'échelle et de perspective.

Contribution essentielle au musée imaginaire d'Arles et de la Provence, l'œuvre de Van Gogh consacre par la peinture des lieux de la vie ordinaire, qui sont ceux de la périphérie urbaine immédiate, peuplée de petites gens (débardeurs, lavandières). L'ami du facteur Roulin le précise : « Par-ci par-là, moi j'ai trouvé aussi des amis et des choses que j'aime ici. » Dans les limites d'un territoire parcouru à pied, ce sont des motifs d'ampleur modeste, jardins, vergers, allées de jardin public, et leurs détails prosaïques, abris de jardins et haies de cyprès, qui retiennent son attention. D'ailleurs une attention d'homme de la terre, informé et critique : « Il me semble que les paysans travaillent bien moins que les paysans de chez nous (...) Les fermes pourraient rendre le triple qu'elles ne font si c'était bien tenu. »

Van Gogh poursuit à Arles la vision de la quotidienneté qu'il mettait en œuvre à Nuenen, à Asnières ou à Clichy. Venu à Arles en travailleur de la peinture, il s'écarte des sites monumentaux, des constructions antiques et médiévales fameuses qui attestent la gloire passée de la ville, et aussi des fêtes locales et du spectacle des courses de taureaux dans les arènes. Cette mise à l'écart, qui fait système, c'est le refus de la vision romantique, de l'histoire savante, du motif pittoresque consacré. À Arles cet affichage constant d'un environnement prosaïque, cette mise à l'écart du passé et cette apologie du présent donnent une considérable épaisseur critique au projet artistique de Van Gogh.

Ce projet artistique n'est peut-être pas sans lien avec l'isolement social de l'artiste à Arles, venu en homme de la terre faire sa tâche auprès des autres hommes de la terre ; ce point de vue est incompatible avec la fréquentation des couches sociales supérieures, parce qu'elle empêche le contact avec les paysans : « Si on fait sa besogne, sans s'occuper des fainéants de village à faux col (le chef de gare et une vingtaine d'emmerdeurs), on peut entrer chez les paysans. » En écartant systématiquement les motifs pittoresques nobles et convenus, Van Gogh s'expose à ne susciter aucune attention véritable chez les notables et les hommes de culture de la bonne société d'Arles, qu'il évite. Et aucun notable ne viendra appuyer la générosité du jeune interne, le docteur Rey, sympathique mais inculte, qui est le seul à venir en aide au peintre lorsqu'il devra affronter la rumeur et l'hostilité des Arlésiens.

Auguste Renoir (1841-1919). Grand voyageur, Auguste Renoir fréquente en chemin de fer le Midi à partir de 1881, en artiste vagabond et vite familier des lieux déjà visités par ses amis peintres, et en amateur attentif à la diversité d'un territoire encore peu atteint par les effets de la révolution industrielle et urbaine. À Aix, Renoir est de ceux qui rendent visite à Cézanne ; son interprétation des rochers de *l'Estaque* (1882, Boston, Museum of Fine Arts) métamorphose en merveilleux ensemble pulpeux, charnellement coloré, rose, vert et violet, un site de rochers abrupts qui irradie la lumière.

Plus tard, lorsque l'âge lui commande de « cuire ses rhumatismes au soleil », Renoir et sa famille, qui se déplacent maintenant dans une voiture conduite par un chauffeur, résident successivement en hiver près de Grasse, à Magagnosc, au Cannet, à Menton, à Nice, avant de se fixer, sur les conseils du peintre Deconchy, à Cagnes, qui est alors « un admirable village de paysans prospères » (Jean Renoir, *Pierre-Auguste Renoir, mon père*). Renoir y apprécie l'authenticité de la vie sociale, le site lui convient, où il se réjouit de ne pas avoir « le nez sur la montagne » : « Il me dit souvent qu'il ne connaissait rien de plus beau au monde que la vallée de la petite rivière, la Cagne, lorsque, à travers les roseaux qui donnent à ces lieux leur nom, on devine le Baou de Saint-Jeanet (...) L'histoire de Cagnes et de Renoir est une histoire d'amour » (*ibid.*).

L'installation dans la propriété des Collettes, avec ses oliviers centenaires et ses orangers, parachève cette rencontre heureuse de l'artiste avec la beauté magique de la nature méditerranéenne ; madame Renoir y mène à bien la construction d'une maison neuve, accueillante aux amis, fait prospérer les plantations, plante amandiers et vignes. Tout cela entretient autour du peintre une activité vraie, et les témoins ont su dire l'animation des jeunes filles venues aider à la récolte des olives. À l'atelier établi dans la maison, et à sa lumière froide, Renoir préfère une construction de bois et de verre, aux parois mobiles, édifiée dans le jardin, qui réunit le confort de l'abri et le contact direct avec la nature, au niveau du sol. C'est là, sur un chevalet à cylindre, que le peintre, immobilisé dans son fauteuil, peint les figures des *Grandes baigneuses*. Artiste sociable, Renoir accueille aux Collettes ses amis parisiens ; Valtat et Matisse viennent en voisin. À la fin de sa vie, Renoir ouvre encore sa porte aux jeunes artistes, qui font le pèlerinage des Collettes ; et c'est ici que meurt Renoir, en 1919. La propriété, ouverte au public, conserve quelque chose de cette euphorie domestique qui est une des sources de son art.

Paul Signac (1863-1935). Proche de Seurat, grand animateur de la vie artistique de sa génération, depuis la création en 1884 de la Société des artistes indépendants, Signac est aussi un voyageur impénitent, qui multiplie les séjours en Provence. Dès 1892, ce grand amateur de voile, à la barre de son bateau, l'*Olympia*, fait une première escale à Saint-Tropez. Des précurseurs, Auguste Pégurier (1856-1936), originaire de Saint-Tropez, et Cross (1856-1910) fréquentent déjà la côte, de Cabasson à Cavalaire. La villa de Signac à Saint-Tropez, La Hune, devient à partir de 1897 le haut lieu de l'avant-garde picturale du Midi.

Signac parcourt toute la région. Il était venu à Cassis au printemps de 1889, après avoir fait étape à Arles pour rencontrer Van Gogh ; il séjourne à Marseille en 1897, où il peint *Marseille, le port*, première vision, à contre-jour, reprise à l'atelier plusieurs fois, quitte à « oublier » le pont transbordeur, édifié en 1905, dans l'*Entrée du vieux port* (1918, Marseille, musée Longchamp). Il sera à Avignon en 1900, et à Marseille à nouveau en 1904.

Les talents de meneur de jeu de Signac coïncident avec la présence des peintres proches qui s'y trouvent et qui se rassemblent alors sur la côte du Var. C'est en effet une véritable colonie de peintres férus de la technique divisionniste et de la théorie des contrastes simultanés qui travaille dans cette « Provence de la Provence » (Élie de Beaumont), où la beauté d'un littoral intact se prête mieux qu'ailleurs aux séjours d'été, et que vient de rendre accessible le chemin de fer de Toulon à Saint-Raphaël, ouvert en

1895. Autour de Signac et de Cross, se regroupent Maximilien Luce (1858-1941), Théo Van Rysselberghe, (1862-1926). Par leurs envois au Salon des Indépendants, ensemble ils imposent les images nouvelles d'un « vrai Midi », qui font date, du port de Saint-Tropez et du littoral proche. Louis Valtat (1869-1952), qui réside à Anthéor de 1899 à 1914, vient rencontrer Signac à Saint-Tropez en 1903 et 1904. Au fur et à mesure que d'autres émules parviennent à Saint-Tropez, la manière géométrique de Signac, à son comble encore dans le tableau du Musée de l'Annonciade, *Saint-Tropez, le quai* (1899), s'estompe, la dimension des touches s'accroît ; chez les proches de Signac, ce divisionnisme devient plus spontané, après 1900, en particulier chez Henri Person (1876-1926), Jeanne Selmersheim-Desgrange, et Lucie Cousturier (1876-1925).

Mais le rôle artistique de Signac et d'Henri Manguin (1874-1949), installé à Saint-Tropez à partir de 1904, s'étend au-delà de ce cercle de peintres proches. Dans sa villa, la Hune, dans la villa voisine, la Cigale, et dans la villa de Manguin, la Villa Dernière, un bon nombre des peintres parisiens qui comptent, et en particulier les fameux fauves, viennent, entre 1905 et 1914, participer à une sorte d'initiation artistique aux différentes modalités du nouveau naturalisme : en 1904, Matisse, dans un séjour dont procède le célèbre *Luxe, calme, et volupté*, acheté par Signac, et montré au Salon des indépendants de 1905 ; en 1905, Charles Camoin et Albert Marquet, avec le magnifique *Port* (1905, Musée de l'Annonciade) ; en 1908, Dunoyer de Segonzac ; en 1909, Bonnard, et Francis Picabia. Cette rencontre de jeunes artistes à Saint-Tropez a la cohérence vivante d'un groupe de peintres amis, où se partagent les expériences. C'est la plus forte séquence artistique dans le vaste atelier collectif du Midi.

Après 1918, Signac est beaucoup moins présent, et le temps n'est plus aux recherches d'avant-garde ; Henri Manguin, Charles Camoin, installé en 1921, et André Dunoyer de Segonzac (1884-1974), à demeure depuis 1925, avec leur naturalisme aimable, alimentent le « retour à l'ordre » du moment, dont le succès, sans limites, attire de nouveaux comparses, Luc-Albert Moreau (1882-1948), Jean-Louis Boussingault (1883-1943), Marko Celebonovic (1902-1986) ; entre les deux guerres, à côté des peintres, le séjour des écrivains (Colette, Charles Vildrac) et des acteurs confirme la nouvelle vocation de Saint-Tropez, devenu, avec la mode des vacances d'été sur la Côte, un lieu touristique recherché par les élites du monde des arts et du spectacle.

Cet environnement d'artistes et d'amateurs sera bénéfique. Dès 1922, à l'initiative d'Henri Person, le Museon Tropelen rassemble dans la mairie de Saint-Tropez plusieurs chefs-d'œuvre ; complétés en 1955 par l'industriel Georges Grammont, qui fait don de sa somptueuse collection personnelle, ils seront à l'origine de ce musée du naturalisme dans la peinture française de 1900 à 1920, qu'est le Musée de l'Annonciade, installé, grâce encore à Grammont, dans la chapelle rénovée.

Peintres à Marseille, 1900-1925. C'est Charles Camoin (1879-1965), qui introduit les peintres fauves parisiens à Marseille. Fils d'un décorateur marseillais aisé, Camoin est à Paris en 1898. Dans le fameux atelier de Gustave Moreau, il est proche de Marquet, et il participe aux recherches picturales du moment. Pendant son service militaire, qu'il fait en partie à Aix, il rend visite à Cézanne en 1902. En 1904, il participe au Salon d'automne et au Salon des Indépendants ; à Marseille, il accueille Marquet en 1905, l'entraîne à Cassis ; en 1906, Camoin, Marquet, que rejoint Derain, sont à nouveau à Cassis ; Braque arrive en octobre.

Les résultats artistiques sont remarquables : après les vues du port de Signac, en 1897, les artistes de passage multiplient les occasions d'un travail expérimental sur l'un ou l'autre de ces sites. Si Félix Vallotton, donne une étrange image stylisée du panorama du Vieux-Port à partir du Pharo (1901, c.p., Suisse), la plupart des peintres insistent sur la succession des plans dans des vues latérales, ainsi chez Camoin, *Le Vieux port et N.-D. de la Garde* (1904, Le Havre, Musée des Beaux-Arts), Lombard, *Le Vieux port sous la neige* (1914, Paris, coll. part.), et Marquet, *Port de Marseille* (1918, Musée de l'Annonciade). Marquet, plus sensible à des composantes atmosphériques, s'écarte du schématisme fauve pour restituer le cadre théâtral du port avec une fervente simplicité, qui reste fidèle à l'exemple de Manet. En 1916 et 1918, le séjour à Marseille de Marquet, accompagné de Matisse, le conduit à peindre une toile paisible, annonciatrice des thèmes du retour à l'ordre, le *Coin de terrasse à l'Estaque* (1916, Copenhague, Statens Museum for Kunst). Dernier avatar, hors limite, du parcours des fauves, la belle *Fenêtre sur le vieux port à Marseille*, de Manguin (1925, Martigues, Musée Ziem).

À Cassis, Derain (1880-1954) interprète le site du littoral avec des images schématiques et puissantes, *Pinède à Cassis* (1907, Marseille, Musée Cantini), avant de venir avec Braque en 1907 à l'Estaque, puis peindre à Martigues, en 1913, comme on l'a mentionné, des tableaux importants qui renouent avec la tradition du paysage composé. Hommage posthume à Cézanne, qui vient de disparaître, les séjours répétés de Braque à Marseille, entre 1906 et 1910, le conduisent à La Ciotat et à l'Estaque ; les toiles peintes à l'Estaque en octobre 1906 sont des manifestes fauves, exposés au Salon des Indépendants de 1907. Un nouveau séjour à l'Estaque, en mai 1907, révèle, associées à une brillante gamme rose et bleu, des préoccupations nouvelles : dans le *Viaduc de l'Estaque* (Minneapolis), le graphisme donne une nouvelle structure au tableau. Les séjours suivants précisent la place prise par les sites de l'Estaque dans l'élaboration du cubisme : le *Viaduc de l'Estaque* (1908, Paris, MNAM, collection Claude Laurens) est cézannien, et en 1910, l'*Usine de Rio Tinto (à l'Estaque)* (Villeneuve-d'Ascq, Musée d'Art moderne), est un tableau cubiste. D'autres proches de Braque, Othon Friesz (1879-1949) à Cassis en 1904, Dufy (1877-1953), à l'Estaque en 1908, sont parmi ces jeunes peintres qui hantent alors les environs de Marseille.

Mais cet investissement de Marseille par l'avant-garde est sans lendemain, pour plusieurs raisons. D'une part ces artistes, après 1910, font le choix d'autres séjours. En 1912, Braque rejoint Picasso à Sorgues, Matisse en 1917 s'installe à Nice. D'autre part, le milieu artistique local, avec des ambitions limitées, occupe en force le terrain, et oriente le travail pictural. Deux jeunes peintres de Marseille, Camoin et Alfred Lombard (1884-1973), tous deux initiés à la modernité du fauvisme, et tous deux en place dans des réseaux influents, donnent le ton entre 1905 et 1914 ; Camoin, après les images un peu convenues du pittoresque canaille de la *Rue Bouterie* (1905), s'échappe rapidement vers le littoral du Var. Lombard dans sa peinture affiche une rupture violente avec l'académisme, mais c'est une peinture fruste et expéditive, qui habille de tons purs hâtivement posés des schémas figuratifs sans personnalité, ainsi dans *Le Bar N... à Marseille* (1907, Musée de l'Annonciade). Lombard, en relation avec des écrivains (Joachim Gasquet), anime la vie artistique locale, comme on l'a vu, et il accueille le peintre Pierre Girieud (1876-1948), autre transfuge du fauvisme parisien, qui a transité par Munich et l'Europe centrale, et qui forme un trait d'union inattendu entre Kandinsky et les coloristes marseillais. Après 1920, le style de Lombard évolue, en particulier sous l'influence des commandes de peinture décorative (pour les paquebots *Atlantique* et *Normandie*).

Les photographes du pont transbordeur de Marseille. Dernier avatar d'une avant-garde qui fixe son intérêt sur le site du Vieux-port, la découverte en 1927 du pont transbordeur (construit par Arnodin, en 1905), par Siegfried Giedion (qui deviendra un important critique de l'architecture de son temps). Publiées dans *Der Cicerone*, les photographies de Giedion attirent l'attention des photographes d'avant-garde, qui l'année suivante déferlent à Marseille. Manifestation d'une esthétique du machinisme, ce « miracle de technique d'une précision et d'une finesse exceptionnelles », pour Laszlo Moholy Nagy (1895-1946), est l'objet de prises de vue par Herbert Bayer, Roger Schall, Man Ray, André Kertesz et Henri Cartier-Bresson, qui célèbrent les étranges rapports du lieu et de la mécanique.

II. LA CONSÉCRATION DE L'ART MODERNE 1925-1975

1. Le séjour des maîtres : Bonnard, Matisse, Picasso. Les longs séjours de Bonnard, de Matisse et de Picasso sur la Côte d'Azur, puis leur résidence, conduisent à l'affirmation d'une autonomie artistique totale, qui marque les œuvres de leur maturité.

Pierre Bonnard (1867-1947). De 1909 à 1921, Bonnard effectue plusieurs séjours à Saint-Tropez, avec Manguin et Signac, puis à Grasse, à Antibes, à Cannes et enfin au Cannet, où l'achat d'une villa, en 1925, fixe sa résidence d'hiver. Il s'y retire en septembre 1939, et ne reprendra contact avec Paris qu'après la guerre. À quelques amis près, peu de visiteurs entourent l'artiste, dont la présence dans la région est discrète. C'est au Cannet que Bonnard meurt en 1947.

À proximité immédiate du Bosquet, sa maison du Cannet, le peintre dispose de motifs qu'il sait renouveler : « Rien en lui qui ne parte de l'observation. Rien non plus qui n'aboutisse à une vision singulière. La nature lui apparaît comme au premier jour. Cette campagne autour du Cannet, à quoi se réduit son univers, il la multiplie, la transpose dans toutes les couleurs ; la voici continuellement inondée de soleil, éclatante comme une pierre rare » (Antoine Terrasse). Sur cet environnement familier, Bonnard multiplie les points de vue, associe les plans proches et lointains dans des paysages en hauteur, traités frontalement, comme dans *La fenêtre* (1925, Londres, Tate Gallery). Le site se prête à la spéculation sur la peinture panoramique, quelquefois dans des formats inusités, avec en 1928 ce splendide *Paysage du Cannet* (123 x 275, c.p.), dont la grande dimension lui offre « un champ coloré homologue à la vision globale » (Jean Clair). Progressivement, la question de l'unité de la couleur s'impose, et culmine enfin avec le radieux *Atelier au mimosa* (1939-1946, Paris, MNAM).

À la différence de Paris, ici les sites urbains inspirent peu le peintre. Par contre, le portrait de groupe est l'occasion de recherches originales, ainsi dans le tableau qui représente ses amis Hahnloser sur leur bateau, *Promenade en mer* (1924-1925). La surface lumineuse de la voile éclairée forme un écran décalé, et le peintre traite avec réalisme les rapports de proximité d'un groupe de figures statiques, cadrées à mi-corps, dans l'espace sans recul d'un petit bateau de plaisance. À une date imprécise, entre 1914 et 1924, le tableau *Signac et ses amis en barque* (Zurich, Kunsthaus), participe lui aussi de cette entrée du bateau de plaisance dans les thèmes de la peinture moderne, avec, dans la composition du tableau, la même utilisation de l'écran plat que forme la voile aux allures portantes.

Henri Matisse (1869-1954). Matisse découvre le Midi en 1898 (voyage à Ajaccio) : « C'est en allant dans ce pays merveilleux que j'ai appris à connaître la Méditerranée, là-bas j'étais ébloui : tout brille, tout est couleur, tout est lumière » (*Écrits et propos sur l'art*, p. 104) ; dès lors, et chaque fois que ses moyens le lui permettent, Matisse enchaîne les séjours dans ce Midi libérateur, à Saint-Tropez (pendant l'été 1904, invité par Signac), et à Collioure (en 1906, 1907, 1914), les voyages en Algérie (en 1906) et au Maroc (en 1911, 1912) ; après quelques séjours de Matisse à Marseille, en compagnie de Marquet et de Camoin, le premier séjour à Nice, en 1916, est suivi de nombreux autres, jusqu'à l'installation à l'hôtel Régina, dans le quartier de Cimiez, en 1938, puis à Vence en 1943 ; il meurt à Nice en 1954.

C'est à Saint-Tropez, en 1904, au contact de Signac et de Cross, que Matisse amorce la synthèse entre l'art instinctif de Cézanne et le divisionnisme, qui conduit au tableau *Luxe, calme et volupté*, présenté au Salon des indépendants en 1905, et acheté par Signac. Tableau-programme, ce projet idéal sur le thème des figures annonce la trajectoire continue qui conduit aux ultimes *Nus bleus* de 1952. La Méditerranée de Matisse ne sera pas celle des paysages.

Et cependant, dès le premier séjour à Nice, la production de Matisse doit beaucoup à un environnement méditerranéen. L'image des intérieurs est renouvelée par les conditions locales : dans le célèbre *Intérieur au violon*

(1917, Copenhague, Musée royal des Beaux-Arts), l'interprétation réaliste des persiennes niçoises, l'allusion au rivage entrevu (plage et palmier) montrent l'impact iconique d'un espace habité vrai ; la qualité thermique de l'ombre bienveillante, propre au mode de vie local, est restituée par des noirs somptueux. Trente ans durant, le peintre place dans un registre euphorique l'interprétation picturale d'un bonheur domestique qui culmine avec l'éloquent tableau de 1947, *Le silence habité des maisons.*

L'atelier que Matisse installe en 1938 dans un appartement de l'hôtel Régina, dans le quartier de Cimiez, offre au peintre un ample espace de liberté, dont les visiteurs ont été les témoins éblouis : « la grande volière remplie d'oiseaux rares et le roucoulement des tourterelles dans la salle d'accueil puis, dans l'atelier, épars sur les meubles, les objets familiers (...), les vases précieux, les masques nègres et les poteries chinoises, les coquillages exotiques, les citrons, oranges et calebasses desséchées, les plantes grasses et les lianes des grands caoutchoucs » (Jacques Lassaigne). Matériaux de base dans les recherches graphiques de Matisse, la disponibilité de ces objets a sa place dans le renouvellement de l'invention après 1943, sur les papiers découpés de l'album *Jazz*, publié par Tériade en 1947, nouvelle étape dans l'autonomie et la liberté de l'artiste.

Cette autonomie conduit Matisse à l'étonnant chantier de la chapelle de Vence, dont les débuts sont fortuits. On sait que Matisse, sollicité de donner un projet de vitraux pour décorer la chapelle provisoire des dominicaines du foyer Lacordaire, répond par la décision de construire une chapelle. L'édifice, étudié à partir de décembre 1947, a une architecture minimale, articulée avec les besoins réels de la communauté ; dans cette chapelle de couvent, le décor n'a pas de fonction édifiante ou didactique, et Matisse met en avant une relation de nécessité complice : « Je voudrais que ce fût utile. Croyez-vous que ce pourrait être utile ? » demande-t-il à sœur Jacques-Marie, l'inspiratrice du projet. Écartant la qualification forte de la construction par la démarche architecturale, Matisse impose ses vues, combine l'espace et la lumière « dans un volume qui par lui-même n'a pas d'intérêt spécial (pour) donner, avec une surface très limitée, l'idée de l'immensité » ; il veut que cet espace visuel interne, avec ses parois lisses, sa luminosité totale, inspire « la ferveur du cœur que la joie et la lumière du milieu libéreront », et il évoque les sensations euphoriques que lui ont procurées ses voyages en avion de 1946.

Avec une grande économie de l'intervention plastique, Matisse ici s'interdit tout triomphalisme artistique et toute démonstration de virtuosité picturale. Préparée par les papiers découpés de *Jazz*, la solution est, à l'échelle d'un art mural, la synthèse du trait et de la couleur, dans une combinaison plus proche de l'art du livre que de l'art du tableau, pour obtenir « l'équivalence visuelle d'un livre ouvert » (Matisse). Le peintre interprète la mise en forme et le coloris de tous les éléments : le décor du sol, les vitraux, les sobres images pariétales, les objets du culte et les habits sacerdotaux. Sur les parois de la chapelle, le choix d'un graphisme marque la distance avec les traditions artistiques, que ce soit celle du tableau ou celle de l'espace narratif. Les esquisses des figures, pour *Saint Dominique* ou la *Vierge à l'enfant*, montrent la métamorphose progressive de la représentation, qui aboutit à l'évocation calligraphique de figures pleines de sérénité. Tout différent est le *Chemin de croix*, avec ses idéogrammes violents, disposés en suite numérotée, vide de l'espace narratif des arts visuels traditionnels, qui impose une lecture intellectuelle de la chronologie du calvaire, autour de la figure centrale du Christ. En rupture avec la sérénité esthétique de la chapelle, ce *Chemin de croix* fait une place à la tradition iconique du drame chrétien ; Matisse, tout en étant conscient de la difficulté d'accès à ce programme, persiste dans sa démarche, et impose ce panneau pathétique, qu'il voit équivalent aux calvaires bretons.

Pour Matisse, qui attendait depuis longtemps une commande murale, la chapelle de Vence aurait pu être l'affirmation crispée d'une revanche sur l'indifférence ; elle est, tout au contraire, l'œuvre majeure d'un parcours commencé par la *Joie de vivre* et, dans des formes délibérément à l'écart des techniques du chevalet, elle exprime la « religion du bonheur » du peintre (Pierre Schneider). Elle est la manifestation majeure du lyrisme candide de Matisse, et de son intensité, immédiate et limpide, qui nourrit de beauté profane les œuvres ultimes de l'artiste, le bel *Arbre* païen dessiné sur les murs de la salle à manger de la villa de Tériade en 1952, ou les grandes gouaches découpées de *La Piscine*. Consacrée le 25 juin 1951, par l'évêque de Nice, la chapelle de Vence, contestée dans les milieux catholiques, est restée longtemps un objet de répulsion pour la culture académique.

À Nice, l'entourage de Matisse est surtout celui de ses visiteurs, des anciens de l'atelier de Gustave Moreau, d'amis proches. Les manifestations publiques locales de Matisse sont rares ; sa grande exposition en 1946 à Nice, *Nice. Travail et joie*, au Palais de la Méditerranée, inquiète : on veut croire que son intitulé et la couleur rouge de l'affiche identifient le sage Henri Matisse à un représentant du Front populaire, à un militant des « congés payés », une clientèle qu'à Nice on ne souhaite pas vivement retrouver. Mais, si à Nice Matisse est isolé, la chapelle de Vence stimule les artistes, qui cherchent leur réplique : en 1952, sur les voûtes de Vallauris, Picasso, venu plusieurs fois en voisin à partir de 1946 ; et en 1964, Cocteau, sur les parois de la chapelle Saint-Pierre à Villefranche.

Pablo Picasso (1881-1973). Picasso est très tôt un habitué de la Côte d'Azur : à partir de 1920, il fait plusieurs séjours, en été, plus rarement au printemps, à Juan-les-Pins, les plus fréquents, puis au Cap-d'Antibes, à Antibes, à Mougins, où il rencontre en 1936 les céramistes Suzanne et Georges Ramié. Séjours sans conséquence sur la production de l'artiste, à l'exception du grand tableau, *Pêche de nuit à Antibes*, peint en 1939, aujourd'hui au Musée d'Art moderne de New York, où les « choses vues », sur le rivage et dans le port, orientent, déjà, l'inspiration du peintre.

De 1946 à 1954, Picasso réside à Golfe-Juan, à Antibes et à Vallauris. Ce séjour importe, du point de vue personnel, du point de vue biographique, mais aussi du point de vue d'une géographie de l'art et de son histoire. En effet, dans l'immédiat après-guerre, la venue de Picasso sur la Côte d'Azur est une inclusion dynamique exceptionnelle, dans un espace culturel qui sommeille, « dans une torpeur d'arrière-garde faite du souvenir nostalgique des maîtres disparus » (André Verdet).

Picasso, qui a passé les années de la guerre à Paris, a repris dès 1945 le chemin de la Côte d'Azur, d'abord au printemps avec Françoise Gilot à Golfe-Juan, puis avec Dora Maar, l'été suivant, au Cap-d'Antibes ; liés aux péripéties de la vie sentimentale et amoureuse du peintre, ces brefs séjours n'ont pas de portée artistique. Il n'en va pas de même avec la venue de Picasso et de Françoise Gilot à Golfe-Juan à la fin de juillet 1946, à l'origine de la résidence du peintre dans la région d'Antibes et de Vallauris, une résidence durable, pratiquement constante de 1948 à 1953, entrecoupée de séjours à Paris.

La chronique des années passées par Picasso à Golfe-Juan, à Antibes et à Vallauris est ponctuée de faits marquants, qui pour la plupart appartiennent à une histoire artistique générale et à une histoire culturelle locale. Du mois d'août 1946 au mois de décembre, Picasso travaille au musée d'Antibes, sur la proposition du conservateur Dor de la Souchère, où il peint *La joie de vivre*, et *La Chèvre*. À son retour à Paris, Picasso laisse au musée d'Antibes 25 tableaux et 44 dessins. En 1947 Picasso débute son activité en céramiste dans la fabrique Madoura, à Vallauris, où il s'installe en octobre 1948, dans la villa « La Galloise » ; montrées à la Maison de la Pensée française à Paris, ces premières céramiques entrent ensuite au musée d'Antibes. En 1949, Picasso achète l'atelier des Fournas ; de cette période date la lithographie *la Colombe*. En février 1950, Picasso est fait citoyen d'honneur de Vallauris, où, le 6 août, est inauguré le bronze de *L'Homme au mouton* (1944) ; entre 1950 et 1952, délaissant la céramique, Picasso donne plusieurs sculptures : la *Femme enceinte*, la *Femme à la poussette*, la *Petite fille sautant à la corde*, la *Chouette*, la *Chèvre*, la *Guenon et son petit*. Après le tableau *Massacre en Corée* (janvier 1951), en 1952 Picasso peint à Vallauris, sur les parois et la voûte d'une ancienne chapelle, *La Guerre et la paix*.

En mars 1953, Picasso est à Vallauris lorsque, à la demande d'Aragon, il lui envoie un dessin, le fameux *Portrait de Staline*, publié dans les *Lettres Françaises*, qui fait scandale dans l'appareil du PCF. En septembre, Françoise Gilot et ses enfants quittent Vallauris. Picasso, seul à Vallauris de novembre 1953 à février 1954, se consacra aux dessins de la série *Le peintre et son modèle*. En 1954, à Vallauris encore, il peint plusieurs portraits de Sylvette David, de Jacqueline Roque ; pendant l'été, à Perpignan et Collioure, prend forme le projet de quitter Vallauris. L'automne et l'hiver suivants, à Paris, Picasso peint les *Femmes d'Alger*. En 1955, après le film que Georges-Henri Clouzot consacre au *Mystère Picasso*, en juin, Picasso et Jacqueline Roques s'installent à Cannes, dans la villa « La Californie ».

Le séjour à Golfe-Juan, à Antibes et à Vallauris correspond à la présence auprès du peintre de Françoise Gilot, qui lui donnera deux enfants, Claude et

Paloma ; l'attrait de la jeune femme, la vie familiale, l'attention donnée aux enfants, fixent à la fois le peintre à Vallauris, le détachent des formes de la vie sociale envahissante à Paris, et lui fournissent des thèmes figuratifs et narratifs précis, liés à un moment d'euphorie dans sa vie personnelle, dont témoignent alors les chaleureuses photographies de Michel Sima. La détente, les plaisirs de l'été, sur le rivage ou dans les rues d'Antibes, la mise à l'écart des conventions, toutes ces « conditions de nature », contribuent aussi aux enthousiasmes de l'artiste, alimentent l'humour de nombreuses œuvres. À Vallauris, la vie sociale de Picasso se transforme : elle s'écarte du milieu artistique et intellectuel parisien, elle est l'occasion de rencontres plus spécifiques (Matisse, qu'il voit souvent). Pour Pierre Cabanne, le long travail à Antibes de 1946 a permis à Picasso « de prendre ses distances avec le petit monde parisien ».

L'activité de Picasso auprès des hommes de métier dans cette période lui vaut une nouvelle légitimité, auprès des lithographes, à Paris, auprès des potiers à Vallauris ; dans ce milieu familier, villageois, il contribue, en protecteur bienveillant, à la prospérité de l'artisanat local et du commerce de la céramique ; il est immergé dans une communauté qui le fête et le remercie, qui le consacre « citoyen d'honneur », etc. Ces manifestations locales sont à replacer dans un contexte précis, celui de la célébrité nationale et internationale de Picasso. De 1946 à 1953, cette période est celle des grandes expositions rétrospectives, aux États-Unis et en Europe, et des publications internationales importantes, toutes manifestations qui consacrent l'artiste, et lui assurent une indépendance absolue par rapport aux instances parisiennes de l'art. Dans l'affaire du portrait de Staline, les difficultés de Picasso ne viennent-elles pas de cette distance, qui n'est pas seulement kilométrique, avec les responsables parisiens ?

Cette distance a d'autres effets : à Paris, pour les jeunes peintres et les jeunes critiques, Picasso est alors un peintre d'hier, et en plus un peintre absent. Les termes qu'emploie en 1950 un jeune critique de 26 ans, Michel Ragon, sont sans équivoque : « Et Picasso ? Picasso dont on parle tant ! Picasso vedette adulée, qui attire autant de touristes du côté d'Antibes que la Tour Eiffel de 1900 (sic) attirait de gogos à Paris, où est son influence ? Picasso s'éloigne. Les jeunes se détachent de ce "génie encombrant" (...) Miro, Kandinsky et Klee sont, aujourd'hui plus influents que Picasso » (Michel Ragon, préface à l'exposition *Les mains éblouies*, Galerie Maeght, Paris 1950). Les expositions militantes à la Maison de la Pensée française, la vision fugitive de l'artiste au vernissage du Salon de mai, ces manifestations ne suffisent pas. Voit-on des artistes jeunes auprès de Picasso ? Édouard Pignon, venu en voisin (il a une maison à Sanary), n'est plus tout à fait un jeune peintre (en 1950 il a 45 ans).

Malgré tous ces handicaps, cette période est celle d'un authentique renouvellement de l'artiste, par les thèmes et par les techniques. Dans l'interprétation de données locales : le dessin gravé sur les galets ramassés sur la plage d'Antibes, les oursins et les poissons. Le retour inattendu au paysage, avec le tableau *Fumées à Vallauris* (1951) atteste de la relation positive de Picasso avec le site. Les illustrations des figures mythologiques, en 1946 à Antibes, minotaure, nymphes et bergers, font référence à une culture locale savante, qui est à mettre en relation avec Dor de la Souchère, un lettré. Picasso se révèle alors un animalier d'une force et d'une authenticité imprévues ; dans son environnement immédiat il a trouvé la chouette, la colombe, la chèvre, à l'origine d'œuvres qui font série. Objet d'un virulent traitement graphique, la chèvre est le thème d'un tableau peint en 1946 à Antibes, repris en 1950 sur un grand format, puis pour une sculpture. C'est la chèvre qui, en 1956, est encore l'incarnation pleine de fraîcheur de l'allégorie du *Printemps*.

La découverte et la pratique enthousiaste de techniques nouvelles, liées à des métiers extra-picturaux, ont une place importante dans l'itinéraire artistique de Picasso à ce moment ; l'été 1947 est consacré à Vallauris à la céramique et à la linogravure. Le choix de la céramique, technique archaïque, est une direction anachronique ; questionné sur les compétences des potiers, Picasso ne se cache pas pour dire que ceux-ci ne lui ont rien appris, parce que « ils ne savaient rien ». D'où cette combinaison de plusieurs retours aux sources : les techniques rudimentaires, les images mythiques puisées aux sources de l'Antiquité (faunes, minotaures, etc.), et les sources plus personnelles d'un bestiaire naturaliste (qui renvoit à l'enfance de Picasso), ou encore celles des images de la corrida.

Ces pratiques techniques, où règnent l'intuition et le geste, soulignent la distance que Picasso met alors avec le tableau de chevalet, au profit d'un art de la métamorphose, des improvisations et des réussites fortuites : la *Colombe*, une esquisse peinte, est une image qui réussit là où le laborieux *Massacre en Corée* échoue. Le peintre se détourne-t-il de la sacralisation des tableaux, à son comble alors ? Ces pratiques de Picasso débouchent en effet sur un art de l'objet, éloigné du maniérisme de l'art du tableau moderne, que Picasso lui-même n'évite pas toujours.

Dans la sculpture, les assemblages que Picasso multiplie alors sont éloquents, tendres et burlesques. Transformer en œuvre, en « Picasso » ironique, le montage d'objets industriels de rebut, c'est maintenir ouverte une voie nouvelle pour la représentation artistique, comme au temps des papiers collés cubistes. La postérité ici sera féconde, chez les sculpteurs et les assemblagistes des années soixante, César et Philolaos, Tinguely et Louis Pons.

Ce renouvellement de Picasso entre 1946 et 1953 est le produit de la liberté que prend l'artiste à Vallauris avec les contraintes d'un statut stéréotypé de peintre, mais aussi de la liberté procurée par la plénitude des instants vécus. Une liberté qui donne son sens au succès de l'artiste, en relation avec le défi moral que lance le peintre, à la fois hors jeu et présent, lointain et proche de la France des « Trente Glorieuses ». Après 1954 la résidence de Picasso se déplace à Cannes, dans la villa « La Californie », en 1958 au château de Vauvenargues, près d'Aix, et enfin, de 1961 à sa mort, à

Mougins ; ces séjours seront ceux de la préoccupation obsédante du temps, et d'un rapport imaginaire envahissant au musée et à l'histoire de l'art.

2. Institutions et pratiques artistiques depuis 1950

Dans les années trente, l'activité des artistes est affaiblie dans la région par la crise ; dans un marché national déprimé, même les artistes porteurs d'une identité régionaliste rencontrent des difficultés. Les peintres à Marseille affirment cependant alors leur identité sociale, autour de Louis Audibert (1880-1983), et de son atelier du quartier de Rive-Neuve, où les artistes ont leurs lieux de travail et de rencontre. Les expositions des « Peintres prolétariens » à partir de 1933 regroupent des peintres, jeunes et moins jeunes, Marcel Poggiolli (1882-1969), Jean-Frédéric Canepa (1894-1981), Pierre Marseille (1896-1976), Antoine Serra (1908). Installé de 1939 à sa mort près de Saint-Rémy, la présence d'Albert Gleizes (1881-1953) a le sens d'un repli.

L'après-guerre. Les années de la guerre sont une coupure. Le fait massif est la présence d'artistes modernes, réfugiés pour la durée de la guerre dans les Alpes-Maritimes. Les besoins d'argent des peintres, coupés de leur marchand habituel, amorcent un marché local inédit ; les premiers succès d'Aimé Maeght, jeune marchand de tableaux de Cannes, en 1941, s'inscrivent dans ce contexte très particulier.

Une fois la paix revenue, les artistes sont plus présents dans le Midi que jamais. On a montré l'importance des séjours de Picasso à ce moment. Mais les intérêts du public régional, comme ceux des responsables d'institutions culturelles, ne sont pas encore tournés vers l'art moderne. En 1947, une grande exposition, organisée par madame Zervos, rassemble dans le Palais des Papes à Avignon une importante sélection de tableaux modernes ; cette exposition, qui est à l'origine de la création du festival de théâtre, est cependant en porte à faux, comme l'exposition Matisse de 1946 à Nice l'année précédente, et elle reste sans suite pour les arts plastiques. À Marseille, Charles Garibaldi (1900-1988), un expert et un marchand de tableaux d'envergure, est alors le seul, dans la galerie qu'il ouvre en 1946, à montrer des peintres modernes (Gleizes, Picasso, Tal Coat, Masson).

Car l'art qui rencontre l'intérêt des collectionneurs du Midi est alors celui des artistes provençaux, dont la peinture naturaliste vigoureuse a longtemps été identifiée à l'art moderne à Marseille. Appuyée par la plupart des marchands locaux, cette peinture est reconnue par une large clientèle et par les musées, qui lui consacrent, jusqu'aux années soixante, de nombreuses expositions. Le Musée Cantini à Marseille célèbre les peintres les plus importants par des rétrospectives : en 1948, pour J.-B. Olive (1848-1936), en 1956 pour Chabaud, en 1962 pour Camoin. Nouveaux venus sur la scène régionale, des peintres parisiens connus, comme Raymond Oudot (1897-1981) et Yves Brayer (1907-1990), apportent leur contribution à une imagerie qui plus que jamais idéalise une Provence paisible et hors du temps. C'est dans ce contexte que s'affirme le succès de Pierre Ambrogiani (1907-1985), peintre autodidacte, dont la virulence gestuelle et chromatique lui permet de se proclamer le « dernier des fauves » ; présent dans les expositions de groupe depuis les années trente (à la Maison de la Culture en 1936), il bénéficie du prestige de ses premières expositions personnelles à partir de 1946, et rencontre un vif succès auprès des marchands et des collectionneurs.

Sur la Côte d'Azur, dans l'immédiat après-guerre, l'agrément des sites proches de Nice rassemble écrivains et artistes, en particulier à Vence et à Saint-Paul-de-Vence, autour de Jacques Prévert. Tandis que Nice et Cannes restent peu actives, l'ouverture à Vence en 1947 par Alphonse Chave de la Galerie *Les Mages* établit que, dans la région, c'est à l'écart des grands centres que peuvent alors se manifester les efforts de reconnaissance et de promotion de l'art contemporain, qui sont des démarches personnelles. À Menton, la Biennale d'art contemporain, créée en 1951, est l'initiative d'amateurs d'art locaux. À Antibes, et à l'instigation du poète René Laporte, plusieurs artistes viennent résider auprès du musée, Germaine Richier, Nicolas de Staël.

De nouvelles institutions pour l'art moderne. Dans les musées, des attitudes nouvelles se précisent dans les années cinquante, souvent liées à l'entrée en fonction de jeunes responsables. Après les initiatives éclairées de Dor de la Souchère au Musée d'Antibes, le Musée d'Arles, dirigé depuis 1954 par Jean-Maurice Rouquette, accueille des artistes modernes et la brillante donation en 1971 par Picasso d'une série de dessins. À partir de 1951, les musées de Marseille, avec les expositions qu'organise le musée Cantini, puis par la politique d'achats que conduit Marielle Latour, s'ouvrent à l'art moderne.

Au succès populaire de Picasso auprès des potiers et de la population de Vallauris, répond le travail de Fernand Léger avec les céramistes de Biot. Œuvres majeures et travail des « stars » de la modernité dans la région fixent un patrimoine artistique substantiel, dans des lieux accessibles au public, et dans des institutions culturelles vivantes, comme le Musée Picasso d'Antibes, devenu en 1981, sous la direction de Danièle Giraudy, un lieu particulièrement actif dans l'accueil de l'art contemporain.

Pour les institutions de l'art, le moment est exceptionnel, puisque s'ouvrent alors le musée Fernand Léger (en 1960, à Biot), le musée Matisse (en 1963, à Nice), la Fondation Maeght (en 1964, à Saint-Paul-de-Vence), les Fondations Vasarely (en 1970, à Gordes, et en 1976, à Aix), le Musée Chagall (en 1973, à Nice). Avec leurs collections permanentes, ces lieux consacrent la région dans l'histoire de l'art moderne. Mais la disparition de la Biennale de Menton, après 1977, semble indiquer que la coordination des activités de ces institutions de statut différent a rencontré des difficultés réelles.

Ces lieux d'initiation à l'art moderne, implantés dans une région ouverte au temps des loisirs, ont souvent une localisation extérieure aux grands sites urbains. La fondation Maeght, conçue comme un centre d'exposition couplé avec un lieu où des artistes peuvent résider et travailler, s'écarte de tout modèle muséal urbain, son architecture a les caractères d'intimité d'une résidence privée, combinée étroitement avec un parc, des bassins, des fontaines. L'identité des arts plastiques est ici mise en question, dans une problématique datée : ces lieux proposent presque tous une extension des activités du peintre dans la gravure et l'estampe, dans des confrontations avec l'outil, le matériau et l'atelier (du sculpteur, du céramiste, du forgeron, etc.), qui conduisent à l'objet, à l'art mural et au rapport à l'architecture : « Il y eut une vogue philosophique fameuse du *bricolage*, incitant les artistes, Picasso, Braque, Miro en tête, à jouer de matériaux et de structures archaïques, à exploiter les chances, les moyens du "fait à la main". On revenait au four, à la forge, au métier ; la modernité prenait un visage méridional » (André Chastel).

Depuis 1960 : de l'art moderne à l'art vivant. De nombreux artistes majeurs, anciens ou plus jeunes, résident alors dans la région : Chagall, Dubuffet et Magnelli à Vence, Nicolas de Staël à Ménerbes et à Antibes, Pignon à Sanary, Prassinos dans les Alpilles, Masson et Tal Coat à Aix, Vasarely à Gordes, etc. Spectaculaire pour l'image de marque de la région, leur présence est souvent limitée dans ses effets culturels. Les apports à la création dans la région sont en partie ailleurs, lorsque, à la fin des années cinquante, émerge une nouvelle génération d'artistes du Midi, à partir de deux pôles, Marseille et Nice.

À Marseille, il faut mettre au premier plan le sculpteur bien connu César (César Baldaccini, né à Marseille en 1921), qui doit beaucoup à une formation parisienne, et à une reconnaissance rapide par les musées nationaux, puis par le marché. D'autres, formés sur place, cherchent leur voie dans les conditions locales de la commande et du marché. Louis Pons (né en 1927 à Marseille) et Jean Amado (né en 1922 à Aix-en-Provence), élaborent avec ténacité un art loin des modes, dont la force poétique est maintenant reconnue. Pons est un dessinateur et un « assembleur », qui propose depuis 1962 de fascinants montages, « objets de confusion, objets narquois d'enfance perdue », avant de s'installer à Paris au début des années soixante-dix. Amado, longtemps stimulé par la commande d'œuvres monumentales en céramique (*Le Totem*, 1954, à Alger, *Fontaine*, place des Cardeurs, 1978, à Aix), met au point des procédés techniques nouveaux pour ses sculptures, un mortier de basalte, et l'assemblage de pièces modelées, avec joints apparents. Sa poétique, nourrie de références aux données locales, multiplie les allusions à un bestiaire imaginaire pétrifié, à un paysage minéral, art par là authentiquement méditerranéen. Faiblement représentées dans les musées, les œuvres majeures de Jean Amado sont dans l'espace ou les édifices publics (à Marseille, *Jardin*, 1971, C.H.U. Nord, 1971, *Hommage à Rimbaud*, 1989, plage du Prado).

À Nice, à la fin des années cinquante, s'élabore, en marge du public et des institutions, le trajet artistique de plusieurs artistes qui vont marquer la chronique artistique de leur temps, celui d'Yves Klein (1928-1962) et d'Arman (1928), tous deux nés à Nice, chefs de file de ce « Nouveau réalisme », qui fait son entrée sur la scène parisienne en 1960, avec l'efficace patronage du critique Pierre Restany. Le Ier festival du « Nouveau réalisme » a lieu à Nice en juillet 1961 ; il réunit, autour de Klein et d'Arman, Niki de Saint-Phalle (1930), Martial Raysse (né à Golfe-Juan en 1936), Tinguely (1925), Villeglé (1926). Entre l'arrivée à Nice en 1963 de représentants du groupe américain Fluxus, les initiatives de Ben, héros des formes de « l'anti-art », les happenings de Pierre Pinoncelli et les « Rencontres de Coaraze », en 1969, dans l'arrière-pays de Nice, se multiplient les actions et les démonstrations interdisciplinaires. Le critique niçois Jacques Lepage tente alors avec énergie de consacrer l'existence d'une « École de Nice », qui manifesterait la vitalité locale de l'art vivant. Mais cette « école » reste plus présente dans la chronique de l'art à Nice que par ses résultats culturels. Tentative pour établir une sorte de « label Côte d'Azur », face au prestige montant de New York, au moment du déclin de Paris comme capitale artistique ? ou manœuvre d'autolégitimation ? En fait le regroupement manque de cohésion. À côté des « nouveaux réalistes », de Ben (1943), de Bernard Venet (1941), de Bernard Pagès (1940), on trouve un jeune enseignant de l'École des Arts décoratifs de Nice, Claude Viallat (1936), qui ébauche une abstraction « conceptuelle » et « matérialiste », une approche qui sera, au début des années 1970, mise en forme par le groupe « Support-Surface ». Mais les années soixante-dix à Nice ne tiennent pas toutes ces promesses, et une bonne partie des individus se dispersent. Réponse institutionnelle à ces initiatives, la ville de Nice nomme en 1975 Claude Fournet, un connaisseur de l'art vivant, directeur des musées de Nice. Animée par Marc Sanchez, une « Galerie d'art contemporain » (aux Ponchettes) lance un pont entre les musées de la ville et l'art vivant.

Depuis la fin des années 1970, le rôle important des principaux musées dans la présentation de l'art vivant (Arles, Marseille, Martigues, Toulon) et la création récente du Fonds Régional d'Art Contemporain compensent en partie la chute du marché de l'art ; les collectivités locales, dans la promotion de l'art vivant, essaient donc de prendre le relais. Mais quelle peut être à terme la portée dans le temps de ces achats, plus ponctuels que continus ?

La vitalité des jeunes artistes, qui ont bénéficié du renouvellement des enseignants dans les écoles d'art après 1973, est réelle ; mais, face à des actions de marketing sur le marché de l'innovation (la « figuration libre »), menées à l'échelle européenne, ils souffrent de l'absence de structures commerciales locales, et de la minceur du marché régional de l'art. Celui-ci, pour ce qu'il en reste, montre la faille qui s'est ouverte entre la production des artistes consacrés par les institutions publiques et la demande d'un art populaire capable de donner une suite aux représentations naturalistes en phase avec l'art de (bien) vivre qui est une permanence dans la culture des élites sociales de la région. Au temps de l'écologie, cet art naturaliste a encore ses représentants, comme Jean Arène (1929), résolument à l'écart des circuits du marché, et qui séduit par ses images, fortes et simplistes, dans la tradition de Chabaud, d'un monde paysan révolu.

C'est aussi en dehors du marché, dans le champ des « métiers de l'art », que d'autres artistes orientent leurs recherches, avec le sculpteur Max Sauze, avec le céramiste Biagini, ou dans celui de « l'art public », avec Amado, mais aussi avec des jeunes peintres muralistes, Bourry, Goetschy, Zanolla.

Établissement de vocation nationale, le Centre international de recherche sur l'art et le verre (C.I.R.V.A.), installé à Marseille, montre la volonté récente de l'État d'équilibrer le potentiel artistique de la région par des institutions tournées vers des applications professionnelles. Est-ce la direction que prendra, le moment venu, la politique culturelle de la région ?

La photographie. La présence de Nadar (1820-1910) à Marseille, où il anime un studio et une galerie, de 1895 à 1904, reste peu étudiée, ainsi que l'action de son successeur, Albert Detaille, qui en 1919 ouvre cette galerie aux artistes modernes. Longtemps identifiée de façon réductrice à la pratique de professionnels, la photographie n'est pas reconnue comme art dans la région avant les années cinquante, une situation que les initiatives de quelques jeunes photographes et de leur entourage modifient complètement. Lucien Clergue, né en 1934 à Arles, par ses rencontres stimulantes avec les artistes (Picasso, en 1953, Cocteau, en 1956), par ses séries de « sujets » susceptibles de retenir l'attention, dont les *Nus dans la mer*, à partir de 1956, sont les plus connus, rencontre un succès populaire, bien articulé avec une image estivale de la Provence : « La tauromachie, les nus, le paysage, sont mes principales sources d'intérêt. » Clergue et Jean-Maurice Rouquette sont, en 1965 les créateurs des collections de photographie du Musée Réattu, et, avec Michel Tournier, en 1970, les fondateurs des Rencontres internationales de la photographie d'Arles, qui jouent depuis un rôle considérable dans la confrontation internationale.

Les autres intervenants sont des photographes transfuges de Paris. Denis Brihat, qui est né en 1928 à Paris, s'installe en Provence à partir de 1953, d'abord à Biot, puis à Bonnieux ; sa pratique, appuyée sur une technique rigoureuse et inventive de nouveaux procédés, célèbre en images denses « la beauté des choses humbles de la nature », fruits et végétaux. Willy Ronis, né en 1910 à Paris, fait dès 1949 participer la Provence à la culture imaginaire universelle par le célèbre *Nu provençal*. À partir de son installation à Gordes en 1972, puis à L'Île-sur-Sorgues en 1979, son activité d'enseignant à l'École des Beaux-Arts d'Avignon (1972-1977), et à l'Institut d'art de l'Université de Provence (1972-1976), où il crée un cours d'histoire de la photographie, lui donne une audience régionale forte, qui inspirera la vocation de plusieurs jeunes photographes. C'est en Provence, après la longue traversée du désert des années soixante, que Ronis connaît la consécration nationale, avec le Prix national de la photographie (1979) ; invité d'honneur aux Rencontres d'Arles de 1980, il reçoit le prix Nadar en 1981.

C'est dans cette formation des photographes par les maîtres, une pratique jusqu'alors inconnue en France (et déjà en place aux États-Unis), que la région innove. Denis Brihat, qui enseigne à son tour à la Faculté des Sciences de Marseille, et Jean-Pierre Sudre (né en 1921, installé en 1974 à Lacoste), ouvrent le « temps des stages » d'été, qui attirent et forment de nombreux professionnels. Depuis, une nouvelle génération de photographes est active dans la région : à Aix et dans ses environs Pierre-Jean Amar, Fabienne Barre, Yves Boucher, Christian Ramade, à Marseille Yves Jeanmougin, à Nice Yves Vuillez.

Les institutions jouent leur rôle dans cette promotion de la photographie : après les initiatives du musée Réattu, à Marseille le musée Cantini, en 1968, consacre une importante exposition, *L'œil objectif*, à Brihat, Clergue, Doisneau, Sudre. Décidée par le ministère de la Culture au début des années 1980, la création à Arles de l'École Nationale de la Photographie complète par un échelon permanent cette émergence de l'art photographique dans la région.

BIBLIOGRAPHIE

Études d'ensemble :

ALAUZEN (André M.), *La peinture en Provence, du XIVe siècle à nos jours*, 2e édition, Marseille, 1984.

ALAUZEN (André) et coll., *Dictionnaire des peintres et sculpteurs de Provence Alpes Côte d'Azur*, Marseille, 1986.

COUSIN (Bernard), *Ex-voto de Provence. Images de la religion populaire et de la vie d'autrefois*, Bruxelles, 1981.

Coll., *Les Orientalistes provençaux*, catalogue de l'exposition du Palais Longchamp, Marseille, 1982.

GUIRAUD (J.-M.), *La vie intellectuelle et artistique à l'époque de Vichy et sous l'occupation 1940-1944*, Marseille, 1987.

Catalogues des collections publiques :

GIRAUDY (Danièle), *L'œuvre de Picasso à Antibes. Catalogue raisonné du Musée*, Antibes, 1981.

HILD (Éric), *Catalogue du Musée de l'Annonciade*, Saint-Tropez.

Coll., *La peinture en Provence dans les collections du Musée de Toulon du XVIIe siècle*, Toulon, 1985.

Coll., *Guide des collections des Musées de Marseille*, éd. Musées de Marseille, Marseille, 1990.

Études topographiques :

ARROUYE (Jean), *La Provence de Cézanne*, Aix-en-Provence, 1985.

BOURGES (Marianne-R.), *Itinéraires de Cézanne*, Aix, 1985.

Coll., *L'Estaque au temps des peintres, 1870-1914*, Marseille, 1985.

Coll., *Van Gogh et Arles*, catalogue de l'exposition du Centenaire, 4 février-15 mai 1989, Arles, 1989.
LATOUR (Marielle) et BOISSIEU (Jean), *Marseille et les peintres*, Marseille, 1990.
NOËL (Bernard), *Marseille-New York*, Marseille, 1985.
NOËL (Bernard), *Une liaison surréaliste. Marseille-New York 1940-1944*, Marseille, 1985.
SOUBIRAN (Jean-Roger), *Le paysage provençal et l'école de Marseille 1845-1874*, Paris, 1992.

Monographies

BRAHIC-GUIRAL (Paule) *Loubon*, Marseille, 1973.
CHARMET (Raymond), *Auguste Chabaud*, Lausanne, 1973.
Coll., *Granet. Paysages de la Provence*, Catalogue de l'exposition du Musée Granet, Aix, 1988.
Coll., *Cézanne*, Catalogue de l'exposition du Musée Granet, Aix, 1990.
Coll., *L'Estaque. Naissance du paysage moderne 1870-1910*, Catalogue de l'exposition du Musée Cantini, 25 juin-25 sept. 1994, Marseille, 1994.
COULOMB (Geneviève), MARTEL (Pierre), et coll., *Eugène Martel (1869-1947)*, Mane, 1991.
CREUSET (Geneviève), *Joseph Ravaisou, peintre du Pays d'Aix (1865-1925)*, Marseille, 1975.
GAUTHIER (Maximilien), *Auguste Chabaud*, Paris, 1952.
GIRAUDY (Danièle), *Charles Camoin, sa vie son œuvre*, Marseille, 1972.
SHEON (Aaron) et coll., *Monticelli*, catalogue de l'exposition des Musées de Marseille, octobre 1986-janvier 1987, Marseille, 1986.
SOUBIRAN (Jean-Roger), *Valère Bernard*, Marseille, 1983.
VIDAL-NAQUET (Élisabeth) et coll., *Jean-Antoine Constantin 1756-1844*, Catalogue de l'exposition, Musée des Beaux-Arts de Marseille, novembre 1985-février 1986.

CHAPITRE XII

L'ARCHITECTURE

I. LE TEMPS DE L'ARCHITECTURE URBAINE 1800-1940

En Provence au XIXe siècle, l'intensité de l'urbanisation, qui est, après Paris, la plus forte de France, oriente la demande d'architecture. À Marseille d'abord, puis à Avignon, à Nice et à Toulon, le développement du cadre urbain et les nouveaux besoins sociaux déterminent les programmes de l'architecture monumentale, des équipements de l'économie et des échanges, et en dernier lieu de l'architecture de l'habitat. Ces trois axes, avec leurs logiques propres, commandent l'évolution de l'architecture dans la région.

La croissance et la nature des commandes fixent dans ces centres l'activité de maîtres d'œuvre importants et dont la qualification se transforme ; en dehors d'une poignée d'architectes spécialistes des édifices publics, les compétences des architectes et des entrepreneurs, pratiquement confondues avant 1850, se précisent. À la sclérose technique de la première moitié du siècle succèdent les innovations, la charpente métallique, les ciments et les nouveaux matériaux céramiques d'une industrie locale active, des produits que la révolution des transports rend disponibles partout.

Pour les commanditaires, la maîtrise d'ouvrage s'articule avec les organes modernes de gestion et de contrôle. L'administration des Ponts et Chaussées, le Conseil des Bâtiments civils, les architectes des départements encadrent la production de l'espace bâti. L'histoire de l'architecture touche à l'aménagement urbain, au contrôle de l'espace par les forces en présence, avec l'exemple à Marseille de la rivalité de la Chambre de commerce et de la Compagnie des docks-entrepôts. Mais, dans le cadre restreint de cette rapide étude, on ne pourra que laisser de côté ces mécanismes, et on portera l'attention sur les formes bâties.

1. Les monuments publics et l'embellissement

Les grandes phases historiques découpent fortement l'intervention architecturale. Dans la première moitié du XIXe siècle, la tradition de l'embellissement, qui était déjà celle des Lumières, se combine avec le début de l'aménagement d'un espace urbain moderne ; de rares édifices publics, souvent en premier lieu des théâtres, rassemblent l'essentiel de l'intervention architecturale, que complète l'édification d'églises, dans le cadre de la restauration catholique. Sous le Second Empire, le dynamisme de la vie sociale et de l'économie implique la réalisation de nombreux équipements, souvent d'une ampleur et d'une richesse insistante, que la Troisième République accentue encore jusqu'en 1914, du fait de la nouvelle autonomie des communes et du plein essor des institutions commerciales.

L'architecture monumentale de l'Empire à la monarchie de Juillet. À Marseille, au début du siècle, les programmes des constructions publiques sont encore tributaires de la pensée monumentale néo-classique. Dans des figures architecturales codées par la référence à l'histoire antique, la fonction commémorative et le marquage de l'axe majeur de la ville conduisent à l'érection, au sud, de l'obélisque de la place Castellane, construit pour la naissance du roi de Rome (1811, aujourd'hui transféré au rond-point de Mazargues), par l'architecte de la ville, Robert Penchaud (1772-1833), et, au nord, à l'arc triomphal de la porte d'Aix. Le programme politique de ce dernier a beaucoup varié ; à l'origine, en 1784, on trouve le projet d'un arc de triomphe en l'honneur de Louis XVI, puis en 1823, un projet commémoratif de l'expédition en Espagne du duc d'Angoulême, qui débouche en 1825 sur le projet architectural, par Penchaud, et sur le début du chantier. Choisis à Paris parmi les artistes en vue, les sculpteurs David d'Angers (1788-1856) et Ramey (1796-1852) reçoivent commande en 1828 du décor sculpté, dont le programme iconographique est modifié en 1831 par le Conseil municipal de Marseille, qui décide alors de commémorer les campagnes de la Révolution, du Consulat et de l'Empire (jusqu'à Austerlitz) ; en illustrant la prise d'Alger, Ramey intègre l'actualité à ses reliefs. L'arc, dont l'architecture est plus proche de la rigueur du modèle archéologique que ses deux antécédents parisiens, est inauguré en 1839 ; mais il n'a jamais été accompagné d'un ensemble urbain cohérent. D'autres importants ensembles néo-classiques sont constitués par des constructions hospitalières édifiées sur les plans de Penchaud : l'hospice des aliénés, à la Timone (1835), et, situé à des fins sanitaires dans une île de la rade de Marseille, l'hôpital Caroline (1823-1828). Ces chantiers donnent de l'importance aux entrepreneurs locaux, les frères Falque, les Jauffret, qui étendent leurs activités au marché foncier et à la promotion immobilière. Avec une ordonnance et un décor plastique dont jusqu'alors on faisait l'économie, comme dans l'immeuble 50 rue de Breteuil (1840, Collin arch.), les immeubles d'habitation commencent à prendre leur part dans la qualité architecturale de la ville ; comme le note Chaumelin en 1856, « à mesure que la richesse est allée s'augmentant à Marseille, le goût des constructions s'est aussi développé ».

L'architecture monumentale reste ponctuelle et éparse dans le paysage urbain jusqu'au milieu du siècle ; elle fait une place aux édifices religieux, qui accompagnent quartier par quartier le développement de l'urbanisation. Si le temple protestant de la rue Grignan (1822-1825, Penchaud arch.), construit dans un style dorique rigoureux, et si l'église Saint-Lazare, confiée en 1833 après concours à Pascal Coste (1787-1879) et l'église Saint-Joseph (début 1833, Pascal Coste arch., façade 1861, et plafond en 1868 par Espérandieu), sont des exemples solides de style néo-classique, d'autres chantiers conduits à cette époque sont d'une architecture plus inconsistante : celui de l'église Saint-Charles (début 1826, Mouren entrepreneur), qui fait l'objet de modifications répétées (agrandie en 1834, l'église s'achève par le maître-autel, en 1891, par Jules Cantini), et celui de l'église Saint-Michel, de style gothique, mais restée inachevée (début 1849, Pierre-Marie Bérengier arch.).

Entre 1825 et 1830, à Tarascon, à Avignon et à Arles, dans chacune de ces villes s'édifie un théâtre ; celui d'Arles a une élégante façade néo-classique. À Avignon, dans le cadre d'un plan d'embellissement établi en 1835, l'extension de la place de l'Horloge fixe le cadre de la reconstruction dans un style classique de l'hôtel de ville (Auguste Joffroy arch.) et, avec plus d'emphase, d'un nouveau théâtre (1847, Charpentier et Feuchères arch., après l'incendie de celui construit en 1826). À Saint-Rémy la collégiale Saint-Martin (vers 1820, Penchaud arch.) est un sévère édifice néo-classique, construit sur un plan basilical, avec une façade complétée d'un pronaos antiquisant.

À Nice, l'urbanisation est l'occasion de la création d'ensembles monumentaux néo-classiques, interprétés dans les conditions locales de la maçonnerie enduite et peinte. La construction du port s'achève par le bel ensemble sur portique, de part et d'autre de l'église Notre-Dame du Port ; sur la rive droite du Paillon, entre 1835 et 1850, la place Masséna est dessinée sur les plans de Joseph Vernier, sous la forme d'une élévation régulière sur arcades. L'église du Vœu (1841-1852, Carlo Mosca arch.), comme à Bellet l'église Saint-Roman (1840, Vernier arch.) sont des constructions néo-classiques.

L'architecture monumentale sous le Second Empire. À Marseille, les programmes, les investissements et la volonté politique changent alors de nature et d'échelle. Dans ces conditions nouvelles, l'autorité d'un petit nombre d'architectes s'impose aux donneurs d'ouvrage : deux Méridionaux, Pascal Coste, né à Marseille, déjà connu pour ses églises néo-classiques, et Henri Espérandieu, né à Nîmes (1829-1874), auquel s'ajoute un Parisien, Léon Vaudoyer (1803-1872), membre de l'Institut, chef d'atelier à l'École des Beaux-Arts. En quelques années, leur interprétation des programmes et des styles élargit les références, du néo-classicisme un peu étroit de Coste à l'historicisme de Vaudoyer et à l'éclectisme inventif et brillant d'Espérandieu.

La plupart des édifices publics construits alors à Marseille correspondent à l'équipement administratif d'un chef-lieu : ainsi le Palais de justice (1856-1862) édifié par François-Auguste Martin (1818-1877), architecte du département, dans une formule néo-classique à la fois sévère et sans invention ; le portique antiquisant, d'ordre ionique, et le fronton, avec son tympan décoré des figures allégoriques de la Justice (Guillaume sculpteur), donnent les figures convenablement arides qu'exige alors l'architecture judiciaire.

La construction du Palais de la Chambre de Commerce (1852-1860), par son emplacement et par son ampleur, restitue ce qui, dans cette transformation monumentale, dépend étroitement des forces économiques. Confié à l'architecte marseillais Pascal Coste, ce vaste édifice, construit sur la Canebière, se distingue par la monumentalité classique de ses figures (soubassement à refends, portique d'ordre colossal, attique aveugle), et en même temps par une sorte de réserve laborieuse, qui fixe la référence un peu scolaire de cette élévation. Celle-ci, séparée de la chaussée par une grille, montre que l'édifice n'appartient pas à l'espace public. Peu après, la construction de la nouvelle préfecture, décidée par le préfet de Maupas, en poste à Marseille de 1860 à 1866, est un chantier très stimulant, où le maître d'ouvrage charge la commande d'une affirmation de luxe public qui est une volonté politique. Confié d'abord à Martin, qui établit les plans et qui dirige le chantier du gros œuvre, le chantier de la préfecture fait place, après la démission de Martin en 1858, à des dispositifs luxueux, qui, derrière les élévations classicisantes des corps de bâtiment, caractérisent une architecture d'apparat : cour d'honneur, escalier monumental à double volée. L'architecte décorateur qui a réalisé l'Opéra-Comique de Paris, François-Joseph Nolau, met au point les décors intérieurs « qui comptent parmi les plus somptueux du Second Empire » (D. Jasmin). Dans l'élévation, une importante sculpture figurée représente l'histoire de la Provence et les villes du département ; dans une niche de l'avant-corps central, la statue équestre de Napoléon III, qui commandait l'ensemble, a été détruite en 1870.

Dans les années suivantes, la construction du Palais Longchamp (1862-1869) et du Palais des Arts, qui abrite l'école des Beaux-Arts et la bibliothèque (1864-1874 enrichit la ville de monuments spectaculaires. Leurs projets sont confiés à un jeune architecte, Henri Espérandieu, qui vient de faire ses preuves avec le projet de Notre-Dame-de-la-Garde. Le Palais Longchamp, appuyé sur le réservoir où aboutissent les eaux de la Durance, abrite le double musée des Beaux-Arts et d'Histoire Naturelle ; il transforme le site, et constitue avec ses portiques, ses sculptures, sa fontaine et ses bassins, un efficace système d'embellissement du paysage urbain, articulé avec l'axe du nouveau quartier Longchamp. Cette expression lyrique de l'architecture monumentale est sans précédent à Marseille, et ne peut se comprendre sans impliquer une évolution plus générale de l'élite locale, attachée alors, par les grands travaux et la construction d'un nouveau port, à une transformation complète de la ville et de ses fonctions.

La résidence impériale du Pharo, qui occupe un site exceptionnel, est édifiée sur un terrain offert par la ville à Napoléon III en 1855. Construit en pierre sur un projet d'Hector Lefuel (1810-1881), architecte de l'impératrice, l'édifice est un exercice de style à la manière du XVIIIe siècle, à la mode à la cour impériale. La construction, qui débute en 1858, est inachevée en 1870.

Les églises et les basiliques édifiées sous le Second Empire participent à cette flambée monumentale, mais en y manifestant plus clairement la problématique de l'historicisme, qui est l'aboutissement, pour les spécialistes de l'époque, d'un moment de la culture architecturale. Après un concours organisé en 1852, l'église Saint-Vincent-de-Paul est construite dans le style néo-gothique, à la mode à ce moment, sur les plans de l'architecte F. Reybaud, avec la contribution de l'abbé Pougnet pour le détail des élévations. Édifiée entre 1855 et 1888, l'église reste privée de l'ambitieux décor sculpté prévu, comme l'attestent les nombreux reliefs simplement épannelés.

Par contre les autres édifices marquants sont construits en style « romano-byzantin ». La nouvelle Major, cette grandiose construction, est édifiée à partir de 1857 sur un terre-plein, construit par l'ingénieur de la ville Étienne Delestrac, au contact du grand chantier du nouveau port de la Joliette. Le programme est en rapport avec la volonté de rassemblement politique de Napoléon III, qui entend, lorsqu'il en pose la première pierre en 1852, « rallier à la fois l'Église et les masses populaires marseillaises » (Cl. Jasmin). « Grand œuvre » de l'architecte Léon Vaudoyer, celui-ci y fait la synthèse savante d'une architecture d'inspiration romane et latine par ses volumes et ses structures, plus orientale par son décor et ses parements. À sa mort le chantier est poursuivi par Espérandieu, puis par Henri Révoil (1822-1902). Pour la nouvelle basilique de Notre-Dame-de-la-Garde, édifiée par souscription entre 1853 et 1899, le projet gothique de P.-M. Bérengier est écarté par le conseil de fabrique à une voix de majorité, au profit du projet, en style ici aussi « romano-byzantin », proposé par Espérandieu et appuyé par Vaudoyer. Espérandieu donne les plans et dirige les travaux ; l'édifice allie une construction pleine de virtuosité technique avec un renouvellement de la perception des espaces par la polychromie des matériaux, qu'autorise le luxe voulu de l'édification. À la mort d'Espérandieu en 1874, le savant Henri Révoil (1822-1902), architecte en chef des Monuments Historiques, architecte diocésain, lui succède, sur ce chantier comme sur celui de la Major, et il a sa part dans l'orientation donnée aux revêtements en mosaïque décorative, inspirés de motifs de Ravenne, et réalisés par un Vénitien, Francesco Mora, et son atelier. En 1853, à Aix, la nouvelle façade de l'église de la Madeleine a une élévation plus triomphante (1853-1861, Révoil arch.). Dans un tout autre contexte, à Saint-Michet de Frégolet, dans les Alpilles, le style néo-gothique est retenu pour la nouvelle basilique du monastère des Prémontrés (1863-1866).

À Toulon, décrété par Napoléon III en 1852, le plan d'extension de Toulon est au point en 1858. Il prévoit la construction des équipements le long d'une artère nouvelle, l'actuel boulevard de Strasbourg. Comme l'a montré Marilù Cantelli, en décidant de prendre à sa charge l'élargissement à 25 mètres du boulevard, la municipalité précise son attente d'une échelle monumentale pour les édifices publics civils, que cette ville à l'image exclusivement militaire souhaite construire. La construction du Grand Théâtre (1862, projet de Léon Feuchères arch., exécution par Théodore Charpentier), et du Lycée impérial (1865, Laval arch.), répondent à cette demande. Mais l'urgence des travaux d'assainissement, démontrée par une tragique épidémie de choléra en 1865, diffère les autres projets.

À Nice, le tracé de l'avenue (1864) qui relie la place Masséna à la gare (1865, Bouchot arch.) fixe le développement de l'architecture publique et commerciale pour plusieurs décennies dans le nouveau quartier dont elle constitue l'axe ; sous le Second Empire, en relation avec le cosmopolitisme des hivernants, on y édifie l'église anglicane néo-gothique (1856, Woolfield arch.), l'église luthérienne (1866, Larezzoni arch.).

L'architecture monumentale sous la Troisième République. À Marseille, l'absence de projet urbain d'ensemble et l'affaiblissement de la volonté édilitaire de la municipalité limitent l'impact de la maîtrise d'ouvrage publique à des réalisations ponctuelles, d'où la volonté monumentale se rétracte. La phase la plus ingrate est entre 1900 et 1914, avec le concours sans suite pour l'aménagement du quartier de la Bourse, la construction de la poste Colbert (Joseph Huot arch.), de la Faculté des sciences (Blavette arch.) aux élévations particulièrement sévères, qui contrastent avec la modénature exubérante de la caserne des pompiers (1912, Léonce Müller arch.) ; après 1920, l'édification lente et incomplète de la Bourse du Travail (1929-1936, un tiers du projet est construit) montre à la fois les hésitations de la ville, maître d'ouvrage, et celles de l'architecte, Senès, architecte de la ville. L'édification de « l'escalier monumental » de la gare Saint-Charles (1923-1926, Senès et Arnal arch.) doit à la fois régler le problème de l'accès des piétons à la gare et procurer « l'embellissement » de la perspective du boulevard d'Athènes. Tardive ici aussi, la réalisation est celle d'un projet retenu à la suite d'un concours, en 1911. Dans une combinaison datée (structure métallique des passerelles et maçonnerie de pierre au décor néo-baroque), les architectes fixent ici une sorte d'ultime variante à l'éclectisme d'Espérandieu, au triomphalisme des sculpteurs, encore évident avec la fontaine Cantini (1911-1913). Contemporaine, la reconstruction de l'Opéra de Marseille (1921-1924) menée par Ebrard et Gaston Castel, marque au contraire de son néo-classicisme le temps du « retour à l'ordre » à Marseille. Personnalité essentielle entre les deux guerres, architecte du département de 1922 à 1942, Gaston Castel (1886-1971), formé à l'École des Beaux-Arts de Paris entre 1909 et 1914, conduit dans l'architecture publique la modernisation des formes classiques : le Tribunal de commerce (1931-1933), la prison des Baumettes (1931), à Marseille, et dans le département de nombreux édifices publics (mairie de Berre, salle des fêtes d'Istres, groupes scolaires à Allauch, Berre, Port-de-Bouc) deviennent, de 1930 à 1950, les édifices de référence pour la simplification de la modénature, pour les parements des élévations et leur décoration de motifs géométriques. En réalité, le succès de ces formules bâtardes, combinaison de la composition classique et de la mode Arts déco, laisse l'historien perplexe sur l'état en 1930 de la culture locale ; la génération suivante prendra ses distances avec cet « homme au goût infâme » (Pouillon), et il sera écarté des grands chantiers de l'après-guerre. On voit, à Aix, les élévations de la Faculté de droit (plans 1935, Sardou arch.), qui sont d'un néo-classicisme plus italianisant.

L'architecture commerciale dans les établissements les plus prestigieux participe à cette transformation des critères de l'apparat. Les sièges des établissements bancaires, à partir du Second Empire, sont souvent des édifices habillés d'un décor emphatique, qui sont à leur place dans la nouvelle esthétique urbaine. Ainsi le siège de la Banque de France, édifié par un collaborateur d'Espérandieu (1885-1886, Joseph Letz arch.), et plusieurs banques, aux élévations néo-baroques, rue Saint-Ferréol (1915 et 1917), Ebrard et Huot arch.). Pour la Caisse d'épargne des Bouches-du-Rhône (1904, Albert Tournaire arch., A. Allar sculpteur, décor peint d'Henri Martin et René Ménard), l'architecture et son décor doivent déterminer « un véritable palais de l'Épargne, digne de la cité d'un peuple prévoyant » (Eugène Rostand). L'élévation du Palais de l'Automobile, construit sur le Prado (1925, A. Ramasso arch.), dénote un retard sur l'esthétique générale du moment. Sa composition monumentale à l'échelle d'un édifice public (arcade centrale, ordre de colonnes engagées, entablement) et son décor plastique, qui associe les images de l'automobile du temps avec les guirlandes de feuillages (Annoi sculpteur), font encore une place à l'éclectisme de 1900. À partir de 1925, les édifices que réalise Castel engagent la simplification des formes : le siège de la Compagnie générale transatlantique (1928), et le siège de la compagnie Paquet (vers 1935, Rozan arch.) ouvrent la voie à des formules plus sobres, sinon à la modernité.

Pour l'architecture religieuse, la loi de séparation de l'Église et de l'État, en 1905, conduit les autorités ecclésiastiques, comme partout, à privilégier l'économie de la construction. En découle l'adoption de la technique nouvelle du béton armé, avec des formes sobres, et même rudimentaires. À Marseille, l'église Saint-Louis (1935, Sourdeau arch.), a un plan centré ; sur une structure légère de piliers et de poutres est posée une coupole surbaissée en ciment armé. Les limites du budget déterminent aussi les techniques nouvelles du décor : sculpture monumentale dans le béton frais (Sarrabezolles, sculpteur), vitraux décoratifs en dalle de verre enchassés dans le béton.

À Toulon, la plupart des édifices prévus dans les années 1860 sont construits et financés par la ville, Dutasta étant maire, sous la Troisième République. Le premier chantier important est celui du Musée-Bibliothèque (1882-1888), construit par Gaudensi Allar (1841-1904), architecte né à Toulon, qui s'est formé à Marseille auprès d'Espérandieu sur le projet et les chantiers du Palais Longchamp et du Palais des Arts ; le concours qu'il remporte pour l'École Rouvière (1880-1882) l'introduit sur les chantiers de l'architecture publique à Toulon. Le plan du Musée-Bibliothèque met en valeur la façade d'accès, en retrait, avec ses galeries et leurs arcades, traitées en loggia ouverte, et le traitement monumental du double escalier, inspiré par l'escalier du Palais Longchamp. L'inclusion de céramiques polychromes, une innovation récente, présentée à l'exposition de 1878, montre l'actualité de la culture de l'architecte, comme l'indique justement Jean-Jacques Gloton, qui souligne tout ce que les loggias, l'escalier ouvert, le bassin et les palmiers apportent à une interprétation méditerranéenne du monument public.

Si les quatre cariatides à l'étage, sculptées par André Allar (1845-1926) sont classiques, l'ensemble du décor sculpté, dans une perspective républicaine, exalte les talents des auteurs et des artistes locaux, autour de Puget et de Peiresc, et appuie les « armoiries révolutionnaires » de Toulon sur les figures réalistes d'une paysanne et d'un pêcheur, qui rappellent « sans équivoque la couleur radicale de la municipalité Dutasta » (Luc Georget). Denise et Claude Jasmin, qui ont étudié l'histoire de cet édifice, insistent sur le « combat contre la pénurie » que mène l'architecte (l'édifice est deux fois moins coûteux que le Palais des Arts de Marseille), face à une municipalité obligée de trouver dans une loterie publique les ressources nécessaires.

La portée politique de l'édification se confirme avec un autre chantier de la municipalité Dutasta : la fontaine à la Fédération, grand monument baroque, érigé par la Fédération républicaine du Var, place de la Liberté (1889-1890, Gaudensi Allar arch., André Allar sculpteur). La sous-préfecture (1900, Roustan arch.), et surtout le Palais de justice (1924, Morestel père et fils arch.), avec sa pompeuse façade principale, dans un style « Beaux-Arts » tardif, parachèvent cette interprétation monumentale des équipements publics.

À Nice, entre 1880 et 1914, l'architecture des grands établissements publics et commerciaux répond, par l'ampleur et le luxe évident de leur réalisation, à cette tonalité euphorique apportée par l'architecture des équipements hôteliers. Cette contamination prend souvent la forme d'un style néo-baroque : poste Wilson (1888, Annibale Carlo et Horace Grassi, arch.), gare du Nord (1892, pour le chemin de fer de Nice à Digne, Robin arch.), banque du Crédit Lyonnais (1890, Sébastien-Marcel Biasini arch.), de la B.N.P. (1921, Charles Dalmas arch.). La construction de l'Observatoire de Nice (1880-1887), sur le Mont Gros, est dans un style classique plus sévère ; participent à son élaboration l'architecte Charles Garnier et l'ingénieur Gustave Eiffel.

Après 1910, les manifestations d'une architecture plus inventive expriment une interprétation locale de la crise de l'esthétique du modèle classique, comme le lycée Masséna (début en 1913) ; après 1920, la sobriété des formes domine, soit qu'elle dépende d'un style défini par une administration nationale (pour la Poste principale, en 1935, ossature en béton et parement de brique), soit d'un retour à l'ordre, aux « Arts déco », et à la monumentalité, pour le nouveau Casino installé dans le Palais de la Méditerranée (1929, Charles Dalmas arch., Sartorio et Maubert sculpteurs).

Pour l'architecture sacrée, sur la Côte d'Azur, les styles historiques, et éventuellement « nationaux », se maintiennent vigoureusement : la cathédrale de Monaco (1875-1884, Ch. Lenormand arch.) est édifiée dans un style roman, à Nice l'église russe (1903-1912, T. Preobrajensky arch.), avec ses cinq coupoles, s'inspire de l'église moscovite Saint-Basile. Mais plus tard, à Nice, l'église Sainte-Jeanne-d'Arc (1932-1935, J. Droz arch.), avec ses voûtes minces en ciment armé, dessinées sur des paraboloïdes de révolution, inscrites dans les recherches du moment sur l'architecture sacrée, marque une nette rupture, équivalente à celle de l'église Saint-Louis de Marseille.

À Monte-Carlo, après la création de la Société des bains de mer en 1861, la construction du Casino et de son théâtre (1878-1879, Charles Garnier arch.) est le point d'appui pour plusieurs extensions (1898 et 1910), dans le même style éclectique exubérant ; sa dimension et son emplacement lui donnent le caractère d'un monument public, qui impose son échelle à un environnement de palaces. À Menton, le Casino et son théâtre (1909-1910, par l'architecte danois Tersling), le marché couvert et son décor de céramique émaillée (1903, Tersling arch.) participent à l'exubérance de l'architecture hôtelière, à la différence du Musée (1907-1909, Adrien Robin arch.), néo-classique, avec une façade ouverte par une grande loggia. Le nouveau Casino (1934, Roger Seassal arch.) est édifié dans un style plus sobre.

2. L'architecture de l'habitat 1800-1940

Comme ailleurs en France, l'évolution du statut, la localisation et la typologie de l'habitat engagent la grande mutation de l'architecture domestique. Mais de fortes données locales orientent la maîtrise d'ouvrage et les professionnels de la construction vers des résultats spécifiques : à Marseille la maison dite « à trois fenêtres », à Nice et sur le littoral la résidence des hivernants.

À Marseille, commandée par la pratique du lotissement de vastes domaines viabilisés, l'urbanisation jusqu'en 1860 favorise la reproduction à l'identique d'un type d'immeuble, déterminé par un parcellaire standard, que les techniques et les besoins interprètent avec des résultats constants. Le « trois fenêtres » est un immeuble d'habitation mitoyen, à trois travées de fenêtres, élevé de trois ou quatre étages (le dernier en retrait) ; construit sur une parcelle de 8 mètres de large environ, facilement franchie par les pannes de bois d'œuvre qui portent une couverture de tuiles, le volume se prête à diverses interprétations. Si les notables occupent tout un immeuble, la plupart des Marseillais y sont locataires d'un étage, ou d'un demi-étage. Mis au point au XVIIIe siècle, dans les quartiers neufs, son plan, sa distribution et sa construction sont diffusés et imposés par les professionnels du moment, des entrepreneurs-architectes, comme Victor Leroy, qui rédige en 1847 une sorte de manuel pour la construction de ce type d'immeuble. Répétée à l'identique, en série continue, la formule donne les élévations uniformes, souvent pauvres, de la plupart des rues du centre de Marseille. Entre 1880 et 1914, toujours populaire, le « trois fenêtres » est souvent interprété et adapté par une nouvelle génération de professionnels, des architectes, qui, spécialistes du projet, proposent des variantes : immeuble double, sur une double parcelle, avec un escalier et une porte communs, au centre, ou adaptation aux nouveaux critères du confort, avec des courettes pour l'aération ; la surélévation de un ou deux étages est aussi une solution fréquente.

Sous le Second Empire, la rénovation du centre par de larges voies percées dans le tissu ancien introduit à Marseille la typologie haussmannienne. La Société Immobilière Marseillaise, avec les immeubles construits rue de la République, fait pénétrer à Marseille une distribution avec entresol, un nombre élevé d'étages, un décor plastique historicisant insistant dans les élévations. Le type de l'immeuble résidentiel, avec un plan plus ample que dans le « trois fenêtres », et des pièces de réception adaptées à la bourgeoisie cossue, se répand dans les artères chics du centre. On trouve des formules proches dans les nouvelles artères des principales cités, à Aix, Avignon, à Toulon.

À partir de 1860, à Marseille, à la périphérie du centre, ou plus loin, sur la Corniche, d'autres solutions apparaissent, retenues pour leur aptitude à marquer des hiérarchies sociales : « châteaux », bastides ou villas, où les architectures éclectiques se développent, en insistant souvent sur l'importance des combles apparents et volumineux, à l'opposé des traditions locales. Sont ainsi édifiés, pour Paulin Talabot, le château Talabot (1860, Bouchot arch.), construit en brique et en pierre, pour Jean-Baptiste Pastré, président de la Chambre de Commerce, le château Pastré (Jean Danjoy arch.). Les « châteaux de l'Huveaune » sont édifiés le long de l'Huveaune, entre Marseille et Aubagne, par de riches Marseillais : Castel-Margot, château de Ligières, château Montgrand, château Régis (1869, élévation inspirée de Chenonceaux). À Allauch, le château de Fontvieille (1845), construit « par quelque disciple de Penchaud, dans la tradition des maisons d'Italie chères à Percier et Fontaine » (J.-J. Gloton), arbore deux étages de loggias.

À Salon, dans la seconde moitié du XIXe siècle, la prospérité industrielle née des nouvelles savonneries et du chemin de fer, conduit les principaux négociants et industriels à édifier des habitations importantes, la plupart dans un style éclectique et, dans ce sens, « moderne » ; on trouve ainsi, dans le quartier qui relie la gare à la ville ancienne, la grande villa Coudert, (1900) et ses combles impressionnants, le château Armieux (vers 1900, actuel palais de justice) construit dans le style de la Renaissance, mais sur un plan original, le Château Ravoire (aujourd'hui le Crédit Agricole), et plusieurs villas classiques.

Dans les Alpes du Sud, à Barcelonnette et à Jausiers, partis, à la suite des frères Arnaud (1821), faire fortune au Mexique, de nombreux « Mexicains » ont édifié, de retour au pays, une riche villa. L'édification, entre 1880 et 1930, montre le succès social du programme de la « maison moderne » (au sens de Viollet-le-Duc) et l'intérêt que les architectes trouvent alors dans des commandes qui ouvrent la voie à des interprétations personnelles et à l'innovation. Hélène Homps a montré que ces villas sont souvent confiées à des architectes étrangers à la région, suisses (Ramelli, de Lugano), lyonnais, grenoblois ou parisiens ; un architecte marseillais, Eugène Marx, intervient plusieurs fois entre 1897 et 1901. Seul le « château des Magnans » (1903-1913, à Jausiers, Ramelli arch.) relève d'un autre programme, et est traité dans un style fantaisiste chargé, dominé par l'ornementation. Plusieurs de ces villas sont des interprétations architecturales consistantes, qui montrent, dans le plan, dans la volumétrie et dans le traitement des combles, le passage des solutions classiques (la maison française), aux solutions novatrices (la maison moderne). La villa Costebelle (1914, Ramelli, arch.) est des plus intéressantes ; sur un plan asymétrique, dans une volumétrie dynamique, mais avec des formes et une modénature classicisante, son programme intègre des éléments substantiels de la modernité : garage d'une automobile, équipement sanitaire confortable et chauffage central, ainsi qu'une étonnante véranda-salon, transformable par un mécanisme. La grande « villa bleue » (1931, Hiriart, Triboud et Beau, arch.), construite par des architectes qui ont construit le pavillon des Galeries Lafayette à l'exposition des Arts décoratifs de 1925, avec son hall central et son retour à la symétrie, montre des hésitations, typiques du « retour à l'ordre », sur le programme et sur le style. Sa grande verrière, au style géométrique, qui met en scène un paysage industriel fictif, reste une manifestation tonique.

Sur l'ensemble du littoral, de Marseille à Menton, le programme de la villa, à partir de 1850, devient ainsi un élément majeur dans le mode d'occupation des sites, puisque, avant la construction des hôtels, la villa permet la villégiature ; il complète la pratique des promoteurs, qui sont les premiers à « mettre en valeur » le littoral par des lotissements flatteurs. Il joue aussi un grand rôle, de plus en plus intense à la fin du siècle, dans l'extension de l'activité des architectes, pour lesquels la qualification des formes de la villa implique un savoir-faire dans le projet, dans l'interprétation des références, que l'entrepreneur ne possède pas. Autrefois spécialiste de l'architecture publique, l'architecte à la fin du siècle accède à la commande privée grâce à des commandes de villas. Très opportunément, au moment où la profession connaît un fort accroissement de ses effectifs, ce nouveau programme lui offre un débouché important, en relation avec les puissants moyens des commanditaires. Enfin, en raison d'une clientèle internationale étendue, on note que ce programme, qui ailleurs, comme en Bretagne, encourage les formules de l'architecture « régionale », et les architectes du cru, ici, parce qu'il favorise l'éclectisme, favorise la circulation des compétences : à Cannes, à Nice, à Menton, interviennent des architectes venus de toute l'Europe.

De 1880 à 1914, l'architecture de la villa est l'objet de toutes les interprétations éclectiques, sur un éventail de références cosmopolites ; ainsi à Nice le château de l'Anglais (1858), néo-gothique et indien, les édifices construits par un architecte polonais, Adam Dettlopf, la villa-manoir construite au Vallon-de-Barla (1890), et à Cimiez la villa Surany (1900). L'architecture « exotique » de nombreuses villas spectaculaires propose une relation à un espace et à une culture autres, qui sont souvent ceux de l'Orient ou du Maghreb. Ces villas « orientales » se trouvent à Toulon, à Hyères, à Saint-Raphaël, à Cannes, à Juan-les-Pins, à Nice. D'autres villas permettent des interprétations plus étroitement liées à la personnalité du maître d'ouvrage, qui peut s'investir dans une « architecture de création ». Les plus remarquables dans ce sens sont à Menton, la villa des Colombières, créée par Ferdinand Bac (1859-1932), et la villa Fontana Rosa, où l'écrivain Vincente Blasco Ibanez (1867-1928) aménage un « jardin d'écrivains », et à Beaulieu, la villa Kérylos (1903-1911, pour l'archéologue Salomon Reinach, Emmanuel Pontremoli arch.), qui interprète luxueusement le programme de la maison grecque antique.

Le logement social. À la différence de la plupart des sites du développement industriel, le patronat dans la région a pris peu d'initiatives dans l'édification de logements ouvriers. Dans les Bouches-du-Rhône, sous le Second Empire, la seule cité ouvrière est celle des Messageries Nationales à La Ciotat (1854-1860, Delacour arch.) ; à la fin du siècle, les premières sociétés d'HBM commencent à construire des pavillons dans la banlieue de Marseille, à la Capelette (1889), à la Belle de Mai (1889). Avec la création des Offices publics d'HBM (à Marseille en 1919, dans les Bouches-du-Rhône en 1920), débute la construction d'immeubles collectifs : dans la banlieue de Marseille (1922, groupe Strauss), à Aix (1932), à Miramas. En 1932, la création à Marseille d'une société d'économie mixte, la Sogima, conduit à produire des ensembles urbains (boulevard Rabatau), à cour ouverte, proches des solutions en vigueur à Paris.

3. Les équipements de la villégiature et du tourisme

Résultat d'une articulation étroite entre l'urbain et la « classe de loisir » au XIXe siècle, d'importantes constructions posent une empreinte forte sur plusieurs paysages urbains de la région.

À Marseille, plusieurs hôtels de tourisme sont édifiés avec une architecture opulente dans la partie haute de la Canebière, hôtel Louvre et Paix (1870, Pot arch.), et l'hôtel Noailles (Berengier arch.), et, place Sadi-Carnot, l'ancien hôtel Régina (1906, Séguela arch.). À Avignon, l'hôtel Savoy est un dispositif comparable par son statut et par sa situation rue Impériale (actuelle rue de la République).

Dans les villes du littoral, de Hyères, à Cannes, Nice, et Menton, les programmes de l'édification et les compétences des partenaires sont rapidement bouleversés, entre 1850 et 1860, par l'irruption d'une fonction nouvelle, la résidence d'hiver pour les élites européennes puis mondiales. La promotion du site de Cannes par Lord Brougham, à partir de 1831, l'annexion de Nice en 1860, puis l'arrivée du chemin de fer sur le littoral (Cannes 1863, Menton 1867), forment les repères chronologiques principaux pour disposer l'évolution d'une architecture, qui, étroitement reliée à l'histoire européenne de l'architecture touristique, sort du cadre régional. Entre 1880 et 1914, dans les villes du littoral, ce programme est la base principale pour l'activité des principaux professionnels : à Nice S.-M. Biasini et J. Dalmas, à Menton l'architecte danois Tersling, trouvent les données d'une intense réussite professionnelle, à un niveau qui, pour la génération précédente, est celui des commandes d'édifices publics majeurs. Après les créations spontanées du début, lorsque leur succèdent les interventions des sociétés financières, le choix des architectes se concentre. À Juan-les-Pins, une station lancée par une société financière en 1891, un seul architecte,

R. Macé, a en charge un ensemble de trois hôtels, du Casino, de l'église et l'organisation des lotissements.

L'architecture résidentielle détermine, à partir de 1860, une adaptation au climat. Dans ces lieux de l'hivernage pour l'élite sociale européenne, la typologie de l'hôtel de luxe mise au point dans les capitales est reprise, entre 1860 et 1914, et progressivement adaptée ; l'orientation au midi des élévations est déterminante, elle impose des baies importantes, des balcons, et la construction en retrait de l'alignement de la chaussée, ou au contact d'un jardin déployé au midi (hôtel Gray d'Albion à Cannes). Entre 1860 et 1880, l'architecture de l'hôtel insiste sur le thème de l'exotisme, avec quelques solutions orientalistes typées. Après 1890, s'impose la typologie de l'hôtel-palais, de grande dimension, avec des espaces développés pour la réception, les salles à manger et les salons, des services organisés sur plusieurs niveaux de sous-sol. L'immeuble est lamelliforme, à cinq ou six niveaux. Les références au style historique sont générales, avec un éclectisme inventif qui interprète la tradition classique française. Le décor plastique est abondant, ou même envahissant. Les figures des grands combles et des coupoles imposent la silhouette de l'édifice dans le paysage.

À Cannes, la résidence des premiers hivernants précède le développement hôtelier ; elle est à l'origine de la construction de grandes villas ou châteaux, implantée sur les collines, plus salubres que le littoral, avoisinant l'agglomération. Ainsi le château des Tours (1853), construit dans un style médiéval fort militaire, devenu villa Valhombrosza en 1860, puis, après une transformation importante (1893, Vianney arch.), l'hôtel du Parc. La construction des hôtels débute en 1862 ; sur la Croisette, aménagée en promenade, les premiers hôtels sont construits dans les années 1880, suivis par la nouvelle génération des palaces : le Gray d'Albion, et le Grand Hôtel, en 1898, puis entre 1907 et 1913, le Beau Rivage, le Majestic, et enfin le Carlton (1909-1913, Charles Dalmas arch.), gigantesque bâtiment avec deux ailes en retour, et coupoles aux angles ; les travées saillantes de bow-windows brisent l'unité des élévations, qui portent à leur sommet balcons et balustres sur consoles de pierre.

À Nice, à partir de la place Masséna, achevée en 1868, les premiers hôtels sont construits vers l'ouest, sur le quai du Paillon, bientôt recouvert pour devenir l'avenue Masséna. On y trouve le Grand Hôtel (1867), qui offre 600 chambres, et l'Hôtel de France, dont la reconstruction, dans les années 1880, métamorphose l'élévation par un dessin inspiré de l'architecture française du XVIIIe siècle, avec un soubassement à refends, deux avant-corps décorés de pilastres, de frontons et de tympans sculptés, et, au sommet, une balustrade de pierre.

Sur la promenade des Anglais, les hôtels sont plus petits, alternent longtemps avec des villas ou des résidences particulières, comme le Palais Masséna (1901, Thiercelin et Messiah arch.) construit dans un style italien classique (décor intérieur de style Empire) pour Victor Masséna, petit-fils du maréchal. Toutes ces constructions, établies en retrait, participent à la qualité de l'espace urbain de la promenade. L'hôtel le plus ancien est l'hôtel Victoria (1855) ; suivent l'hôtel des Anglais (1875), avec une élévation de quatre étages, qui dispose de loggias continues, construites en fer, et le Westminster (1878, Louis Castel arch.). Les ultimes palaces sont, à l'emplacement de l'hôtel des Anglais, l'hôtel Ruhl (1913, Charles Dalmas arch.) détruit à son tour pour faire place au Méridien, et l'hôtel Negresco (1912, Édouard Niermans arch.), avec pavillon d'angle circulaire, plus élevé d'un étage, surmonté d'une coupole qui l'identifie dans les vues lointaines.

Lorsque à la fin du siècle le quartier de Cimiez devient à la mode, la typologie de l'hôtel-palais, du palace, est au point. À la suite de son engouement pour le site de Cimiez, Henri Germain, le directeur du Crédit Lyonnais, est à l'origine de la création d'une société d'investissement qui intervient sur le site. Pour la Société des Wagons-Lits, est construit un premier hôtel en 1892, le Riviera Palace (Biasini arch.). Puis, pour Henri Germain associé à un parfumeur de Grasse, Antonin Raynaud, Biasini, ancien élève de Questel à Paris, construit l'hôtel Excelsior Régina (1895-1897). C'est le plus grand palace de la Côte : plus de 200 mètres de long, 400 chambres et suites, 233 salles de bains ; la reine Victoria y dispose d'une tour complète, avec accès séparé. Aboutissement de la typologie de l'hôtel de luxe, avec le perfectionnement des niveaux de services et la relation avec le jardin, les espaces abrités sous les vérandas, ce palace exploite sans retenue le principe de la longue barre lamelliforme. On construit encore à Cimiez le Winter Palace (1900, Ch. Dalmas arch.), l'hôtel Alhambra (1901) avec des figures d'architecture orientale, des arcades outrepassées, et l'hôtel Hermitage (1907, Charles Dalmas arch.), où les fenêtres, chacune avec balcon porté sur des consoles, dessinent des travées qui alternent avec des pilastres corinthiens. Mais la vogue de Cimiez sera courte, et le site perdra rapidement son attrait après la Première Guerre mondiale.

Dans les autres villes résidentielles, les grands hôtels reproduisent les mêmes formules. Ainsi à Monte-Carlo l'hôtel Hermitage (1906, Jean Marquet arch.). À Menton, si l'hôtel des Anglais (vers 1860) est construit sur le quai, par la suite, entre 1880 et 1914, en raison d'une clientèle où dominent les malades, les grands hôtels s'écartent du littoral : l'hôtel Alexandra (1886, G. Rives arch.), l'hôtel d'Orient (1894) avec un avant-corps où l'étage supérieur forme une série de loggias, le Riviera Palace (1898-1910, Tersling arch.), le Winter Palace (1907, Cerruti arch.), l'hôtel Astoria (vers 1913).

II. LES EXPÉRIENCES DE LA MODERNITÉ 1800-1940

L'importance des équipements techniques au XIXe siècle donne l'initiative aux porteurs d'une culture rationaliste. Ingénieurs et architectes, dans les ouvrages d'art et dans les édifices instrumentaux dont ils ont la charge, manifestent ce rigoureux « art de bâtir », stimulé par la nécessité d'inventer les solutions adaptées à des programmes nouveaux. Dans la région, leurs travaux sont la source première de la modernité.

La seconde, entre 1920 et 1940, dépend de l'interprétation de l'architecture de la villégiature par les nouveaux architectes modernes, venus de Paris répondre à la demande d'une nouvelle couche d'amateurs, qui cherchent, après l'éclectisme cossu des générations précédentes, à imposer une architecture domestique simple et actuelle.

1. L'architecture instrumentale dans l'industrie et les transports 1800-1940

Instruments de l'activité économique dans les principaux centres, ouvrages d'art sur les nouveaux réseaux de transport, de nombreuses constructions techniques mobilisent au XIXe siècle la volonté politique des maîtres d'ouvrage, les investissements et les compétences. Plusieurs de ces constructions marquent l'architecture de leur temps.

Ouvrages hydrauliques. En relation directe avec Marseille, plusieurs des ouvrages d'art construits dans les Bouches-du-Rhône au XIXe siècle sont des réalisations architecturales exceptionnelles. Les travaux du canal de Marseille, construit par la ville entre 1838 et 1849, sans subvention, dérivent les eaux de la Durance jusqu'à son territoire ; le projet et les travaux sont conduits par un ingénieur des Ponts et Chaussées, Frantz Mayor de Montricher (1810-1858), qui dirige et organise ici un des derniers grands chantiers de l'ère préindustrielle. Sur le tracé, tunnels et aqueducs se succèdent, « chefs-d'œuvre d'artisanat dont Roquefavour est la pièce maîtresse et la vitrine » (Cl. Jasmin). Roquefavour est un aqueduc de 375 mètres de longueur et de 82 mètres de hauteur, réalisé entre 1839 et 1847 ; il résulte de la synthèse d'une technique antique (la maçonnerie de pierre), mise en œuvre avec l'outillage traditionnel (la machine à vapeur n'intervient pas encore), et d'une science moderne de l'organisation du travail, qui est propre à l'ingénieur ; célébré à l'Exposition universelle de Paris en 1855, l'aqueduc de Roquefavour, rival du pont du Gard, est ainsi le principal édifice monumental de Marseille avant le Second Empire.

Routes, ponts, voies ferrées. La ligne de chemin de fer de Marseille à Avignon mobilise entre 1843 et 1847 des équipes d'ingénieurs réunies par Paulin Talabot. Sur cette ligne, plusieurs ouvrages d'art sont remarquables : le tunnel de la Nerthe, à l'époque le plus long de France, et le viaduc ferroviaire de Saint-Chamas, construit par Gustave Desplaces, avec une structure d'arcades croisées, qui vise, démarche moderne par excellence, à l'allégement de la construction.

Sur la ligne de chemin de fer de Marseille à Miramas, ouverte à la veille de la Première Guerre mondiale, le franchissement du canal de Caronte à l'ouest de Martigues, est résolu par un pont tournant sur pivot central, de 114 mètres de portée, qui libère une passe navigable de 43 mètres de large. Après la destruction du pont transbordeur de Marseille, il est le dernier ouvrage métallique mobile encore en service.

L'équipement portuaire. L'aménagement sur le rivage de la Joliette d'un nouveau port, avec son équipement, viennent ensuite. À partir de 1852, ingénieurs et entrepreneurs, au terme de travaux considérables, réalisent l'extension du port de Marseille par des bassins et des quais, conquis sur la mer, à l'abri de la Jetée du large. Celle-ci est construite à partir de méthodes nouvelles, par enrochement, sur un soubassement de blocs artificiels en béton moulé.

Sur le quai, les vastes bâtiments du dock-entrepôt, inspirés par l'exemple anglais, sont édifiés (1858-1863) par l'ingénieur Gustave Desplaces (1820-1869), qui les dispose de manière fonctionnelle, entre le quai et les voies ferrées de la gare d'Arenc. À l'extrémité sud, le bâtiment de l'administration de la Compagnie des docks, premier immeuble de bureaux construit à Marseille, a une élévation monumentale, traitée dans un style « Louis XIII parisien », qui, faute d'avoir la moindre relation avec le patrimoine architectural local, est un manifeste de l'éclectisme sémiologique du temps. « Instrument qui sort le port de Marseille de son âge classique, de ses archaïsmes du négoce traditionnel, des portefaix (...) pour l'installer dans l'ère industrielle » (Antoine Picon), le dock-entrepôt, avec ses six étages équipés de monte-charge hydrauliques, construits avec toutes les ressources d'un art de bâtir évolué (colonnes de fonte et planchers en fer), marque l'entrée du machinisme et du fonctionnalisme dans les programmes de l'architecture industrielle contemporaine à Marseille.

Après la phase du dock-entrepôt (1850-1880), l'histoire technologique du site portuaire se continue par « l'ère de l'outillage » (1880-1950). Dans les équipements du port, les grues hydrauliques (1880-1900), puis électriques (à partir de 1910), ajoutent leur silhouettes fixes, puis mobiles. À l'extension rapide du port vers le nord correspond la nouvelle typologie du hangar, abri léger, à ossature métallique. Deux autres ouvrages majeurs marquent à Marseille cette phase de l'architecture du machinisme. Le pont transbordeur construit par l'ingénieur Arnodin, mis en service en 1905, est un ouvrage mécanique, qui participe largement à l'identité figurative du site du Vieux-Port au début du XXe siècle. Il est détruit au départ des troupes allemandes de Marseille en août 1944. Moins connu, le silo à céréales (capacité 22 000 tonnes) de la Compagnie des docks, est édifié par une entrerpise parisienne en 1926 à l'extrémité nord de la Joliette ; lui aussi, par son fonctionnalisme, se propose d'atteindre un résultat architectural destiné « à impressionner favorablement de nombreux étrangers ». Construits en béton armé, les cylindres de stockage sont portés par quatre files de pilotis, qui enjambent une voie centrale pour les camions et deux voies ferrées ; au sommet, l'étage des transporteurs est recouvert d'un toit-terrasse utilisable pour le séchage des grains.

Dans le champ de l'architecture des transports, bien d'autres édifices participent dans la région à cette transformation technologique des constructions, comme sur le nouvel aéroport de Marignane, les hangars Caquot, édifiés dans les années 1930 (détruits en 1944) ; retenons à Gémenos, en

1919, la construction d'un étrange hangar à dirigeable (détruit en 1988), destiné à abriter un zeppelin livré par l'Allemagne ; l'ossature en béton armé est accompagnée de gigantesques écrans verticaux perméables, constitués d'un claustra en matériaux céramiques de 25 m de haut, montée dans une ossature tramée en béton ; ces écrans relèvent d'une conception aérodynamique : sans faire de remous, ils freinent la puissance du vent et permettent la manœuvre du dirigeable. L'innovation architecturale n'est pas ici indépendante de l'irruption des derniers aspects de la science dans l'industrie des transports.

Usines. Les équipements des activités économiques, dans cette période de croissance industrielle de l'agglomération marseillaise, participent pleinement à la transformation architecturale des sites. Dans l'industrie alimentaire, la nouveauté est dans la grande taille des bâtiments, pour les minoteries, pour les raffineries de sucre, dont les installations de production et de stockage occupent de grandes constructions de maçonnerie de pierre, aux percements réguliers, dont les élévations imposantes contrastent avec des quartiers industriels sans caractère ; ainsi dans le quartier Saint-Charles, la raffinerie Saint-Louis (disparue) est un vaste ensemble de six étages, couverts d'un toit-terrasse. Dans le quartier du Rouet, les savonneries, les fonderies ont des architectures plus modestes, dans des bâtiments à un seul niveau, restés jusqu'à la fin du XIXe siècle tributaires de systèmes constructifs traditionnels, murs porteurs en maçonnerie de moellons, charpente de bois portant une couverture de tuiles. Piédroits et chaînes d'angles appareillés, portail monumental, marquent cependant souvent l'empreinte d'une architecture savante sur ces constructions utilitaires.

À la fin du XIXe siècle, à Gardanne, la Société Nouvelle des Charbonnages des Bouches-du-Rhône est à l'origine de l'étonnante galerie souterraine qui relie la mine à la mer pour l'évacuation de la lignite (1891-1905, 15 km de long, traction électrique) ; construite pour l'aération de celle-ci, une haute cheminée de brique et de pierre élève une insolite colonne dorique monumentale sur les collines de Septèmes-les-Vallons, « acte manqué » d'une pensée technique qui cherche encore son esthétique dans l'imitation de l'architecture savante.

2. Les villas modernes et les manifestes de l'avant-garde

Entre les deux guerres, après Paris et sa région, c'est sur le littoral du Midi que se concentrent les manifestations de l'architecture moderne. Pour la plupart ce sont des villas, édifiées pour une clientèle d'avant-garde, loin des centres urbains consacrés par la génération précédente. Ces expressions architecturales, avec le recul de l'histoire, dépendent d'une conjoncture datée, lorsque, dans une phase de deux ou trois dizaines d'années, coïncident le pouvoir du promoteur, la volonté d'originalité du maître d'ouvrage et l'aptitude du concepteur à se dégager des modèles locaux, et lorsque l'imposition d'un édifice sur un site, où ne pèse aucune contrainte réglementaire, est encore possible.

Après 1910, la recherche d'une plus-value foncière en dehors des sites urbanisés, combinée avec le tourisme automobile, ouvre de nouveaux territoires à l'aménagement de sites résidentiels, en particulier sur la côte des Maures, entre Hyères et Saint-Raphaël, les sites préférés de Maupassant, lorsque, en 1888, il les découvrait intacts : « De toute la côte du Midi, c'est ce coin que j'aime le plus (...) parce que le Parisien, l'Anglais, l'Américain, l'homme du monde et le rastaquouère ne l'ont pas encore empoisonné. »

La mutation d'un site par l'investissement foncier et immobilier est alors à la fois une action économique, et une expression culturelle et gratifiante. L'image flatteuse de l'animateur-promoteur d'un lotissement, « créateur » d'un espace moderne, différent de la ville, appartient en effet à l'imaginaire social des élites de l'époque. Pour Jules Romains comme pour Mallet-Stevens ou Le Corbusier, dans les formes d'une urbanisation diffuse, sont réunies les conditions pour créer un nouveau mode d'habiter. À Saint-Aygulf avant 1900, puis, peu après, au Rayol, à Cavalière, à Beauvallon, à Golfe-Juan, des sites neufs, accessibles par de nouvelles routes, sont disponibles pour les entreprises des nouveaux bénéficiaires de la réussite sociale, artistes à succès, écrivains en vue, amateurs d'art, en général parisiens, qui vont investir cette partie du littoral. Après 1925, le goût des séjours d'été joue son rôle dans la sélection des résidents, qui n'est pas seulement un effet de la fortune, mais aussi de la culture. Toutes ces composantes ont pour effet le déplacement des demandeurs de l'innovation, de la classe de loisir vers des couches nouvelles, celles des agents des arts, des lettres et des spectacles, qui prennent l'initiative dans le champ de l'architecture domestique.

Ces villas sont commandées à des architectes qui deviendront célèbres ; la plupart sont construites entre Toulon et Saint-Raphaël : la villa Noailles, construite à Hyères pour Marie-Laure et Charles de Noailles (1924-1928, Robert Mallet-Stevens arch.), la villa construite au Pradet pour la Suissesse Hélène de Mandrot (1930, Le Corbusier arch.), la villa « Vent d'aval » construite à Sainte-Maxime (vers 1928, Pierre Chareau arch.) ; d'autres projets de villas modernes, par Adolf Loos, ou Djo Bourgeois, au Lavandou, par Guévrékian, à Saint-Tropez, n'ont pas vu le jour. Ajoutons le vaste hôtel Latitude 43, exceptionnel par son esthétique d'avant-garde, construit à Saint-Tropez (1932, Pingusson arch.). Au Rayol, à Sainte-Maxime, on rencontre aussi la problématique d'un régionalisme moderne, que représente ici l'architecte René Darde (1883-1960). Seul écart dans cette liste, c'est près de Menton que Eileen Gray construit deux villas modernes, en 1927 et 1932.

La villa Noailles donne le sens d'une rupture à cette modernité : édifiée à l'initiative d'un jeune couple parisien, elle est la rupture flagrante avec les conventions du luxe, dans un espace qui est encore celui d'une résidence d'hiver ; dès ses premiers échanges de vue avec l'architecte Rob Mallet-Stevens, Charles de Noailles manifeste son souhait d'une « maison extrêmement moderne », et « d'aspect amusant », non pas comme exercice de style, mais pour parvenir « au maximum de rendement et de commodité ». Source de malentendus entre le donneur d'ouvrage et l'architecte, cette tension entre la volonté sincère d'une architecture minimale et la manifestation d'une plastique nouvelle affirmée comme telle par l'architecte est intéressante : elle montre que la mise à l'écart des références à l'architecture savante procède d'une double approche. Les compétences et la culture de Mallet-Stevens déterminent l'interprétation de l'espace interne, où il fait la démonstration de son goût pour le style néo-plastique et de ses informations sur l'actualité internationale, sur les recherches des artistes et des architectes hollandais, proches de Mondrian et de Théo Van Doesburg. Cette interprétation novatrice se précise dans le grand salon du rez-de-chaussée, éclairé par un vitrage en plafond sophistiqué, dans les importants équipements sportifs intégrés, luxe exceptionnel pour l'époque (une piscine couverte, un squash, un gymnase et une « chambre en plein air »), et aussi dans l'aménagement du jardin. Le décor et le mobilier mettent à contribution les novateurs parisiens les plus avancés du moment : Pierre Chareau, Eileen Gray, Djo Bourgeois, les frères Martel, le verrier Barillet. Les interventions d'artistes d'avant-garde, le sculpteur Laurens, le peintre Théo Van Doesburg, l'architecte Guévrékian, qui dessine un insolite jardin géométrique, complètent ce manifeste de la modernité la plus actuelle. Dans une résidence où le luxe devient désinvolte, cette modernité rassemble des œuvres de l'art d'avant-garde avec des activités sportives et ludiques cohérentes avec le site et son climat, et elle offre aux hôtes des Noailles, à Man Ray, à Bunuel, à Igor Markévitch et à beaucoup d'autres, les jeux et les plaisirs d'une villégiature qui s'écarte des conventions mondaines.

À Roquebrune, la villa « E.1027 », construite par Eileen Gray et Jean Badovici (1926-1929) montre une approche bien différente ; implantée au bord de la mer, aménagée pour des séjours d'été, elle fait participer la construction en béton armé à la création d'espaces originaux, à l'agrément du plan libre de la salle de séjour, à sa communication avec la terrasse ; la mise au point de nouveaux dispositifs (fenêtre-paravent) et l'ingéniosité des espaces donnent substance à cette architecture minimale, qui dépasse le formalisme, et où la joie de vivre inspire la modernité.

À Saint-Tropez, l'hôtel Latitude 43 est une haute et mince barre ; pour obtenir la double exposition pour chaque chambre, vers les collines et vers la mer, l'architecte travaille la coupe, détermine une distribution originale des étages par une coursive arrière décalée en niveau. Avec ses superstructures techniques, ses balcons filants et ses volumes délibérément originaux, l'édifice est typique de cette affirmation de l'emprise territoriale de l'architecture moderne. Mais cette relation n'a pas toujours résisté aux transformations de l'environnement. Au Pradet, en 1930, la villa que Le Corbusier édifie pour Hélène de Mandrot, est implantée dans un paysage ouvert, avec des vues lointaines sur la « magnifique silhouette des montagnes ». Le plan, les parois, les baies sont organisés pour mettre en scène ce paysage, pour l'intégrer dans l'espace domestique, pour produire « la sensation de surprise qu'offre le spectacle inattendu de cet immense développement paysagiste ». Aujourd'hui, dans un environnement immédiat et lointain bouleversé par la *périphérisation* de l'agglomération toulonnaise, il ne reste rien de ces effets.

III. L'ARCHITECTURE DES « TRENTE GLORIEUSES » 1945-1975

1. La Reconstruction

Le nombre et la diversité des sites détruits pendant la guerre est considérable, sur un territoire qui s'étend d'Arles à Toulon, de Marseille aux Alpes du Sud, à Digne, à Sisteron, aux hameaux du Queyras. Le caractère dominant des opérations de reconstruction, toutes conduites dans le nouveau cadre institutionnel mis en place par le ministère, est le renouvellement des concepteurs. Plusieurs des architectes en chef qui ont la responsabilité des projets et des chantiers sont des personnalités nouvelles, étrangères à la région (Pierre Vago, Jean de Mailly, Le Corbusier) ; pour la plupart des autres, de jeunes architectes, les chantiers de la reconstruction sont le point de départ de leur carrière (Pouillon, Egger, Dunoyer de Segonzac).

La reconstruction d'Arles-Trinquetaille et celle de Tarascon, confiées à Pierre Vago, celle du front de mer à Toulon, dirigée par Madeline, puis Jean de Mailly, qui donne aussi le projet de reconstruction de La Seyne, sont typiques, avec leur simplicité volumétrique, du rationalisme moderne qui inspire ces architectes. À Marseille, la destruction d'une partie de la vieille ville suit la dramatique déportation des habitants, en janvier 1943. La rénovation de ce quartier, régulièrement évoquée depuis le Second Empire, étudiée depuis les années trente (plans Gréber et Beaudouin), se limite à la rive nord du Vieux-Port. Au projet Leconte, est finalement préféré le projet Pouillon et Devin, qui conduit une reconstruction ordonnancée, mais techniquement évoluée.

Dans ce contexte, pour les jeunes architectes de Marseille (Dunoyer de Segonzac), attentifs à la modernité, la commande à Le Corbusier par le MRU de l'Unité d'habitation du boulevard Michelet (1949-1952) est un événement stimulant. La « Cité Radieuse », synthèse aboutie de ses recherches sur l'immeuble d'habitation, restées longtemps théoriques, est pour Le Corbusier (1887-1967) un aboutissement ; la commande, la première passée par l'État à l'architecte, en décembre 1945 par Raoul Dautry, ministre de la Reconstruction, conduit à un ambitieux « laboratoire de l'habitat », dont la réalisation est menée contre vents et marées, avec l'appui fidèle de Claudius-Petit. Sur une puissante ossature de béton armé, aux piliers d'apparence massive, les appartements (au nombre de 337, de 23 types différents) sont du type traversant, en duplex ; ils sont combinés avec des loggias importantes, des rues intérieures, des « prolongements du logis », espaces mis en commun ou services collectifs. L'élaboration technique sophistiquée et efficace (insonorisation, ventilation) est à l'époque exemplaire. Appuyé sur des instruments nouveaux, comme le Modulor (pour le dessin des proportions), Le Corbusier y développe des préoccupations stylistiques neuves (les aléas du béton brut de décoffrage, la polychromie des loggias). Mais lorsque l'édifice s'achève, en période d'intense crise du logement, les préoccupations de l'État se détournent de cette architecture perfectionnée, et s'orientent vers la production de masse. Mise en vente par appartements, transformée en copropriété banale, la Cité radieuse perd alors son statut initial, qui était celui d'un instrument dans un hypothétique « service public de l'habitat ». Dans la région cependant, de nombreuses réalisations montreront l'autorité durable de ce modèle sur une génération d'architectes : les plus remarquables sont un immeuble avenue Cantini (1956-1957, Dunoyer de Segonzac), et, conçus à la fin des années soixante, l'immeuble Le Brasilia (Boukobza arch.), à Avignon le lycée agricole (Bechmann arch.).

Porteur d'une approche radicalement différente, Fernand Pouillon à Marseille est un des rares architectes de sa génération à prendre ses distances avec le formalisme moderne. Attentif à la fois à l'efficacité des systèmes constructifs, qu'il fait évoluer en fonction des techniques disponibles (maçonnerie de pierre sciée, voûtes en matériau céramique), et aux élévations de l'architecture traditionnelle, il s'impose par la maîtrise de ses rapports avec les entreprises ; la reconstruction du Vieux-Port et des Sablettes (1950-1952), près de Toulon, lui servent de point d'appui pour le début d'une carrière, qui se poursuit à Paris, en Iran, et en Algérie.

La reconstruction de plusieurs équipements techniques détruits appartient à l'histoire de l'architecture. À Avignon, la rotonde des locomotives à vapeur est reconstruite, dès 1946, sur un dispositif technique nouveau, en béton armé, choisi pour sa mise en œuvre rapide et économique. Mise au point par l'ingénieur Bernard Laffaille (1900-1955), la structure de piliers porteurs en V est associée à un entablement dont l'acrotère creux permet l'évacuation des fumées. À Marignane la destruction en 1944 de tous les hangars de l'aéroport est suivie de la construction d'un double « hangar de cent mètres », à partir d'une étude d'Auguste Perret de 1943. Réalisé entre 1949 et 1952 en béton armé par l'entreprise Boussiron, chaque hangar est couvert d'une voûte surbaissée, raidie par des tirants ; elle est construite au sol, montée ensuite à l'aide de vérins sur les murs d'appui.

2. L'architecture de l'habitat

Vouée d'abord à compenser le déficit des deux décennies antérieures, la production de logements s'accentue dans les années cinquante, et s'intensifie encore à partir du début des années soixante, pour faire face à des besoins nouveaux : urbanisation accélérée des villes moyennes, implantation industrielle, accueil des rapatriés d'Algérie, équipements des sites touristiques (littoral et montagne). Les grandes opérations favorisent l'intervention plus ou moins temporaire d'architectes dont l'agence principale est à Paris (Gillet, Candilis, Lopez, etc.).

Plusieurs grandes opérations dans la périphérie des villes se détachent de la production courante : à Aix, les « deux cents logements » (1951, F. Pouillon arch.), construits en pierre, adoptent les figures d'une esthétique néo-classique. Dans la décennie suivante, la préfabrication lourde détermine l'architecture des édifices du quartier d'Encagnagne (1967-1970, Raymond Lopez, arch. en chef), où on évite cependant la typologie des tours. À Marseille s'imposent les ensembles du Roy d'Espagne (début en 1962, Gillet, arch.), de la Viste (1959-1960, Georges Candilis arch.), de la Maurelette (1966-1968, les frères Chirié, arch.). À Martigues, sur un plan d'urbanisme étudié par Michel Écochard (1905-1985), s'élabore, à partir de 1966 une architecture puissante, dont témoigne le Moulin de France (1969, Braslawski, Comolis, Delaugerre et Manolakakis, arch.), la Cité de Notre-Dame des Marins (1970-1972, agence Delta, Averous, Abonnel, Dallest, Perrachon). L'essor de la sidérurgie entraîne autour de Fos l'édification de nombreux ensembles de logements, que la crise industrielle rend en partie inutile (à Miramas, la ZAC de la Rousse, achevée en 1974, et laissée vide).

L'équipement des sites touristiques reprend sur le littoral ; des opérations intéressantes interprètent le site par des maisons contiguës, étagées en gradins : ensemble de vacances pour le domaine de Volterra à Ramatuelle (1958-1965, Renaudie et coll., arch.), village de vacances pour le Comité d'entreprise d'Air France à Gassin (1967-1970, P. Chemetov et J. Deroche, arch.). Le fait nouveau est la création d'agglomérations nouvelles, autour d'un port de plaisance, où les promoteurs multiplient les variations architecturales, chargées de donner l'identité du site : pour la marina de la Baie des Anges, à Villeneuve-Loubet, les gigantesques immeubles lamelliformes ont des formes adoucies, par le plan courbe, par les pignons, traités en gradins, qui portent des terrasses ; au contraire, à Port-Grimaud, le thème est celui du mimétisme de l'architecture traditionnelle, dans le style du XVIIIe siècle, associée au charme des canaux. Mais la typologie des tours et des barres n'épargne pas toujours les sites, y compris les plus prestigieux (Monte-Carlo).

Dans la masse des maisons individuelles construites dans la région, dominent les formules expéditives du néo-régionalisme. Quelques-unes font exception, et illustrent la volonté des maîtres d'ouvrage de passer commande à des chefs de file nationaux : la maison Dollander, à Saint-Clair, et la maison Lopez à Beauvallon, sont des constructions légères à ossature métallique typiques des recherches de Jean Prouvé au début des années cinquante ; au Cap d'Antibes, pour la maison de vacances de l'éditeur André Bloc, Claude Parent édifie une construction suspendue à une ossature d'acier qui, au début des années soixante, préfigure la structure de la maison de l'Iran, à la Cité Universitaire de Paris. Au Pradet, Roland Simounet construit une grande villa, sur un plan « proliférant » (1976). Plus originales, et en relation avec une clientèle locale, les recherches de Maurice Sauzet, en contact avec la culture de l'architecture domestique japonaise, inspirent plusieurs villas au Pradet, à Sanary, au Beausset.

3. Les équipements et l'architecture publique

L'intensité des opérations d'aménagement conduites dans la région depuis 1945 ne va pas sans effets architecturaux. Dans le cadre des travaux engagés avant la guerre par la Compagnie Nationale du Rhône, l'usine hydroélectrique de Bollène fait l'objet d'une mise en forme architecturale exceptionnelle (1949-1952, Théo Sardnal arch.). Les méthodes d'intervention sur les turbo-alternateurs, à l'aide d'un pont roulant puissant, impliquent un vaste volume bâti, dont la forte structure de béton armé, de piliers et de poutres est traitée dans l'esprit de l'architecture monumentale d'Auguste Perret. Cette volonté de monumentalité est à replacer dans le contexte d'un triomphalisme industriel d'État, typique de la période. Dans le même sens, plusieurs entreprises font appel à des architectes : à Pouillon, qui construit pour Nestlé une usine à Marseille (1947-1948), et pour la Chambre de Commerce de Marseille l'aérogare de Marignane (1957-1960), à Marcel Breuer, qui construit pour I.B.M. un Centre de recherche près de Nice, à La Gaude (1963, avec R.-F. Gatje, arch.).

Dans le secteur de la Santé, les nouveaux établissements hospitaliers adoptent tous les formules fonctionnalistes : à Marseille, l'hôpital Nord (1962, Devin et Egger, arch.), l'hôpital de la Timone (1973, Devin et Egger, arch.), et, à Arles, le remarquable hôpital régional (1970-1973, Paul Nelson, arch.), synthèse des recherches du spécialiste international de l'architecture hospitalière que fut Nelson, venu terminer sa carrière comme professeur à l'École d'Architecture de Marseille-Luminy.

L'architecture universitaire, après les interventions de Pouillon, qui construit les bibliothèques néo-classiques des facultés d'Aix (droit) et de Marseille (sciences), les implantations nouvelles, dans les années soixante, donnent des formules plus expéditives pour la faculté des lettres (Aix), et pour les facultés des sciences (Marseille-Luminy, Marseille-Saint-Jérôme) (agence Egger).

Dans le programme des musées, deux réalisations se détachent par l'originalité de leur conception et par la qualité de leur réalisation : pour la Fondation Maeght, à Saint-Paul-de-Vence (1962-1964, José-Luis Sert, arch.) l'architecte organise un ensemble soigné de bâtiments de béton et de brique, pour l'essentiel de plein-pied, qui renouvelle profondément la typologie du musée ; les salles d'exposition, avec un éclairage zénithal, les circulations et les cours, associées aux espaces boisés d'un jardin, instaurent la nouvelle référence : le musée cesse de ressembler à un palais urbain, il reproduit les espaces d'une résidence moderne, adaptés à la présentation des pièces de l'art contemporain, tableaux sur les cimaises, sculptures sur les terrasses.

Pour le Musée Chagall, à Nice (1967, André Hermant arch.), organisé à partir d'une collection déterminée, les tableaux du « Message biblique », un sobre bâtiment de plein-pied, avec un éclairage raffiné, distribue les espaces nécessaires à la présentation de la collection permanente et aux expositions temporaires ; il donne une réponse architecturale rigoureuse aux activités devenues complexes d'un musée.

BIBLIOGRAPHIE

À défaut d'étude d'ensemble sur l'architecture de la région à l'époque contemporaine, on peut utiliser les ouvrages historiques consacrés aux centres urbains, qui comportent beaucoup d'informations utiles.

Pour les Bouches-du-Rhône :

Les Bouches-du-Rhône, Encyclopédie départementale des Bouches-du-Rhône, (sous la direction de P. Masson), Paris-Marseille, Champion/ Archives départementales des Bouches-du-Rhône, 16 vol., 1913-1937 ; voir le tome VI, « La vie intellectuelle ».

Marseille :

On aura une vue d'ensemble à jour dans : Bertrand R. et Tirone L., avec la collaboration de D. et C. Jasmin, A. Paire, S. Lapeyre, G. Monnier, etc., *Le guide de Marseille*, Besançon, 1991.

On dispose de plusieurs études historiques, dont :

FABRE (A.), *Les rues de Marseille*, Marseille, 1862-1869, rééd., Marseille, 1971, 5 vol.

RAMBERT (G.), *Marseille, la formation d'une grande cité moderne*, Marseille, 1934.

Coll., *Marseille sous le Second Empire*, Paris, 1961.

Coll., *Marseille en révolution*, Marseille, 1989.

Coll. (sous la direction d'E. Témime), *Marseille au XIXe siècle, rêves et triomphes*, Paris, 1991.

Les études spécialisées sur l'architecture sont récentes ; parmi elles :

URBAIN (P.) et coll., *Architectures historiques de Marseille*, Marseille, 1987.

HARRIS (C.), *L'Opéra de Marseille*, Marseille, 1977.

Coll., *Le regard du voyageur : Pascal Coste architecte marseillais*, catalogue de l'exposition de la Bibliothèque de la Ville de Marseille, Marseille, 1988.

URBAIN (P.), *Gaston Castel, architecte marseillais*, Marseille, 1988.

Coll., *Marseille, la passion des contrastes*, Liège, 1991.

Coll. (sous la direction de L. Bonillo), *Marseille ville et port*, Marseille, 1992.

SBRIGLIO (J.), *La Cité radieuse*, Marseille, 1992.

Pour le Var :

Toulon :

Coll. (sous la direction de J.-R. Soubiran), *Le Musée a cent ans*, ouvrage publié à l'occasion de l'exposition du Centenaire du Musée de Toulon, décembre 1988-juin 1989.

Hyères :

HILD (E.), *L'architecture hyéroise de Napoléon à 1914*, catalogue de l'exposition, Hyères, 1977.

BRIOLLE (C.), FUZIBET (A.), MONNIER (G.), *La villa Noailles*, Marseille, 1990.

Pour les Alpes-Maritimes :

Cannes :

MILLET-MONDON (C.), *Cannes 1835-1914, villégiature, urbanisation, architecture*, Nice, 1986.

Nice et la Riviera :

CASTELA (P.), *La Belle Époque : architecture et urbanisme à Nice*, Nice, 1984.

CUCHI (W.), BUTOR (M.) et coll., *Rêveuse Riviera*, 1983.

LIVRE QUATRIÈME

À L'AUBE DU TROISIÈME MILLÉNAIRE

Bernard Barbier

1945. La Seconde Guerre mondiale se termine. Les départements du Sud-Est de la France, que l'on n'a pas encore regroupés en « Provence-Alpes-Côte d'Azur », l'ont traversée, sans en subir de graves destructions, sauf localement. Mais ils vont connaître, dans la seconde moitié du XXe siècle, de profondes transformations économiques, avec les conséquences que celles-ci entraîneront dans les domaines démographique et social, comme dans la géographie des espaces concernés. Une première donnée l'atteste : la population, qui était de 2 214 000 habitants, en 1946, s'est élevée à 4 258 000 en 1990. Le taux d'accroissement est supérieur à celui de la France, puisque la population « provençale », qui ne représentait que 5,5 % de celle du pays au lendemain de la guerre, en constitue 7,5 % au début de la décennie quatre-vingt-dix. Or, cette augmentation démographique, qui est presque un doublement des effectifs humains, est due, pour les quatre cinquièmes, à un fort solde migratoire positif. C'est bien le signe que la région offrait des perspectives et intéressait des hommes. Il faut se rappeler la longue stagnation de la population française dans la première moitié du XXe siècle ; nos départements du Sud-Est n'y échappaient pas et n'étaient riches que de 1 943 819 personnes en 1911 ; le gain n'avait été que de 14 % entre 1911 et 1946.

Pourquoi ce changement remarquable ? Des données économiques et politiques nouvelles, extérieures à notre région, ont fait leur apparition et l'ont contrainte à évoluer : fin des empires coloniaux, qui va profondément affecter le « système marseillais » ; naissance d'une Europe, qui va apporter de nouvelles possibilités aux mondes méditerranéens ; croissance économique exceptionnelle des « Trente Glorieuses », qui fera retentir ses effets jusqu'au fond des vallées alpines ; révolution dans les transports maritimes, qui ouvre un avenir nouveau aux façades littorales ; développement prodigieux du tourisme, notamment sur les côtes et en montagne ; attrait des pays de soleil, qui séduisent touristes, retraités et actifs, etc. Tout cela transforme en profondeur le visage du Sud-Est méditerranéen, plus encore que celui de la France, même s'il s'agit parfois de l'accentuation de tendances antérieures. Il suffit d'évoquer l'ensemble Marseille-Berre-Fos, la ville « intelligente » de Sophia-Antipolis, les stations de ski des Alpes du Sud, le tourisme de luxe des Alpes-Maritimes, l'urbanisation croissante qui accueille 90 % de la population régionale (76 % pour la France), la modification profonde des villes qui s'équipent, s'étendent et présentent un visage « moderne », les succès d'une agriculture hautement productive qui, localement, supporte la comparaison avec les meilleures, etc. La géographie économique, humaine et sociale de la Provence a été bouleversée. La Région, dont seule la Côte d'Azur était autrefois attrayante, est considérée aujourd'hui comme très intéressante à vivre. Les enquêtes régulières de l'hebdomadaire *Le Point* sur « Où vit-on le mieux en France ? » classent toujours Hautes-Alpes, Alpes-de-Haute-Provence et Alpes-Maritimes aux tout premiers rangs, suivies du Var et du Vaucluse à faible distance ; seules les Bouches-du-Rhône sont moins bien placées. Comme il s'agit d'études minutieuses effectuées à partir de nombreux critères chiffrés, la conclusion a donc une signification.

Mais de quelle « Provence » s'agit-il ? Nous parlons, dans ces chapitres, de « Provence-Alpes-Côte d'Azur », qui comprend les six départements des Bouches-du-Rhône, de Vaucluse, du Var, des Alpes-Maritimes, des Alpes-de-Haute-Provence et des Hautes-Alpes. Elle ne correspond pas à la XIe Région Économique, définie par le régime de Vichy et qui, outre les départements susnommés, englobait la Corse et le Gard : c'était alors plus un regroupement statistique qu'une institution efficace. Ce n'est pas non plus la circonscription d'action administrative « Provence-Côte d'Azur » mise en place en 1955, et élevée au rang de « région de programme » l'année suivante : celle-ci n'incluait plus le Gard, mais s'étendait encore jusqu'à la Corse, qui en sera détachée en 1970 ; en outre, le nouvel organisme public, destiné à permettre la régionalisation du plan, n'avait guère de pouvoirs. Il faudra attendre le début des années quatre-vingt avec les lois de décentralisation, pour que la Région, qui a pris le nom de « Provence-Alpes-Côte d'Azur » (P.A.C.A.) en 1976, acquière une personnalité, avec un Conseil Régional élu et certains moyens financiers mis à sa disposition.

Historiens et géographes ont écrit sur cette P.A.C.A. et sur sa diversité, pour souligner son caractère disparate et son manque d'unité. Sans doute, mais cela est aussi vrai de presque toutes les Régions françaises ; que de réserves à émettre sur l'existence de Languedoc-Roussillon, de Midi-Pyrénées, de Rhône-Alpes, sans parler de Champagne-Ardennes ou de Poitou-Charentes ! Les critiques formulées nous paraissent excessives et P.A.C.A. est plus homogène que beaucoup ne le pensent.

Il est certain que le relief juxtapose les plaines du bas Rhône, les plateaux, bassins et collines de basse et haute Provence, la Côte, les moyennes montagnes et les hautes vallées et grands massifs des Alpes du Sud (4 103 m à la Barre des Écrins, dans le Pelvoux). La Provence historique tenait la limite septentrionale dans le resserrement de Sisteron, même si Embrun fut aussi un peu provençale et si la Narbonnaise romaine ne coupait pas les Alpes du Sud en deux. Le déséquilibre est grand entre les trois départements littoraux, qui disposent de 83,3 % de la population, et les trois autres qui doivent se contenter de 16,7 % de celle-ci. La forte immigration de l'après-guerre, provenant de toute la France, ainsi que de l'étranger, a brouillé la carte du vieux fonds culturel provençal. Marseille a toujours été, selon le belle expression de L. Pierrein, « un navire ancré en rade de France » et non une capitale régionale, ce que l'on veut faire d'elle pourtant aujourd'hui. Nice et son Comté n'ont relevé que momentanément de la Provence et ne sont revenus à la France qu'en 1860, constituant de nos jours un monde à part en P.A.C.A. Tout cela est vrai, mais néglige d'autres réalités.

Le climat méditerranéen crée une unité, même s'il a un fort caractère montagnard dans les Hautes-Alpes : la chaleur, la lumière, la végétation avec sa note aride, tout cela crée une ambiance, une agriculture, un paysage, immédiatement perçus et souvent décrits, par celui qui, venant du nord, franchit les cols septentrionaux des Alpes du Sud. Cela est encore souligné par un accent méridional, qui tranche sur celui, dauphinois, des habitants de l'Isère. Mais surtout, la vallée de la Durance, qui rejoint celle du Rhône un peu avant le delta, draine la montagne. Or, l'on sait bien que, lorsqu'il y a relief, hommes et marchandises « descendent » en suivant la pente naturelle des cours d'eau et ne remontent pas ; dès le Moyen Âge, les hommes de la montagne émigraient vers la Côte et le commerce alpin se faisait surtout avec les contrées méditerranéennes et non avec celles plus au nord, au-delà des cols : La Seyne-sur-Mer a été fondée par des émigrants de Seyne-les-Alpes ; les charcutiers marseillais sont originaires de quelques villages haut-alpins bien connus. À notre époque encore, l'essentiel des échanges montagnards se fait avec le Sud ; le développement du tourisme a transformé, en quelques décennies, l'arrière-côte et la montagne en espaces de loisirs où les citadins du littoral sont nettement majoritaires par la fréquentation et par la possession des résidences secondaires, alors qu'ils ignoraient pratiquement l'intérieur avant 1939.

On peut donc dire, sans forcer le trait, qu'il y a une certaine unité dans la Région P.A.C.A., à cause de quelques caractères communs et d'échanges très anciens. Mais, il y a une exception, celle des Alpes-Maritimes et de Nice. Cette ville, forte de ses 475 000 habitants de son agglomération, contrôle bien son département, ainsi que l'est du Var, et supporte mal que Marseille puisse avoir autorité sur elle ; elle a même demandé, dans la décennie soixante-dix, que le département soit érigé en Région. Mais, outre qu'il y avait des arrière-pensées politiques personnelles dans cette prétention, on ne peut négliger une certaine similitude de traits naturels et de données économiques (tourisme, agriculture spécialisée) et, surtout, à une époque où l'on estime nos Régions trop petites en face de leurs homologues de la C.E.E. : faut-il faire d'un département de 972 000 habitants et de 4 298 km^2 une Région à part entière ? L'heure est à l'entente entre plusieurs

Régions pour constituer des ensembles puissants à l'échelle européenne et mondiale et non au morcellement destructeur.

Le débat sur l'unité ou la réalité de P.A.C.A. s'est trop nourri de rappels historiques ou de différenciations spatiales, afin de mieux critiquer la nouvelle région administrative. Mais c'était ne pas voir que la décision officielle de l'État et l'habitude de vivre peu à peu ensemble allaient sécréter progressivement un sentiment d'appartenance à une même Région. Responsables économiques et politiques le savaient déjà ; les simples citoyens allaient l'apprendre à l'occasion des élections au Conseil Régional ou lors de démarches pour arracher des subventions économiques. La fonction crée l'organe, dit-on ; les administrateurs et économistes qui soutenaient l'idée régionale n'avaient pas tort d'affirmer que le mouvement se prouve en marchant. Comme nous le verrons, la décennie quatre-vingt, avec la décentralisation, a donné à P.A.C.A. une certaine homogénéité, une certaine consistance qui lui avaient été refusées jusque-là. Chacun sait maintenant que P.A.C.A. a acquis une personnalité.

Si les ouvrages et articles concernant tel aspect économique ou géographique sont très nombreux, les études synthétiques sur P.A.C.A. le sont moins, notamment dans le domaine historique ; nous citerons toutefois les études de Ph. Langevin (1981 et 1983), M. Wolkowitsch (1984), R. Duchêne (1986), J.-L. Reiffers (1992), L. Tirone et autres (1992) ; mention doit aussi être faite d'une présentation géographique de J.-P. Ferrier (1983).

Si nous cherchons, dans cet ouvrage, à reconnaître les grandes phases de l'évolution, avec des dates ou des périodes charnières, nous ne pourrons pas suivre une démarche chronologique. Nous la tenterons, cependant, dans la première partie consacrée à l'évolution économique générale et à ses causes. Les deuxième et troisième parties resteront générales et traiteront de la population et de l'économie. En dernier lieu, pour respecter la riche variété régionale de P.A.C.A., nous présenterons ses divers ensembles et leurs transformations depuis 1945. Pour conclure, nous parlerons de P.A.C.A., entité nouvelle à l'intérieur des mondes européen et méditerranéen.

CHAPITRE XIII

LES TRANSFORMATIONS DE P.A.C.A. ET LEURS ÉTAPES

Au lendemain de la guerre, en 1945, Provence et Alpes du Sud ne sont pas dans une situation économique brillante. Cela ne tient pas aux effets destructeurs du conflit. Si les Allemands, avant leur départ, détruisirent les quais et gares de Marseille et y coulèrent 176 navires, la remise en état du port fut rapide et le général Eisenhower put l'utiliser ensuite pour ravitailler son armée en 1945. Des bombardements alliés avaient eu lieu (à Marseille, notamment celui du 27 mai 1944 : 2 000 morts) ; l'occupant avait dynamité une partie du quartier du Vieux-Port (à partir du 24 janvier 1943) ; des localités, sur la Côte ou en montagne, (en Ubaye et dans le Queyras) avaient été sévèrement touchées par les combats de 1944 et 1945, mais il s'agissait de dégâts très localisés. La rupture des échanges maritimes et des relations avec le monde, la pénurie des produits, l'insuffisance de l'entretien des équipements pesaient beaucoup plus lourd sur l'économie du Sud-Est français, qui, déjà, avait été à l'écart du grand essor industriel et économique de la moitié Nord de la France depuis le XIXe siècle.

Beaucoup plus importante pour l'économie du Sud-Est est l'évolution qu'a connue le monde après la guerre. Les conséquences en sont multiples.

I. LES CHANGEMENTS DANS LA CONJONCTURE MONDIALE ET NATIONALE

Si l'analyse des causes du changement a été bien faite, celle de leur chronologie n'a pas encore été bien établie.

Le grand événement a été la fin de l'Empire colonial français : évolution vers l'Union Française (1946), fin de l'Indochine française (1954), indépendance de la Tunisie et du Maroc (1956), indépendance des colonies d'Afrique Noire (1960 : « année de l'Afrique »), et surtout, indépendance de l'Algérie (1962). Parallèlement, des mouvements nationalistes (l'Égypte de Nasser et la Libye de Kadhafi) et les guerres israëlo-arabes affectaient le monde méditerranéen. Tout cela provoqua une diminution progressive et forte des échanges commerciaux et des liaisons maritimes, le recul des implantations françaises dans l'Outre-Mer, la nécessité de trouver des activités de remplacement ; la fermeture du Canal de Suez (1967) porta un coup sévère au port marseillais ; le retour de centaines de milliers de « pieds-noirs », qu'il fallut loger et occuper, constitua aussi une difficulté, pour l'ensemble de la Région. Tous ces faits affectèrent très tôt l'économie, mais ils ne furent pas perçus immédiatement.

Heureusement, la conjoncture mondiale était favorable et, après quelques années de difficultés et de reprise, l'économie française connut des taux de croissance du P.N.B. de l'ordre de 5 % par an, durant quelques décennies : du jamais vu ! L'économie provençale fut entraînée dans le mouvement, même si l'expansion connut un ralentissement par la suite. Cela assura des ressources aux économies locales, aux collectivités, ainsi qu'au budget national ; de grands équipements structurants, des aménagements urbains, un rattrapage tertiaire furent rendus possibles, ce qui provoqua une transformation profonde des paysages, de l'économie, de la société. On ne saurait trop insister sur la conjoncture si heureuse qui, trente ans durant, marqua les économies des pays développés : ce fut un moment unique dans l'histoire mondiale et que l'on n'arrive pas à retrouver depuis.

L'après-guerre innova aussi en lançant l'aménagement du territoire ; il s'agit d'une conception nouvelle, volontariste, qui veut ne pas voir que la croissance économique, mais qui songe à une répartition la plus harmonieuse possible des richesses dans l'espace national, par souci d'efficacité comme par désir de justice sociale. Si, dès le début des années cinquante, l'idée chemine, elle connaît sa consécration, en 1963, avec la création de la D.A.T.A.R. (Délégation à l'Aménagement du Territoire et à l'Action Régionale). La question la plus importante est alors celle de Paris, ville tentaculaire qui ruine « le désert français » ; on se tourne vers la politique des métropoles d'équilibre (1966), et Marseille est une des huit métropoles retenues ; son port reçoit un nouvel atout avec la création de la Z.I.P. (Zone Industrialo-Portuaire) de Fos. De grands équipements « structurants », dans le domaine des transports surtout, sont lancés : établissement d'un réseau autoroutier, indispensable, dont la réalisation est cependant confiée au secteur privé ; achèvement de la canalisation du Rhône, puis de la Saône, avec projet de liaison entre le Rhône et le Rhin, qui attend toujours une décision ; électrification du réseau S.N.C.F. et ouverture de la ligne du T.G.V. Méditerranée. D'autres opérations de grande envergure sont aussi lancées : en 1960, le barrage de Serre-Ponçon permet et améliore l'irrigation de toute la vallée de la Durance, cependant que la Société du Canal de Provence et d'Aménagement de la Région Provençale commence, à partir du Verdon, à amener l'eau en basse Provence. L'implantation de la base de missiles du Plateau d'Albion (Vaucluse), à partir de cavités karstiques, dès les années soixante, est une chance pour une région déshéritée ; la création du pôle scientifique de Sophia-Antipolis, ou la mise sur pied de deux « Plans-Neige » en faveur des stations de ski sont des manifestations d'une politique qui n'existait pas avant la guerre, en France ni ailleurs. Dans cette affaire, l'État, conformément aux options idéologiques du moment, joue un rôle essentiel, se donnant une grande politique d'aménagement et apportant le poids de ses crédits ; P.A.C.A. est une des Régions françaises qui a reçu le plus d'investissements publics. Mais, chaque ville s'essaie aussi à l'urbanisme, surtout après le vote de la L.O.F. (Loi d'Orientation Foncière, 1967, qui institue notamment les P.O.S., ou Plans d'Occupation des Sols). La Région, qui émerge progressivement, comme nous l'avons vu, va, elle aussi, affirmer son souci d'aménagement régional. Il est certain que, dans les années quatre-vingt, l'on a perçu les limites de l'aménagement volontaire, mais celui-ci a tenu une grande place dans la formation du nouveau paysage économique provençal.

Après les grands ensembles économiques qui, dans l'histoire, ont été constitués par les systèmes métropole-colonies, a surgi une nouvelle entité associant des pays développés d'économie comparable et concurrentielle. L'Europe du Charbon et de l'Acier (1951, Traité de Paris) ne peut concerner directement la Région, mais celle du Traité de Rome (1957) inclut celle-ci dans un marché immense de six pays et actuellement de douze pays. La C.E.E., à côté de ses effets d'ouverture à un marché très vaste, importants pour l'agriculture, par exemple, mène une politique régionale ; celle-ci fut tardive, à partir de 1975 et toucha le monde méditerranéen avec l'élargissement de la Communauté à l'Espagne et au Portugal (1985), avec la création des P.I.M. (P.I.M. : plans intégrés méditerranéens, pour aider les régions rurales en retard). Ainsi, la Provence reste méditerranéenne et songe à sa place sur la façade maritime méridionale de la C.E.E., sans doute, mais elle a aussi conscience de son appartenance à un monde continental auquel son histoire ne l'avait pas intéressée. La situation de carrefour, au croisement de « l'axe latin », qui va de l'Espagne à l'Italie, et du grand axe rhodanien, qui mène vers les contrées du nord, devient un atout, mais constitue aussi un défi pour l'avenir.

P.A.C.A., c'est le Midi, le soleil, pour les Français comme pour les Européens. À une époque où, comme aux U.S.A., on médit du *snow-belt* pour vanter le *sunbelt*, il faut souligner la chance dont dispose la Région, qui est la plus ensoleillée de France, même dans ses montagnes alpines ; toutefois, il ne faut pas croire que le soleil constitue le facteur essentiel de localisation des activités : les nouvelles implantations industrielles de la C.E.E. ne se sont pas effectuées en priorité en P.A.C.A. En outre, l'attrait du Midi signifie aussi recherche des avantages maritimes apportés par la Méditerranée et ses rivages : il s'agit d'une question de localisation et non de rayons solaires. Le bilan de cet héliotropisme, s'il doit être mesuré, n'en est pas moins certain : les retraités ont afflué dans les villes et villages ensoleillés et bien équipés ; peu d'industries sont venues, mais l'accent a été mis sur recherche et industrie de pointe (Sophia et Route des Hautes Technologies) ; l'agriculture moderne, bénéficiant du soleil et du château d'eau alpestre, a connu un réel essor ; le tourisme, autrefois limité à sa clientèle aristocratique, puis bourgeoise, est devenu de masse, depuis les années cinquante, et, grâce à ses nombreux atouts dont le climat est celui le plus souvent cité, est devenu une richesse essentielle qui fait de P.A.C.A. la région la plus fréquentée de la métropole, tant par les Français que par les étrangers (150 millions de nuitées totales contre 123 à Rhône-Alpes et 70 à Paris-Île-de-France) ; le front de mer, bénéficiant de la révolution des transports maritimes, possède l'ensemble industrialo-portuaire de Fos, qui fut une grande idée de la Chambre de Commerce marseillaise et qui est une chance.

Cette nouvelle économie a non seulement transformé les conditions de vie d'une population sans cesse croissante, mais a aussi donné naissance à une nouvelle géographie. Tous les espaces constituant la diversité de P.A.C.A. ont été heureusement affectés, quoique à des degrés divers : le littoral, bien sûr, qui présente une urbanisation presque continue, mais aussi l'intérieur jusqu'à la haute montagne dont le ski a réveillé les vallées les plus élevées.

II. LES ÉTAPES DE L'ÉVOLUTION

Les travaux scientifiques manquent pour asseoir une présentation argumentée de l'évolution ; on peut, cependant, esquisser un historique en distinguant deux grandes périodes : la première est celle de l'expansion et la seconde celle des ralentissements et des crises ; la césure, qui ne peut être définie par une date, est marquée par les deux chocs pétroliers de 1973 et 1979 : le milieu des années soixante-dix est donc le moment des retournements et le R.G.P. (Recensement Général de la Population) de 1975 offre une commodité statistique certaine.

La reprise est assez rapide, après la guerre, et l'expansion s'affirme dès les années cinquante ; les raisons ont déjà été données. Tous les secteurs de l'économie en bénéficient, de l'agriculture au tourisme. Le port de Marseille a bien repris, même si la fin du système colonial le met en face d'une situation nouvelle. La démographie est le signe de cet essor et la croissance de la population est supérieure à celle de n'importe quelle autre région française ; un des aspects les plus remarquables en est la poussée urbaine. Les emplois suivent et les pieds-noirs sont absorbés sans difficulté après 1962. L'État, dans une philosophie keynésienne, tient une place très importante, dans cette évolution, par son budget, par sa redistribution sociale et spatiale, par sa politique d'aménagement du territoire : la pièce maîtresse, dans ce dernier domaine, est la politique des métropoles d'équilibre. Comme on n'a pas réussi à empêcher la croissance de l'agglomération parisienne, on veut favoriser l'émergence de « métropoles d'équilibre » dont la puissance sera un contrepoids à celle de Paris ; Marseille est choisie pour tenir ce rôle sur la façade méditerranéenne, ce qui lui assure une nouvelle chance quand son rôle de port colonial s'estompe. Mais, l'aventure régionale en est encore à ses balbutiements et le souci de régionalisation ne fait son apparition qu'au Ve Plan (1965-1970).

Le premier choc pétrolier (1973), difficilement absorbé, est une date communément retenue, surtout dans une Région où trafic et raffinage du pétrole sont essentiels ; le deuxième choc (1979) est aussi dur à supporter. Mais, cela constitue des points de repère, et non des causes profondes. La haute croissance, avec ses effets d'entraînement et ce que l'on croyait être des certitudes économiques, n'est plus et le P.N.B. ne croît plus que d'un à deux pour cent par an, avec des pointes et des creux encadrant cette moyenne ; aux niveaux international et national, on ne sait comment faire pour relancer la machine économique, a fortiori à l'échelon local. Le développement économique et régional n'est pas stoppé, mais il est ralenti ; la croissance démographique, qui est un bon révélateur de la santé économique, est encore là, mais moins soutenue qu'avant ; le chômage s'élève dangereusement, se tenant entre 11 et 12 % des actifs dans la décennie quatre-vingt (1991 : 11,6 % en P.A.C.A., mais 9,3 en France). À l'intérieur de P.A.C.A., certains contrastes sont soulignés, avec des poches de crise plus importantes (Marseille-ville ; chantiers navals de La Ciotat et de La Seyne, etc.). La page coloniale est tournée et l'ex-Empire est devenu un partenaire parmi d'autres. L'Europe est plus présente qu'auparavant, avec ses nouveaux membres méditerranéens, avec une politique régionale qui a le souci des régions en retard ou en reconversion (F.E.D.E.R. dès 1975 puis P.I.M. et P.I.C. dans la décennie quatre-vingt) ; se manifeste alors un net souci régional d'entente avec ses voisins (Espagne et Italie) de la part des élus et des responsables économiques, mais l'impact est mesuré. Ce qui est beaucoup plus remarquable est le rôle plus réduit tenu par l'État, parce que la planification souple, « à la française », est en crise, parce que le gouvernement a moins de moyens. Les grandes politiques d'aménagement du territoire se réduisent à celles des villes moyennes et des contrats de pays, qui ne concernent que sept villes et quatre « pays » et ne peuvent avoir un grand effet ; devant les difficultés nées de la crise, l'État réagit au coup par coup et n'a plus de grande politique d'aménagement régional, ce qui se traduit par une crise de la D.A.T.A.R. et de son rôle. Toutefois, une donnée essentielle apparaît, révolutionnaire même. La nouvelle majorité de gauche née des élections de 1981 vote, en 1982 et 1983, les lois de décentralisation. Le Conseil Régional de P.A.C.A., élu au suffrage universel (1986), dispose maintenant de réelles responsabilités et de nouveaux moyens, transférés de l'État ; il en est de même pour les communes et les départements. Notamment, la Région, après avoir consulté les collectivités territoriales de rang moindre, établit le Plan Régional de développement économique et social, qui est ensuite discuté avec l'État et qui est intégré au Plan national. À deux reprises, déjà les nouveaux processus de planification ont joué, pour le IXe Plan (1984-1988) et le Xe Plan (1989-1993) ; le XIe est en cours de préparation. Dorénavant, la Région est devenue une entité ; une personnalité surgit derrière le sigle amène de « P.A.C.A. » ; les différences régionales n'ont pas disparu, ce qui serait inutile et impossible, mais, de Briançon à Nice et à Avignon, chacun sait que sa vie quotidienne ou son emploi sont partiellement dépendants des décisions du Conseil Régional. Certes, celui-ci doit persuader les investisseurs privés et convaincre les pouvoirs politiques parisiens, mais il dispose, aujourd'hui, par suite de son type d'élection et de ses ressources, d'un poids qui en fait une réalité sans cesse plus forte.

CHAPITRE XIV

UNE POPULATION ET UNE SOCIÉTÉ EN PLEINE MUTATION

La population de la Région P.A.C.A., au recensement de 1990, s'élève à 4 258 000 habitants, ce qui la place au troisième rang en France, après l'Île-de-France (10 660 000) et Rhône-Alpes (5 351 000). La densité y est de 135 (5e rang), malgré ses espaces alpins, alors que la moyenne nationale est de 104. Aujourd'hui, P.A.C.A. possède 7,52 % de la population française, bien qu'elle ne représente que 5,68 % de sa superficie. Cette situation peut étonner, parce que, comme l'on sait, la Région n'a pas participé aux grands développements industriels qui ont entraîné les fortes accumulations d'hommes dans la moitié nord de la France. Mais cette place remarquable est récente ; en 1954, les six départements du Sud-Est fournissaient 5,64 % de la population nationale, ce qui correspondait aux 5,68 % de sa portion de territoire. Il y a donc eu un accroissement fort, dans la deuxième moitié du XXe siècle. C'est ce que montre le tableau ci-dessous.

Tableau no 1

Accroissement démographique de P.A.C.A.
(1946-1990)

	1946	1954	1962	1968	1975	1982	1990
Population .... (en millions)	2,214	2,415	2,819	3,299	3,676	3,965	4,258
% dans France....	5,46	5,64 %	6,06 %	6,63 %	6,98 %	7,3 %	7,52 %

Source : I.N.S.E.E.

La région a donc gagné 2 044 000 habitants, en 44 ans, soit un accroissement de 92 % (France : + 36 %). Cela est le signe non seulement d'une bonne santé démographique, mais aussi d'une bonne situation économique générale, même si celle-ci comporte des ombres. En 1991, la population est estimée à 4 342 000 habitants.

Mais l'accroissement n'a pas été régulier, même s'il a été continu. Le tableau n° 2 donne les gains de population entre deux recensements et, comme ceux-ci ne sont pas également espacés dans le temps, il fournit aussi la moyenne annuelle d'accroissement entre deux dates de dénombrement.

Tableau n° 2

Gains démographiques de P.A.C.A.
entre deux recensements, de 1946 à 1990

	1946-54	1954-62	1962-68	1968-75	1975-82	1982-90
Accroissement total	+ 201 000	+ 404 000	+ 480 000	+ 377 000	+ 289 000	+ 293 000
Moyenne annuelle	25 125	50 500	80 000	53 857	41 285	36 625

Source : I.N.S.E.E.

Le tableau est éloquent. P.A.C.A. n'a cessé de gagner des habitants, mais une coupure apparaît bien dans les années soixante-dix : l'accroissement moyen annuel qui avait triplé en valeur depuis 1946 et atteint 80 000 personnes, baisse ensuite, comme on le voit après 1975, ce qui confirme l'importance de la période charnière que nous avons évoquée précédemment, mais la croissance est continue, même si ses valeurs sont moindres actuellement.

Il convient d'expliquer ces mouvements.

I. UN TRÈS FORT SOLDE MIGRATOIRE

Les chiffres montrent très clairement que le progrès démographique est dû essentiellement aux mouvements migratoires dont le solde, toujours largement positif, fournit au moins les trois quarts de l'excédent (cf. tableau n° 3).

Tableau n° 3

Valeurs et place du solde migratoire (S.M.)
en P.A.C.A. de 1946 à 1990

	1954-62	1962-68	1968-75	1975-82	1982-90
Valeurs du S.M. .... (en habitants)	343 000	390 000	310 000	256 000	221 000
% du S.M. dans l'accroissement total	80,1 %	81,6 %	81,8 %	87,8 %	75,5 %
Valeur moyenne annuelle	43 000	65 000	44 100	34 100	27 600

Source : I.N.S.E.E.

Il est à noter que, si les pourcentages du solde migratoire sont toujours élevés (entre 75,5 et 87,8 %), la valeur absolue du mouvement migratoire commence à diminuer à partir des années soixante-dix : le rythme moyen annuel de 1982 à 1990 n'est plus que les deux cinquièmes de ce qu'il était à sa plus belle époque (65 000 de 1962 à 1968), mais il reste encore très notable avec 27 600 personnes.

Il n'est pas possible de définir exactement l'origine de ces nouveaux habitants qui, au total, sont un million et demi. Les rapatriés d'Afrique du Nord, arrivés surtout dans les années soixante, sont estimés à environ 350 000. Le flot des originaires du Maghreb est sans doute un peu inférieur, puisque ils seraient, aujourd'hui, un peu plus de 200 000 en P.A.C.A., mais les naturalisations et les arrivées clandestines ne permettent pas d'être précis. Les flux des pays italien, portugais et espagnol ont été sans doute plus faibles, quoique sensibles, puisque leurs ressortissants sont 100 000 actuellement. C'est dire que les migrants provenant des diverses régions françaises sont les plus nombreux, à coup sûr plus de la moitié. Ils sont venus de toute la France, mais l'Île-de-France, Rhône-Alpes, Lorraine et Bourgogne ont été les plus importants fournisseurs. Ce sont surtout des actifs qui sont arrivés, attirés par les emplois offerts par Fos, le tourisme, les commerces et services, etc., mais il ne faut pas négliger la place des retraités (760 000), qui sont toujours très nombreux à Nice et dans les villes du littoral azuréen et provençal, mais qui ont progressivement colonisé l'arrière-pays jusque dans les cantons méridionaux des Alpes du Sud. Il faut insister sur le poids de ces nouveaux Provençaux qui forment, sans compter leurs enfants, un tiers des habitants de la Région ; à côté des effets économiques, on comprend que la société ait évolué et n'ait plus la même mentalité ou les mêmes votes politiques qu'auparavant.

L'immigration d'origine étrangère donne-t-elle une importante population non française en P.A.C.A. ? Tout en rappelant l'incertitude dans ce domaine, notons, avec l'I.N.S.E.E., que, en 1990, il y a 300 000 étrangers, (7 % du total), dont 92 800 originaires de la C.E.E. (Italiens pour la moitié, Espagnols et Portugais) et 206 000 autres, essentiellement des Maghrébins, partagés principalement entre Algériens et Marocains. Il est à noter que, du fait des retours (crise de l'emploi) ou de naturalisations, le nombre des étrangers diminue : celui-ci avait crû, dans l'après-guerre, et s'était élevé de 138 000 en 1954 à 273 000 en 1968, 313 260 en 1975 et 330 840 en 1982. Les difficultés économiques de la décennie soixante-dix n'avaient donc pas ralenti le flot des arrivées, mais il faut souligner l'évolution récente, qui accroît le nombre des citoyens de la C.E.E. (71 000 en 1982 et 92 800 en 1990) et diminue fortement celui des « autres », essentiellement originaires d'Afrique du Nord (260 000 en 1982 et 206 000 en 1990) : tout n'est pas dû aux naturalisations. Soulignons, en outre, que ces données apportées par les recensements de l'I.N.S.E.E. diffèrent de celles fournies par les Préfectures (391 000 étrangers en 1991, dont 221 000 Maghrébins et 123 000 originaires de la C.E.E.).

Ce fort mouvement migratoire tend à faire oublier la part du mouvement naturel ; celui-ci est moins favorable que dans le reste de la France et lui a toujours été inférieur. Les taux de natalité et de mortalité de P.A.C.A. étaient, en 1962, de 16 ‰ et 11 ‰, alors qu'ils se montaient à 18 et 12 en France ; en 1990, l'I.N.S.E.E. indique 12,7 ‰ de natalité (France : 13,5 ‰), et 10,1 ‰ de mortalité (9,4 ‰ dans le pays), ce qui souligne la faiblesse de l'accroissement naturel (+ 2,6 ‰, 10 600 personnes par an) et, plus encore l'importance de la mortalité, supérieure à la moyenne nationale. Certes, les six départements du Sud-Est ont, au début, participé au baby-boom, puisque moins qu'ailleurs en France, mais le mouvement s'est considérablement ralenti : l'indice synthétique de fécondité, qui était de 2,5 en 1962 (taux nécessaire au remplacement des générations : 2,1), était encore de 2,3 en 1968, mais était de 1,7 en 1975 ; il reste autour de cette valeur depuis cette date.

Cette évolution démographique natalité-mortalité explique le vieillissement qu'a connu P.A.C.A., qui n'est pas dû seulement à l'arrivée de retraités et que l'immigration n'a pas inversé. La part des jeunes (moins de 20 ans) a vite décliné, alors que celle des vieux (65 ans et plus) s'augmentait d'autant et que celle des 20-64 était à peu près stable. La proportion des jeunes, qui était de 28,5 % en 1962 et 1968 tombait ensuite pour arriver à 24,1 % en 1990 (26,5 en France), celle des vieux s'élevait plus rapidement et plus fortement, passant de 14 % en 1962 à 17,5 % en 1990 (France 14,8 %). Ce vieillissement croissant est un trait caractéristique de notre Région P.A.C.A.

II. UNE FORTE CONCENTRATION DE LA POPULATION DANS LES ESPACES LITTORAUX

La concentration de la population dans les 10 départements littoraux, et spécialement dans les villes de la Côte, est une réalité bien connue et qui est antérieure à la Seconde Guerre mondiale. Les trois départements littoraux (Bouches-du-Rhône, Var, Alpes-Maritimes), qui, au début du XIXe siècle, n'étaient pas plus peuplés que ceux de l'intérieur (Vaucluse, Alpes-de-Haute-Provence, Hautes-Alpes), recevaient, par la suite, beaucoup d'habitants, alors que les alpins émigraient ; en 1946, ils totalisaient 1 796 000 habitants et ils en ont aujourd'hui 3 550 000 : leur population a exactement doublé. Cette proportion se retrouve dans chacun des départements, avec cette nuance que les Bouches-du-Rhône, qui ont la moitié de la population littorale, ont progressé un peu moins vite (multiplication par 1,8). Mais les départements de l'intérieur cessaient assez rapidement leur hémorragie : ils ne représentaient que 19 % de la population régionale en 1946, puis 17,1 % en 1962, mais, depuis trente ans, ce pourcentage ne bouge pas (16,7 % en 1990). Le Vaucluse occupe la place la plus importante, s'accroissant de 87 % ; mais, ce qui est tout à fait remarquable est la reprise continue de la démographie alpine : les deux départements sud-alpins, qui ne cessaient de perdre des hommes depuis le milieu du XIXe siècle, voyaient leur déclin se stopper entre 1946 et 1954, puis regagnaient des habitants au point que, en 1990, ils avaient pratiquement retrouvé leur population du XIXe siècle. Le mythe de la montagne qui se dépeuple n'est plus actuel, ou doit être fortement nuancé et limité à certaines hautes vallées (cf. carte n° 1 et tableau n° 4).

Tableau n° 4

Évolution démographique des départements de P.A.C.A.

	1946	1954	1968	1975	1990
Hautes-Alpes	84 932	85 067	91 790	97 358	113 300
Alpes-de-Haute-Provence .	83 354	84 335	104 813	112 178	130 883
Vaucluse	249 838	268 318	353 966	300 446	467 075
Bouches-du-Rhône	971 935	1 048 762	1 470 271	1 632 974	1 759 371
Var	370 688	413 012	555 926	626 093	815 449
Alpes-Maritimes	452 546	515 484	722 070	816 681	971 829

Source : I.N.S.E.E.

Le tableau n° 4 montre bien la place tenue par le littoral, et notamment par les Bouches-du-Rhône et les Alpes-Maritimes. Ces deux départements, qui logent les deux tiers des habitants de P.A.C.A., impriment leur rythme démographique à l'ensemble de la Région ; leur croissance est moins rapide à partir des années soixante-dix. Les autres départements connaissent une croissance toujours soutenue, même après les recensements de 1968 et 1975 : l'essor des Alpes-de-Haute-Provence et du Var est remarquable, et le tourisme y est pour beaucoup.

La place du littoral apparaît plus nettement encore si l'on examine la population urbaine (cf. carte n° 2). Celle-ci, qui représente 90 % du total (74 % en France), est localisée essentiellement sur la Côte : les villes et agglomérations urbaines des rives de la Méditerranée (Étang de Berre compris) abritent plus des deux tiers (69 %) des habitants de P.A.C.A. (1990) ; cette réalité, déjà forte en 1946 (63 %) n'a fait que se renforcer. L'agglomération marseillaise (1 230 000 habitants en 1990) est la troisième de France, celle de Nice (517 000) la huitième, celle de Toulon (438 000) la neuvième et celle de Grasse-Cannes-Antibes (336 000) la quatorzième ; la forte urbanisation, notamment sous la forme de grosses agglomérations, est donc bien affirmée, en particulier à l'échelle nationale. En allant vers l'intérieur, Avignon est la seule grande cité (163 000 habitants) ; Gap, malgré son poids local, n'a que 33 500 habitants.

Un phénomène récent, que l'on retrouve d'ailleurs dans toute la France, doit tempérer l'impression de villes sans cesse plus gigantesques : la croissance des communes rurales ou des petites villes, notamment à proximité des grosses agglomérations, traduit la déconcentration de la population des grandes citées. Tous les départements, sauf les Hautes-Alpes, sont dans cette situation ; à l'échelle de P.A.C.A., la population rurale, en constant recul auparavant, était à son minimum en 1975 pour s'élever depuis cette époque : aux deux recensements de 1982 et 1990, elle était respectivement 9,2 % et 10,3 % du total de P.A.C.A.

III. UNE POPULATION ACTIVE LARGEMENT DOMINÉE PAR LE TERTIAIRE

Comme il n'y a pas toujours de séries statistiques homogènes suivies sur toute la période que nous étudions, en matière de population active et de chômage, il est difficile de retracer avec rigueur une évolution, comme cela

Carte n° 1

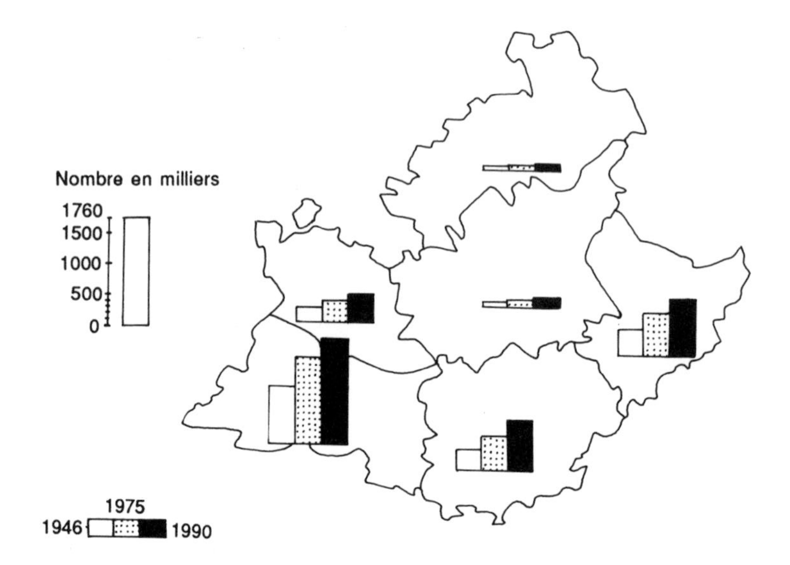

Carte n° 2

LA CROISSANCE DES COMMUNES URBAINES DE PLUS DE 10000 HABITANTS (1975 -90)

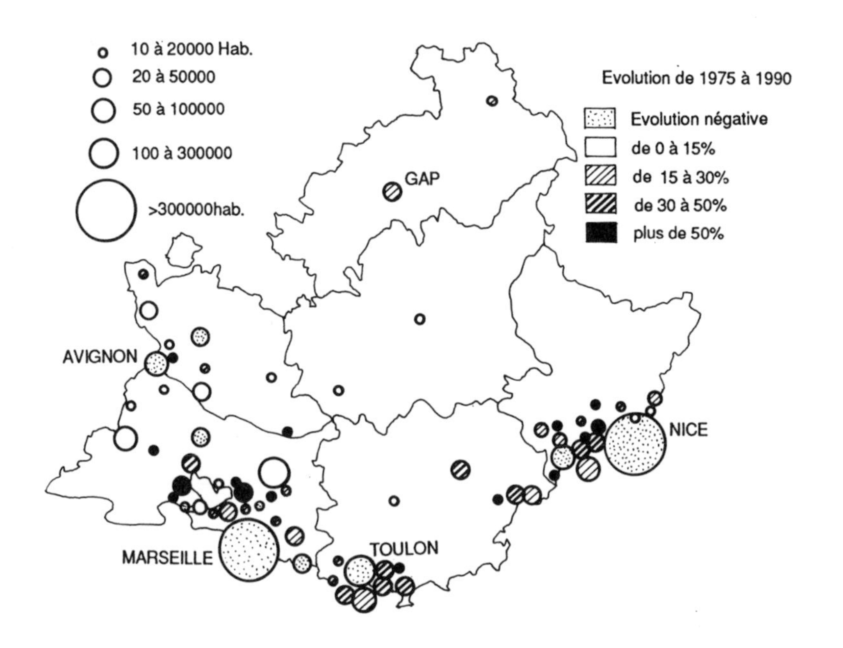

était possible pour la démographie. Certes, la population active ayant un emploi s'est élevée d'un million de personnes à un million et demi environ, entre le recensement de 1954 et celui de 1990, mais le taux de croissance est inférieur à celui de la population. P.A.C.A. n'a cessé d'attirer, même si l'offre de travail y était insuffisante ; il y a actuellement une « population disponible à la recherche d'un emploi » de quelque 250 000 personnes. La Région a les chiffres qui sont parmi les plus mauvais de tout le pays. La situation n'a cessé d'empirer : les actifs avec un emploi comptaient pour 42 % de la population totale et ils ne sont plus que 36 % aujourd'hui. Le taux de chômage (définition du Bureau International du Travail) était de 10 % en 1982 ; il s'est élevé à 12,3 % en 1985 et 1986 ; il est encore de 11,6 % en 1991. Les Bouches-du-Rhône sont les plus touchées (13,2 %), avec le Var (12,6 %), mais des départements ont une population plus enviable (Hautes-Alpes : 6,5 % et Alpes-de-Haute-Provence : 8,1 %).

EVOLUTION DES ACTIFS

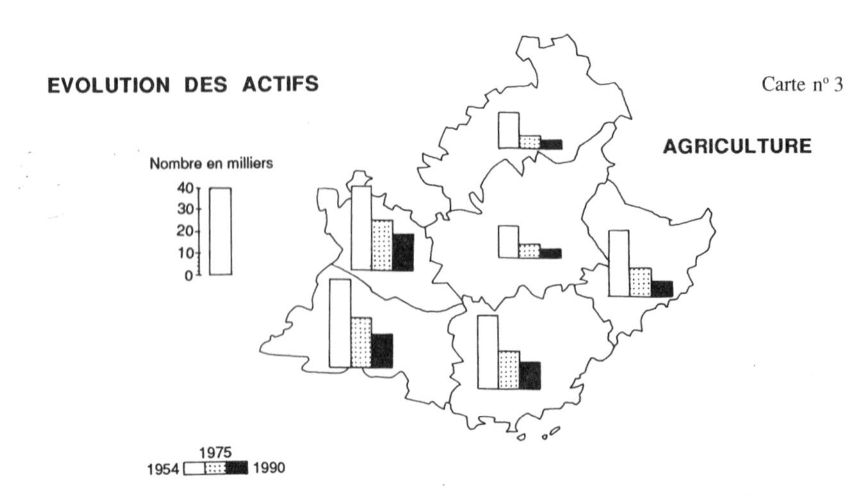

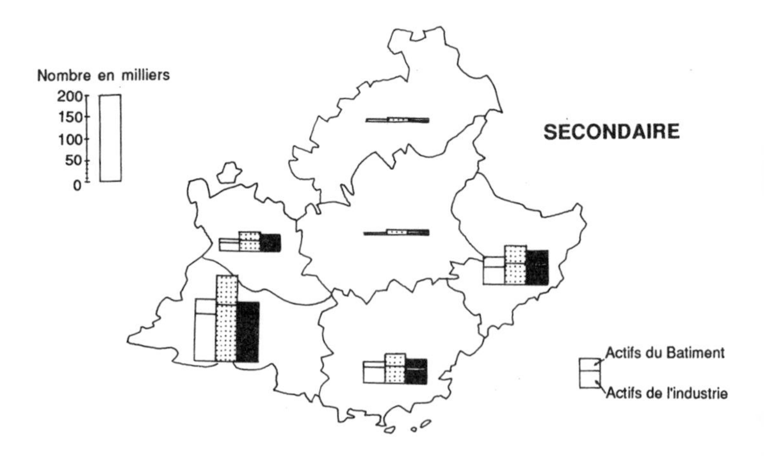

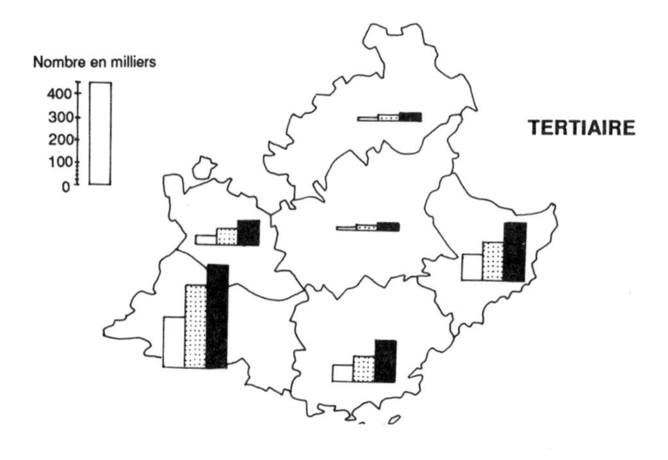

Pourquoi cette situation toujours malsaine ? Il faut rappeler la place importante des retraités (760 000, plus d'un sixième de la population régionale), mais aussi souligner le faible taux d'activité féminine, que la sous-industrialisation et les types d'industrie de P.A.C.A. ne permettent guère de relever, ainsi que le fort taux de scolarisation, notamment dans le Supérieur, plus important que la moyenne française. La lutte pour accroître l'emploi a toujours été une nécessité première dans le Sud-Est.

Parallèlement à cette évolution quantitative, s'effectuait une très forte redistribution entre les diverses activités, avec un succès écrasant du tertiaire, qui occupe les 3/4 des actifs (2/3 en France). De 1954 à 1990, le secteur primaire est passé de 18 % à 4 % des actifs de P.A.C.A., perdant les 2/3 de ses membres. Le secteur secondaire, faible, a reculé en pourcentage (de 31 % à 22 %), mais il a accru ses effectifs de 10 % ; les actifs de l'industrie restent le même nombre, les créations d'emplois compensant les suppressions, et le seul progrès tient au secteur du Bâtiment, qui double son personnel. Pourtant, il y avait eu un progrès pour ce secteur secondaire, mais il a été arrêté par les crises des années soixante-dix : en 1968, le secondaire se haussait à 33,1 % des actifs, passant de 310 000 à plus de 400 000 personnes, mais la récession frappait durement l'industrie qui déclinait dès le R.G.P. de 1975 (31,8 %) et ne cessait ensuite, se trouvant en 1990 avec à peu près les effectifs de 1954, c'est-à-dire 325 000 personnes.

Le tertiaire, du fait de la faiblesse des deux autres secteurs, occupe une place exceptionnelle : 1 120 000 emplois (74,4 % du total régional) ; il n'y en avait que 500 000 en 1954. La hausse a été régulière au cours des décennies. Ce doublement du tertiaire procède, pour une part, de causes générales, que l'on a connues dans toute la France : développement économique, qui entraîne des besoins en commerces et en services pour les entreprises ; hausse du niveau de vie des individus qui exige un nombre croissant de magasins et de services pour satisfaire de nouveaux besoins (loisirs, consommation alimentaire, santé, équipement ménager, etc.) ; accroissement des ressources de l'État, qui peut multiplier ses administratifs et ses enseignants. Mais il y a aussi des données propres à P.A.C.A. Cette région a toujours été un espace de circulation : le secteur des transports et télécommunications fournit 110 000 emplois (7,3 % de ceux de P.A.C.A.), ce qui est supérieur à la moyenne française (5,9 %). Toutefois, la part la plus importante revient au tourisme, bien que la statistique ne permette pas d'isoler la place exacte des emplois touristiques, notamment celle des emplois induits ; mais on sait que, à côté de la profession hôtelière (73 000 personnes), il y a les commerces et les services spécialisés. Or, le tourisme ne cesse de progresser et devient une activité majeure.

La carte n° 3 indique l'évolution et la répartition des actifs. Un premier regard indique un parallélisme de cette évolution, à travers les départements ; l'analyse régionale permettra de nuancer.

IV. UNE SOCIÉTÉ EN COMPLÈTE TRANSFORMATION

N'ayant pas connu les mutations sociales qui avaient accompagné la révolution industrielle de la moitié nord de la France, la Provence conservait une société plus traditionnelle. Mais la forte immigration, les changements dans les activités économiques qu'a indiqués l'évolution de la population active, la hausse du niveau de vie, en un mot, l'entrée rapide dans le monde moderne, ont provoqué les mutations sociales qui avaient tardé.

1. Les changements dans la C.S.P.

Les R.G.P. de l'I.N.S.E.E. précisent toujours les catégories socioprofessionnelles (C.S.P.), mais l'évolution de la société a obligé le service des statistiques à modifier, en 1982, le système des nomenclatures en vigueur depuis 1954, ce qui rend difficiles certaines comparaisons. Les deux tableaux n° 5 et n° 6 apportent les données nécessaires.

Tableau n° 5

Les C.S.P. de 1954 à 1975

	1954		1975	
	Nombre	%	Nombre	%
Agriculteurs, exploitants et salariés agricoles	170 000	16,9	83 800	5,9
Patrons de l'industrie et du commerce	153 060	15,2	143 150	10
Professions libérales et cadres supérieurs	36 020	3,5	102 555	7,2
Cadres moyens	62 720	6,2	186 500	13,1
Employés	128 980	12,8	261 425	18,3
Ouvriers	332 680	33,1	502 630	35,3
Personnel de service	68 400	6,8	95 555	6,7
Autres	54 040	5,4	49 000	3,4
TOTAL	1 005 900		1 424 615	

Source : I.N.S.E.E. (R.G.P.)

Tableau n° 6

Les C.S.P. de 1982 à 1990

	1982		1990	
	Nombre	%	Nombre	%
Agriculteurs, exploitants et salariés agricoles	51 120	3,3	38 852	2,1
Artisans, commerçants, chefs d'entreprise	157 220	10,1	170 784	9,6
Cadres, professions intellectuelles supérieures	128 456	8,2	192 016	10,9
Professions intermédiaires	275 856	17,6	345 802	19,6
Employés	482 488	30,8	556 127	31,4
Ouvriers	465 620	29,8	466 966	24,6
TOTAL	1 560 760		1 768 548	

Source : I.N.S.E.E. (R.G.P.)

N.B. : Les retraités et autres inactifs ne sont pas reportés sur ce tableau

Parmi les traits les plus saillants, notons d'abord l'effondrement de la classe paysanne, qui perd presque les quatre cinquièmes de ses effectifs, entre 1954 et 1990, sans parler des changements qualificatifs qui l'affectent ; elle garde quand même un certain rôle politique, grâce au nombre de communes rurales (737, sur 963 communes en P.A.C.A.), qui leur assure un poids dans les Conseils Généraux. Les employés et personnel de service triplent leurs effectifs et constituent maintenant près du tiers des actifs, ce qui se comprend quand on sait l'importance du tertiaire. Mais il faut souligner, dans une société qui exige de plus en plus de compétences, le bond accompli par les cadres moyens, qui ont triplé leur chiffre en trente ans, de 1954 à 1975, et sans doute quadruplé sur toute la durée de notre période ; celui des cadres supérieurs a connu une progression comparable. Ces deux C.S.P. réunies représentent environ un tiers des actifs (30,5 % en 1990), ce qui est supérieur à la moyenne nationale (25,2 %) et dénote, entre autres, une formation intellectuelle et professionnelle plus poussée qu'ailleurs. La catégorie des artisans et patrons d'entreprises commerciales et industrielles, maintient à peu près ses effectifs, mais perd de son importance relative, malgré le rôle tenu par les P.M.E. et P.M.I. dans la structure économique de la région. Les ouvriers, s'ils ont légèrement progressé en nombre, avec même un maximum vers 1975, ont reculé en pourcentage, passant du tiers au quart des actifs (26,4 % pour 28,3 en France), ce qui est conforme à l'évolution nationale.

2. Une société mieux instruite et mieux soignée

Malgré certains lycées ou établissements supérieurs de qualité, la Provence devait rattraper son retard dans le domaine éducatif. Comme tout le pays, elle a participé à la forte hausse de la scolarisation que celui-ci a connue depuis l'après-guerre, mais il ne semble pas que l'effort réalisé soit suffisant : alors que P.A.C.A. dispose de 7,5 % de la population nationale, elle n'a que 7,1 % des élèves du primaire, 6,8 % de ceux du secondaire et 7,1 % des étudiants du supérieur ; il est possible que le nombre et la réputation des établissements de la région Ile-de-France, notamment dans le post-baccalauréat, nuisent aux autres régions. Un effort a été réalisé, toutefois, dans cet enseignement supérieur ; si le nombre des écoles d'ingénieurs est encore faible (3,5 % des effectifs français), les universités se sont multipliées et diversifiées. L'antique Université d'Aix-Marseille, après les réformes nées des journées de mai 1968, a donné naissance à trois universités ; elle avait déjà essaimé à Nice et à Avignon dès le début des années soixante, sous la forme de collèges universitaires relevant de son autorité. Nice recevait sa Faculté des Lettres, autonome, en 1965 et obtenait son université en 1971 ; un centre universitaire, indépendant, était créé, en 1972 à Avignon, qui était érigé en université en 1984 ; un autre centre universitaire était implanté à Toulon en 1970, qui était transformé en université en 1979. En 1992, il y a 90 000 étudiants en P.A.C.A., soit 7,3 % des effectifs universitaires français. Parallèlement à ce développement du Supérieur, s'est produite une très forte expansion de la recherche, tant dans les universités que dans les laboratoires des entreprises privées : P.A.C.A. veut assurer sa croissance grâce à la formation de sa matière grise.

L'encadrement sanitaire était déjà satisfaisant, au lendemain de la guerre, puisque les statistiques de 1954 indiquent des taux meilleurs que la moyenne nationale, mais avec des écarts entre les départements qui vont du simple au double : 1 médecin pour 1 085 habitants en France, mais 1 pour 633 et 1 pour 690 dans les Alpes-Maritimes et les Bouches-du-Rhône et 1 pour 1 187 et 1 pour 1 330 dans les Basses et les Hautes-Alpes. Aujourd'hui, quels que soient les indicateurs retenus, P.A.C.A. est au-dessus de la norme nationale en matière de santé. En 1991, la région est au premier rang des régions françaises pour la proportion de médecins et de chirurgiens-dentistes, au deuxième rang pour celle des pharmaciens, au cinquième pour celle des lits d'hospitalisation. Le progrès dans tous les domaines a été remarquable : quintuplement du nombre des médecins entre 1954 et 1991, selon un rythme qui a été progressif, par exemple. En outre, les différences entre départements ont beaucoup diminué (écart de 1 à 1,3 pour la proportion de médecins).

3. Une population urbaine ayant accédé au confort

P.A.C.A., comme le reste de la France, va connaître, après la guerre, une grande époque de croissance urbaine, qui rappelle celle connue sous le Second Empire, mais la poussée est encore plus forte, à cause des records d'immigration et de l'exode rural ; à cela s'ajoutent les effets du desserrement urbain : on veut vivre plus au large. Il a fallu construire beaucoup de logements, mais, à côté du rôle classique des promoteurs privés dans ce domaine, l'État et les villes ont dû se doter d'une politique urbaine : ce fut une grande époque pour l'aménagement urbain. Mais le mouvement ne s'est pas déroulé au même rythme durant toute la période : le nombre des logements terminés s'est vite élevé pour atteindre les 10 000 par an, au début des années cinquante et culminer vers les 50 000 entre 1965 et 1975 ; ensuite, et l'on retrouve toujours cette période césure, la construction connaît un recul continu pour n'en fournir plus que 12 000 en 1986 ; il y a eu une reprise ensuite, mais les logements achevés ne sont que de 22-23 000 par an entre 1987 et 1991.

Entre 1946 et 1990, le nombre des citadins nouveaux s'élève à 2,5 M. Il n'est pas question de laisser le soin de loger cette masse énorme d'habitants à la seule initiative du secteur privé. L'État et les collectivités locales communales interviennent et, en Provence comme ailleurs, les responsables locaux sont saisis par la volonté de planifier la croissance de leur ville ; ils rivalisent de projets pour faire face à une expansion dont ils ne pensent pas qu'elle pourrait s'arrêter ; celle-ci, pourtant, connaît un ralentissement, avec les crises des années soixante-dix, et tous les programmes sont alors revus à la baisse : les hommes et les investissements ne sont plus aussi nombreux. L'État joue un rôle essentiel, par ses lois (notamment sur les Z.U.P., zones à urbaniser en priorité, 1958 ; L.O.F., 1967, qui prévoit les P.O.S. et les S.D.A.U., schémas directeurs d'aménagement et d'urbanisme), par son aide au logement social et aussi par le rôle de ses fonctionnaires : ceux de la D.D.E. (Direction Départementale de l'Équipement), du fait de leur compétence et de la centralisation française, sont des conseillers techniques sollicités et presque des décideurs ; c'est la belle époque pour les ingénieurs des Ponts et Chaussées. Les communes, avec les avis de ces derniers, établissent les P.O.S., qui régissent les formes d'occupation de l'espace, créent des Z.A.C. (zones d'aménagement concerté), qui sont des quartiers nouveaux planifiés, et mettent en place les infrastructures qui sont de leur responsabilité : voirie, adduction d'eau, égouts, etc. Il y avait souvent du retard en Provence et toutes les villes travaillent fébrilement dans ce domaine ; notons que l'eau du Canal de Provence va tenir une place essentielle dans l'alimentation de nombreuses villes, à Marseille et dans sa région, entre autres, et que les stations d'épuration ou de traitement des ordures sont venues tardivement, dans les années quatre-vingt seulement.

Le problème foncier est aigu : le relief, avec ses « collines » aux pentes souvent fortes, est une contrainte et les villes, legs de l'histoire, sont ramassées sur elles-mêmes. Mais, les industries demandent des terrains ; un souci de qualité de vie mène les citadins à quitter un appartement exigu, pour s'installer dans un logement spacieux, dans l'espace périurbain de préférence. Quelques tours et grands ensembles sont construits, à Avignon, Marseille, Nice, mais moins qu'ailleurs et avec un peu moins de problèmes. Si le logement collectif l'emporte, l'habitat individuel, surtout sous la forme de villas en périphérie, triomphe dans la décennie quatre-vingt, bien qu'il « consomme », au sol, de huit à dix fois plus d'espace que l'autre. Ainsi, à

Gap, entre 1954 et 1975, la population est multipliée par 1,7, mais la superficie par 2,5 : par rapport à l'avant-guerre, l'accroissement a été beaucoup plus élevé. À Carpentras, la superficie urbaine a été quadruplée entre 1958 et 1976. Cela provoque des réactions, de la part des paysans, d'abord, qui craignent pour leurs terres agricoles (années soixante-dix), des écologistes ensuite. La croissance périphérique est aussi le fait des Z.I. (zones industrielles), qui portent mal leur nom puisqu'elles sont surtout des espaces pour les entrepôts commerciaux, les bureaux, les ateliers ; celle de Vitrolles, à l'est de l'Étang de Berre, est un bel exemple réussi. Le réaménagement du centre-ville est aussi un problème ; comme dans tout le pays, on pense d'abord à la rénovation, c'est-à-dire au remplacement total d'un quartier par du neuf : le cas du quartier de la Balance, à Avignon, est souvent cité, car il est lui aussi une réussite. Mais on penche vite vers la réhabilitation, qui garde le bâti ancien en conservant une façade remise en état et en modernisant l'intérieur. La formule des quartiers piétonniers est adoptée aussi (Aix, Avignon, etc.), mais un peu moins que dans le reste de la France. Le relatif abandon des quartiers centraux mène à un recul de la population dans la ville centrale des grandes agglomérations urbaines, à partir du recensement de 1975 ou de celui de 1982 ; le fait a été modéré à Cannes, Nice, Toulon, Avignon, mais accentué à Marseille, qui, entre 1982 et 1990, a perdu 70 000 habitants, soit 8 % de sa population. En plus des hommes, ce sont les entreprises qui partent, multipliant les friches industrielles (quartiers nord de Marseille) ; des implantations de bureaux remplissent partiellement les vides, mais la « reconquête des centres » n'est pas très active : entre 1965 et 1980, Lyon et Lille ont construit 2,4 fois et 1,4 fois plus de mètres carrés de bureaux que Marseille.

La croissance urbaine a incité le législateur à pousser les communes à s'associer dans des districts ou des communautés urbaines, ce qu'ont fait des villes comme Bordeaux ou Lyon. En P.A.C.A., l'urgence était encore plus grande, car il y a beaucoup d'agglomérations urbaines multicommunales surtout dans les Alpes-Maritimes où l'on a l'impression d'une ville continue le long du littoral : Nice et ses dix-sept communes (475 000 h), Grasse-Cannes-Antibes et leurs 23 communes (335 000 h), ainsi que Toulon (18 communes : 437 000 h) et Marseille (1 217 500 h, 30 communes, dont Aix-en-Provence considérée depuis 1990 comme en continuité avec l'aire urbaine marseillaise). Dans les Alpes-Maritimes, 92 % de la population est logée dans des agglomérations urbaines multicommunales et 85 % dans les Bouches-du-Rhône. Mais, il n'y a ni district ni communauté urbaine : l'individualisme l'a toujours emporté, qu'il s'agisse de celui de la commune ou de celui de son maire. La loi récente (6 février 1992) sur les regroupements communaux est appliquée sans enthousiasme et on ne sait pas quelle en sera la suite ; Marseille, Aix et Aubagne n'ont pas réussi à s'entendre et proposent trois regroupements séparés (janvier 1993).

Les commerces et services sont-ils nombreux dans les villes ? Il est difficile d'y répondre, car les statistiques sont départementales et non communales et il n'y en a pratiquement aucune pour les années cinquante. En 1991, dix indicateurs concernant l'équipement des ménages (électro-ménager, auto, télévision,...) montrent que sept fois sur dix, P.A.C.A. est dans une situation qui la place au-dessus de la moyenne nationale. En ce qui concerne l'équipement commercial, les petits commerces sont, proportionnellement, beaucoup plus nombreux qu'en France et les grandes surfaces nettement moins : dans ce dernier cas, si l'indice moyen est de 100 en France, il est de 82 en P.A.C.A., et de 68 et 69 dans les Alpes-Maritimes et les Bouches-du-Rhône : les grands magasins ne sont pas dans la tradition provençale et cela distingue les villes de Provence de celles du Nord de la France ou de l'Europe.

CHAPITRE XV

UNE ÉCONOMIE NOUVELLE

Le visage de la Provence, terre de production, a beaucoup évolué dans la seconde moitié du XXe siècle ; l'examen de la population active l'a déjà laissé entrevoir. Non seulement la nature de beaucoup d'activités a changé, mais encore de nouvelles ont fait leur apparition. Notons que la contribution régionale au P.I.B. français est la troisième, (422 milliards de francs en 1989), après Ile-de-France (1 760) et Rhône-Alpes (573) ; l'habitant de P.A.C.A. dispose du deuxième salaire net moyen annuel de France (110 000 F. en 1991), après la région parisienne (140 400), mais à égalité avec Rhône-Alpes (111 100) et devant l'Alsace (107 800) et la Haute-Normandie (105 100). Le chemin parcouru a été long pour arriver à ce résultat, mais il n'y a pas de séries statistiques promettant de suivre l'évolution.

P.A.C.A., avons-nous vu, est d'abord un espace de circulation ; cela conditionne le développement des autres activités.

I. UN SYSTÈME DE TRANSPORTS DES PLUS COMPLETS

La région P.A.C.A. dispose, aujourd'hui, d'un système de transports parmi les plus complets qui soient en France, qu'il s'agisse des domaines continental, maritime ou aérien. Pourtant, au début des années cinquante, il n'y avait aucune autoroute et le réseau routier était dominé par les routes nationales, parfois déjà insuffisantes (RN7, par exemple) ; le parc de véhicules à moteur était encore très réduit (150 000 en 1950) ; les voies ferrées n'étaient pas électrifiées ; le transport aérien en était à ses débuts et les deux aéroports de Marseille (220 000 passagers) et de Nice étaient modestes ; le trafic du port de Marseille était de 11,5 Mt en 1950, déjà en progression sur 1938, mais, si les premiers aménagements de l'Étang de Berre sont antérieurs à la guerre, on amorce tout juste ceux de Lavéra, nouveau port pétrolier. La lenteur des transports est un handicap : le train le plus rapide, le

Mistral, qui exige un supplément de prix, met Marseille à huit heures et demie de Paris, mais il faut rajouter quelques heures pour les trains ordinaires. Tout cela constituait une gêne qui soulignait l'éloignement des grands centres économiques français ou européens, du fait de la situation excentrée de P.A.C.A., et définissait son enclavement. Tout a considérablement changé.

En effet, les besoins se sont accrus, d'une façon inattendue, à cause de l'expansion des Trente Glorieuses. Celle-ci a exigé de bons moyens de transports continentaux pour les besoins propres de P.A.C.A., qu'il s'agisse de l'agriculture, du commerce, des déplacements domicile-travail, du tourisme, etc. La possession d'une façade maritime, sur la Méditerranée, a favorisé le développement des trafics pétroliers et la naissance d'une « industrie sur l'eau ». L'appartenance à une C.E.E. dont les adhérents se multipliaient au fil des années a accentué la vocation d'espace de transit, pour des échanges qui s'effectuaient entre pays du Nord et pays du Sud et s'engouffrent par le Couloir Rhodanien. Il fallait donc développer le système des transports.

C'est l'État qui doit assumer cette responsabilité, puisqu'il est le seul à pouvoir apporter les investissements nécessaires et parce que la France est un pays très centralisé ; la politique des « ports autonomes » fait passer le port de Marseille des mains de la Chambre de Commerce à celles de l'État ; même quand il s'agit de routes départementales, Paris a son mot à dire, par le biais des ingénieurs de l'Équipement. Toutefois, le retard pris dans le domaine des autoroutes est tel que l'État ne peut fournir les sommes nécessaires et doit s'adresser au secteur privé, ce qui se banalise à partir des années soixante-dix. De façon générale, chaque moyen de transport est examiné séparément et fait l'objet d'un plan qui lui est propre, conçu à l'échelle nationale ; ainsi agissent la S.N.C.F., le Port Autonome, les aéroports, la Compagnie Nationale du Rhône, les responsables du schéma directeur des autoroutes. Mais, dans le domaine de la route, il faut élaborer des schémas à l'échelle de la Région ; le premier schéma routier d'intérêt régional, conçu par les services régionaux de l'État, date de 1970 ; le dernier est celui du Xe Plan et relève des opérations du contrat État-Région (1989-1993). L'étude comparée des divers calendriers prévus et de leur réalisation montre que les retards constituent la règle ; ils sont même de plus en plus importants au fur et à mesure que les « crises » économiques s'affirment ; l'autoroute de la Durance aurait dû être réalisée à la fin des années soixante-dix, mais, en 1993, elle s'arrête encore à Sisteron, atteinte depuis peu (1991).

Pour des raisons liées à sa géographie, P.A.C.A. dispose de quelques grands axes dont l'intérêt est international. Il y a surtout la branche sud de l'axe rhodanien qui relie la moitié nord de la France, le Benelux et la R.F.A. à la Provence, à l'Italie et à l'Espagne ; cela a pris une importance exceptionnelle avec la C.E.E. et constitue une revanche sur l'histoire, car la percée rhodanienne, tracé naturel nord-sud unique en Europe, avait toujours été sous-utilisée au cours des temps. Le couloir rhodanien accueille tous les modes de transport, au point qu'il est saturé aujourd'hui. L'axe ouest-est, qui unit Provence et Languedoc et, par-delà, Italie et Espagne, était secondaire, mais il est devenu essentiel et n'est pas encore à la hauteur des besoins ; le transport maritime direct entre l'Espagne et l'Italie doit suppléer à un manque de voies continentales qui sont ardemment souhaitées par nos partenaires. La vallée durancienne, à travers les Alpes du Sud, constitue une voie naturelle qui mène en direction de Grenoble ou vers les champs de ski des Grandes-Alpes et du Piémont ; ce fut une grande voie de l'époque romaine : elle n'est aujourd'hui équipée que sur la moitié de sa longueur.

Du fait de la croissance extraordinaire de la circulation automobile (1991 : 2 035 000 véhicules immatriculés en P.A.C.A., dont 240 000 utilitaires), c'est le réseau routier et autoroutier qui est le plus important. Le réseau secondaire, déjà dense, s'est constamment amélioré et est devenu de qualité ; il s'appuie sur un ensemble de routes nationales et surtout d'autoroutes très important ; venue de Lyon, l'autoroute, parvenue à Orange, envoie un bras vers l'Espagne par le Languedoc, mais se dirige surtout vers le Sud, vers Marseille et Toulon ou vers Aix, et, par-delà, Fréjus, Nice et l'Italie. Pour satisfaire les besoins d'échange d'est en ouest, on est en train de réaliser la liaison Arles-Salon, qui assurera la continuité autoroutière d'Italie en Espagne. D'autres liaisons sont prévues, notamment pour brancher Toulon vers l'est, sur l'autoroute de l'Esterel qui mène à Nice, mais la grosse question aujourd'hui est celle de la traversée des Alpes, dont on a débattu avec ardeur depuis la fin des années soixante, sans que les réalisations suivent. Actuellement, la liaison Aix-Sisteron est réalisée ; elle ne se continuera pas vers Briançon et l'Italie, mais vers Grenoble et son réseau autoroutier ; le tracé par Gap est retenu, après qu'on a hésité sur un tracé par la vallée du Buech. Mais il faut bien comprendre que cette grande voie durancienne a été décidée à l'échelle nationale et sera donc réalisée, non pour désenclaver les Alpes, mais afin de permettre le doublement de l'autoroute rhodanienne proche de l'asphyxie. Quant aux tunnels transalpins, après avoir hésité au profit de hautes vallées du réseau durancien (Montgenèvre, La Croix, l'Échelle), on a récemment opté pour une percée sous le Mercantour, au profit des Alpes-Maritimes.

Depuis 1945, la S.N.C.F. n'a ouvert aucune voie nouvelle, et a fermé des lignes secondaires et des gares de marchandises, se concentrant sur des lignes rentables qu'elle a électrifiées à partir des années cinquante. L'objectif est aussi la vitesse : le T.G.V. en est le symbole, qui met Paris à 4 h 40 de Marseille et mène à Toulon ou Nice, mais il n'y a pas encore de voie en site propre, ce qui ne permet pas les grandes vitesses autorisées par la technique actuelle (Paris-Marseille s'effectuerait alors en 3 h 30). La S.N.C.F. veut créer une infrastructure nouvelle, la plus rectiligne possible entre Lyon et Marseille, pour répondre à ce qu'elle pense être l'exigence de l'avenir, mais elle se heurte aux défenseurs de l'environnement et aux propriétaires de terrains. Le T.G.V.-Méditerranée est pour P.A.C.A. un des grands défis de la dernière décennie du XXe siècle.

Un autre grand débat a été celui de la liaison Rhône-Rhin. Grâce à des barrages sur le fleuve (Donzère-Mondragon, 1954 ; Montélimar, 1958), le Rhône est devenu navigable, ainsi que la Saône, mais la voie constitue un cul-de-sac et plusieurs projets de prolongement vers le nord, par la Meuse, la Moselle ou par la Porte d'Alsace et le Rhin ont été lancés. Ceux-ci ont fait l'objet d'études économiques dans les années soixante et tous les présidents de Chambre de Commerce et élus locaux étaient à l'unisson pour réclamer le Canal Rhône-Rhin, mais l'État, sensible au prix de l'opération et sceptique quant à sa nécessité ou à sa rentabilité, n'a jamais donné suite. Périodiquement, toutefois, le dossier est rouvert.

La longue façade maritime sur la Méditerranée pourrait laisser croire que les ports y sont nombreux ; en fait, Marseille est le seul et occupe le premier rang en France et sur la Méditerranée (90 Mt en 1991) ; il doit ce rang aux hydrocarbures (91 % du trafic), dont une partie est expédiée, brute, vers le nord de la France et l'Allemagne par un oléoduc qui emprunte la vallée du Rhône (10 Mt) ; Nice n'arrive qu'au 24e rang national, avec 0,4 Mt ; Toulon ne voit passer que 180 000 tonnes. Le trafic voyageurs, qui fut une des gloires de Marseille à l'époque coloniale et une des bases de son tourisme, a changé de nature et s'est transformé, principalement dans les années soixante ; il concerne surtout les liaisons touristiques avec la Corse et celles avec l'Algérie, par suite de la présence d'une importante colonie algérienne en Provence ; il ne s'agit plus de grands paquebots menant aux colonies, mais de navires spécialisés pour le transport des voyageurs et de leurs voitures, ou de navires de croisière. Toutefois, en chiffres, ce trafic tourne toujours autour du million de passagers (0,22 M en 1950 ; 1,26 en 1963 ; 1,2 en 1991), mais ce ne sont pas les mêmes et ils effectuent beaucoup moins de dépenses.

C'est l'avion qui a bénéficié du nouveau trafic de voyageurs. Deux aéroports dominent, ceux de Marseille et de Nice, mais il a fallu leur en adjoindre un à Toulon-Hyères et un à Avignon (assez notable pour le fret) ; Cannes-Mandelieu et Cap-Tallard n'ont pratiquement pas de trafic. Par suite des dimensions croissante des appareils et du caractère de plus en plus technique et donc onéreux des installations, l'effort s'est concentré sur deux aéroports, mais ceux-ci sont rivaux, bien qu'ils n'aient pas exactement la même clientèle : Marseille se tourne vers l'Afrique et un peu vers l'Europe, Nice est plus touristique, voire internationale ; Marseille-Provence a longtemps dominé sa concurrente, mais elle est dépassée depuis 1989 ; aujourd'hui, le trafic provençal est de 4 925 000 personnes (1991) et l'azuréen de 5 875 000. Pour le fret, Marseille garde la première place (32 170 tonnes, contre 23 300 à Nice).

La course à l'amélioration des équipements de transport n'est pas terminée ; on l'a vu, avec le projet de futur T.G.V. L'Europe de 1993 et la concurrence économique mondiale ne peuvent qu'aboutir à de nouveaux équipements de transport, si P.A.C.A. ne veut pas être dépassée et marginalisée.

II. UNE AGRICULTURE SE CONCENTRANT DANS UN ESPACE RURAL BOULEVERSÉ

Au lendemain de la guerre, le Sud-Est méditerranéen laisse au visiteur une impression très mélangée : les archaïsmes y abondent, avec des cultures traditionnelles à faible rendement, un outillage non modernisé dont l'araire n'est pas exclue, des villages qui semblent n'avoir pas bougé au cours des temps et que les romans de J. Giono ou H. Bosco ont bien décrits ; l'exode rural y sévit encore, bien qu'il ait commencé depuis un siècle. Mais, sans être pour autant un observateur très attentif, le voyageur peut déjà constater la grande modernité de beaucoup d'exploitations qui n'ont rien à envier à celles réputées les plus productives du nord du pays. Celles-ci ne sont pas localisées nécessairement dans certaines régions plus basses qui seraient plus favorisées, mais se rencontrent un peu partout. Comtat et basse Durance sont déjà connus pour leurs fruits et leurs légumes, qui arrivent vite sur les marchés parisiens grâce aux trains de nuit rapides de l'ex-P.L.M. intégré dans la S.N.C.F. (1937) ; les vignobles des Côtes du Rhône ont une qualité reconnue. Dans les Alpes du Sud, toujours perçues comme l'espace le plus pauvre de la France avec la Lozère et la Corse, d'excellents vergers irrigués occupent les terres des basse et moyenne Durance alpestres ; la production laitière des Hautes-Alpes est arrivée à un degré de qualité remarquable grâce aux incitations provenant de l'usine Nestlé installée à Gap depuis 1929 ; dès l'entre-deux-guerres, la lavande était venue au secours de la moyenne montagne, etc. Les exemples abondent de ces contrastes, mais l'impression d'une campagne peu évoluée l'emporte sur celle d'un monde rural qui bouge. La Provence, en outre, est sans doute un espace dont le paysage rural, séduisant, attire les regards, mais dont les agriculteurs sont déjà relativement peu nombreux : 18 % seulement des actifs (27 % en France) en 1954.

En une quarantaine d'années, les transformations ont été profondes ; on peut même parler de bouleversement, dans la mesure où l'espace rural n'a plus qu'un usage partiellement agricole et où de nombreuses formes d'utilisation liées à l'urbanisation de la société l'ont pénétré. Une agriculture parfois hautement performante s'est concentrée sur quelques productions-clés telles que fruits, légumes, vin et fleurs, de même que la population agricole s'est contractée, perdant les quatre cinquièmes de ses représentants entre 1946 et 1990. Il subsiste très peu d'espaces d'agriculture traditionnelle, de polyculture peu évoluée, qui disparaîtront quand leurs propriétaires ne seront plus.

La population active agricole était encore assez importante en 1946, reste d'une vieille société rurale qui se maintenait et conséquence de la pénurie alimentaire des années de guerre qui incitait les paysans à rester sur leurs terres. Le R.G.P. de 1946 indique 277 000 agriculteurs ; le recul a été très rapide dès la fin de la guerre (166 000 dès 1954, soit une perte de 40 %), mais il n'a cessé par la suite. Pendant les décennies 1950 et 1960, l'exode rural a connu des taux annuels supérieurs à ceux du XIXe siècle, contrairement à l'idée que l'on a d'une forte saignée démographique affectant régulièrement les campagnes depuis 1850. En 1968, il n'y a plus que 108 800 paysans. Le délestage du monde rural est un fait majeur : le R.G.P. de 1990 descend au nombre de 56 200 personnes travaillant la terre, dont 12 200 salariés agricoles ; le mouvement n'est sans doute pas terminé. Parallèlement, le nombre des exploitations agricoles diminue ; les données concernant l'évolution du monde agricole sont bien connues car, à côté des R.G.P. de l'I.N.S.E.E., le ministère de l'Agriculture procède à des R.G.A. (Recensement Général de l'Agriculture) ; celui de 1955 donne 95 000 exploitations et celui de 1988 45 000, soit une baisse de moitié, au rythme de 3 % par an ; pour 1991, l'estimation est de 38 360 seulement : il y a encore quelques exploitations qui disparaîtront, parce que marginales ou du fait des difficultés générales communes à toute l'agriculture française. En proportion, l'exode rural est deux fois et demie plus fort que la diminution des exploitations, parce que les exigences de la productivité liées à une concurrence croissante, poussaient, entre autres, au développement de la mécanisation et de la motorisation. Le nombre des petites et moyennes exploitations a diminué et celui de grandes s'est élevé : aujourd'hui (R.G.A. 1988), les premières représentent 90 % du total, mais seulement 45 % de la superficie ; parmi les secondes, celles qui disposent d'au moins cinquante hectares, si elles ne sont que 5 % du nombre, mettent en valeur la moitié de la surface de production.

Ces données sont à nuancer. Les départements littoraux ont une forte proportion d'exploitations de moins de cinq hectares (Bouches-du-Rhône : 58 % ; Var : 72 % ; Alpes-Maritimes : 85 %), à cause d'une agriculture hautement spécialisée et productive (cultures sous serre, par exemple). Beaucoup de terres sont louées par contrat officiel ou tacite, ce qui augmente la taille des exploitations, et le mouvement n'a cessé de s'accentuer ; ainsi, le faire-valoir direct qui était toujours largement dominant et qui concernait 75 % des terres en 1970 (25 % en fermage), reste encore majoritaire, mais ne touche plus que 56 % des superficies, alors que la part du fermage s'est élevée à 42 %. Une originalité de P.A.C.A. réside aussi dans l'importance du travail agricole à temps partiel, qui est le fait de 55 % des chefs d'exploitation, mais la double activité se retrouve surtout dans les régions touristiques, dans l'espace agricole périurbain ou dans de petites exploitations détenues par des retraités ou quelques résidents secondaires ; cela est une innovation par rapport à 1950.

Comme les terres abandonnées sont souvent louées à des voisins, la superficie agricole utilisée (S.A.U.) n'a pas diminué dans de fortes proportions : celle-ci est de 661 000 hectares, en baisse de 40 % seulement sur 1954, et cela n'exclut pas localement un accroissement des terres mises en valeur. Le recul des surfaces agricoles est lié à l'urbanisation, qui a chassé la plupart des agriculteurs de Marseille et de sa périphérie ou qui a fermé beaucoup de cultures de fleurs sous serre de la Côte d'Azur, mais il est dû aussi à l'abandon de surfaces exploitées, en montagne notamment. Cela s'est traduit, entre autres, par une remarquable extension de la superficie des forêts qui, entre 1954 et 1991, est passée de 500 000 à 650 000 hectares dans les trois départements alpins (y compris les Alpes-Maritimes) ; le reboisement naturel a été plus important que celui des Eaux et Forêts. Les incendies de forêts, qui ont toujours existé dans l'histoire, détruisent 3 000 hectares par an (moyenne 1986-1991), mais l'espace brûlé reste classé forêt et il est, en principe, inconstructible.

L'évolution de l'agriculture tient à des causes multiples : l'évolution des techniques de production, qui rendait obsolètes trop d'exploitations : l'ouverture du Marché Commun, qui sollicitait la production, en lui fournissant l'aiguillon de la concurrence, mais en la protégeant relativement de l'extérieur ; l'effort du milieu paysan, soutenu par les services officiels de l'agriculture. Les fermiers qui ne participaient pas à l'évolution disparaissaient. Mais, moderniser ne suffisait pas et il fallait être compétitif ; or, les Pays-Bas et, depuis son accession à la C.E.E., l'Espagne (1986), proposent des prix plus bas pour des productions spécialisées qui sont la base de l'agriculture provençale ; en outre, dans la décennie 1990, les nouveaux défis lancés au paysannat provençal par la révision de la P.A.C. (Politique Agricole Commune de la C.E.E.) et les négociations du G.A.T.T. vont amener celui-ci à évoluer encore une fois, ce qui sera difficile et risque d'entraîner de nouvelles disparitions. On sait que la production de la terre n'est plus tellement conditionnée par les données naturelles, mais surtout par les prix agricoles, les politiques nationales et les accords internationaux.

P.A.C.A. n'occupe que le onzième rang régional pour la valeur de sa production agricole, mais elle est au premier rang français pour certaines productions, qui assurent alors des revenus élevés : en 1991, le R.B.E. (revenu brut d'exploitation) par exploitation agricole est de 168 500 F (121 000 en France) et le R.B.E. par actif familial de 150 600 F. (115 000) ; la valeur de la production finale hors T.V.A. est de 15 MMF, soit seulement 5 % de celle de la France. Il faudrait aussi, ce qui n'est pas, disposer de données précises sur la valeur de ce qui se trouve en amont (ventes de matériel agricole, de produits pour la culture,...) et en aval (commerces agricoles, industries agroalimentaires,...) pour mesurer exactement le poids de l'agriculture dans l'économie provençale.

Le Sud-Est dispose du soleil, mais il possède aussi l'eau, grâce à ses Alpes ; l'irrigation a permis d'accroître la spécialisation et les rendements et concerne un quart de la S.A.U. L'irrigation traditionnelle par gravité s'est développée surtout du XVIe au XIXe siècle, en basse Provence occidentale, mais une nouvelle forme, par aspersion, a fait son apparition après la guerre et n'a cessé de s'étendre et de se perfectionner. L'aménagement de la Durance, avec sa pièce maîtresse de Serre-Ponçon achevée en 1960, et la S.C.P. (Société du Canal de Provence et d'Aménagement de la Région provençale), née en 1957, qui utilise l'eau du Verdon, ont permis l'extension de l'irrigation un peu partout. Notons que cette S.C.P. apporte aussi une précieuse aide technique aux paysans et que, malgré son appellation, elle ne vend qu'un tiers de son eau au milieu rural : les villes et l'industrie sont ses meilleurs clients. Cette irrigation permet des cultures intensives, souvent pratiquées sous serres ou sous abris hauts recouverts de plastique.

Quatre productions dominent et assurent 85 % du revenu régional. Les légumes frais, dont la liste évolue en fonction des données du marché, les fruits (pommes et poires surtout, mais aussi pêches, cerises, etc.), les fleurs représentent plus de la moitié de la valeur de la production régionale et sont fournis par le Comtat, prolongé par le sillon de la Durance jusqu'à Serre-Ponçon, et par quelques secteurs plus petits de la région littorale (delta de l'Arc, périphérie marseillaise, région de Hyères, delta du Var, etc.). La vigne a mené à une viticulture de qualité et constitue la quatrième grande ressource (30 % de la valeur de la production régionale). Si la production de vin n'a pas changé en quantité, autour de 5 à 6 M hl, malgré la réduction d'un tiers de la superficie, en vigne, elle a considérablement évolué en qualité par suite d'efforts constants (encépagements, façons culturales, vinification) et, alors que les vins de consommation courante constituaient les quatre-cinquièmes de la production vinicole au début des années cinquante, ce sont les A.O.C. (Appellation d'Origine Contrôlée) qui en assurent 60 % en 1991. Un effort commercial considérable a nécessairement accompagné l'évolution de la production ; notamment, les caves coopératives, qui accueillent les neuf dixièmes des viticulteurs, se regroupent en unions de caves et en S.I.C.A., elles-mêmes coiffées par un Comité Économique des Vins du Sud-Est. Les caves particulières concernent surtout les A.O.C. les plus réputées (Châteauneuf-du-Pape, Gigondas, par exemple).

À côté de ces quatre « majors », beaucoup de productions ont leur place. Les céréales tiennent un rôle notable, sur les plateaux qui encadrent la basse Durance alpestre en particulier (blé), en Camargue (riz). Les cultures fourragères, en culture principale, sont souvent liées à l'irrigation. Les plantes à parfum sont autorisées par le climat, mais elles sont soumises à des prix de concurrence étrangers trop bas et le couple lavandin-lavande fine (celle-ci au-dessus de 1 000 m) n'a cessé de connaître une alternance de hauts et de bas ; aujourd'hui, élément de folklore pour cartes postales, la lavande s'est réfugiée sur les Monts de Vaucluse ou sur le plateau de Valensole. L'olivier, touché par le gel de 1956 et la concurrence des autres huiles, ne joue plus guère qu'un rôle paysager, malgré quelques plantations récentes bénéficiant d'aides de la C.E.E. et recourant au ramassage mécanique (versant sud des Alpilles). L'amandier fait aussi partie du paysage traditionnel, surtout quand il est en fleurs, mais il a perdu son importance économique.

L'élevage a une place limitée (7 % de la production agricole en valeur). C'est celui des ovins qui est le plus notable, bien qu'il n'ait plus sa place de l'époque de la transhumance ; le troupeau oscille autour du million de têtes, depuis les années cinquante et se rencontre dans toute la partie alpine et en Crau-Camargue ; les bovins n'ont quelque importance que dans les Hautes-

Carte n° 4

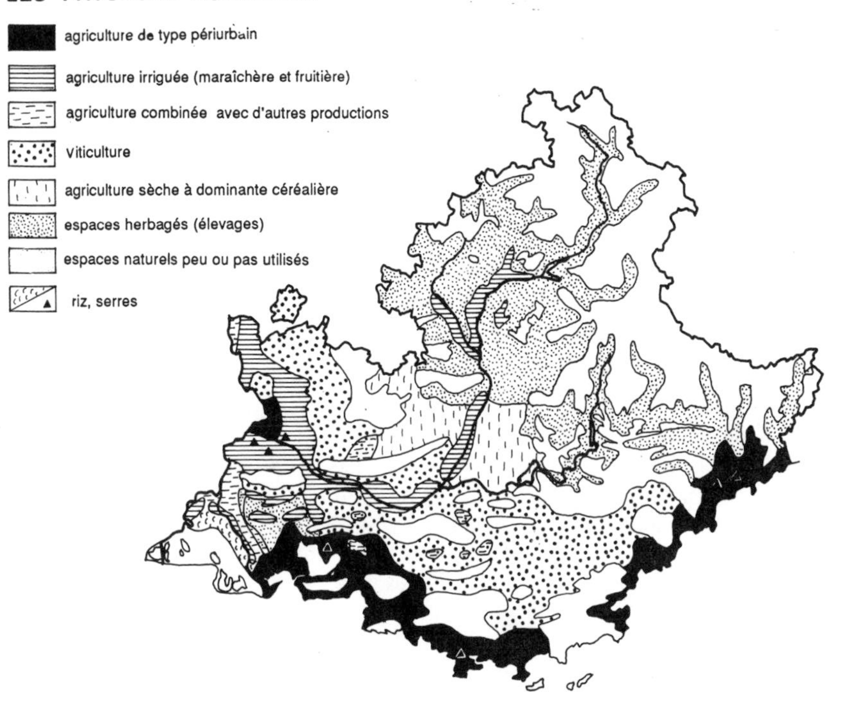

Alpes (60 % des 65 000 bêtes du troupeau régional), mais ils ont diminué, parce que le prix de revient du lait y est relativement trop élevé ; Nestlé a fermé son usine de Gap en 1971. La forêt, si elle est très étendue (38 % de P.A.C.A. et 25 % en France, mais 57 % dans le Var et 45 % dans les Alpes-Maritimes) et si elle joue un grand rôle pour la protection des sols contre l'érosion (Alpes) ou pour le paysage touristique, n'a pas une grande valeur productive ; elle pourrait sans doute faire l'objet d'une meilleure exploitation.

Tous ces changements dans le monde agricole se sont produits par des transformations paysagères : fin de l'omniprésence de la vigne, abandon des restanques, diminution des espaces cultivés, recul des olivettes et des lavanderaies, remplacement des vergers avec arbres de plein vent par des vergers d'arbres taillés et palissés, en Durance, disparition des champs complantés et multiplication des parcelles en plantations spécialisées, etc. L'observation du paysage est révélatrice des transformations dans les exploitations agricoles, surtout en basse Provence. Mais, il y a encore d'autres changements, aisément perceptibles.

La rétraction des surfaces agricoles exploitées montre bien que le mot agricole ne se superpose plus à celui de rural et, comme la ville pénètre la campagne, on parle de plus en plus de « rurbain », bien que le mot de rurbanisation ne soit pas gracieux. Il correspond pourtant à une réalité. L'espace rural connaît, en effet, de nouveaux usages non agricoles. Beaucoup de citadins ont abandonné la ville, même s'ils y travaillent, pour vivre à la campagne, grâce aux voitures ; le phénomène s'est développé surtout à partir de la décennie 1970, et semble s'être ralenti, mais il ne peut être chiffré exactement : il concerne une partie des 600 000 actifs (1990) qui ne travaillent pas à leur lieu de résidence. Notable aussi est la présence des retraités, qui ne s'installent plus seulement dans les villes de la Côte et qui ont recherché progressivement les localités de l'intérieur, hors montagne, en général dans des villages proches de villes bien équipées. Mais le fait le plus remarquable est le développement des résidences secondaires, dont P.A.C.A. possède 14 % du parc français, soit 398 000 (R.G.P. 1990) ; il n'y en avait que 97 000 au R.G.P. de 1962 (celui de 1954 n'est pas assez fiable à ce sujet) ; ce quadruplement aboutit à la proportion d'une résidence secondaire pour quatre principales ; la Région P.A.C.A. détient tous les records dans ce domaine. Si beaucoup de ces logements sont implantés en ville ou dans de grandes stations touristiques, qui sont des sortes de villes, tous les villages en sont fournis : 13 % seulement des résidences secondaires des Bouches-du-Rhône sont dans des villages, mais c'est le cas de 90 % de celles des Alpes-de-Haute-Provence (R.G.P. 1990). Il peut s'agir de fermes abandonnées et réhabilitées ou de villas neuves, dispersées ou réunies en lotissements, mais cela affecte le paysage rural, et entretient l'économie locale ; on a souvent parlé de mitage de l'espace, sans doute de façon excessive, et les communes sont armées pour se défendre, grâce aux P.O.S. Le rôle touristique de ces logements est primordial. Les villages, modernisés grâce à l'argent que l'expansion a fourni aux collectivités locales, transformés par les nouveaux arrivants qui vivent dans des maisons ayant tout le confort, souvent équipés eux-mêmes convenablement en commerces et services, ont connu une métamorphose complète : on vit aussi confortablement à la ville qu'à la campagne et les divers indices de confort ne désavantagent en rien les départements montagnards et leurs villages (cf. carte n° 5). À ce sujet, il faut souligner l'effort considérable réalisé par les Services agricoles, dans les années cinquante principalement, en faveur des adductions d'eau et du tout-à-l'égout.

Dans le secteur primaire, il faut inclure la pêche ; elle est modeste en P.A.C.A., avec seulement 1 500 pêcheurs, qui fournissent quelque 18 000 t, soit 10 % de la consommation régionale ; la richesse halieutique de la

Méditerranée est médiocre, la flottille de pêche ne s'est guère modernisée, l'industrie de la conserve est très limitée. On ne voit pas de grand avenir à cette activité, d'autant plus que la réglementation de la C.E.E., qui veut protéger les espèces, est très contraignante. Martigues (15 000 t en 1991) et Marseille (3 400 t) sont les ports les plus notables, mais ne sont qu'aux dix-huitième et vingt-septième rangs français. La Provence fait partie de ces pays à façade littorale où la pêche est peu développée, de même qu'elle n'a qu'un seul grand port.

III. UNE RÉGION SOUS-INDUSTRIALISÉE

Si la place de l'agriculture de P.A.C.A. au milieu de ses consœurs européennes qui bordent la Méditerranée occidentale est honorable, celle de l'industrie est beaucoup moins satisfaisante. Il s'agit, avec le Languedoc-Roussillon, de la seule région dont le poids relatif du produit industriel brut (P.I.B. ; Bâtiment exclu), est inférieur à 20 % du P.I.B. régional total. La valeur ajoutée brute de l'industrie est la moitié de celle du Piémont ou de la Catalogne, et le sixième de celle de la Lombardie. La comparaison avec la France n'est pas meilleure, puisque ce même P.I.B. est deux fois plus important en Rhône-Alpes et huit fois en Île-de-France. Il est même à noter que la place relative de l'industrie provençale en Europe a diminué depuis le milieu des années soixante-quinze : P.A.C.A. a moins bien supporté la période des crises que d'autres. Cela n'empêche pas quelques brillantes réussites permettant d'intéressantes exportations.

L'industrie a beaucoup progressé, durant les Trente Glorieuses ; mais a connu un recul relatif ensuite.

1. Une avancée et un recul

L'analyse des actifs travaillant dans le secteur secondaire montre bien la progression momentanée de l'industrie, en y incluant le B.G.C.A. (Bâtiment-Génie Civil et Agricole ; autrefois appelé B.T.P. : Bâtiment-Travaux Publics) (cf. tableau n° 7).

Tableau n° 7

Les actifs du secondaire de 1954 à 1990

1954	300 200 actifs	1975	422 000 actifs
1962	370 100 actifs	1982	382 800 actifs
1968	409 900 actifs	1990	328 600 actifs

Source R.G.P.

La croissance est de 40 % jusqu'au milieu des années soixante-dix. Les industries traditionnelles progressent en général, mais de nouvelles font leur apparition : le raffinage pétrolier s'enrichit de la pétrochimie, l'aciérie et les industries de Fos prennent naissance, des industries électroniques apparaissent, l'aéronautique et le secteur du matériel militaire prennent un bel essor, etc. L'État, par ses investissements et ses incitations, et les grandes sociétés extérieures à la Région jouent un rôle décisif. Les municipalités veulent attirer des industries et créent, ce qui est nouveau, des Z.I. (Zones Industrielles), c'est-à-dire des espaces avec les infrastructures nécessaires pour les entreprises (voirie, eaux, énergie, etc.). Le B.G.C.A. profite des besoins nés de la croissance industrielle, comme de ceux du tourisme ou de la poussée urbaine ; sa main-d'œuvre passe de 85 000 à 171 000 en 1975, ce qui est une hausse de 100 %, beaucoup plus que dans le reste du secteur secondaire. L'emploi est à l'ordre du jour.

Mais, le milieu des années soixante-dix est, on l'a vu, le début de difficultés : l'industrie n'y échappe pas. Les industries traditionnelles, par exemple celle des huileries et savons à Marseille, sont très touchées, parce que petites et vieillies, parce qu'affectées à la longue par l'indépendance des colonies, parce que concurrencées par des industries plus modernes ou étrangères. Mais, peu à peu, toute l'industrie est atteinte, même dans ses secteurs les plus modernes ; ceux-ci sont mieux armés pour résister, mais licencient du personnel parce qu'ils vendent moins et qu'ils veulent améliorer leur productivité. La construction navale, ainsi que la réparation, est la plus touchée, mais l'aéronautique et le pétrole le sont aussi ; par contrecoup, le B.G.C.A. perd plus du quart de ses effectifs. Pourtant, P.A.C.A. crée des entreprises industrielles, deux fois plus qu'il ne s'en ferme, et fournit donc de nouveaux emplois, mais pas en nombre suffisant pour compenser les suppressions. Le début des années quatre-vingt-dix est encore plus dur et chacun aspire vivement à un retournement positif de la conjoncture économique internationale.

2. La faiblesse des structures

La faiblesse des industries locales a entraîné celle du grand capitalisme industriel en Provence. Cependant, s'était formé un capitalisme commercial, qui avait donné naissance à des industries. Un bon exemple est fourni par l'huilerie marseillaise qui, depuis le début du XIXe siècle, a ajouté le travail des oléagineux à sa fabrication traditionnelle de savon ; avant 1939, elle était déjà moins brillante qu'en 1913, mais restait forte. Au lendemain de la Seconde Guerre mondiale, l'industrie, faite d'entreprises familiales trop petites et pas assez modernes, se trouve menacée par la concurrence de sociétés puissantes, bien gérées ; elle procède à un regroupement dans « Unipol » (1955), mais il y a juxtaposition plus que fusion de sociétés et l'esprit des patrons est plus celui de négociants que d'industriels ; Unipol est dépassé et absorbé par ses concurrents en 1969 et 1971 : Marseille perd le contrôle de ses huileries, qui ne disparaissent pas toutes pour autant mais qui ne sont plus que des éléments locaux de fabrication de grands ensembles internationaux (Lesieur-Cotelle). À l'époque des sociétés sans cesse plus grandes et devenant multinationales, la Provence ne pouvait que difficilement créer les structures industrielles exigées par son temps.

On ne s'étonne donc pas que, dans P.A.C.A., les P.M.I. l'emportent. En 1992, ses 61 200 établissements industriels (B.G.C.A. inclus), sont, à 91 %, des organismes employant moins de dix salariés (85 % en France). Les établissements de cinq cents salariés et plus ne sont que trente-trois, soit 2,7 % seulement de ceux du pays ; en outre, ils relèvent presque tous de sociétés dont le siège social est hors P.A.C.A. Les douze plus importantes usines qui occupent plus de mille personnes sont, pour une moitié, des entreprises d'État ou nationalisées et, pour l'autre moitié, des sociétés privées extérieures à la Région (pétrole, électronique). Seulement 56,5 % des sièges sociaux sont en P.A.C.A. (80 % dans le cas de Rhône-Alpes) et, quand ils se localisent dans le reste du pays, ils sont à 90 % en région parisienne. La pénétration étrangère est forte. En ce qui concerne les entreprises industrielles de plus de vingt salariés dont le capital social est détenu à plus de 20 % par l'étranger, une étude de l'I.N.S.E.E. a montré que, en 1988, un quart des effectifs travaillait dans des entreprises industrielles à participation étrangère et que celles-ci assuraient la moitié des investissements industriels régionaux, ce qui est beaucoup plus élevé que la moyenne nationale (respectivement un cinquième et un quart) ; si les pays européens contrôlent 57 % de ces entreprises à participation étrangère (C.E.E. : 38 %), ce sont les États-Unis qui, en tant que pays, sont les plus présents (31 %). P.A.C.A. est, beaucoup moins que la plupart des régions françaises, maîtresse de sa grande industrie, dont la politique se décide à Paris, voire à l'étranger. L'évolution générale de l'économie mondiale ne peut que renforcer cette tendance.

3. Une gamme étendue mais incomplète d'industries

N'ayant jamais été une grande région industrielle, la Provence ne dispose pas, comme le Nord-Pas-de-Calais, de longues filières qui associent dans une suite logique mines-industries lourdes-industries de transformation ; par exemple, si elle détient le raffinage pétrolier et une pétrochimie de base, elle n'en a pas les industries aval. Ce passé historique a amené la juxtaposition dans l'espace, mais la succession dans le temps, de deux types d'industries : l'ancienne, faite essentiellement de P.M.I., née de conditions locales (mines de bauxite, importations par le port de Marseille, productions agricoles spécialisées, etc.), se trouvant plutôt à Marseille et en basse Provence occidentale et n'ayant pas toujours survécu au monde moderne ; la nouvelle, amorcée dans l'entre-deux-guerres et développée surtout après 1945, née de la source d'énergie pétrolière ou d'avantages locaux de situation, spécialisée dans quelques productions (acier, chimie de base, raffinage pétrolier, etc.), compétitive parce que moderne dans ses structures et son matériel, faite d'établissements de grande taille appartenant à des groupes nationaux ou internationaux. Le dualisme structurel est remarquable.

La faiblesse des ressources naturelles est un fait patent. Le charbon se réduit au lignite fourni par les mines de Gardanne qui, très productives (rendement record de 11 t par mineur de fond, 1991), assurent 1,6 Mt. (1991) destinées à la centrale thermique voisine. Le sel marin, grâce à la Méditerranée et au soleil, est obtenu principalement dans les Bouches-du-Rhône (extraction stable autour de 0,9 Mt ; 60 % de la production française) et constitue une matière première de l'industrie chimique. La bauxite, qui fut une des gloires régionales (Var) et dont l'extraction oscillait autour de 1,6-1,7 Mt, est épuisée (0,5 Mt en 1989 et 1990 ; 0 en 1991). Seule la houille blanche est une richesse (10 GWh, à quoi s'ajoutent 5 GWh d'origine thermique, 1991) ; celle-ci fut exploitée dans la première période de l'après-guerre, avant les crises. Il s'agit des barrages et des usines du Rhône (5 en P.A.C.A.), construits par la C.N.R. (Compagnie Nationale du Rhône) et des centrales de la Durance, réalisées par E.D.F. ; pour cette dernière rivière, l'aménagement ne fut rendu possible que grâce à la technique du barrage en terre compactée qui fournit l'assise du barrage de Serre-Ponçon, achevé en 1960 ; ce dernier commande douze usines hydroélectriques en aval, notamment à Sisteron, Oraison, Saint-Estève et Saint-Chamas, et dont les cinq dernières sont situées le long d'un canal de dérivation aboutissant à l'Étang de Berre (problèmes de pollution, liés à l'arrivée d'eaux douces et tièdes) ; la Durance fournit 7 GWh. Il faut mentionner aussi quelques usines sur le Verdon, le réseau du Var et la Roya.

L'industrie de base est représentée par le secteur des hydrocarbures et celui de l'acier. L'histoire commence avec l'implantation de groupes pétroliers sur les rives de l'Étang de Berre, dès le début des années trente. Le triomphe de l'énergie pétrolière et la proximité des gisements du Moyen-Orient et d'Afrique du Nord (Algérie, Libye) assurent le succès de Berre qui reçoit le pétrole et le gaz liquéfié algérien ; une partie est réexportée vers la Suisse et l'Allemagne par l'oléoduc sud-européen, mais l'essentiel est raffiné dans quatre usines (Shell-Berre, C.F.R.-La Mède, B.P.-Lavéra, et Esso-Fos), qui détiennent 32 % de la capacité de raffinage française et qui travaillent presque à pleine capacité (23 Mt produites en 1991) ; cette capacité de raffinage n'avait cessé de croître et s'était élevée à 44 Mt, mais, après les chocs pétroliers et avec les crises, celle-ci diminuait, comme dans toute la France, en même temps que le rendement s'améliorait : elle est de 27 Mt en 1991. Le pétrole, avec quelques autres produits locaux ou importés, donne naissance à une puissante industrie chimique de base (éthylène, butadiène, caoutchouc synthétique, etc.), mais sa production est exportée et n'amène pas une transformation locale. L'industrie de l'acier, apparemment paradoxale, est née de la révolution des transports maritimes (gigantisme et spécialisation des navires) qui avantageait l'acheminement de charbon, de pétrole et de minerais d'Outre-Mer, peu chers, sur l'extraction de Fos, a donné naissance à l'aciérie Sollac (ex-Solmer), mise en service au milieu des

Carte n° 6

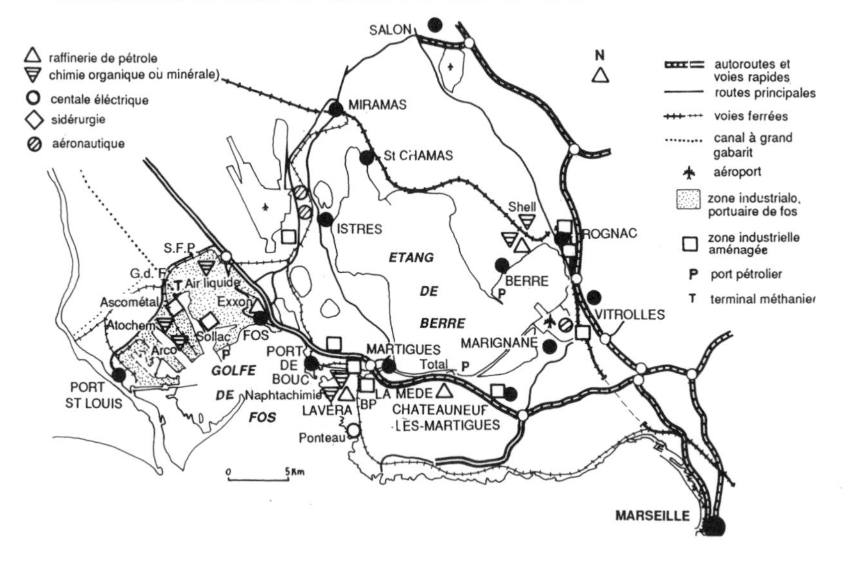

Carte n° 7

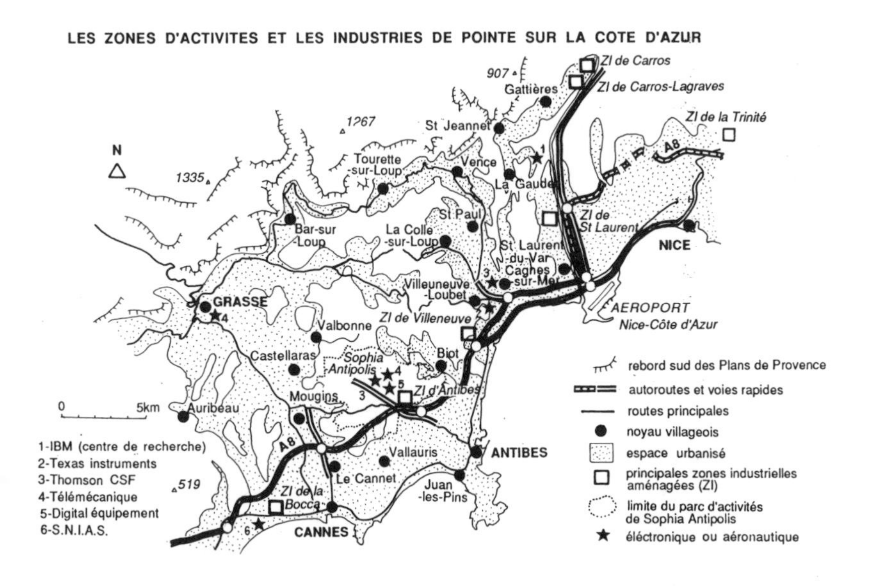

années soixante-dix, qui reste en activité malgré les difficultés de l'acier, parce que moderne et productive (4 Mt en 1991 ; 22 % de la production française) ; l'acier est exporté. Quant à l'alumine, liée aux bauxites locales et d'importation, après avoir longtemps maintenu sa production, dans la région marseillaise, autour du million de tonnes, elle n'est plus que de 0,5 Mt, en 1991, mais constitue l'unique production nationale. La construction navale, qui avec ses sites de La Ciotat et de La Seyne-sur-Mer était une vieille tradition locale et qui avait donné naissance à une population et une culture ouvrières, est victime des très bas prix des chantiers navals japonais, puis coréens, et, après avoir fourni annuellement entre 300 000 et 700 000 t.j.b., a fermé ses portes, sans grand espoir de les rouvrir. La réparation navale, elle aussi gloire marseillaise, a presque disparu.

L'industrie de transformation est représentée par quelques spécialités brillantes : l'aéronautique (Eurocopter, à Marignane, une des plus grosses usines de P.A.C.A., cellules d'aéronefs et d'hélicoptères ; Dassault, à Istres) et l'armement (Arsenal de Toulon ; Saint-Tropez et Pierrefeu ; Sorgues), relèvent de l'État et sont parfois d'anciennes activités locales. L'électronique et l'informatique sont venues plus tard à partir des années soixante-dix et se sont installées plutôt dans les Alpes-Maritimes (IBM à La Garde, Texas Instrument à Villeneuve-Loubet, Digital Équipement à Valbonne), mais aussi dans la région marseillaise (Thomson dans la Z.I. de Peynier-Rousset). La parachimie est également importante (peinture ; produits phytosanitaires). Le textile et l'habillement, si utiles pour le travail féminin, sont peu représentés (cf. cartes n° 6 et 7).

Les I.A.A., liées aux productions locales et aux importations marseillaises, sont de vieilles spécialités provençales. Encore après la guerre, dans les régions de production, de nombreuses petites entreprises familiales subsistaient, presque dans chaque village, parfois utilisant simplement les surplus restant sur le carreau des marchés. Mais, dans les années soixante, le tournant a été pris vers une véritable I.A.A. moderne. Cela a commencé avec le développement des contrats de culture, liant agriculteurs et industriels et entraînant la fermeture de nombreux ateliers artisanaux ; une restructuration s'est alors effectuée, avec pénétration de capitaux étrangers (Nestlé, Liebig, Buitoni) ; la production va du coulis de tomates aux épices (Ducros), aux potages tout faits et aux plats cuisinés d'aujourd'hui. Dans la région marseillaise, le travail des céréales (farines, semoules, couscous,...), l'industrie sucrière et d'autres, telles que la chocolaterie ou la charcuterie, étaient moins dispersées, mais ont dû se concentrer et se moderniser (Grands Moulins de Marseille-Storione, Générale Sucrière).

Le B.G.C.A. a été très sollicité par une forte demande régionale : grands équipements publics, croissance urbaine, tourisme (résidences secondaires surtout), industries ; mais, nous l'avons déjà vu, les besoins sont moindres et, depuis le milieu des années soixante-dix, ce secteur industriel est en recul ; les entreprises, qui sont essentiellement petites ou même artisanales (trois seulement dépassent les 500 ouvriers) sont aujourd'hui trop nombreuses.

Le chiffre d'affaires (1989) de l'industrie (B.G.C.A. exclu) est de 161 M.M.F. Il est fourni par le pétrole et la chimie (35 %), les industries de transformation (27 %), les I.A.A. (14 %), l'énergie et la métallurgie de base (9 % chacune). La place du secteur moderne apparaît clairement et sauve une industrie provençale dont beaucoup d'activités traditionnelles sont mises à mal.

Ces changements se sont accompagnés d'une modification de la géographie industrielle de P.A.C.A. (cf. cartes n° 6 et 7). La région marseillaise reste le premier foyer industriel, dont beaucoup d'usines ont disparu mais qui abrite aussi la plupart des grands établissements régionaux ; la ville s'est fortement désindustrialisée, surtout depuis vingt ans, et sa périphérie en a bénéficié, recevant de nouveaux et gros investissements (Rives de l'Étang de Berre, Aix, Z.I. de Vitrolles et du Rousset, Vallée de l'Huveaune) ; Toulon, spécialement, fait figure de prolongement de la région marseillaise et son activité industrielle est très liée à la Marine (Arsenal). Une deuxième, et toute neuve, zone industrielle est formée par la Côte d'Azur. Celle-ci a gardé son activité de parfumerie (Grasse), quoiqu'elle ne soit plus aux mains de ses vieilles familles et soit passée à celles des grandes sociétés de la chimie internationale. Toutefois, le plus important est fourni par les industries électrique et électronique, qui sont « propres » et qui sont venues chercher le soleil et l'environnement à partir des années soixante-dix. À une échelle plus modeste, la région avignonnaise et le secteur rhodanien de P.A.C.A. ont bénéficié des légumes et fruits locaux, ainsi que des facilités de circulation de la Vallée du Rhône ; il y avait peu d'usines en 1950, même dans le domaine des I.A.A., et le développement industriel date essentiellement de l'après-guerre : agroalimentaire et, plus encore, industries de transformation très diverses (produits réfractaires ; poudres et explosifs ; matériaux de construction...), mais il n'y a que deux établissements dépassant les cinq cents ouvriers. Dans la partie alpine, c'est le bâtiment, déjà omniprésent en P.A.C.A. mais secondaire, qui est plus important, à cause du tourisme et de la quasi-absence d'autres industries. Il faut noter cependant les industries hydroélectriques déjà citées et qui exportent leurs KWh, ainsi que la grosse usine d'Atochem, à Saint-Auban (A.H.P.), bizarrement installée là en 1916 pour des raisons de sécurité, et qui a su se maintenir en adaptant ses productions (chimie organique de synthèse) : c'est un des plus gros établissements de P.A.C.A., avec 1 200 employés, mais qui a quand même réduit son personnel de 40 % en vingt ans.

L'évolution obligée des industries anciennes n'a pas toujours été bien admise et a suscité des conflits sociaux. C'est vers les secteurs les plus modernes que P.A.C.A. doit se tourner. Dans cet esprit, qui est celui de la Route 128 et de la Silicon Valley, elle a lancé Sophia-Antipolis, technopôle conçu par la D.A.T.A.R. et les collectivités locales ; en vingt ans, 15 000 emplois ont été créés dont le tiers dans la recherche et le reste dans la production industrielle de pointe ; ce parc d'activités irradie dans tout le littoral azuréen. Mais d'autres pôles technologiques se sont aussi créés ou sont prévus, à Toulon, (Génie maritime), Marseille (Luminy et Château-Gombert : intelligence artificielle, biotechnologie), Cadarache-Manosque (nucléaire), Aix (projets de l'Arbois), Avignon (agroalimentaire et biotechnologie). Le projet de la « Route des Hautes Technologies » (R.H.T.) veut fédérer ces pôles, pour qu'ils constituent une accumulation de matière grise et un ensemble cohérent d'équipements et de services, d'où naîtrait l'industrie provençale du XXIe siècle.

IV. UN TOURISME TRIOMPHANT

De toutes les activités qui ont transformé le Sud-Est, le tourisme est, sans doute, celle qui a exercé l'action la plus profonde, car chaque commune en a été affectée, qu'il s'agisse de la grande station littorale surgie parfois *ex nihilo*, ou du petit village de montagne, qui possède ses résidences secondaires et ses vacanciers d'été. Pourtant, à la veille de la guerre, le tourisme était encore modeste ; certes, l'époque de la haute fréquentation historique de la Côte d'Azur en hiver était finie, depuis la guerre de 1914, et le tourisme était devenu plus bourgeois, avec séjours d'été inaugurés, dans les années trente. Mais, dans les années quarante-cinq-cinquante, ne sont connus que la Côte d'Azur, quelques points du littoral provençal et quelques villages d'altitude à l'intérieur ; le ski est pratiqué dans de rares stations, telles qu'Auron, Vars, Montgenèvre ou Serre-Chevalier, dont le grand téléphérique vient d'être terminé ; d'ailleurs, les Alpes du Sud sont presque méconnues des citadins du littoral, sauf dans les Alpes-Maritimes. Toute précision statistique est inexistante.

Tout a changé, avec le tourisme de masse, né de la hausse exceptionnellement forte du niveau de vie et de l'allongement du temps de loisir. Prendre des vacances, dans les années cinquante, n'était plus le fait de quelques privilégiés, et partir deux ou trois semaines est très vite devenu banal ; P.A.C.A. a reçu les vacanciers en été et, à un moindre degré, en hiver, mais ce n'est que dans le milieu des années soixante que des enquêtes sur les vacances ont été menées, à l'échelle nationale, avec quelques aperçus régionaux ou départementaux. Vers la fin des années soixante-dix et dans la décennie quatre-vingt, la clientèle a modifié son comportement : si elle vient toujours en « grandes vacances » d'été, elle morcelle son temps libre en plusieurs séjours : voyages d'une semaine, nombreux week-ends et, ce qui est nouveau, courts séjours (3-4 jours) qui se déroulent toute l'année. En outre, les touristes, habitués aux vacances et plus ou moins touchés par les crises, deviennent plus exigeants, souhaitant une offre plus « culturelle », une animation dans les stations, une meilleure qualité-prix. Il a fallu s'adapter à la nouvelle demande et, tout d'abord, connaître le client ; depuis 1985, des enquêtes sont faites systématiquement à l'échelle régionale et on dispose de quelques chiffres ; les festivals se multiplient, des hôtels du littoral se tournent un peu plus vers le tourisme hivernal, les Alpes-de-Haute-Provence mettent l'accent sur le tourisme culturel, etc. La fréquentation continue de croître, mais la nature du tourisme évolue progressivement. Réussissent bien les stations qui s'adaptent aux changements : Nice est un très bon exemple de cette évolution depuis un siècle.

P.A.C.A. dispose de sérieux atouts pour répondre à l'attente des vacanciers. Tout d'abord, l'ancienneté dans le tourisme lui assure une réputation et une expérience précieuses ; les phénomènes de rejet du tourisme y ont été rares, alors qu'ils étaient fréquents dans beaucoup de régions françaises. Le climat, avec son soleil (« 300 jours de soleil par an » est un slogan souvent utilisé), est un argument de premier plan, depuis que les bains de mer estivaux et le bronzage sont à l'honneur, vers 1930 ; la mer Méditerranée offre des eaux chaudes, bien que les plages soient souvent réduites ; la montagne, moyenne ou haute, favorise les séjours d'été et la pratique du ski, bien que l'on ait cru, dans la moitié nord de la France, jusqu'aux années soixante-dix, que les Alpes du Sud, ensoleillées, ne pouvaient pas avoir de neige. La Provence, particulièrement bien servie par la nature, offre aussi un paysage de qualité, qui est le résultat d'une longue action de l'homme sur un cadre physique déjà séduisant par lui-même : restanques d'oliviers, champs de lavande, villages perchés aux maisons serrées couvertes de tuiles romaines, etc. ; il convient aussi d'y ajouter le patrimoine légué par l'histoire (passé romain, Provence médiévale, etc.), mais sans oublier ce que les enquêtes révèlent : la motivation principalement culturelle des séjours d'été ne concerne que quelques pour cent de la clientèle.

Longtemps, le tourisme a été considéré comme une activité secondaire dont les élus ou fonctionnaires n'avaient pas à s'occuper, sauf dans les Alpes-Maritimes qui savaient déjà son importance. La création ou l'extension des stations ont été essentiellement le fait du secteur privé, qui apportait là initiatives et capitaux. L'État intervenait par les grandes infrastructures de transport ou par certaines politiques (sports d'hiver) ; il agissait aussi sur le plan juridique, pour réglementer le tourisme. C'est tardivement que les élus locaux ont compris la nécessité de mener une politique touristique efficace, dans la décennie quatre-vingt, à l'échelle du Conseil Régional ou des départements. Mais, on ne saurait négliger l'effort public pour la protection de l'environnement, dont la beauté est indispensable au tourisme. Trois parcs nationaux (Port-Cros, 1963 ; les Écrins, 1973 ; le Mercantour, 1979) et trois parcs régionaux (Camargue, 1970 ; Lubéron et Queyras, 1977), avec des réserves (notamment celle du Vaccarès, en Camargue), ont été créés, mais au début de l'époque étudiée et assez difficilement ; on ne prévoit pas d'autres parcs actuellement. Le Conservatoire du Littoral, créé en 1975, a procédé à quelques achats sur la Côte provençale, mais manque de moyens. C'est au niveau des communes que le combat entre le développement touristique et la défense de l'environnement est sensible ; les P.O.S. peuvent être une arme efficace, mais les promoteurs ont de puissants arguments. C'est sur la Côte d'Azur que la pression est la plus forte : est-elle pour autant « assassinée » ? Il y a beaucoup de « béton », mais son succès ne se dément pas. Pourtant, on y parle aussi beaucoup de saturation.

Les infrastructures et équipements touristiques se sont multipliés. Les hébergements offrent deux millions et demi de lits (1992), mais les résidences secondaires en détiennent les quatre cinquièmes et cet immobilier a été la condition du développement des stations ; il n'y a que cinq cent mille lits commerciaux. Cette capacité représente 16 % des lits touristiques français et place P.A.C.A. au premier rang, devant le Languedoc-Roussillon (10 %). L'hôtellerie, emblème du tourisme mais non sa forme d'accueil principale, dispose de 135 000 lits, dont 9 % en « quatre étoiles », surtout localisés dans les Alpes-Maritimes ; Île-de-France et Rhône-Alpes seuls dépassent la Région. La capacité hôtelière ne s'est pas tellement accrue par rapport à 1950, sans doute un doublement, mais les autres formes d'hébergement ont effectué un bond fantastique, car elles étaient pratiquement inexistantes : 280 000 places individuelles dans les campings, 57 000 dans les résidences de tourisme, 22 000 dans les gîtes, et 40 000 autres divers. La carte n° 8 indique la répartition des lits qui, faute de mesure sérieuse et

Carte n° 5

EVOLUTION DES RESIDENCES SECONDAIRES

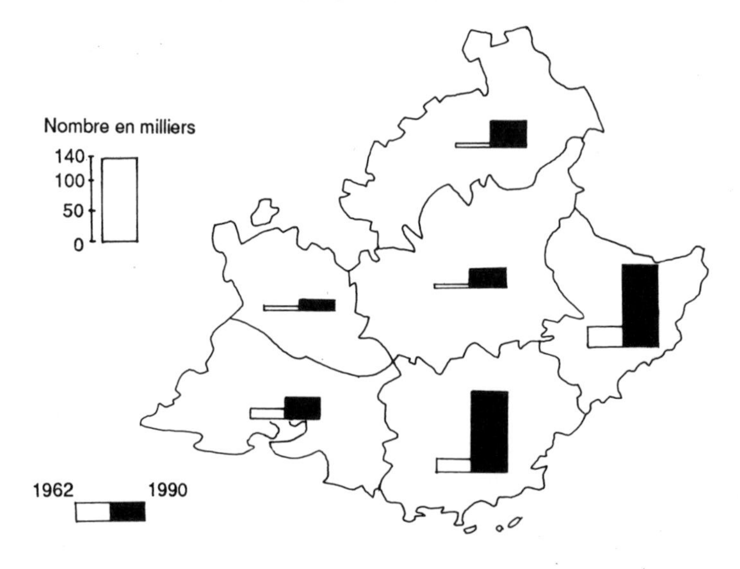

continue de flux, reste le meilleur indicateur touristique : chaque petit pays de la Provence est ouvert au tourisme, mais le littoral, surtout, et aussi la haute montagne, sont les grandes régions d'accueil, et donc de fréquentation.

À côté des travaux publics inhérents à tout développement touristique (eau, eaux usées, voirie,...) et dont, beaucoup sont récents (stations d'épuration), il n'y a que deux grandes infrastructures nécessitées par le grand tourisme moderne : les remontées mécaniques et les ports de plaisance ; on peut y ajouter, depuis peu, les golfs. S'il y avait déjà quelques engins pour les skieurs, en 1950, ils étaient fort peu nombreux ; le démarrage s'est effectué dans les années soixante-soixante-dix, et s'est ralenti ensuite : c'est alors plus vers les gros engins (télésièges à trois ou quatre places) et vers les remontées plus rapides que l'effort s'est porté ; aujourd'hui (1992), avec 710 remontées pour 81 stations, les Alpes du Sud tiennent le deuxième rang en France (18 % de la capacité), toutefois loin après celles du Nord (2/3 du débit des remontées du pays). Une station littorale ne peut se concevoir sans un port de plaisance, construit spécialement pour les besoins et qu'on ne saurait confondre avec un port de pêche admettant quelques navires d'agrément ; l'exemple fut fourni par le Port Canto, à Cannes, dans les années soixante, qui associait l'anneau pour le bateau au logement ; il y eut aussi quelques marinas (Port-Grimaud), vite interdites. Dans la décennie soixante-dix, la flotte de plaisance fit un grand bond, mais le mouvement s'est ralenti ensuite. En 1991, il y a 91 000 immatriculations de bateaux à la Direction des Affaires Maritimes de Marseille (43 % du total français), dont 60 % de navires à moteur (en France : 50 % de bateaux de ce type) : ces données soulignent la place de P.A.C.A. et de son tourisme nautique. Les golfs n'étaient que quelques-uns, publics (origine municipale) ou privés ; à la fin des années quatre-vingt, un grand boom s'est porté sur les golfs privés, associés à des logements, à l'intention de joueurs parisiens et surtout étrangers : l'avenir fera un tri entre tous ces projets, qui se montent à quelque quatre-vingts ou quatre-vingt-dix.

Les flux touristiques n'ont cessé de croître, parce que les Français et les Européens, ayant pris goût aux vacances, n'ont pas voulu réduire celles-ci quand les temps difficiles sont venus : le creux statistique du milieu des années soixante-dix dans le domaine économique n'est pas perceptible dans celui du tourisme. Aussi, en 1991, a-t-on enregistré, en P.A.C.A., 7,7 millions de séjours de vacanciers français et 5,2 d'étrangers, soit environ 13 millions de séjours, et 151 millions de nuitées, ce qui place P.A.C.A. au premier rang français, devant Rhône-Alpes (123 M), mais c'est l'été qui vaut cette place à notre région : Rhône-Alpes l'emporte en hiver. C'est l'I.N.S.E.E. qui donne ces nombres, concernant les vacances (séjours d'au moins quatre jours) ; l'organisme régional (S.R.O.A.T.), qui mesure la fréquentation, mais qui ne se limite pas aux seuls vacanciers et qui exclut les touristes de P.A.C.A. prenant leurs vacances dans leur département, donne le chiffre de 240 M de nuitées en 1991 (accroissement de 10 % sur 1987) ; les 3/4 se passent dans les trois départements littoraux et les Alpes n'en accueillent que 43 M (18 %).

Presque tous les types de tourisme sont pratiqués : balnéaire, avec toutes ses formes possibles (bains et bronzage, ski nautique, plaisance,...) ; sports d'hiver (Grand Serre-Chevalier : 3 080 hectares de domaine skiable, 76 remontées dont 23 gros engins, 112 pistes ; Vars-Risoul, ou « Forêt Blanche » : 3 400 hectares, 56 remontées dont 14 téléporteurs, 104 pistes ; Montgenèvre, élément français de l'ensemble « Voie Lactée » franco-italien, avec 100 remontées et 300 pistes ; Isola 2 000 ; Auron, etc.) ; vacances tranquilles d'été (intérieur, Alpes), dans les villages, dans des « stations vertes » aménagées avec plan d'eau et équipements de loisirs, dans des « cités de caractère » s'appuyant sur un bâti historique de qualité, etc. ; tourisme « urbain », qui est plus un séjour en ville chez des parents et amis que le souci d'une visite culturelle ; tourisme de passage. La saison d'été l'emporte : les trois quarts des nuitées s'effectuent entre début mai et fin septembre ; mais la saison dite « d'hiver » (1er octobre-30 avril), qui était déjà notable, prend de plus en plus d'importance relative : les séjours sur la

Carte n° 8

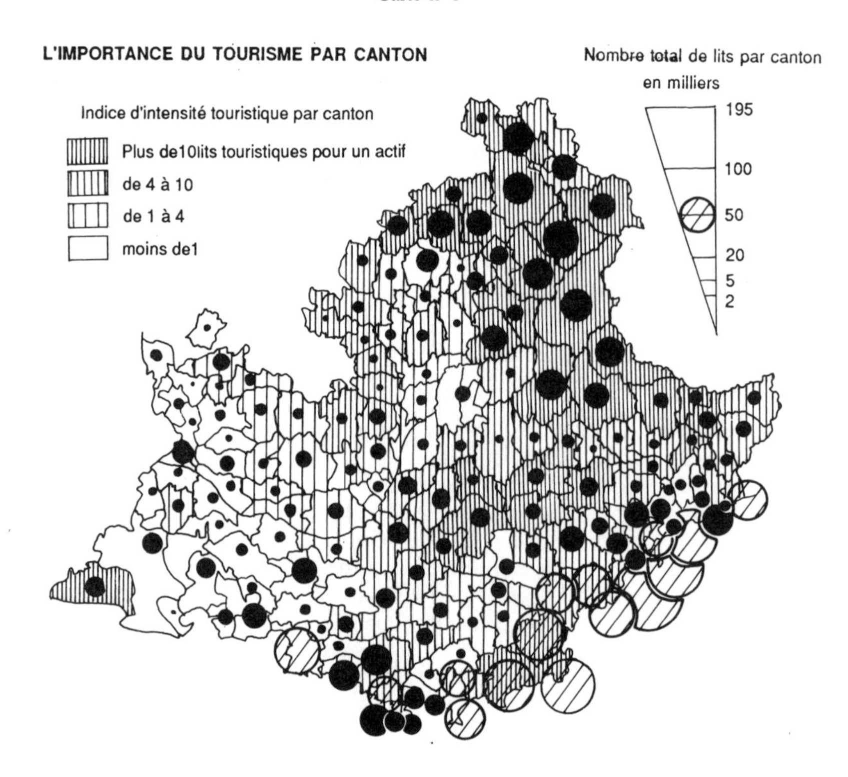

Côte d'Azur, *lato sensu* (y compris le Var), sont aussi nombreux que ceux qui se déroulent dans les stations de ski (2,5 M). Toutes les classes sociales se côtoient, sans se mélanger toutefois ; le tourisme de luxe se pratique dans les grands hôtels de Monaco, les villas de quelques caps du littoral niçois, certaines résidences secondaires de Gordes et du Lubéron, et les vacances les plus simples se déroulent dans de très nombreux campings du littoral provençal.

Treize millions de séjours (sans compter les week-ends de deux ou trois jours) pour une population de 4,2 M, c'est le rapport de trois touristes pour un résident, ce qui est considérable et constitue le record en France ; il n'y a pas de chiffres pour 1950, mais le rapport était certainement inverse, avec plusieurs résidents pour un touriste. On imagine aisément les conséquences que cette invasion pacifique peut entraîner. Le calcul économique de l'apport du tourisme, fort délicat à poser, n'a pas encore été bien établi : comment faire intervenir tout ce qui a effet, directement ou indirectement ? On avance le chiffre de 35 M.M.F. en dépenses directes de la part des touristes ; il faudrait y ajouter, par exemple, les dépenses annuelles pour la construction de résidences secondaires et pour leur entretien. Il est certain que l'on a conscience d'avoir sous-estimé la place importante du tourisme dans l'économie régionale, par l'argent injecté et par les emplois créés ; on reconnaît enfin aujourd'hui que beaucoup d'espaces montagnards et littoraux ne doivent leur existence ou leur survie qu'au tourisme.

Les espaces de P.A.C.A. ont été, en effet, profondément transformés. Le littoral est entièrement pénétré par le tourisme, qui a atteint chaque village ou ville, en exceptant peut-être des cités comme Marseille ou Toulon ; se succèdent des « stations », entièrement vouées au tourisme, comme Le Lavandou ou Saint-Tropez, ou partiellement, comme Cannes ou même Nice ; certaines existaient avant le tourisme, telles que Bandol, et d'autres en sont nées, comme Cavalaire/Mer ; il s'agit souvent de véritables villes dont la capacité d'accueil se mesure par de nombreuses dizaines de milliers de lits. De toute façon, même s'il y a un noyau urbain préexistant, qui constitue souvent un argument touristique en soi, les constructions nouvelles sont devenues l'essentiel ; or, le plus souvent, cela s'est fait en l'absence de plan d'aménagement touristique cohérent, dans une certaine anarchie, avec un P.O.S. limité et révisable comme seul garde-fou. Les stations de ski, qu'il s'agisse de grandes ou moyennes stations le plus souvent créées *ex nihilo* ou de plus modestes stations-villages, ont permis la renaissance de moyennes et hautes vallées vouées à l'émigration un siècle durant ; les plus importantes peuvent accueillir 15-17 000 touristes (Vars, Allos-La Foux), mais la capacité se tient le plus souvent entre 5 et 10 000. La montagne, ce sont aussi les quelque cent cinquante communes qui ont pu développer un tourisme d'été, parfois augmenté de l'appoint d'une petite fréquentation hivernale ; l'exode a été enrayé et les vallées, pas trop modifiées dans leur habitat, connaissent une nouvelle vie. Dans ce domaine, les résidences secondaires tiennent une place essentielle : omniprésentes quelle que soit la taille de la commune, elles constituent un énorme apport d'argent par leur construction, leur équipement et leur entretien et elles permettent le maintien ou le développement de nombreux commerces et services dans la commune où elles sont implantées ou dans la petite ville voisine ; on a, un temps, médit de ces résidences secondaires, dans les années soixante-dix surtout, en leur reprochant un mitage de l'espace rural, une agression contre le paysage, un argent immobilisé inutilement, etc. ; certaines de ces critiques sont fondées, mais on admet aujourd'hui qu'on ne saurait s'en passer, à condition d'en réglementer la construction.

Le tourisme, dans de nombreux espaces intérieurs et notamment montagnards, constitue la ressource clé et tend parfois à en devenir la monoactivité. L'éloge en a été prononcé longtemps : le tourisme était la solution magique à tous les maux des sociétés rurales en déclin. Mais une évolution s'est amorcée, en sens inverse ; en 1977, le « discours de Vallouise » de V. Giscard d'Estaing annonçait une autre politique de la montagne, insistant sur les activités non touristiques (agriculture, artisanat) ; dans les Hautes-Alpes, une dizaine d'années plus tard, les « Verts » demandaient un ralentissement du tourisme et faisaient des propositions de développement très respectueuses du milieu naturel, sans que les élus suivent cette tendance. Le débat sur les avantages et méfaits du tourisme, avec ses prises de position passionnées, n'est pas clos ; il est moins vif maintenant, car la crise ralentit les investissements.

Une autre conséquence du tourisme est souvent sous-estimée, celle du brassage entre des personnes de nationalités et de cultures différentes. P.A.C.A. est la région où le tourisme étranger est le plus important ; celui-ci est aux quatre cinquièmes européen, essentiellement originaire de la C.E.E. ; il s'exprime notamment par des achats nombreux de résidences secondaires, ainsi que par des implantations de retraités non français. La terre de P.A.C.A. est un des creusets privilégiés où se fabrique l'Europe, indépendamment des traités signés par les gouvernements et des initiatives prises par les hommes d'affaires.

CHAPITRE XVI

UNE RICHE DIVERSITÉ RÉGIONALE

Les géographes ont longtemps établi leur géographie régionale sur la notion d'espace homogène, c'est-à-dire ayant une unité dans les domaines physique et humain ; ils ont donc insisté sur toutes les différenciations régionales de P.A.C.A., qui rendaient difficiles, disaient-ils, son existence comme entité viable. Mais, depuis une trentaine d'années, l'accent est mis sur un nouveau type de région, celle qui est « polarisée » par l'action d'une grande ville : carrefour de moyens de communication, siège de commerces et de services d'un niveau élevé, centre administratif de commandement, foyer de vie intellectuelle et culturelle, lieu de décision économique, la métropole dispose d'une grande zone de rayonnement et, dans une mesure souvent forte, organise son espace ; à l'intérieur de cette aire d'influence, on peut distinguer des centres urbains qui exercent une action comparable, mais qui sont subordonnés et disposent d'une autorité spatiale plus modeste.

On peut appliquer cette notion à l'étude de P.A.C.A., sans en faire toutefois le seul principe de découpage. Marseille, agglomération plus que millionnaire et chef-lieu de la Région est la métropole : autrefois, port tourné vers la Méditerranée et les colonies, elle a effectué une conversion qui l'a menée à un rôle régional nouveau pour elle, tout en restant une ville de la mer ; la transformation est profonde. La cité phocéenne exerce une influence incontestée à l'intérieur de son aire métropolitaine et dans son département, mais elle est relayée par des centres de seconde importance qui, à leur tour, ont un rôle local. Avignon est le centre reconnu du Vaucluse et d'un espace agricole qui excède son département. Les Alpes du Sud constituent un ensemble original à l'intérieur de P.A.C.A., mais ne disposent pas d'une ville qui contrôle tout leur espace ; toutefois, Gap, cité apparemment modeste, constitue un pôle régional au rayonnement croissant et un relais pour la métropole phocéenne. Toulon, ville tournée vers la mer, tout comme Marseille, a acquis certaines fonctions d'un centre régional et attire son département, tout en relevant du port phocéen. Nice, capitale de la Côte d'Azur, se pose en concurrente de Marseille, et dispose d'un rayonnement qui dépasse les limites des Alpes-Maritimes.

Ainsi se définit une nouvelle géographie de l'espace de P.A.C.A., selon un découpage qui ne respecte plus les régions naturelles traditionnelles et met l'accent sur le rôle des villes ; avant-guerre, la modestie des revenus de chacun et la faiblesse des moyens de transport limitaient les achats et les déplacements vers la ville, qui n'était souvent que le bourg marché voisin ; aujourd'hui, avec les voitures individuelles et les moyens de transport rapides, avec la hausse considérable des revenus, avec la croissance économique qui nécessite des échanges, la ville devient un lien central indispensable, très fréquenté, capable de créer, de développer ou de conditionner les activités dans un vaste espace qui l'entoure et rencontre des régions géographiques différentes. C'est donc à travers ses divers espaces polarisés et leur évolution que nous allons étudier la Région P.A.C.A., qui comme Rhône-Alpes, constitue un ensemble territorial composé de régions différentes et complémentaires dont l'union fait la richesse.

I. MARSEILLE : DU PORT INDUSTRIEL À LA VILLE RÉGIONALE

Marseille a toujours été un port, tourné vers la mer et peu vers son *hinterland* ; si, au XIXe siècle, elle élabore un « système » marseillais (M. Roncayolo, 1990), avec le trafic colonial, le poids du négoce et l'industrie qui en découle, la formule n'est pleinement satisfaisante que jusqu'à la guerre de 1914 ; déjà la crise de 1930, puis le conflit de 1939-1945, qui interrompt les échanges, sont des étapes annonciatrices de difficultés. L'après-guerre, dont nous avons vu les bouleversements mondiaux qui le marquent, ne permet pas de redresser la barre : la fin progressive de l'Empire colonial français, avec la perte du monopole du pavillon, réduit certains trafics ; l'industrie des oléagineux est en crise ; le développement du transport aérien provoque le déclin du trafic voyageurs, et il y a de moins en moins de coloniaux qui, au départ ou au retour de Marseille, y séjournent plusieurs jours pour diverses formalités. Heureusement, l'industrie du pétrole, qui s'était déjà installée sur les rives de l'Étang de Berre, donne lieu à un raffinage croissant, puis à une industrie pétrochimique, ce qui exige de plus en plus d'infrastructures et d'usines et tire Marseille vers l'ouest de son espace traditionnel.

Dans les années soixante, deux événements majeurs apportent de l'espoir et constituent des innovations : la création de Fos (1965) et la politique de la métropole marseillaise. L'idée de la zone industrialo-portuaire (Z.I.P.) de Fos est née de réflexions menées par la Chambre de Commerce de Marseille et par la D.A.T.A.R. : avec les navires géants et spécialisés, il est facile de transporter à bon compte les matières premières achetées loin à bas prix ; cela avantage les fronts de mer qui peuvent s'industrialiser, s'il y a port en eau profonde et zone industrielle jointe. Ainsi s'établit le port artificiel de Fos, dont la Z.I. doit accueillir principalement industrie pétrolière et aciérie, ainsi que toutes les industries qui voudraient bien venir. L. Pierrein aimait

Carte n° 9

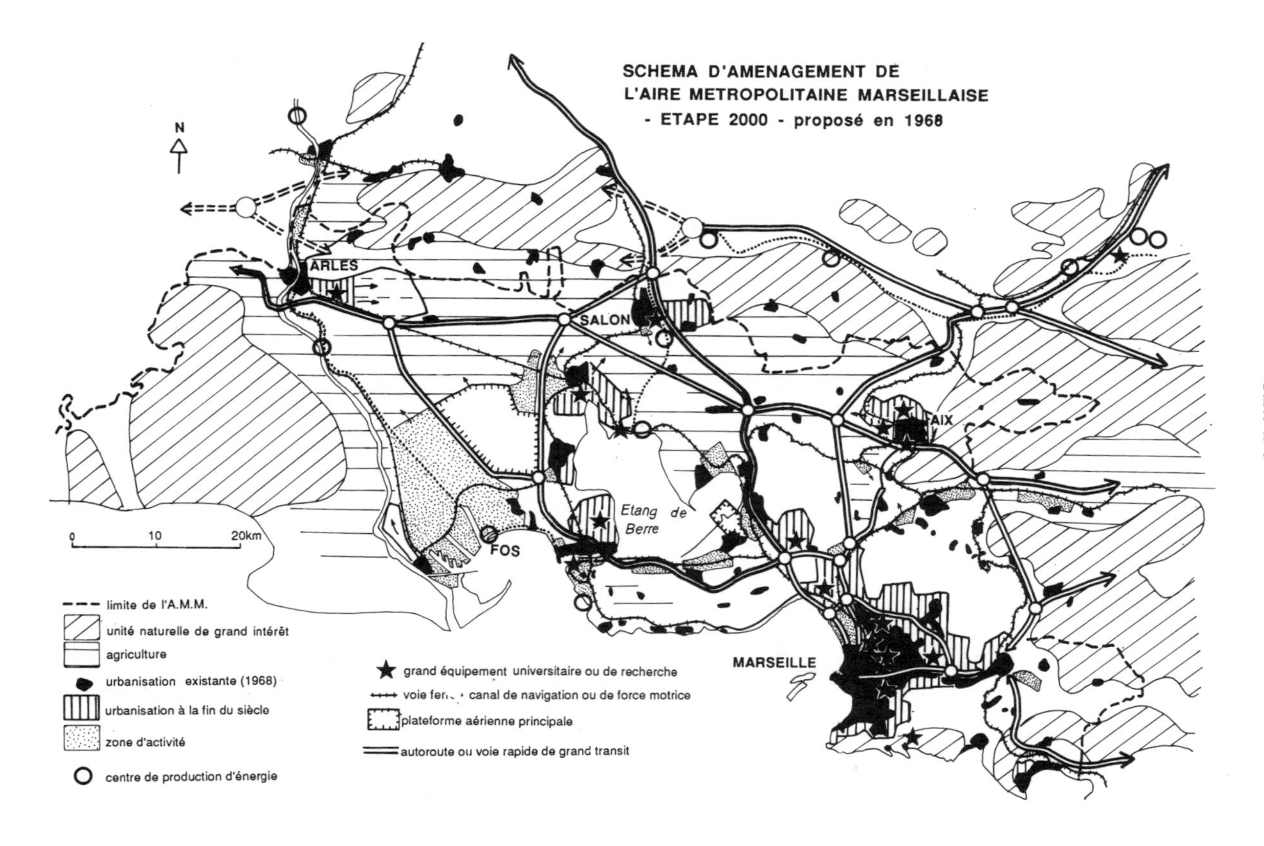

SCHEMA D'AMENAGEMENT DE
L'AIRE METROPOLITAINE MARSEILLAISE
- ETAPE 2000 - proposé en 1968
N
ARLES
SALON
AIX
Etang de Berre
FOS
MARSEILLE
0
10
20km
limite de l'A.M.M.
unité naturelle de grand intérêt
agriculture
urbanisation existante (1968)
urbanisation à la fin du siècle
zone d'activité
centre de production d'énergie
grand équipement universitaire ou de recherche
canal de navigation ou de force motrice
plateforme aérienne principale
autoroute ou voie rapide de grand transit

souligner que, par son installation sur la Crau et à proximité du Rhône, Fos réalisait enfin l'objectif fixé à Marseille vingt-six siècles plut tôt : être un grand port au débouché même du couloir rhodanien. En même temps, la politique française des métropoles d'équilibre se traduisait par le choix de Marseille comme grande ville de la France méditerranéenne ; dès 1966, l'organisme spécialisé, l'O.R.E.A.M. (Organisation pour les études d'aménagement de l'aire métropolitaine marseillaise), était installé et préparait les plans d'aménagement pour l'A.M.M. (Aire Métropolitaine Marseillaise) aux horizons 1985 et 2000 (cf. carte n° 9). L'idée centrale était, de la part de l'État qui assumait le choix des concepts et le financement, de fournir à Marseille et à sa région immédiate les infrastructures nécessaires qui attireraient services et entreprises et feraient de Marseille le pôle régional de développement et un contrepoids à Paris ; c'était une innovation, même si, au XIXe siècle déjà, plusieurs édiles de la cité phocéenne, avaient souhaité que leur ville soit un grand centre régional.

On a beaucoup médit de ces projets établis en pleine période d'euphorie et qui supposaient une expansion continue, en ironisant sur la « damnation de Fos », alors qu'elle aurait dû être une « symphonie fantastique ». Peut-être a-t-on prévu trop grand et a-t-on mal réfléchi aux enchaînements nécessaires qui devaient mener aux retombées à partir des industries lourdes de la Z.I.P., mais, surtout, Fos est devenu opérationnel quand la crise s'est abattue sur la région. Le port est là, avec son trafic de conteneurs et ses importations de charbon ou de pétrole, son aciérie très moderne, etc., mais l'entraînement régional escompté est modeste. En revanche, les difficultés qui affectaient les industries traditionnelles de Marseille s'aggravent : fermeture d'entreprises (la déconfiture, en 1978, des ateliers de réparation navale Terrin est un gros coup), exode d'usines vers la banlieue, ralentissement d'activités, etc. Marseille-ville est en crise et connaît un taux de chômage (18,6 % en 1992), qui dépasse celui des Bouches-du-Rhône, lequel est supérieur à la moyenne nationale (10,5 %).

Marseille ne doit pas mourir, et, au début de ces années quatre-vingt-dix, une volonté certaine de redressement s'exprime, de la part des élus municipaux et des responsables économiques (Chambre de Commerce). La révision du P.O.S., prévue pour le début de 1993, doit permettre de trouver des hectares nécessaires ; on continue les grands investissements dans le secteur des transports ; le conflit des dockers, si préjudiciable au trafic du port et à l'image de Marseille, est heureusement réglé, quoique à un coût exorbitant ; une campagne « Renaicentre » est lancée. Mais, surtout, la ville semble amorcer un changement d'attitude heureux dans ses relations avec les communes voisines ; G. Defferre, qui fut un grand maire (1953-1986), ne voulait pas partager le pouvoir et s'était toujours refusé à une forme institutionnelle quelconque d'association entre les communes, pourtant liées par des problèmes et intérêts communs, de l'aire marseillaise ; c'était une erreur, mais, aujourd'hui, il est affirmé qu'il faut s'entendre et œuvrer ensemble. Il est certain que la bonne collaboration entre les municipalités de l'A.M.M. et entre les hommes politiques et les acteurs économiques est indispensable pour créer la synergie nécessaire au redémarrage de celle qui est la plus vieille ville de France.

Si l'on savait que Marseille était en difficulté, ce sont les chiffres du recensement de 1990, indiquant une perte de 10 000 habitants par an, qui ont beaucoup frappé l'opinion. Pourtant, la ville avait connu une croissance démographique depuis la fin de la guerre : partant de 661 000 h en 1954, la ville en annonçait 908 000 en 1975, mais le déclin venait ensuite, avec 870 000 h en 1982 : on parlait alors du phénomène classique du recul de la ville-centre d'une agglomération compensé par l'accroissement démographique de sa périphérie, et cela était exact puisque celle-ci passait de 188 000 h à 236 000. Mais, en 1990, la vérité éclate : la ville perd 70 000 h entre les deux recensements (800 000 h en 1990), mais les gains des autres communes de l'agglomération urbaine ne sont que de 50 000 h (286 000 h) ; cette agglomération est la seule de ses homologues françaises à connaître un recul démographique, passant de 1 110 000 h en 1982 à 1 087 000 en 1990. Chacun comprend alors l'urgence d'agir.

Pourtant, tout n'est pas noir dans la réalité économique marseillaise. Le port, constitué par les trois éléments des bassins du nord de la ville, de Berre-Lavéra et de Fos, a connu un trafic qui n'a cessé de croître régulièrement, passant de 10,3 Mt en 1949 à 109,2 en 1974, faisant du P.A.M. (Port Autonome de Marseille) le deuxième port européen après Rotterdam et le huitième du monde ; le trafic pétrolier (90 Mt ; 86 % du total) est dominant et les importations en sont particulièrement déséquilibrées (93,3 Mt, contre 15,9 aux exportations), mais cela ne doit pas cacher les vracs et marchandises diverses, qui ont aussi bien progressé. Les chocs pétroliers, menant à une meilleure utilisation du pétrole et à un recul de ses achats, puis les crises, atteignent le trafic du port, qui diminue : il n'est plus que de 89,4 Mt en 1991, dont 63,7 d'hydrocarbures (recul de 30 % sur 1974), mais le trafic non pétrolier a progressé encore (26,7 Mt de vracs et marchandises générales) ; Marseille n'est plus que le troisième port d'Europe, après Rotterdam (292 Mt) et Anvers (101 Mt), mais reste le premier méditerranéen (Gênes 42,7 Mt), même si l'on néglige le trafic pétrolier. Ces données soulignent la part croissante des ports rhénans de la mer du Nord, qui disposent d'un considérable *hinterland* européen, alors que Marseille en est presque privé : c'est un argument de plus pour ceux qui souhaitent l'achèvement de la liaison fluviale Méditerranée-mer du Nord. Signalons la place notable du trafic de conteneurs (plate-forme intermodale de Fos).

Malgré son recul, l'industrie marseillaise reste importante ; le secteur agroalimentaire (corps gras, céréales, sucres) s'est modernisé et constitue une base forte ; la réutilisation de friches industrielles permet l'implantation d'établissements de la construction mécanique et électrique et l'accent mis récemment sur la recherche et l'industrie de pointe laisse espérer que le secteur secondaire de la commune ne continuera pas de se vider au profit des diverses Z.I. de la périphérie. Mais, c'est le secteur tertiaire, avec les

Carte n° 10

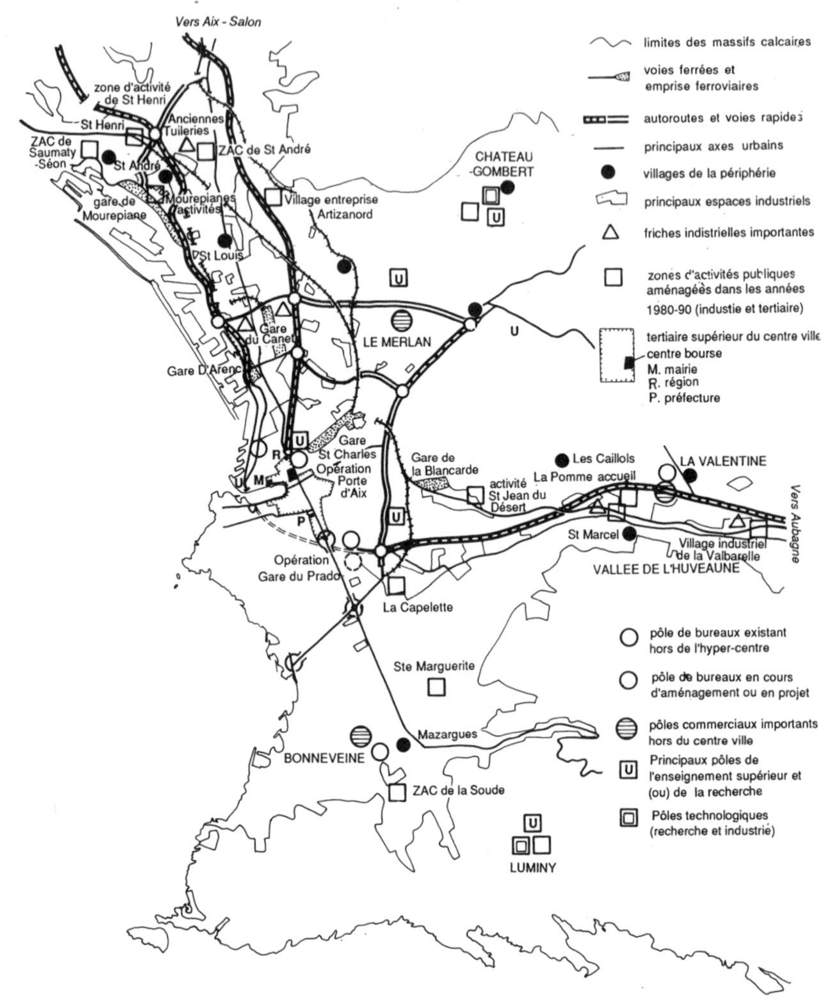
LOCALISATIONS INDUSTRIELLES ET TERTIAIRES A MARSEILLE
Vers Aix - Salon
zone d'activité de St Henri
St Henri
ZAC de Saumaty -Séon
Anciennes Tuileries
ZAC de St André
St André
gare de Mourepiane
Mourepianes activités
Village entreprise Artizanord
CHATEAU -GOMBERT
St Louis
Gare du Canet
LE MERLAN
Gare D'Arenc
Gare St Charles
Opération Porte d'Aix
Gare de la Blancarde
activité St Jean du Désert
Les Caillols
La Pomme accueil
LA VALENTINE
Vers Aubagne
St Marcel
Village industriel de la Valbarelle
VALLEE DE L'HUVEAUNE
Opération Gare du Prado
La Capelette
Ste Marguerite
Mazargues
BONNEVEINE
ZAC de la Soude
LUMINY
limites des massifs calcaires
voies ferrées et emprise ferroviaires
autoroutes et voies rapides
principaux axes urbains
villages de la périphérie
principaux espaces industriels
friches indistrielles importantes
zones d'activités publiques aménagées dans les années 1980-90 (industie et tertiaire)
tertiaire supérieur du centre ville
centre bourse
M. mairie
R. région
P. préfecture
pôle de bureaux existant hors de l'hyper-centre
pôle de bureaux en cours d'aménagement ou en projet
pôles commerciaux importants hors du centre ville
Principaux pôles de l'enseignement supérieur et (ou) de la recherche
Pôles technologiques (recherche et industrie)

quatre cinquièmes des actifs, qui est important à Marseille : centre commercial de premier ordre (commerce de gros, commerces de luxe et rares), nœud de transports bien desservi (trois autoroutes), haut lieu de la recherche, notamment scientifique et médicale, centre de décision économique notable, capitale régionale, dont les services s'étoffent et le rôle s'affirme, la ville de Marseille est devenue peu à peu une métropole régionale, fréquentée par besoin et exerçant un réel commandement sur sa Région ; certes, les rayons d'influence sont plus ou moins étendus selon les cas (grand commandement dans les domaines administratif, hospitalier, commercial de haut niveau, etc.) et Nice est toujours une ville concurrente, mais l'affirmation d'un rôle régional est une révolution pour une ville qui se voyait surtout comme « la porte de l'Afrique ».

La ville s'est transformée. C'était une nécessité, car il n'y avait pas eu beaucoup d'opérations d'urbanisme depuis le Second Empire, mais la seconde moitié du XXe siècle était favorable aux grands aménagements (cf. carte n° 10).

Dans toute métropole, une question importante est celle du centre-ville, qui doit être adapté à sa fonction économique et constituer une vitrine aussi. S'il y avait un espace à fonction centrale à Marseille, entre le Vieux-Port (Mairie) et la Préfecture, la concentration des hautes activités tertiaires n'y était pas forte ; la cité disposait d'un atout, avec les grands terrains de la Bourse, libérés par la démolition de leurs bâtiments depuis 1913 et non encore utilisés en 1945 ; mais il y avait aussi un problème posé par le quartier Belsunce-Sainte-Barbe, entre la gare Saint-Charles et la Bourse, vieil ensemble aux rues étroites, siège traditionnel du commerce de gros (tissus), mais de plus en plus habité par des immigrés. Dès la fin du conflit, on a procédé à la reconstruction du quartier détruit par les Allemands, avec de beaux immeubles en pierre de taille sur la façade du Vieux-Port. À partir des années soixante seulement, l'espace libre de la Bourse a été occupé : grands immeubles de logements et bureaux ; vaste espace commercial (Centre Bourse), puis immeuble du C.M.C.I. (Centre Méditerranéen du Commerce International). Mais la rénovation de l'ensemble Sainte-Barbe a été repoussée, parce qu'elle semblait un prétexte à l'expulsion des immigrés ; elle s'effectue quand même, mais avec retard et en commençant par la marge (opération Porte d'Aix : Hôtel de la Région, université, bureaux). Les immigrés, Maghrébins surtout, mais aussi originaires d'Afrique Noire, se sont donc installés de plus en plus nombreux, faisant partir des Marseillais et, avançant en tache d'huile, ils ont « colonisé » partiellement la Canebière proche, dans les années quatre-vingt. Cela entraîne une désaffection à l'égard des commerces du centre, contre quoi réagissent responsables politiques et économiques, qui savent que la métropole marseillaise a besoin d'un vrai centre. Marseille est en face d'une situation qui rappelle un peu celle des villes des États-Unis avec leurs quartiers noirs ou celle de Liverpool. Il faut donc réagir. Marseille, afin d'être une ville de niveau européen ou international, se doit de disposer d'un centre décisionnel attractif et bien équipé. C'est l'objet du « projet Euroméditerranée », lancé depuis 1992 et qui doit se réaliser en vingt ans. Il s'agit d'aménager l'espace compris entre la Joliette, la Gare Saint-Charles et le Vieux-Port ; en utilisant des locaux vacants (Docks, Bourse du travail) et en remodelant l'ensemble du quartier, Marseille pourra bénéficier d'une grande superficie de bureaux pour attirer des organismes économiques et professionnels ayant un pouvoir de décision et d'animation. Ce serait alors la fin du glissement de la ville au sud du Prado et le retour aux projets du Second Empire qui, en ouvrant la « rue Impériale », actuellement rue de la République, voulaient mettre la Joliette au cœur de Marseille. Ce projet, grandiose, a le soutien des pouvoirs économiques et politiques et apparaît comme complémentaire de celui de l'Europôle de l'Arbois.

Des espaces commerciaux se sont dispersés dans la ville. Autour du Rond-Point du Prado, de façon spontanée, se sont créés de nombreux commerces, au milieu d'une population à revenus élevés ; la Z.A.C. de Bonneveine propose aussi une zone commerciale, dans un cadre organisé ; de nombreux anciens « villages » du vaste bassin de Marseille, aujourd'hui noyés dans la masse urbaine, ont su conserver leurs magasins et sont des pôles attractifs (Mazargues, par exemple) ; en périphérie, la Valentine possède beaucoup de grandes surfaces. De nombreux bureaux, relevant même du tertiaire supérieur, sont parfois superposés à ces quartiers commerciaux. Le cœur traditionnel de Marseille veut récupérer ses fonctions de centre-ville, mais il n'a pas encore gagné.

Pour loger ses nouveaux habitants, Marseille a dû étendre son bâti. Cela s'est effectué surtout vers le sud, où la place était disponible et où se sont installées plutôt les C.S.P. élevées. L'immeuble de Le Corbusier (la « Maison du Fada » ; 1952) a été la première grande réalisation, discutée. L'extension s'est faite aussi vers l'est (route d'Aubagne). On procéda encore au remplissage d'espaces vides ; quelques grands ensembles furent édifiés (à Sainte-Marthe et dans les quartiers nord), ce qui crée aujourd'hui quelques problèmes de « banlieue », comme on en rencontre autour de grandes villes. Pour attirer des activités, la ville a créé des Z.I. ou réutilisé des friches industrielles ; cela a rencontré un certain succès et entraîné la venue d'entreprises (I.A.A. ; industries mécaniques ou électriques ; recherche et industries de pointe ; commerces...), mais l'exode des industries marseillaises vers la périphérie n'est pas enrayé.

Dans le secteur des transports, Marseille avait besoin de faire un gros effort : le relief particulier de son bassin et l'absence de grands travaux un siècle durant constituaient un handicap sérieux pour la circulation, qui risquait la paralysie avec le développement des voitures individuelles. L'autoroute nord, en direction d'Aix, ouverte par tronçons successifs et l'autoroute est vers Aubagne, furent achevées à la fin des années soixante. Mais il fallait surtout des voies rapides à l'intérieur de la ville : une première fut aménagée, en recouvrant Le Jarret, un petit affluent de l'Huveaune, dans les années soixante-dix, et une deuxième doit être percée dans la décennie quatre-vingt-dix ; la transformation de la Promenade de la Corniche en voie rapide et l'ouverture du tunnel sous le Vieux-Port facilitèrent les échanges N-S, qui doivent être encore améliorés par le futur tunnel du Carénage. Les deux lignes de métro secondent efficacement depuis vingt-ans un réseau de surface qui a beaucoup progressé. Il s'agit là de grands travaux, auxquels il faut ajouter deux réalisations des années quatre-vingt, la création des grands jardins de la plage pris sur la mer au sud du Prado, et la construction d'une station d'épuration.

Les autoroutes ont permis l'affirmation d'une réalité métropolitaine : les diverses localités des environs de Marseille forment une agglomération de 1 230 000 habitants sur 1 036 km², à quoi on peut joindre d'autres agglomérations proches qui font partie de l'aire métropolitaine : celle-ci abrite plus d'un million et demi d'habitants (1990). C'est la partie ouest qui s'est le plus développée, avec les industries de l'Étang de Berre et celles de Fos, en allant jusqu'à Port-Saint-Louis-du-Rhône aujourd'hui élément du Port Autonome de Marseille. Il a fallu agrandir et réaménager les villes et localités existantes ; l'État voulut aussi construire une « ville nouvelle », comme en région parisienne, mais des oppositions locales, en partie politiques, ne permirent pas sa pleine réalisation : à côté de la « ville nouvelle des rives de l'Étang de Berre », elle-même éclatée, un habitat dispersé s'édifia dans les communes entourant les pôles industriels. Arles (52 000 h) est la ville la plus occidentale de l'A.M.M. et est moins touchée par le développement industriel. Au nord de Marseille, la ville d'Aix-en-Provence (123 601 h en 1990, mais 54 217 en 1954), a connu une croissance remarquable ; ville rivale et complémentaire de Marseille, à laquelle elle est reliée par une autoroute et, aujourd'hui, par un habitat continu, elle dispose de quartiers résidentiels de qualité et constitue une grande cité du tertiaire (université, industrie, administrations, tourisme, commerces de luxe) ; elle veut valoriser son carrefour routier, qui est supérieur à celui de Marseille, ainsi que ses espaces disponibles (projet d'un Europôle sur le Plateau de l'Arbois) ; elle bénéficie du voisinage du Centre d'études nucléaires de Cadarache, créé par un décret de 1959, et de celui de la Z.I. des Milles, accroissant sa réputation de ville de la recherche, mais dans une tonalité technologique nouvelle. À l'est de Marseille, le développement a été moins remarquable, mais Aubagne (41 100 h en 1990 et 17 636 en 1954) est une ville active, bien desservie en autoroutes et entourée de zones d'activités recherchées, dont une zone d'entreprises, c'est-à-dire offrant des avantages fiscaux pour attirer des investisseurs. Le littoral, de part et d'autre de Marseille, qui était surtout touristique, a accru cette fonction et est devenu en outre très résidentiel.

L'agriculture a considérablement reculé à l'intérieur de l'A.M.M., à cause de la concurrence exercée par la croissance urbaine. Dans le bassin marseillais lui-même, la banlieue maraîchère et laitière a disparu, à partir des années cinquante, et quelques-uns de ses expropriés se sont installés dans le delta de l'Arc et en Crau et utilisent les techniques les plus avancées (premier ensemble de serres de France). Ailleurs, une agriculture se maintient, partagée entre de grandes propriétés spécialisées dans la céréaliculture et la viticulture ; localement, de petites exploitations, de retraite ou de complément, survivent tant bien que mal et passent progressivement à la friche ; le vignoble, qui a beaucoup reculé en superficie (1/3 entre 1970 et 1988), a fait des progrès en qualité, grâce aux efforts des viticulteurs et à la demande citadine et touristique, et les V.D.Q.S. des Coteaux d'Aix ont été promus A.O.C. en 1985. En Camargue, le riz, après avoir connu une forte croissance pendant et après la guerre (33 000 ha plantés en 1960), a subi une très forte régression devant la concurrence internationale (5 000 ha en 1980), mais retrouve une certaine faveur (20 000 ha aujourd'hui). Au nord des Alpilles, la culture irriguée des fruits et légumes l'emporte : nous entrons dans le Comtat où règne Avignon.

II. AVIGNON, UN CENTRE RÉGIONAL QUI S'AFFIRME

Si Avignon, point de passage du Rhône et siège de la Papauté à la fin du Moyen Âge, a toujours été un centre régional, cette fonction n'a cessé de s'affirmer. P. George, dans sa thèse célèbre sur « La région du Bas-Rhône » (1935) avait déjà montré l'emprise commerciale croissante de la ville sur la région agricole du Comtat, sans détruire pour autant la personnalité de vieilles cités, telles que Cavaillon ou Carpentras. Aujourd'hui, le contrôle d'Avignon sur une vaste région s'est encore plus affirmé : la cité des Papes est devenue une véritable métropole régionale, autonome, qui n'est dépassée par Marseille que pour les niveaux les plus élevés.

Le modèle de l'agriculture contadine, que l'on retrouve de part et d'autre de la basse Durance et à l'est du Gard, est dominé par la culture irriguée des fruits et légumes et par une viticulture dont la réputation est internationale (A.O.C. des Côtes-du-Rhône). La répartition des cultures n'a guère changé et oppose toujours les terroirs bas et irrigables aux terrasses et coteaux, secs, où la vigne domine ; mais il y a eu progrès, par la recherche constante de la qualité et de la productivité : il faut produire mieux et moins cher pour résister à une concurrence, d'abord nationale puis intra-C.E.E. (Pays-Bas, Espagne récemment) et internationale (Maroc). La bonne commercialisation devient, en effet, la condition clé du développement agricole. En ce qui concerne les vins, nous avons déjà évoqué le rôle des caves-coopératives, très nombreuses et qui ont appris à conquérir un marché, et celui des caves privées dans le cas des grands vignobles. Pour la production des fruits et légumes, la question de la vente est encore beaucoup plus aiguë. Au lendemain de la guerre, les très nombreux marchés locaux et les expéditeurs assuraient l'écoulement de la production ; le rôle des trains rapides, notamment à destination du lieu de consommation parisien, était essentiel et les régions plus éloignées de la ligne ferroviaire se tournaient davantage vers la conserverie. Mais la dispersion des marchés ne convenait plus et, à partir de

1957, furent sélectionnés trois marchés, qui furent élevés au rang de M.I.N. (Marché d'Intérêt National) : ceux d'Avignon, de Châteaurenard, et de Cavaillon. La raison d'être d'un M.I.N. était de concentrer une forte quantité de fruits et légumes en un lieu en face des acheteurs, afin d'aboutir à une meilleure formation des prix ; il s'agissait aussi d'offrir une bonne desserte routière et ferroviaire, pour accélérer les expéditions. Cette évolution renforça le pouvoir d'attraction des trois villes citées, qui attirèrent des vendeurs de régions très éloignées, d'au-delà du Vaucluse ; à côté, se développait aussi le rôle de la conserverie (fruits, tomates), qui faisait travailler des producteurs sous contrat ; quant à la vieille agriculture méditerranéenne, qui n'avait pas disparu en 1945, elle s'éteignait progressivement. Il faut encore souligner la place croissante tenue par les camions frigorifiques, rapides, qui, utilisant la nouvelle autoroute rhodanienne, réduit celle du train, malgré les progrès de celui-ci (électrification, vitesse).

Mais les M.I.N. sont actuellement en crise. L'apparition des centrales d'achats de la grande distribution commerciale s'est traduite par une augmentation des échanges directs, hors M.I.N., pour servir plus rapidement et mieux les grandes surfaces. En outre, la nécessité de connaître immédiatement les cours européens et mondiaux pour réagir aussitôt a mené professionnels et services agricoles à créer le C.R.I.F.E.L. (Centre Régional Interprofessionnel des Fruits et Légumes), en 1988, afin de réagir, grâce à la télématique, en temps réel ; ce centre ne pouvait être installé qu'à Avignon. Enfin, la souplesse du transport automobile, ajoutée à la haute qualité du système routier, rend inutile la concentration physique de la production en quelques lieux précis. Les conséquences sur le système urbain se font clairement sentir, comme nous le verrons plus loin.

Nous avons déjà évoqué l'affirmation d'un pôle industriel sur l'axe rhodanien, ainsi que le développement du réseau de transport ; quant au tourisme, il est lié surtout au passage et à la visite d'Avignon, se distinguant ainsi de celui du reste de P.A.C.A. : le Vaucluse ne réalise que 10 % des nuitées touristiques de la Région.

Le département de Vaucluse, dont la population oscillait autour de 240 000 h pendant la première moitié du XXe siècle, a connu un fort accroissement démographique ; visible dès 1954 (268 000 h), il s'est affirmé jusqu'en 1975 (310 000 h), pour se ralentir ensuite (467 000 en 1990). La population rurale reste relativement élevée (24 % en 1990), comme l'on peut s'y attendre dans un espace où l'agriculture tient une telle place (9,5 % d'actifs agricoles). Cela tient aussi à une armature urbaine, plus faible, constituée par un grand nombre de petites cités, dont certaines sont arrivées au rang de ville moyenne : ce sont Carpentras (40 600 h), Cavaillon (31 000), Orange (27 000) ; il y a aussi quatre agglomérations de près de 15 000 h et une dizaine entre 2 000 et 10 000 h. Cet éparpillement est ancien et, s'il y a eu une progression générale de la population, les villes moyennes ont le mieux profité du mouvement démographique, grâce à leur rôle dans la collecte et la redistribution des produits agricoles. Mais, avec le déclin relatif des M.I.N. et la concentration des fonctions de commandement agricole dans les mains d'Avignon, cette ville domine nettement toutes les autres, et a acquis un rang de métropole incontesté : ce rôle n'est pas né avec l'après-guerre, mais il s'est nettement conforté.

Avignon constituait déjà une grande ville, en 1939, mais, ne pouvant accueillir les nouveaux habitants dans ses étroites limites, s'est étendue sur ses communes voisines et se trouve aujourd'hui, avec ses 180 000 habitants, à la tête d'une agglomération d'une dizaine de communes. Son rayon d'influence s'est allongé au cours des dernières décennies, pour atteindre l'est du Gard, le nord des Bouches-du-Rhône et le sud de la Drôme. En effet, aucune autre ville n'a réussi à se doter d'autant d'atouts. Elle est d'abord et plus que jamais le centre agricole qui anime et encadre le milieu paysan (ramassage et redistribution des produits avec fixation des prix ; recherche agronomique ; matériel et produits pour la culture ; organisations socio-professionnelles, I.A.A. etc.) ; la ville, nœud routier, s'est remarquablement équipée dans les domaines commercial et de services et constitue le grand pôle régional, qui attire, en outre, une importante main-d'œuvre quotidienne pour ses industries ou celles de sa banlieue, que nous avons déjà citées. Mais, à un niveau supérieur, la cité papale est devenue un grand centre culturel (Festival d'Avignon, créé dès le lendemain de la guerre ; collèges universitaires transformés en Université en 1984 ; concerts), dont le prestige est rehaussé par la réhabilitation réussie de la ville et de ses très nombreux monuments. Véritable métropole, soucieuse de préparer son avenir (technopôle agricole d'Agroparc), Avignon surclasse les autres villes de sa région. Elle n'est dépassée que par Marseille, Préfecture de Région et siège du Conseil Régional, mais qui est peu fréquentée pour ses autres fonctions.

Vis-à-vis des Alpes, l'attraction d'Avignon est limitée aux Baronnies ; en effet, l'axe durancien a sa propre autonomie et relève de Marseille pour ce que ses petites villes ne peuvent lui fournir.

III. LES ALPES DU SUD EN PLEIN RENOUVEAU

Nous savons déjà que l'image des Alpes du Sud s'est modifiée dans l'esprit des Français, qui ne les considèrent plus comme une montagne pauvre et se dépeuplant sans cesse, mais en apprécient de plus en plus le cadre naturel et la qualité de vie. Les Alpes méridionales ont, en effet, connu un renouveau étonnant qui s'est traduit par une reprise démographique inattendue. En 1946, les deux départements des Alpes-de-Haute-Provence (appelées alors Basses-Alpes) et des Hautes-Alpes arrivaient au plus bas de leur déclin démographique : ils n'avaient plus que 168 000 h, alors que leur maximum avait été de 293 000 h vers 1850 ; le R.G.P. de 1954 affichait 169 000 h et, depuis cette date, la population n'a cessé de croître pour parvenir à 253 000 h en 1990 : en quarante ans, la montagne retrouvait le chiffre qu'elle avait connu en 1872, soit quatre-vingts ans plus tôt.

Nous utilisons ici l'expression « Alpes du Sud » ; nous pourrions dire « Alpes duranciennes », car les deux départements précités sont drainés par la Durance qui les mène vers Marseille ; quant aux Alpes vauclusiennes et drômoises et aux Alpes-Maritimes, si elles ont beaucoup de problèmes communs avec celles de la Durance, elles se tournent, les premières, vers les villes du Rhône, Avignon ou Valence, et les secondes vers Nice.

En 1946, 57 % de la population active travaille dans l'agriculture, qui reste surtout traditionnelle ; l'industrie (16 % des actifs) est modeste, car la montagne n'a que très peu participé à l'essor de la houille blanche, qui avait triomphé dans les Alpes du Nord. Mais, rapidement, l'économie s'est transformée. L'agriculture a perdu les six septièmes de ses actifs : les Alpes du Sud restent rurales, mais ne sont plus agricoles, même si leurs actifs primaires sont proportionnellement un peu plus nombreux qu'en France (respectivement 6,7 % et 5,7 %). L'élevage, avec la forêt, constitue la principale activité (bovins en haute montagne et ovins en moyenne montagne), et permet le maintien de noyaux agricoles, avec les plantes fourragères et la céréaliculture, mais l'avenir est incertain, car les productions supportent mal la concurrence extérieure ; dans les basses vallées de la Durance et du Buech, l'arboriculture irriguée, amorcée dans l'entre-deux-guerres, s'est bien développée, mais ne concerne qu'une trentaine de communes sur les 377 des Alpes duranciennes ; lavandin, lavande et autres plantes à parfum ont été un espoir, souvent déçu. L'industrie reste médiocre et est le fait de P.M.I. ; l'usine chimique de Saint-Auban (Atochem), déjà citée, est la seule grande entreprise de la montagne et l'usine métallurgique de l'Argentière-La-Bessée a fermé définitivement ses portes en 1988. La houille blanche a profité aux Alpes, à travers la construction des centrales mais elle est exportée aujourd'hui. C'est le tourisme, avons-nous déjà vu, qui a sauvé la montagne : stations de ski des hautes vallées (Hautes-Alpes surtout) ; stations d'été, bénéficiant parfois d'un plan d'eau (lac de Serre-Ponçon) ou de quelques remontées mécaniques ; villages survivant grâce aux résidences secondaires ; industrie du bâtiment vivant partiellement de la construction touristique, etc. La hausse générale du niveau de vie et les besoins d'une économie en expansion ont entraîné un grand développement des commerces et services, qui se sont installés surtout dans les villes. Cet essor remarquable s'explique par la conjoncture économique exceptionnelle de l'après-guerre, mais aussi par l'action de l'État et des collectivités locales (Conseils Généraux et, plus récemment, Conseil Régional), qui ont mené une politique ferme d'aide à la montagne : désenclavement, aide aux diverses formes d'élevage et de culture, encouragements aux petites formes du tourisme, etc. Aujourd'hui, le grand projet, national, est l'achèvement de l'autoroute Sisteron-Gap-Grenoble.

Tableau n° 8

Répartition de l'accroissement de population
dans les Hautes-Alpes et les Alpes-de-Haute-Provence

Espace concerné et Nombre de communes	Population		Acct. de population 1990/1954	
	1954	1990	en nombre	en %
Les deux départements (377)	169 402	252 979	+ 83 577	+ 49,3 %
Les villes (16)	70 271	130 780	+ 60 509	+ 86,1 %
Communes agricoles de basse et moyenne Durance (28)	11 129	25 818	+ 14 689	+ 132 %
Grandes stations de ski (14)	6 166	10 958	+ 4 792	+ 77,7 %
Petites communes touristiques, été + ski (38)	13 407	13 810	+ 403	+ 3 %
Petites communes touristiques d'été (78)	34 754	44 032	+ 9 278	+ 26,7 %
Autres communes rurales sans tourisme notable de haute et moyenne montagne (203)	33 675	27 581	- 6 094	- 18,1 %

Source R.G.P. — I.N.S.E.E.

Le tableau n° 8 montre où s'est porté l'accroissement démographique, et donc économique. Les villes ont été les grandes bénéficiaires, profitant du rattrapage tertiaire et des équipements commerciaux et de services qui ont dû se multiplier et absorbant les trois quarts de la croissance démographique ; elles sont toutes localisées dans les vallées de la Durance et de ses affluents, ainsi que les communes qui se sont tournées vers l'agriculture spécialisée. Les effets du tourisme sont nets, permettant à cent trente communes, un tiers de celles des deux départements alpins, de progresser, parfois vivement ; quant aux autres communes, essentiellement situées en moyenne et haute montagne, elles ont perdu un cinquième de leurs effectifs, et elles ne retiennent que 11 % de la population totale alors qu'elles représentent 54 % du nombre des communes. La montagne a aussi attiré les retraités, qui constituent vingt pour cent de ses habitants. Si la population alpine s'est accrue, ce sont les vallées qui en ont bénéficié, ainsi que les communes montagnardes aptes à recevoir le tourisme, mais une bonne partie de la haute et moyenne montagne a continué à se vider : cinquante communes ont même disparu entre 1956 et 1990.

Gap, petite cité de 16 000 habitants en 1946, qui a doublé sa population (33 444 h en 1990) est, avec Briançon dans une certaine mesure (15 073 pour son agglomération de cinq communes), la seule vraie ville des Hautes-Alpes : cité commerciale et administrative, petit centre industriel dynamique,

Gap étend n d'influence sur son département et quelques cantons limitrophes ronnais et en Ubaye), soit 130 000 h, relayée par de petites ville ies milliers de personnes. Le département haut-alpin a été dauphin quelques siècles, et il en reste certains liens avec Grenoble, su le Briançonnais, mais, par les directions de ses migrations e changes traditionnels, par ses liens économiques actuels, par s ment administratif, il se trouve incontestablement dans la mouva laise et appartient à P.A.C.A., comme la pente de ses rivières l' s invité. Dans les Alpes-de-Haute-Provence, le pouvoir urbain re deux villes. Digne, quoique préfecture, est mal logée au fond d la basse Bléone et, si elle a accru sa population (9 342 h en 194 n 1990, soit + 72 %), elle est supplantée par le simple chef-lieu le Manosque qui, bien situé dans une basse Durance active, pulation (19 107 h en 1990) : c'est un centre commercial et de actifs, dont l'espace contrôlé est peuplé de 65 000 personnes e la riche agriculture de la basse Durance alpestre ; il s'agit ément de l'ensemble Manosque-Cadarache (technologies nouv ute des Hautes Technologies). Bien sûr, au niveau supérieur, c Aix la métropole dominante, tout comme elle l'est aussi pour onnaise.

IV. UN VAR ATT UN TOULON TRANSFORMÉ

Avec ses quelque s l'après-guerre, le Var est alors un département rural, où 0 h) semble former une enclave à part. La vieille agriculture e s'y maintient encore notablement dans sa partie intérieure ble un peu modernisé et des cultures spécialisées ont déjà fai dans quelques espaces plus méridionaux. Le vignoble reste asse, avec un nombre très élevé des coopératives, parfois de seuls quelques grands domaines se tournent vers la qualité. algré l'ancienneté de Hyères, est modeste et se réduit à ce x de villégiature sur la Côte des Maures et à quelques stat res à l'ouest de Toulon ; l'industrie consiste en l'extractio gnoles) ou en quelques activités de type artisanal (céramiq), à côté de l'Arsenal militaire de Toulon et du chantier de construction navale de La Seyne. Le Var est un département tranquille, dont la population, entre 1921 et 1946, ne s'est accrue que de 15 %, et où le contraste est réduit entre l'intérieur et les régions littorales. Toulon, port de guerre, est dominé par la Marine et n'a pas de projet économique ou urbanistique.

Depuis la fin de la guerre, la population a doublé (815 000 h en 1990), l'agriculture s'est concentrée et modernisée, le tourisme a explosé sur tout l'espace littoral où s'accumulent plus de deux tiers des habitants, Draguignan a perdu sa préfecture au profit de Toulon qui, un peu comme

Marseille, reste un port mais devient progressivement une ville régionale. Le Var est un département très attractif, dont le rythme de croissance est un record national et régional (+ 1,76 % par an entre 1990 et 1982) et dont le solde migratoire fournit actuellement 90 % de la croissance varoise.

Le Var, possédant d'aussi beaux paysages que son voisin des Alpes-Maritimes, mais étant resté relativement vide entre la région marseillaise et la Côte d'Azur, a fortement attiré les hommes : touristes et retraités y ont afflué. Le département est le premier pour l'accueil touristique de P.A.C.A., (28 % des nuitées), dépassant les Alpes-Maritimes (24 %) ; les retraités (160 000) représentent un cinquième de la population. C'est la zone littorale surtout qui accueille ces flux, se couvrant de stations balnéaires de façon continue ; la plus célèbre en est Saint-Tropez, qui correspond à un phénomène de société ; mais celle-ci ne doit pas faire oublier Bandol et Sanary, Hyères et Le Lavandou, Fréjus et Saint-Raphaël, etc. Le tourisme est estival, mais tend à durer toute l'année (accroissement des courts séjours, en hiver) ; il est un mélange de formes populaires (la moitié des places de camping de P.A.C.A.) et de luxe (44 % des postes offerts dans les ports de plaisance). Le Var détient un tiers des résidences secondaires régionales, à égalité avec les Alpes-Maritimes ; ce type d'hébergement, quoique concentré principalement sur le littoral, se disperse aussi dans l'intérieur, à la recherche de villages pittoresques. L'essor touristique n'est pas terminé et les projets abondent (ensembles golf-immobilier), mais on redoute les incendies de forêt (Massif des Maures) et l'excès des constructions sur la Côte.

L'agriculture a évolué, en accentuant des tendances antérieures. Dans les haut et moyen Var, la vigne occupe déjà presque la moitié de la superficie cultivée et la recherche de la qualité permet de produire de bons vins (moitié en A.O.C.) ; la forêt, qui recouvre 57 % de la superficie varoise (25 % en France) est exploitée ; l'élevage des moutons et la culture de l'olivier sont un reste de l'ancien temps. Toute différente est l'agriculture intensive, irriguée, qui produit fruits, légumes et fleurs, dans les régions littorales et certaines dépressions intérieures et qui est de haute qualité. L'industrie a perdu sa bauxite et ses chantiers navals, mais a gagné des productions électriques, mécaniques, d'armement, etc. ; elle reste modeste : 22 % des actifs, y compris un B.G.C.A. pléthorique aujourd'hui.

L'opposition littoral-intérieur, qui s'est donc affirmée, se retrouve dans l'armature urbaine. Draguignan a progressé, doublant sa population par rapport aux années cinquante, bien qu'elle ait perdu son pouvoir administratif, mais les 34 000 habitants de sa petite agglomération ne pèsent pas lourd en face des masses urbaines de la Côte : l'ensemble touristique de Fréjus-Saint-Raphaël (73 000 h) et, surtout l'imposant espace urbanisé de l'aire toulonnaise qui, avec ses 437 000 h, possède un peu plus de la moitié de la population varoise.

Toulon, port de guerre ancien et siège d'un puissant Arsenal, conserve cette fonction militaire ; c'est aussi un port de voyageurs (Corse) et un aéroport notable. Mais, elle est devenue une ville à fonction régionale, grâce à ses équipements tertiaires : préfecture et services départementaux ; université et hôpitaux ; commerces de haut niveau et grandes surfaces, etc. Cette fonction, nouvelle dans son histoire, a exigé un désenclavement routier ; elle s'exerce surtout dans la ville, qui cherche à réhabiliter son centre. Mais la commune toulonnaise a perdu quelques habitants depuis 1975 (4 000), ce qui est classique pour le centre d'une aire urbaine, alors que l'agglomération, qui ne cesse de s'étendre, en gagnait 70 000. Cette banlieue exerce des fonctions multiples : résidentielle, touristique, commerciale, industrielle et comporte des villes de taille : Hyères (48 000 h), La Seyne-sur-Mer (60 000), Six-Fours (29 000), etc. L'aire toulonnaise est devenue un des éléments dynamiques de P.A.C.A. Un point noir reste la traversée de la ville entre les autoroutes de l'ouest et de l'est, mais il y a un projet de tunnel souterrain. Il faudrait aussi réaménager le centre-ville, dégradé, qui ne correspond pas au rôle tenu par Toulon.

Proche de Marseille (75 km), Toulon, malgré son développement et son nouveau pouvoir d'attraction, ne peut atteindre à l'autonomie ; elle dépend de Marseille pour tout ce qui relève de la Région ou de services de niveau supérieur. En outre, dans l'est de son département, son influence est battue en brèche par celle de Nice : le Var est un département écartelé.

V. NICE, MÉTROPOLE RÉGIONALE OU LOCALE ?

En arrivant dans l'Est varois, vers Draguignan ou Fréjus, on pénètre dans un domaine où l'attraction de Nice se fait sentir. Le département des Alpes-Maritimes, issu principalement d'un Comté de Nice récemment rattaché à la France (1860), constitue donc un monde à part, ainsi qu'un « finistère français » (A. Dauphine), bloqué entre la mer et la frontière italienne. Il a eu longtemps la réputation d'un lieu de séjour pour personnes fortunées et pour retraités : la renommée touristique de la « French Riviera » constituait la seule image connue du pays niçois, tant en France qu'à l'étranger. Mais, après la guerre, cette image s'est diversifiée et le département s'est montré très attractif, connaissant longtemps le rythme de croissance démographique le plus élevé de tout P.A.C.A., avant d'être dépassé par le Var dans la décennie quatre-vingt.

Le tourisme est, depuis le XIXe siècle, une activité clé de la région niçoise, comportant une note de luxe. Dans les années cinquante, il en était encore ainsi ; il fallait y ajouter quelques fleurs ou oliviers, quelques industries modestes, des commerces ; l'accent était quand même mis sur le tourisme, qui devait rester de haut standing et se différencier de celui du reste de la Provence. Mais, à partir des années soixante et soixante-dix, alors que le soleil devenait un attrait pour l'industrie, on a cherché à l'utiliser pour diversifier les ressources ; en outre, Nice, centre commercial et de services concurrencé dans son département par d'autres villes notables (Cannes n'est que cinq fois plus petite que sa préfecture en 1954, alors qu'elle l'est sept fois aujourd'hui) a voulu s'affirmer comme métropole régionale et même assurer un jeu national en créant sa propre région. Même si l'on trouve une permanence dans l'économie locale et dans les paysages, le département, comme tous ceux de P.A.C.A., a profondément évolué.

Un premier signe : l'accroissement démographique. On sait que les Alpes-Maritimes ont presque doublé leur population, arrivant à 971 000 h en 1990 et au million au cours de 1992 : autant de personnes qu'il a fallu loger sur un des plus petits départements français (4 300 km^2 ; d = 226), dont la majeure partie est montagneuse et très peu habitée. Plus qu'ailleurs en P.A.C.A., c'est le solde migratoire qui explique la croissance ; le solde naturel est faible, et il a même été négatif entre 1982 et 1990 (-8 000 h), alors que l'excédent des migrations s'élevait à 98 000 h ! Pourtant, la fécondité est la même qu'en France, mais la très forte proportion de personnes âgées (21 % ont plus de 65 ans ; 14,3 % en France) entraîne une mortalité élevée (11,8 % et 9,2 % en France) ; l'afflux des retraités, attirés par le cadre de la Côte, en est la cause : ils sont 206 000 (1990), soit 21,2 % de la population départementale. Notons que la part des étrangers est notable (9 %, pour 7 % en P.A.C.A. et 6,4 en France) ; cela a toujours été vrai, mais leur origine a varié ; aujourd'hui, l'internationalisation s'est accentuée, et juxtapose de riches résidents, qui ne sont pas tous européens, à des personnes venues des pays du Maghreb.

La population s'accumule sur l'espace littoral et sur les collines de l'arrière-Côte, dans des villes qui finissent par se rejoindre en conurbation (Grasse-Cannes-Antibes : 335 000 h) ou en agglomération urbaine (Nice : 475 000 h) : 90 % des habitants se logent sur 10 % de l'espace départemental. Même si la proportion était comparable en 1950, le doublement de la population de la Côte et du bas pays sur un espace restreint a entraîné de hauts prix fonciers et des conflits entre urbanisation et agriculture : ceux-ci se sont produits surtout lorsque se créaient d'importants lotissements de résidences principales ou secondaires ; ils étaient moins vifs dans les anciens villages réhabilités et restructurés.

L'agriculture de montagne, qui s'exerce sur des territoires de moyenne altitude mais pouvant s'élever à 3 000 mètres et associe des ovins aux bovins, est en déclin, devant les prix de la concurrence ; l'olivier, arbre qui fait partie du paysage et de sa réputation, est en fort recul, de même que les plantes à parfum. En fait, ce sont les cultures sous serres de fleurs (œillets) et de légumes qui comptent, menées sur de très petites exploitations (les 2/3 sont inférieures à un hectare) ; mais le sol leur est disputé et elles ont perdu les 3/4 de leurs hectares depuis les années soixante ; les agriculteurs ne sont plus que 1 % des actifs. C'est vers l'industrie que l'on s'est tourné pour développer l'économie ; elle occupe 22 % des actifs, en incluant un B.G.C.A. très sollicité par de multiples besoins. L'accent a été mis sur une industrie « propre » et de haute technologie, associée à la recherche ; des zones d'activité se sont multipliées pour les accueillir (15 en 1990), allant jusqu'à la technopôle de Sophia-Antipolis, où débute la Route des Hautes

Technologies. Le paysage, le soleil et l'équipement des villes ont été un argument puissant pour attirer les entreprises et leur personnel. Mais les plus grands établissements (IBM, Texas-Instruments, Thomson, SNIAS, etc. ; cf. carte n° 7) ont un commandement parisien ou étranger ; la Côte d'Azur ne contrôle que ses P.M.E., ainsi que son B.G.C.A., qui comporte quelques grosses entreprises.

Le tourisme reste l'activité la plus importante des Alpes-Maritimes et continue à en faire la réputation ; il a évolué en face d'une demande d'autant plus exigeante qu'elle est plus riche. Son caractère de luxe est toujours affirmé : le département possède les trois quarts des chambres d'hôtels quatre étoiles et luxe de P.A.C.A. et presque le quart de celles du pays ; il y a déjà onze golfs et plus encore en projet ; malgré la faible longueur de son littoral et son relief difficile, la Côte détient 29 % de la capacité d'accueil des ports de plaisance de P.A.C.A. (le Var : 44 %) et possède la meilleure organisation française de louage de yachts de croisière. Mais le luxe n'apparaît pas que dans cette offre d'équipements, que l'on pourrait retrouver ailleurs ; il s'exprime aussi par un souci de personnalisation et par une multitude de services de haute qualité à la disposition du séjournant. Le tourisme, à dominante estivale, est à base de séjours, de bains de mer, de passages, d'événements folkloriques (carnaval) ou artistiques, etc. ; il s'étale de plus en plus sur toute l'année. La place des résidences secondaires, qui offrent les deux tiers du million de lits du département, est remarquable, notamment sur leur qualité : c'est l'endroit de France où la proportion de propriétaires étrangers est la plus élevée. La montagne ne doit pas être oubliée, avec ses nombreux villages et stations de villégiature d'été, tout proches des villes de la Côte, et même quelques stations de ski. Le tourisme se traduit par 57 millions de nuitées et un chiffre d'affaires estimé à un tiers de celui des Alpes-Maritimes.

Directement et indirectement, le tourisme a suscité un fort secteur tertiaire (77 % des actifs du département). La nouvelle activité économique et une population à niveau de vie particulièrement élevé (le montant de l'impôt sur le revenu y est une fois et demie celui de la moyenne française) justifient la considérable croissance des commerces et services privés ou publics, qui ont souvent un caractère de luxe : l'équipement y atteint même un caractère exceptionnel, surtout à Nice, la huitième ville française.

Il a fallu un bon système de transports pour répondre à la demande. L'aéroport de Nice est le deuxième de France. L'autoroute, très tôt arrivée à Nice, se prolonge par son homologue italienne, permettant une bonne circulation ouest-est, mais vers les Alpes, il n'y a qu'une voie express le long du bas Var ; toutefois, il semble bien que ce sera sous le Mercantour que sera percé le tunnel transalpin. Le chemin de fer a, comme partout, beaucoup progressé depuis la guerre, mais Nice ne reçoit qu'un faux T.G.V. et, vu ce que serait le coût d'une voie en site et ses effets sur l'environnement, un projet de T.G.V. est exclu. Le département souffre de sa position en cul-de-sac en France, fermé par les Alpes et une frontière, qui ne laissent passer qu'une autoroute littorale et une liaison ferroviaire peu rapide. Heureusement, l'aéroport propose un éventail de liaisons variées, très apprécié des locaux comme des Italiens de Ligurie occidentale.

La population est urbaine à 93 % ! Les plus grosses localités de la montagne se tiennent entre 1 000 et 2 000 habitants, mais les villes du bas pays et de la Côte se sont peu à peu rapprochées ou rejointes et, à la limite, ne forment plus qu'une gigantesque région urbaine. À côté de l'ensemble urbain Menton-Monaco, il faut quand même isoler la forte conurbation Grasse-Cannes-Antibes qui, avec ses multiples activités commerciales, touristiques, culturelles, industrielles, etc., constitue un modèle réduit de l'ensemble niçois ; Cannes, en effet, à une époque où les métropoles attirent bien les grands équipements et commerces, est la seule ville à pouvoir un peu rivaliser avec la préfecture des Alpes-Maritimes.

Nice est devenue, en effet, la métropole régionale qui dessert une vaste superficie, mais qui ne la contrôle que partiellement, n'en ayant pas le commandement financier et industriel ; ses banques procèdent à une vaste collecte de fonds, mais les sièges sociaux des entreprises importantes sont ailleurs. Toutefois, depuis la guerre, la ville n'a cessé d'enrichir ses fonctions : premier centre commercial (gros, détail, luxe) et de services, premier centre bancaire, premier centre intellectuel et culturel (université, opéra, festivals, théâtres, etc.), premier centre hospitalier, préfecture et siège de toutes les administrations... C'est aussi, en France, la deuxième ville touristique et la deuxième cité de congrès (importance de son Acropolis). L'industrie, nous l'avons vu, n'a pas été négligée et s'est installée dans la partie delta du Var de l'agglomération. Pour mieux assurer ce rôle régional, et renforcer son prestige, Nice a soigné son urbanisme, développant un centre-ville agréable autour de la place Masséna, aménageant sa Promenade des Anglais, décorant le paysage urbain. Mais il y a quand même des ombres : la circulation dans la ville est difficile, le haut prix du mètre carré ne permet pas à chacun de trouver un logement ; la multiplication des constructions, dans l'agglomération comme dans le département, réduit les espaces verts et porte atteinte à la qualité des paysages qui sont l'attrait même de la Côte d'Azur. On parle de saturation, mais cela n'empêche ni les flux touristiques de visiter la Côte, ni les flux migratoires de s'y fixer. Il est à noter que, vu l'étendue de l'agglomération, il y a une diversité dans les prix de terrain, qui mène à l'existence de quartiers hiérarchisés. Cannes est plus uniforme.

Quelle est la zone d'influence de Nice, *lato sensu* ? Elle concerne tout son département, l'est du Var (Draguignan et Fréjus), quelques petits cantons des Alpes-de-Haute-Provence ; cela représente de 1,1 à 1,2 M d'habitants : Nice, qui dépend de Marseille, siège des pouvoirs et administrations de la Région, conteste ce rôle à une ville, en qui elle veut voir essentiellement et traditionnellement un port regardant vers la mer. À ce titre, Nice, ville depuis longtemps tournée vers la terre, a demandé, notamment dans les années soixante-dix, la création d'une Région dont elle serait la capitale ; mais ses dimensions auraient été trop modestes, à une époque où nos Régions françaises semblent trop petites et amorcent des mouvements d'association entre elles ; elle a songé à une Région franco-italienne s'étendant jusqu'à Savone et Cuneo, ce qui ne peut être qu'un rêve. En effet, l'Europe des Douze est aujourd'hui une forte réalité et l'avenir de Nice comme de P.A.C.A. ne peut s'envisager qu'en se plaçant dans le cadre européen ou international.

VI. P.A.C.A., LA MÉDITERRANÉE, L'EUROPE

La Provence, dans son histoire, a toujours été liée aux pays méditerranéens, notamment à l'Italie, aux terres de la Méditerranée orientale, au Maghreb. Cela a commencé avec la conquête romaine et s'est perpétué jusqu'à l'expansion coloniale qui a pris fin au XXe siècle. On songe aux échanges commerciaux et au rôle du port de Marseille, mais il faut citer aussi les mouvements migratoires, qui amenèrent dans toute la Provence, et pas seulement à Marseille ou à Nice, des Italiens, des Ibériques, des hommes venus d'Afrique du Nord, sans que, en échange, les Français aillent nombreux vers les pays voisins, sauf, un temps, en Algérie. Ces brassages ont facilité et répandu une certaine culture méditerranéenne, riche de diversité, que l'on retrouve dans les mentalités, dans un certain art de vivre, dans l'architecture.

Mais, à l'aube du XXIe siècle, qu'en est-il, alors qu'une unité européenne se réalise pour la première fois de son histoire, qu'une économie mondiale s'installe par-delà les frontières, que les relations avec l'Afrique et le monde arabe changent de nature ?

On a déjà noté que P.A.C.A. se tournait vers le continent européen plus qu'auparavant, mais il est bon d'analyser, pour commencer, les échanges commerciaux. Le commerce extérieur (1991) s'élève à un montant de 133 M.M.F., ce qui met P.A.C.A. au huitième rang des Régions françaises, avec près de 5 % du total national ; une partie, que l'on ne peut chiffrer, provient d'un transit à travers la Provence, par exemple, les échanges Espagne-Italie. Cette réserve étant exprimée, il faut noter que l'Europe, c'est-à-dire pratiquement la C.E., fournit la moitié des importations et absorbe les trois quarts des exportations. L'Afrique, qui correspond principalement à l'ex-Empire Colonial, apporte un petit quart des importations, mais n'achète que 8 % des ventes de la Provence. Si les pays qui correspondent aux anciennes Échelles du Levant sont des fournisseurs notables (15 %), c'est à cause du pétrole du Moyen-Orient, mais ils sont de piètres acheteurs (2 %). Quant au reste du monde, qui comprend ces géants économiques que sont les États-Unis et le Japon, ils ne sont présents que pour 16 %. L'orientation clairement européenne de P.A.C.A. est bien affirmée. Certes la part « méditerranéenne » reste forte : 62 M.M.F., soit 50 % de tous les échanges, mais c'est en y incluant l'Italie, l'Espagne, le Portugal, qui commercent avec nous beaucoup plus à cause des accords de la C.E.E. qu'en souvenir de liens méditerranéens traditionnels ; en fait, le monde méditerranéen non européen n'intervient que pour 27 M.M.F., soit 20 % de tous nos échanges, dont le pétrole fournit la majeure partie. Cela ne signifie pas que ce soit sans intérêt, mais relativise la place d'une certaine Méditerranée et met un bémol à un discours classique. L'Europe est de plus en plus entrée dans la Provence, ce qui constitue un changement profond par rapport à une longue histoire.

Le commerce international n'est pas le seul indicateur de cette évolution. Les grandes entreprises de P.A.C.A., notamment celles qui sont les plus performantes ou qui relèvent de technologies de pointe, ont leurs sièges sociaux principalement à Paris. La France est gros acheteur de produits industriels ou alimentaires de P.A.C.A. et lui achète quatre fois plus qu'elle ne lui vend. Les immigrés de P.A.C.A. sont d'abord des Français venus de tout l'Hexagone. Les flux touristiques en P.A.C.A., si importants par les contacts et les échanges qu'ils permettent, sont, à 95 %, français et européens.

Partant de ces réalités, se rappelant la double attache méditerranéenne et européenne de P.A.C.A., comment envisager l'avenir de la Provence dans la C.E., vis-à-vis des pays de la « mare nostrum », en face des grands ensembles économiques mondiaux ?

On a beaucoup évoqué la rivalité de Marseille avec Gênes ou Barcelone ; en fait, il n'y a pas de concurrence commerciale, car chaque port a son *hinterland.* C'est par leur poids économique que la Catalogne (6 M d'habitants), la Ligurie (4,3) ou la Lombardie (9) pourraient entrer en conflit avec la France méditerranéenne (P.A.C.A. 4,25 M h), poussant en avant de grandes métropoles au pouvoir polarisant, telles que Barcelone ou Milan, qui sont bien plus peuplées et actives que Marseille. Il convient donc de développer la puissance économique de la Provence et de relever le défi du futur.

Beaucoup d'institutions réfléchissent aux questions posées, élaborent des projets et commencent d'agir. Ce sont la D.A.T.A.R., le Conseil Régional, les Chambres de Commerce et d'autres groupes de réflexion, privés ou publics. Des rencontres ont lieu entre responsables des diverses Régions de la Méditerranée nord-occidentale, afin d'essayer de créer un « Arc Sud », méditerranéen, capable d'exercer un contrepoids partiel aux régions économiques puissantes de la moitié nord de l'Europe des Douze. Mais, du point de vue français, cela revient à renforcer P.A.C.A., ses structures et son économie. Or, grâce à l'axe rhodanien nord-sud qui est prolongé par le port phocéen et la voie maritime vers l'Afrique et qui croise dans les Bouches-du-Rhône un axe est-ouest qui relie l'Espagne et le Sud-Ouest aquitain à l'Italie, P.A.C.A. a un atout à faire valoir, unique dans le monde méditerranéen. Cela suppose une amélioration du réseau de transports, alors que système routier, chemins de fer et aéroports sont saturés ou proches de l'être. Cela justifie la politique en faveur de la recherche de pointe et des productions hautement techniques (Route des Hautes Technologies), car ce sont ces dernières qui réussissent et qui exportent. Pour valoriser le carrefour, on s'accorde sur la nécessité de s'appuyer sur une réalité déjà forte, le triangle Montpellier-Avignon-Marseille, en allant même jusqu'à l'aire toulonnaise : la concentration de matière grise et de productions agricoles ou industrielles concurrentielles y est déjà marquée. Il faut renforcer cet espace et lui donner de la cohésion.

À cela, il faut une grande métropole, s'appuyant sur un réseau urbain hiérarchisé. Sur la façade méditerranéenne, Marseille s'impose, sans qu'il y ait même un choix à faire. Les aires économiques, actives et modernes, mais plus limitées des Régions toulonnaise et avignonnaise sont dans sa mouvance, ainsi que la montagne sud-alpine ; Nice, qui est dans P.A.C.A., constitue un deuxième pôle, mais plus limité, de par sa situation géographique ; Montpellier et les villes languedociennes sont à associer à l'effort.

Il appartient donc à Marseille de s'affirmer, comme métropole régionale, ville européenne et port regardant vers la Méditerranée. L'évolution a déjà été plus qu'amorcée dans ce sens, mais il y a encore des mentalités à faire bouger et des habitudes à modifier. Il est nécessaire que Marseille et les autres cités de l'A.M.M. s'entendent et mettent leurs forces en synergie ; il convient aussi de disposer, au cœur de la ville, d'un centre décisionnel digne de ce nom, ce à quoi répond le projet Euroméditerranée déjà évoqué. La tâche qui attend Marseille est considérable.

Une cité construite par des Phocéens s'est installée sur les rives du Lacydon, il y a 2 600 ans. Elle a toujours été tournée vers le large et, dans son histoire, s'est médiocrement intéressée à la France ou à la Provence. Elle ne doit pas abandonner cette vocation méditerranéenne, mais y ajouter une autre orientation, européenne, dont elle n'a pas l'habitude historique, mais qu'elle a déjà prise depuis quelques décennies. De son aptitude à utiliser ces nouvelles perspectives, dépendent, non seulement le futur de la plus vieille cité française, mais aussi l'avenir de toute la France Méditerranéenne.

N.B. Les cartes du livre IV sont tirées de l'ouvrage de L. Tirone et al : *Le territoire régional Provence-Alpes-Côte d'Azur* (1992), et avaient été réalisées à partir de données de l'I.N.S.E.E. ou de services de la Ville de Marseille ; leur reproduction a aimablement été autorisée par l'auteur de l'ouvrage : qu'il en soit vivement remercié.

BIBLIOGRAPHIE DU LIVRE QUATRIÈME

AUTREMENT (revue). Numéro spécial sur Marseille (février 1989) et sur Avignon (juin 1990).

BARBIER (B. et al) (1965). *Les zones d'attraction commerciale de la Région Provence-Côte d'Azur*. Numéro spécial de la Revue de la Chambre de Commerce de Marseille.

BARBIER (B.) (1969). *Villes et centres des Alpes du Sud*. Gap, 421 p.

BARBIER (B.) et PEUGNIEZ (G.) (ss. dir. de) (1974). *Atlas de Provence-Côte d'Azur*, 108 planches.
BEAUJEU-GARNIER (J.) (ss. dir. de) (1980). *La France des villes*, T. VI « Le Sud-Est ». 251 p.
BENEVENT (E.) et al (1950). *Visages de la Provence*, 209 p.
BERTRAND (R.) et FERRIER (J.-P.). *Provence. Provence-Alpes-Côte d'Azur*, 432 p.
BERTRAND (R.) et TIRONE (L.) (1991). *Le guide de Marseille*, Besançon ; 376 p.
BLANCHARD (R.) (1945 et 1949). *Les Alpes Occidentales*. T. IV « Les Préalpes du Sud », T. V « Les grandes Alpes du Sud ». B. Paris, 959 et 1018 p.
BLANCHARD (R.) (1960). Le Comté de Nice, étude géographique, 228 p.
BOUQUEREL (J.) (1973). *Toulon*, in « Notes et Études documentaires », n° 3976-7.
CARRÈRE (P.) et DUGRAND (R.) (1967). *La région méditerranéenne*, Paris, 160 p.
COURTOT (R.) et RINAUDO (Y.) (1992). *Le guide du Var*. Manufacture, 259 p.
CULTIAUX (D.) (1975). *L'aménagement de la région Fos-Étang de Berre*, in « Notes et Études documentaires », n° 4664 à 4166.
DALMASSO (E.) (1964). *Nice*. « Notes et Études documentaires », 52 p.
DAUPHINÉ (A.) (1990). *Nice, une eurocité méditerranéenne*, Nice, 198 p.
DUCHENE (R.) (1986). *Naissance d'une région, 1945-1985*, 528 p.
DUMOULIN (R.) (1964). *L'économie des Bouches-du-Rhône : ses ressources, ses structures, son avenir*, Préfecture de Marseille.
DURBIANO (Cl.) (1972). *Géographie d'une conquête, la progression septentrionale de la tomate de conserve*. Thèse dactylographiée (Aix-Marseille II), 363 p.
DURBIANO (Cl.) (1991). « L'évolution récente de l'encadrement urbain comtadin. » *Etudes Vauclusiennes* (Université d'Avignon), numéro de janvier-juin 1991, p. 12-16.
FAIDUTTI-RUDOLPH (A.-M.) (1964). *L'immigration italienne dans le Sud-Est de la France*, Gap, 2 vol., 389 et 226 p.
FERRIER (J.-P.) (1983). *Leçons du territoire. Nouvelle géographie de la région Provence-Alpes-Côte d'Azur*, 295 p.
FERRIER (J.-P.), RACINE (B.) (1974). « Nouvelle approche de la répartition des activités industrielles dans la région Provence-Alpes-Côte d'Azur », *Méditerranée*, 1974 n° 3, p. 381-405.
GEORGE (P.) (1935). *La région du Bas-Rhône*, Paris ; 691 p.
GEORGELIN (J.) (1988). *L'économie de Marseille-Provence au travers de l'œuvre de L. PIERREIN* ; Marseille ; 132 p.
I.N.S.E.E. Nombreuses publications régulières sur P.A.C.A. notamment :
— Les R.G.P. (Recensements généraux de la population)
— Sud Information économique (trimestriel)
— Données économiques et sociales (recueil de statistiques : annuel)
JOANNON (M.) (1975). *Une agriculture dans la ville : les maraîchers marseil-*

lais face à la croissance urbaine. Thèse (Aix-Marseille II), dactylographiée, 299 p.
JUILLARD (E.) (1991). *Le département du Var 1790-1990 ; métamorphoses d'un territoire. Études régionales (Archives des Alpes-Maritimes)*, n° 2, p. 99-137.
LACOSTE (Y.) (ss. dir. de) (1986). *Géopolitique des régions françaises*, T. III.
LANGEVIN (Ph.) (1981 et 1983). *L'économie provençale.* T. I, « Les structures économiques » ; T. II, « L'aménagement du territoire », 509 et 245 p. Très importante bibliographie.
LIVET (R.) (1962). *Habitat rural et structures agraires en Basse-Provence*, Gap, 465 p.
LIVET (R.) (1978). *Provence-Côte d'Azur et Corse* ; Coll. Atlas et géographie de la France moderne, Paris, 291 p.
MORANT (R. de) (1980). *Le Canal de Provence. Un exemple français d'aménagement régional*, Aix ; 134 p.
O.D.E.A.M. (1969). *Matériaux pour un livre blanc, Nice*, 144 p. (et *Réponse à matériaux...* ; Nice, 1971 ; 71 p.)
O.R.E.A.M. (1969 et 1970). *Perspectives d'aménagement de l'aire métropolitaine marseillaise ; Schéma d'aménagement de l'aire métropolitaine marseillaise*, Marseille, 169 et 222 p.
PIERREIN (L.) (1965). *Marseille et la région marseillaise*, Marseille ; 149 p.
PIERREIN (L.) (1975). *Industries traditionnelles du port de Marseille. Le cycle des sucres et des oléagineux*, Marseille, 640 p.
REIFFERS (J.-L.) (ss. dir. de) (1992). *La Méditerranée économique.* 576 p.
de REPARAZ (A.) (1966). *Le plateau de Saint-Christol : étude de géographie rurale en Haute-Provence*, Aix-en-Provence, 432 p.
de REPARAZ (A.) (1978). *La vie rurale dans les Préalpes de Haute-Provence.* Thèse, Université d'Aix-Marseille, 3 vol., dactylographiée.
RICARD (G.) (1989). *Marseille-sur-Fos ou la conquête de l'Ouest.* Coll. Histoire du commerce et de l'industrie de Marseille XIXe-XXe siècles, t. III. Chambre de Commerce et d'Industrie de Marseille, 300 p.
RONCAYOLO (M.) (1963). *Marseille*, in « Notes et Études documentaires », 77 p.
RONCAYOLO (M.) (1981). *Croissance et division sociale de l'espace urbain. Essai sur la genèse des structures urbaines de Marseille.* Thèse, dactylographiée, Université de Paris I, 2 vol.
RONCAYOLO (M.) (1990). *L'Imaginaire de Marseille. Port, Ville, Pôle.* Coll. Histoire du commerce et de l'industrie de Marseille XIXe-XXe siècles, t. V. Chambre de Commerce et d'Industrie de Marseille, 368 p.
SPILL (Ch.) et SPILL (J.-M.) (1977). *Avignon*, « Notes et Études documentaires », 87 p.
TIRONE (L.) (ss. dir. de) (1991). *Marseille et son aire métropolitaine aujourd'hui* ; numéro spécial de la revue *Méditerranée* (1991, n° 2-3).
TIRONE (L.) (ss. dir. de) (1991). *Atlas économique Provence-Alpes-Côte d'Azur*, Marseille.
TIRONE (L.) et JOANNON (M.) (1992). *Le territoire régional Provence, Alpes, Côte d'Azur*, Marseille 166 p.

WOLKOWITSCH (M.) (1967 et 1968). « Provence et Côte d'Azur », *L'Information géographique*, n° 1 (1967) et n° 1 (1968).

WOLKOWITSCH (M.) (1974). *Aix-en-Provence*, « Notes et Études documentaires », La Documentation française, n° 4108-9.

WOLKOWITSCH (M.) (1984). *Provence-Alpes-Côte d'Azur*, P.U.F., 178 p.

N.B. Une très importante documentation se trouve dans des publications, imprimées ou non, qui sont rarement citées dans des bibliographies. Mentionnons :

— les travaux universitaires (thèses, mémoires, revues) des Universités d'Aix-Marseille (Institut de géographie d'Aix-en-Provence, avec sa revue « Méditerranée » depuis 1960 ; Institut d'Aménagement régional ; Centre d'économie régionale...), d'Avignon (revue « Études vauclusiennes »), de Nice ;

— les publications des Chambres de Commerce et d'Industrie de P.A.C.A. (notamment celles de Marseille et de Nice), ainsi que de la Chambre régionale de Commerce et d'industrie de P.A.C.A. (p. ex. : *Atlas économique régional*, 3e éd., 1990) ;

— les publications de divers organismes, tels que de Port Autonome de Marseille (P.A.M.), l'A.G.A.M. (Agence d'urbanisme de l'agglomération marseillaise), l'E.P.A.R.E.B (Établissement public des Rives de l'Étang de Berre), etc. ;

— des publications et rapports émanant d'institutions officielles : Directives départementales ministérielles (Équipement, Agricultures...), Conseils Généraux, et, depuis peu, Conseil Régional.

INDEX

TABLE DES MATIÈRES

Achevé d'imprimer par
l'Imprimerie Hérissey à Évreux (Eure)
Dépôt légal : Novembre 1994
ISBN 2-7373-0208-0
N° d'imprimeur : 66675
N° d'éditeur : 1358-01-03-11-94